EL
SUPERCHEF
CIENTÍFICO

EL SUPERCHEF CIENTÍFICO

Sabrosos y divertidos experimentos con recetas para niños y jóvenes

Joan D'Amico
Karen Eich Drummond, R.D.

Ilustraciones de Tina Cash-Walsh

◩ LIMUSA WILEY ⓌⓇ

VERSIÓN AUTORIZADA EN ESPAÑOL DE LA OBRA
PUBLICADA EN INGLÉS CON EL TÍTULO:
THE SCIENCE CHEF
100 FUN FOOD EXPERIMENTS AND RECIPES FOR KIDS
© JOHN WILEY & SONS, INC., NEW YORK, CHICHESTER,
BRISBANE, SINGAPORE, TORONTO AND WEINHEIM.

DISEÑO DE LA PORTADA: SUSAN OLINSKY
ILUSTRACIÓN DE LA PORTADA: TINA CASH-WALSH

COLABORADOR EN LA TRADUCCIÓN:
HUGO VILLAGÓMEZ VELÁZQUEZ

LA PRESENTACIÓN Y DISPOSICIÓN EN CONJUNTO DE

EL SUPERCHEF CIENTÍFICO
SABROSOS Y DIVERTIDOS EXPERIMENTOS CON RECETAS
PARA NIÑOS Y JÓVENES

© 2001, EDITORIAL LIMUSA, S.A. DE C.V.
GRUPO NORIEGA EDITORES
BALDERAS 95, MÉXICO, D.F.
C.P. 06040
☎ (5) 521-21-05
01(800) 7-06-91-00
📠 (5) 512-29-03
✉ limusa@noriega.com.mx
www.noriega.com.mx

CANIEM NÚM. 121

PRIMERA REIMPRESIÓN

HECHO EN MÉXICO
ISBN 968-18-5325-3

A nuestros hijos: Alexa, Caitlin, Christi y Kyle,
así como a nuestras asistentes Linda y Beth.

CONTENIDO

SEGUNDA PARTE

¡NO MÁS CAJAS, LATAS O ENVASES: HAZLO TÚ MISMO!

Acerca de este libro

El superchef científico te ayudará a adquirir conocimientos científicos en una forma innovadora y sabrosa. Cada vez que cocines, aplicarás la química al mezclar y calentar los ingredientes para preparar algo nuevo, como pan a partir de harina, levadura y agua, o palomitas a partir de granos de maíz y calor. Aprenderás biología cuando investigues sobre frutas, semillas, granos, hierbas, especias y otros productos naturales comestibles. También aprenderás nutrición cuando reflexiones acerca de la forma en la que las sustancias contenidas en los alimentos afectan tu cuerpo.

En la primera sección, "Descubriendo la cocina", se da la información básica acerca de los utensilios de cocina, las técnicas culinarias y las reglas de seguridad. Léela con cuidado antes de hacer cualquiera de los experimentos o recetas.

En la primera parte, "Preguntas, preguntas, preguntas", se busca la respuesta a interrogantes científicas como: "¿por qué se revienta el maíz palomero?" y "¿por qué sube la masa del pan?"

La segunda parte, "¡No más cajas, latas o envases: hazlo tú mismo!", es una invitación a que prepares alimentos con casi nada, en vez de comprarlos ya hechos en la tienda, aplicando la ciencia para mezclar y cambiar los ingredientes. Por ejemplo, puedes hacer tu propia salsa para espagueti, paletas de hielo y mezcla para pudín.

En la tercera parte, "Ciencia en el supermercado", la ciencia va al supermercado local. Algunos temas son: cómo maduran los alimentos, la comparación de varios endulzantes y un análisis de la fibra en los cereales para el desayuno.

En cada capítulo se explora un tema científico distinto por medio de un experimento que puedes hacer en tu propia cocina, seguido de recetas fáciles de preparar que se basan en el experimento. En total hay más de 100 experimentos y recetas que puedes intentar. Cada experimento incluye un objetivo, una lista de materiales necesarios, el procedimiento a seguir y una explicación de qué sucedió y por qué. Ninguno de los experimentos requiere experiencia previa en la cocina.

Después de hacer el experimento, puedes divertirte preparando una o más recetas. Por ejemplo, aprende por qué los granos de maíz palomero se revientan y luego prepara algunos bocadillos sensacionales, como la mezcla energética para irse de excursión y las palomitas con color. Averigua por qué el pan tostado es de color café y haz pan tostado con canela a la antigua o figuras de pan tostado francés con mantequilla de cacahuate y mermelada.

Cada receta está clasificada según la experiencia necesaria para cocinar. Las recetas más sencillas, señaladas con un gorro de chef (denominado *toca*), no requieren experiencia previa en la cocina. Las recetas intermedias, con dos gorros de chef, requieren algo de experiencia en la cocina. Las recetas "profesionales", con tres gorros de chef, requieren habilidades culinarias avanzadas.

Asegúrate siempre de que un adulto te oriente, cuando sea necesario que uses el horno, la estufa, aparatos eléctricos o un cuchillo afilado para hacer el experimento o receta.

En estas recetas se:

- indica el tiempo que necesitas para elaborarlas, los utensilios de cocina necesarios y el número de porciones que se obtiene de cada receta,
- usan ingredientes fáciles de encontrar, así como equipo común de cocina,
- hicieron pruebas con niños y ellos las aprobaron,
- subraya el uso de ingredientes saludables.

Al final del libro hay un glosario y secciones sobre nutrición y seguridad en los alimentos, incluidas una explicación de cómo leer la etiqueta de información nutricional en un alimento y una tabla con los valores nutritivos de todas las recetas del libro.

Así que, ponte el delantal, lávate las manos, súbete las mangas y prepárate para convertirte en un chef científico. ¡Esperamos que te diviertas tanto aprendiendo, cocinando y comiendo como nosotras lo hicimos al escribir este libro para ti!

Joan D'Amico
Wayne, Nueva Jersey

Karen Eich Drummond
Yardley, Pennsylvania

muy fácil

intermedio

profesional

# DESCUBRIENDO LA COCINA

LOS UTENSILIOS DEL CHEF CIENTÍFICO

batidor de globo
(o de alambre)

Examinemos el equipo que debe haber en tu cocina. Estos son los utensilios básicos que necesitarás para hacer los experimentos y preparar las recetas de este libro. Cualquier utensilio de cocina que se use sólo en una o dos recetas se describe en esas recetas.

Batidor de alambre. Se usa especialmente para batir claras de huevo y crema.

Batidora eléctrica. Dos paletas que giran para mezclar ingredientes. Se usa para hacer puré de papas, masa para pastel y otras mezclas.

batidora eléctrica

vaporizador

Canastilla para vaporizar. Recipiente metálico perforado que se usa para colocar verduras u otros alimentos de modo que se puedan cocer a vapor en una cacerola.

Cazuelas y sartenes:

cazo (o cacerola)

- **cazo**. (También llamado cacerola.) En general, se usa para cocinar en las hornillas de la estufa, como hervir pastas o cocer una salsa a fuego lento.

- **plancha**. Superficie plana sin lados que se usa para cocinar hot cakes, pan tostado francés y tocino.

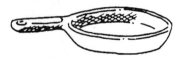

sartén

- **sartén para freír**. (También llamado sartén para saltear.) Se usa para cocinar alimentos, como hamburguesas y cebollas, en grasa o aceite caliente.

Charola para galletas. Molde rectangular grande sin lados o con lados de 1.5 cm (½ pulg) que se usa para hornear galletas y otros alimentos.

charola para galletas

Charolas para muffins y mantecadas. Charolas de metal o de vidrio con pequeñas cavidades redondas para hornear muffins y mantecadas.

charola para
mantecadas

Colador para verduras. Tazón grande con perforaciones, que se usa para lavar y enjuagar pastas u otros alimentos.

colador para verduras

Cortador de galletas. Utensilio de forma redonda, usualmente metálico, que se usa para cortar la masa para galletas.

cortador de galletas

Cucharas:

- **cuchara de madera**. Se usa para mezclar y batir ingredientes.

cuchara de madera

- **cucharita**. Cuchara usada para medir. También se le llama así a la cuchara que suele usarse como utensilio en la mesa.

Cucharas para medir. Se usan para medir cantidades pequeñas de alimentos, como las especias. Vienen en un conjunto de 1 cucharada, $\frac{1}{2}$ cucharada, 1 cucharadita, $\frac{1}{2}$ cucharadita y $\frac{1}{4}$ de cucharadita.

cucharas para medir

Cuchillos:

- **cuchillo de mesa**. Cuchillo usado como utensilio en la mesa.

cuchillo para pelar

- **cuchillo para pelar**. Cuchillo con una hoja puntiaguda pequeña que se usa para pelar y cortar verduras y frutas, así como en otras tareas de corte en las que no se requiere un cuchillo más grande. (En la mayor parte de las recetas de este libro se necesita un cuchillo. Verás que el cuchillo para pelar funciona bien casi siempre.)

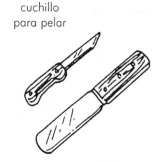
cuchillo para untar

- **cuchillo para untar**. Cuchillo con hoja sin filo, diseñado para untar rellenos en el pan.

- **pelador**. Utensilio para quitar la cáscara de frutas y verduras.

Espátula de hule. Punta flexible de hule o plástico en un mango largo. Se usa para raspar tazones, cacerolas y sartenes, así como para envolver (un movimiento suave de arriba hacia abajo) ingredientes en crema batida u otra masa batida.

espátula de hule

Licuadora. Cilindro de vidrio o plástico con un aspa giratoria en el fondo. La licuadora tiene varias velocidades y se usa para mezclar, combinar, moler y hacer puré.

licuadora

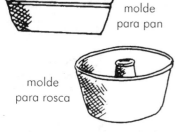
molde para hornear

Molde para hornear. Un molde cuadrado o rectangular que se usa para hornear y cocer alimentos en el horno. Los tamaños más comunes son 23 × 33 cm (9 × 13 pulg) y 20 cm^2 (8 pulg^2).

molde para pan

Molde para pan. Molde rectangular de metal o de vidrio con paredes inclinadas. Se usa para hornear (pan, por ejemplo) y cocinar (pastel de carne, por ejemplo).

molde para rosca

Molde para rosca. Molde metálico con un tubo central, que se usa para hacer pasteles "manjar de ángel", bizcochos y panes especiales.

molde para pastel redondo

Moldes para pasteles de pisos. Recipientes metálicos redondos que se usan para hornear pisos de pasteles.

pala

Pala. Utensilio plano de metal o de plástico que se usa para levantar y voltear carnes, huevos y otros alimentos.

plato para horno de microondas

Plato para horno de microondas. Plato que se puede usar con seguridad en el horno de microondas. Los mejores platos para horno de microondas dicen en la etiqueta "seguro para usarse en horno de microondas". No uses moldes metálicos, papel aluminio, recipientes de espuma plástica, bolsas de papel de estraza, envolturas de plástico o envases de margarina en el horno de microondas.

rallador

Rallador. Se usa para rallar alimentos, como verduras y queso.

rejilla de alambre

Rejilla de alambre. Se usa para enfriar alimentos horneados.

rodillo

Rodillo. Cilindro de madera o plástico usado para aplanar comestibles, como la corteza de un pay o la masa para galletas.

tabla para cortar

Tabla para cortar. Hecha de madera o plástico, se usa como superficie para cortar alimentos.

taza para medir

Tazas para medir. Tazas con medidas ($^1/_2$ taza, $^1/_3$ taza, etcétera) en los lados y pico para vaciarlas fácilmente.

Tazones para mezclar. Tazones de fondo redondo que se usan para mezclar y batir todo tipo de alimentos.

TÉCNICAS CULINARIAS

Los chefs necesitan dominar las técnicas para cortar y medir, así como los principios básicos para mezclar y cocinar en la estufa. Estas son las técnicas que practicarás al preparar las recetas de este libro.

CORTAR

Los alimentos se cortan antes de cocinarlos para que tengan buena presentación y se cuezan de manera uniforme. Coloca el alimento que vas a cortar en una tabla para cortar y usa un cuchillo de tamaño adecuado para tu mano. Para sostener el cuchillo, pon tu mano en la parte superior del mango y cierra tus dedos alrededor de éste. Sujétalo firmemente, pero de manera relajada. Con la otra mano sostén lo que vas a cortar. Mantén doblados los dedos para protegerlos de una cortada. (Consulta la sección "Reglas de seguridad" de este capítulo para que sepas más acerca de cómo cortar con seguridad.)

Los siguientes son algunos términos de corte de uso común que debes conocer.

Cortar en cubos. Partir en dados del mismo tamaño.

Picar. Cortar en trozos de forma irregular.

Picar muy fino. Cortar en trozos muy finos.

Rebanar. Cortar en rebanadas uniformes.

Rallar y desmenuzar también son ejemplos de corte.

Rallar. Frotar un alimento contra una superficie que tiene orificios o ranuras de tamaño mediano a grande. Los alimentos rallados se ven como tiras. El queso que se usa para hacer pizzas siempre se ralla.

Rallar fino. Frotar un alimento contra los orificios pequeños de un rallador para obtener trozos pequeños o finos. Los quesos duros y algunas verduras se rallan.

cortar en cubos

picar

picar muy fino

rebanar

rallar

rallar fino

Equivalencias

1 cucharada = 3 cucharaditas

1 taza = 16 cucharadas

1 taza = 8 onzas líquidas

2 tazas = 1 pinta

4 tazas = 1 litro o 1 cuarto de
    galón aprox.

1 barra de mantequilla o
    margarina = $\frac{1}{2}$ taza
    = 8 cucharadas

1 cucharada

batir

envolver

revolver

MEDIR

Los ingredientes se pueden medir de tres formas: contándolos (seis manzanas), por volumen ($\frac{1}{2}$ taza de salsa de manzana) o por peso (un kilo de manzanas).

Para medir el volumen de un líquido, pon siempre la taza para medir sobre una superficie plana y verifica que el líquido llegue hasta la línea correcta de la taza viéndola directamente al nivel de los ojos.

Para medir el volumen de un ingrediente seco, como la harina, se le pone por cucharadas en la taza para medir y se le deja al ras con un cuchillo de mesa. No comprimas el ingrediente seco en la taza para medir, es decir, no lo oprimas para que quepa más, a menos que así se indique en la receta.

MEZCLAR

Hay todo tipo de maneras de mezclar. Estas son las definiciones de los tipos más comunes.

Acremar. Mezclar una grasa sólida (por lo general margarina o mantequilla) y azúcar presionándolas contra el tazón con la parte posterior de una cuchara hasta que tengan un aspecto cremoso.

Batir. Revolver rápidamente con un movimiento circular, por lo general con un batidor de globo o de alambre, para incorporar aire a la mezcla (como cuando se hace crema batida).

Envolver. Mover suavemente el utensilio de arriba hacia abajo.

Incorporar. Batir ligeramente los ingredientes con un batidor de alambre hasta que queden bien mezclados.

Mezclar. Combinar ingredientes de modo que todos queden distribuidos de manera uniforme.

Revolver. Mover el utensilio de un lado a otro para mezclar los ingredientes.

COCINAR EN LA ESTUFA

Hay varias formas de cocinar en la estufa. Enseguida se describen algunos métodos para cocinar que pondrás en práctica al preparar las recetas de este libro. Debido a que es fácil quemarse al cocinar en la estufa, consulta la sección "Reglas de seguridad" de este capítulo.

Cocinar a fuego lento. Calentar un líquido justo por debajo de su punto de ebullición o cocinar en un líquido que está a punto de hervir. Puedes decir que un líquido está a punto de hervir cuando tiene burbujas que flotan lentamente hacia la superficie. Casi todos los alimentos que se cocinan en líquidos se cuecen a fuego lento. Vigila siempre los alimentos así cocinados para que el líquido no hierva.

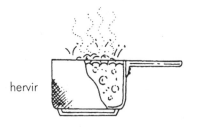
líquido a punto de hervir

Freír. Cocinar en una sartén a fuego moderado con poca grasa. Las hamburguesas son un ejemplo de alimento que se puede freír.

Hervir. Calentar un líquido hasta su punto de ebullición o cocinar en un líquido hirviente. El agua hierve a 100°C (212°F). Puedes decir que está hirviendo cuando ves muchas burbujas grandes reventándose en la superficie. Cuando un líquido hierve, se convierte en vapor (el estado gaseoso del agua). El agua no puede estar más caliente que 100°C (212°F); sólo puede vaporizarse más rápido. La ebullición se usa principalmente para cocinar pasta.

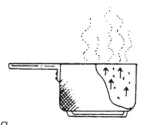
hervir

Saltear. Cocer rápidamente en una sartén a fuego medio-alto con poca grasa. Las verduras, en especial las cebollas, a menudo se saltean en aceite para que suelten su sabor y se doren.

saltear

Vaporizar. Cocer al vapor. El vapor tiene mucho más calor y cuece los alimentos más rápido que el agua hirviendo. Cocinar al vapor es un método excelente para cocer casi todas las verduras.

ROMPER UN HUEVO Y SEPARAR LA CLARA DE LA YEMA

Es mejor romper un huevo en un recipiente de vidrio transparente (como una taza para medir) antes de agregarlo a los demás ingredientes. De esta forma, si el huevo huele mal o tiene una mancha roja, puedes tirarlo antes de agregarlo a los demás ingredientes. Un huevo con una mancha roja se puede comer sin peligro, aunque casi siempre se le desecha debido a su aspecto. También debes revisar que el huevo no tenga pedazos de cascarón antes de mezclarlo con los demás ingredientes.

A veces es necesario separar la yema de la clara para preparar alguna receta. Para hacerlo, rompe el huevo sobre un separador de yemas y un tazón. Asegúrate que la yema quede enmedio del separador. La clara se escurrirá hacia el tazón. Si no tienes un separador de yemas, puedes separar el huevo rompiéndolo sobre un tazón y dejando la yema en una de las mitades del cascarón. Con cuidado, pasa la yema de una mitad del cascarón a la otra sin que se rompa hasta que toda la clara haya caído en el tazón.

REGLAS DE SEGURIDAD

La cocina puede ser un lugar seguro o muy peligroso de tu casa. ¿Cuáles son los peligros en tu cocina? Los cuchillos filosos, el agua hirviendo y el aceite caliente son algunos ejemplos. Antes de intentar preparar cualquier receta, revísala siempre con un adulto. Conversen acerca de qué es lo que puedes hacer sola o solo y cuándo necesitarás ayuda. También, sigue siempre las siguientes reglas de seguridad.

CON RESPECTO A LA ESTUFA Y EL HORNO

- Pide permiso a tus padres antes de usar la estufa o el horno.

- No te pongas camisetas o suéteres largos y holgados cuando cocines, ya que pueden incendiarse.

- Nunca te pongas de espalda a una sartén que contenga aceite caliente.

- Nunca frías alimentos con aceite muy caliente.

- No rocíes ninguna sartén con aceite vegetal comestible sobre la estufa o cerca del calor. El aceite se enciende a altas temperaturas, por lo que rocía la sartén sobre el fregadero.

- Si se incendia una cacerola que está en la estufa puedes apagar el fuego tapando la cacerola o echándole bicarbonato de sodio. Nunca uses agua para apagar el fuego en una cacerola que contiene aceite, ya que sólo empeorarías la situación.

- Utiliza siempre agarradores o guantes de cocina cuando uses el horno o manipules cosas calientes. Asegúrate de que los agarradores no estén mojados. Los agarradores mojados transmiten directamente a tu piel el calor del utensilio caliente que estás sujetando.

- No llenes demasiado las cacerolas con líquidos hirviendo o a punto de hervir.

- Aléjate de las cacerolas cuando las destapes para que el vapor escape sin que te queme.

- Mantén los mangos de las cacerolas en dirección contraria a la orilla de la estufa. Podrías golpearlos y tirar la comida caliente.

- Revuelve los alimentos con cucharas de mango largo.

- Mantén a las mascotas y a los niños pequeños lejos de las estufas y hornos calientes mientras cocinas. (Mejor aún, trata de mantenerlos fuera de la cocina.)

USO DE APARATOS

- Utiliza sólo aparatos que sepas perfectamente bien cómo funcionan.

- Nunca uses algún aparato que esté cerca del fregadero o apoyado sobre agua.

- No uses cordones eléctricos rotos o enchufes y contactos dañados. Avísale a un adulto.

USO DEL HORNO DE MICROONDAS

- Utiliza solamente trastes, toallas de papel, platos de papel o tazas de papel especiales para cocinar en horno de microondas.

- Usa agarradores para sacar los platos del horno de microondas.

- Si un plato está cubierto, asegúrate de que haya una abertura por la que pueda escapar el vapor mientras se cuece.

- Cuando saques los alimentos del horno de microondas, abre el recipiente de modo que el vapor escape *lejos* de tus manos y cara.

- Pincha con un tenedor alimentos como papas y salchichas antes de meterlos al horno de microondas.

- Jamás intentes cocinar un huevo sin romper en el horno de microondas porque estalla.

USO DEL CUCHILLO

- Pide permiso a tus padres antes de utilizar cualquier cuchillo.

- Siempre coge los cuchillos por el mango.

- ¡Debes estar muy atento a lo que haces!

- Corta lejos de tu cuerpo y de quien esté cerca de ti.

- Cuando cortes con cuchillo algún alimento, hazlo con un movimiento uniforme de atrás hacia adelante.

- Nunca dejes el cuchillo cerca de la orilla de la mesa, ya que puede caerse fácilmente o algún niño pequeño puede tocarlo.

- No intentes atrapar un cuchillo que se cae.

- No uses cuchillos para cortar cuerdas, abrir latas o botellas ni como destornilladores.

- No pongas el cuchillo en un fregadero lleno de agua. Ponlo en el escurridero para evitar cortarte.

 PREGUNTAS, PREGUNTAS, PREGUNTAS

CAPÍTULO 1

¿POR QUÉ SE REVIENTA EL MAÍZ PALOMERO?

¿Te has preguntado alguna vez qué pasaría si pusieras los granos crudos de un elote en un horno de microondas? ¿Se reventarían haciendo muchas palomitas? La mala noticia es que el horno quedaría hecho un desastre. La buena noticia es que el maíz llamado *maíz palomero* es una variedad especial de maíz que cuando se calienta revienta hasta un tamaño 30 o 40 veces mayor que su tamaño original.

Sólo el maíz palomero se revienta. El secreto de que reviente es que en cada grano hay una gota de agua. A medida que cada grano se calienta, la gota de agua se convierte en vapor (de la misma forma en que el agua hirviendo se convierte en vapor). El vapor es energía que rompe el duro grano y salen las palomitas.

Las palomitas de maíz son una golosina deliciosa, fácil de hacer, divertida de comer y con poca grasa (siempre y cuando no le pongas mucha

mantequilla o mayonesa). Las palomitas también son una gran fuente de fibra. Dependiendo de cómo hagas tus palomitas y de lo que les agregues, puedes tener una golosina con mucha o con muy poca grasa.

Tres maneras de hacer palomitas son: en un recipiente de aire caliente especial para hacer palomitas, en aceite caliente usando cualquier tipo de cacerola o en el horno de microondas usando maíz palomero empacado especialmente para este tipo de horno.

A continuación se mencionan algunos hechos curiosos acerca de las palomitas de maíz. ¿Sabías que...

- dondequiera que los primeros exploradores europeos descubrieron nativos americanos que cultivaban la tierra, encontraron que las palomitas eran un alimento importante?

- en el primer Día de Acción de Gracias que celebraron los primeros colonos ingleses en Estados Unidos, se sirvieron palomitas?

- en el 99% de los cines se venden palomitas?

- los residentes de las ciudades gemelas de Minneapolis y St. Paul (Minnesota) comen más palomitas por persona que en cualquier otro lugar del mundo?

- puedes comprar maíz palomero blanco o amarillo? Con el maíz blanco se obtienen palomitas más esponjadas que con el amarillo, aunque casi todo el maíz palomero que se vende es amarillo porque sabe mejor.

EXPERIMENTO

CÓMO HACER LAS MEJORES PALOMITAS

Objetivo

Determinar si el maíz palomero seco o el húmedo revienta mejor.

Materiales

1 ½ tazas de maíz palomero

charola para galletas

tazón mediano

bolsa de plástico para sandwiches

escurridor

sartén, tapa y aceite vegetal

   o

máquina de aire caliente para hacer palomitas

Procedimiento

1. Pon ½ taza de maíz palomero en la charola para galletas y métela al horno a 93°C (200°F) durante 60 minutos.

2. Pon ½ taza de maíz palomero en el tazón con una taza de agua durante 60 minutos. Al cabo de los 60 minutos, vacía el maíz en el escurridor.

3. Deja ½ taza de maíz palomero en una bolsa de plástico durante 60 minutos.

4. Haz las palomitas con cada grupo de maíz por separado. Puedes usar una máquina de aire caliente o seguir la siguiente receta de las mejores palomitas.

5. ¿En qué grupo de maíz obtuviste las palomitas más grandes? ¿Con qué grupo de maíz obtuviste las palomitas más pequeñas?

6. Usa una taza para medir y mide cuántas palomitas hiciste con cada grupo de maíz. ¿Con qué grupo de maíz hiciste más palomitas? ¿Con qué grupo obtuviste menos palomitas?

¿Qué ocurrió?

Con el maíz remojado en agua se obtuvieron las palomitas más grandes y la mayor cantidad de éstas. Esto se debe a que durante el remojo se agrega agua a los granos. Mientras más agua haya en los granos, se crea más vapor al cocerlos, lo que hace que el maíz reviente mejor. El maíz que se secó en el horno perdió casi toda la gota de agua que se convierte en vapor al tostarlo. Con los granos secos se obtuvieron las palomitas más pequeñas y muchos ni siquiera reventaron. Por tanto, de estos granos se obtuvo la menor cantidad de palomitas. Con el maíz que se guardó en la bolsa de plástico se obtuvo una cantidad media de palomitas de tamaño regular, ya que no estaba seco ni mojado.

Las mejores palomitas

Si no tienes una sartén para preparar esta receta, puedes usar una cazuela con mango, un horno portátil e inclusive un wok.

Ingredientes

2 cucharadas de aceite vegetal $^1/_2$ taza de maíz palomero

Procedimiento

1. Coloca la sartén sobre una hornilla y precaliéntala a fuego medio durante dos minutos.

2. Agrega el aceite.

3. Pon un grano de maíz en la cacerola y sigue calentándola. Cuando se reviente el grano, será la señal de que el aceite está a la temperatura correcta.

4. Pon el resto del maíz en la sartén y cúbrela con la tapa algo entreabierta.

5. Mientras revienta el maíz, mueve la cacerola de un lado a otro más o menos a tres centímetros arriba de la hornilla para que todos los granos se calienten de manera uniforme y no se quemen. Continúa moviendo la cacerola hasta que el maíz deje de reventarse (aproximadamente de 3 a 4 minutos) y de inmediato retira la sartén del fuego.

6. Apaga la hornilla.

7. Lentamente quita la tapa de modo que el vapor escape lejos de ti. Deja que las palomitas se enfríen durante un minuto y luego sírvelas en un tazón grande.

Tiempo
10 minutos

Utensilios
sartén con tapa

tazón grande

Se obtiene
5 porciones de 2 tazas

• • • • •
No sustituyas el aceite vegetal por mantequilla o margarina. La mantequilla o la margarina se queman a las temperaturas que se usan en esta receta; el aceite no.
• • • • •

• • • • •
Mide con cuidado el maíz palomero. Si usas demasiado, al reventar caerá en toda la cocina.
• • • • •

• • • • •
El maíz palomero que no utilices debes guardarlo en el refrigerador para que preserve su humedad y obtengas las mejores palomitas.
• • • • •

Palomitas con color

Tiempo
5 minutos para preparar
más 1
hora de reposo

Utensilios
plato pequeño para horno de microondas con tapa

recipiente grande

Se obtiene
5 porciones de 2 tazas

* * * * *
*El **color vegetal** es un colorante comestible que se usa para dar color a los alimentos.*
* * * * *

Esta receta es excelente para hacer un regalo lleno de color y sabor. Simplemente pon dos tazas de palomitas con color en un recipiente desechable, envuélvelo con celofán rojo o transparente y átalo con un listón.

Ingredientes

$^{1}/_{4}$ de taza de margarina

1 cucharada de color vegetal rojo

10 tazas de palomitas (hechas con $^{1}/_{2}$ taza de maíz palomero)

Procedimiento

1. Pon la margarina en el plato para horno de microondas y cúbrelo.

2. Cocina la margarina en la marca "high" durante 30 a 60 segundos, hasta que se funda y se vean burbujas.

3. Deja que se enfríe un minuto antes de destapar el plato.

4. Agrega el color vegetal a la margarina y revuelve hasta que se mezclen bien.

5. Vierte lentamente la margarina colorada sobre las palomitas en el recipiente. Revuelve constantemente hasta que las palomitas se vean rosadas.

6. Si vas a envolverlas para regalo, espera una hora para que ya no estén pegajosas.

Variante

Para hacer palomitas de tres colores, pon 3 $^{1}/_{3}$ de tazas de palomitas en cada uno de tres recipientes. Vierte margarina roja sobre las palomitas del primer recipiente, margarina verde sobre el segundo recipiente y margarina de color natural sobre el último recipiente.

·····Cuadros de palomitas con pasitas·····

Si te gustan las pasitas y los malvaviscos suaves, prepara esta receta. ¡También es una excelente golosina para llevar!

Ingredientes

$1/2$ taza de margarina

1 bolsa de 300 g (10 $1/2$ onzas) de minimalvaviscos

$1/4$ de taza de miel

aceite vegetal para cocinar en aerosol

10 tazas de palomitas (hechas con $1/2$ taza de maíz palomero)

1 taza de pasitas

Procedimiento

1. Pon la sartén en una hornilla y precaliéntala a fuego medio durante dos minutos.

2. Agrega la margarina.

3. Cuando se funda la margarina, reduce el fuego y agrega los malvaviscos.

4. Revuelve constantemente hasta que se derritan los malvaviscos, durante dos minutos más o menos.

5. Agrega la miel y revuelve bien.

6. Cuando se mezcle bien la miel, retira la sartén del fuego y apaga la hornilla.

7. Deja que la mezcla se enfríe durante 5 minutos.

8. Vierte la mezcla tibia en un tazón grande lleno de palomitas.

9. Agrega las pasitas, revolviendo constantemente hasta que todo esté cubierto.

10. Rocía una charola para galletas con el aceite vegetal para cocinar.

11. Vierte la mezcla de palomitas en la charola y comprímela. Si la mezcla está muy pegajosa, humedece tus manos con agua fría.

Tiempo
20 minutos para preparar más
2 horas de reposo

Utensilios
sartén grande

tazón grande

charola para galletas con lados de 4 cm (1 $1/2$ pulg)

cuchillo serrado

Se obtiene
24 cuadros

· · · · ·
Los malvaviscos se hacen con azúcar, claras de huevo y gelatina.
· · · · ·

- - - - -

Un cuchillo serrado se ve como si tuviese dientes. Los dientes impiden que los alimentos se aplasten al cortarlos.

- - - - -

12. Deja que la mezcla repose en la charola durante dos horas.

13. Corta la mezcla en cuadros con un cuchillo serrado.

Variantes

Cuadros de palomitas y cacahuate. Usa $^1/_2$ taza de mantequilla de cacahuate en lugar de la miel en el paso 5. Usa una taza de cacahuates en vez de pasitas en el paso 9.

Cuadros de palomitas y caramelo. Usa $^1/_2$ taza de mantequilla de cacahuate en lugar de la miel en el paso 5. Usa una taza de cacahuates y 280 g (10 onzas) de trozos de caramelos de mantequilla en vez de pasitas en el paso 9.

- - - - -

Los caramelos de mantequilla se hacen al cocinar margarina o mantequilla con azúcar mascabado.

- - - - -

Mezcla energética para irse de excursión

Esta es una golosina excelente para llevar a paseos en bicicleta, excursiones a pie y otras actividades al aire libre.

Tiempo
15 minutos

Utensilios
tazón grande

bolsas de plástico

Se obtiene
18 porciones de 1 taza

Ingredientes

- 10 tazas de palomitas (hechas con $^1/_2$ taza de maíz palomero)
- 3 tazas de *pretzels* en barritas
- 2 tazas de cereal de trigo inflado (dulce)
- 1 taza de cereal de maíz tostado (dulce)
- 1 taza de pasitas
- $^1/_2$ taza de semillas de girasol
- $^1/_2$ taza de almendras rebanadas

Procedimiento

1. Mide los ingredientes uno por uno y ponlos en el tazón.

2. Mezcla todos los ingredientes. Para mantener fresca la mezcla de palomitas, guárdala en bolsas de plástico.

- - - - -

*Las **semillas de girasol** son las semillas de algunas variedades de la planta de girasol. Los girasoles pueden crecer hasta una altura de casi 2 metros (6 pies).*

- - - - -

Palomitas con queso Cheddar y cebollinos

En esta receta se combinan palomitas con queso Cheddar y cebollinos para obtener un sabor único. Los cebollinos son una hierba de la misma familia que las cebollas. Tienen largas hojas verdes y un ligero sabor a cebolla.

Tiempo
15 minutos

Utensilios
plato pequeño para horno de microondas con tapa

tazón grande

Se obtiene
5 porciones de 2 tazas

Ingredientes

$^1/_4$ de taza de margarina

$^1/_3$ de taza de queso Cheddar rallado

10 tazas de palomitas (hechas con $^1/_2$ taza de maíz palomero)

1   ramo de cebollinos frescos

o

2   cucharadas de cebollinos secos

Procedimiento

1. Pon la margarina en el plato para horno de microondas y tápalo.

2. Cocina la margarina en la marca "high" durante 30 a 60 segundos, hasta que se funda y se vean burbujas.

3. Deja que se enfríe un minuto antes de destapar el plato.

4. Agrega el queso rallado a la margarina derretida y revuelve hasta que se funda el queso.

5. Vierte la mezcla de margarina y queso sobre las palomitas en un tazón grande y revuelve bien hasta que todas las palomitas estén cubiertas con la mezcla.

6. Si usas cebollinos frescos, lava, seca y pica la cantidad necesaria para tener $^1/_4$ de taza.

7. Revuelve los cebollinos frescos o secos con la mezcla de palomitas y sirve inmediatamente.

Palomitas Santa Fe

Esta receta se inspira en la cocina del sur de California. Ahí se cocina con un sazón algo picoso, ya que se usa comino y chile en polvo.

Tiempo
15 minutos para preparar más
5 minutos para cocinar

Utensilios
sartén

tazón grande

charola para galletas con lados de 4 cm (1 $\frac{1}{2}$ pulg)

Se obtiene
24 cuadros

● ● ● ● ●

*La **salsa picante** es muy popular en la cocina mexicana. Contiene jitomates, chiles y otros ingredientes.*

● ● ● ● ●

Ingredientes

$\frac{1}{4}$ de taza de margarina

$\frac{1}{2}$ taza de queso Cheddar rallado

10 tazas de palomitas (hechas con $\frac{1}{2}$ taza de maíz palomero)

1 cucharadita de sal

$\frac{1}{2}$ cucharadita de comino en polvo

$\frac{1}{4}$ de cucharadita de chile en polvo

aceite vegetal para cocinar en aerosol

$\frac{2}{3}$ de taza de queso Cheddar rallado

$\frac{1}{2}$ taza de salsa picante

1 bolsa de frituras de maíz tipo "nachos"

Procedimiento

1. Precalienta el horno a 180°C (350°F).

2. Pon la sartén en una hornilla y precaliéntala a fuego medio durante dos minutos.

3. Agrega la margarina a la sartén.

4. Cuando se derrita la margarina, agrega $\frac{1}{2}$ taza de queso rallado y revuelve hasta que se funda el queso.

5. Apaga la hornilla y pon la sartén en una hornilla apagada.

6. Deja que la mezcla se enfríe durante 5 minutos.

7. Agrega la mezcla de margarina y queso a las palomitas en un tazón grande y revuelve hasta cubrir bien las palomitas.

8. Agrega la sal, el comino y el chile en polvo a las palomitas y revuelve bien otra vez.

9. Rocía una charola para galletas con el aceite vegetal para cocinar. Distribuye la mezcla de palomitas sobre la charola.

10. Vierte sobre las palomitas los $^2/_3$ de taza restantes de queso rallado. Con una cuchara, vacía la salsa picante sobre las palomitas. La salsa no debe cubrir todas las palomitas, solamente pon un poco aquí y otro allá.

11. Hornea durante 2 a 3 minutos o hasta que el queso comience a derretirse.

12. Retira las palomitas de la charola con una pala. Sírvelas encima de un platón grande con las frituras de maíz "nachos" y, si quieres, ponles más salsa.

Bolas de palomitas para fiesta

Tiempo

20 minutos para preparar
más
1 hora para refrigerar

Utensilios

sartén grande

tazón grande

charola para galletas con lados

envoltura plástica

Se obtiene

12 bolas de palomitas

• • • • •

Las pasas sin semilla se pueden sustituir con grosellas secas, que también tienen un sabor dulce y fuerte.
La cidra es un fruto cítrico semejante al limón. Su corteza gruesa se cubre con azúcar (acitrón) y se le usa en repostería.

• • • • •

Envuelve estas bolas de palomitas para fiesta con papel celofán de colores, átalas con un listón y cuélgalas como adorno o regálalas a tus amigos.

Ingredientes

$1/2$ taza de margarina

1 bolsa de 300 g (10.5 onzas) de malvaviscos

$1/4$ de taza de miel

10 tazas de palomitas (hechas con $1/2$ taza de maíz palomero)

$1/2$ taza de trozos de frutas secas (como manzanas o albaricoques picados)

$1/2$ taza de pasas sin semilla

$1/2$ taza de coco rallado

$1/4$ de taza de acitrón picado

Procedimiento

1. Pon la sartén en una hornilla y precaliéntala a fuego medio durante dos minutos.

2. Agrega la margarina a la sartén.

3. Cuando se derrita la margarina, reduce el fuego. Agrega los malvaviscos y revuelve.

4. Cuando se derritan los malvaviscos, agrega la miel y revuelve hasta que se mezcle bien.

5. Apaga el fuego y pon la sartén en una hornilla apagada.

6. Deja que la mezcla se enfríe durante 5 minutos.

7. Agrega la mezcla de margarina derretida a las palomitas en el tazón grande y revuelve hasta cubrir bien a las palomitas.

8. Agrega las frutas secas, las pasas, el coco y el acitrón a la mezcla de palomitas y revuelve bien.

9. Humedece tus manos con agua. Toma aproximadamente $3/4$ de taza de la mezcla de palomitas y haz una bola. Repite este paso hasta que no haya más palomitas.

10. Pon las bolas en una charola para galletas. Cúbrelas, sin oprimirlas, con plástico para envolver y refrigéralas durante una hora.

11. Envuelve las bolas con papel celofán y átalas con listones decorativos.

¿POR QUÉ HACEN LLORAR LAS CEBOLLAS?

¿Alguna vez has visto a alguien llorando cuando pica cebollas? ¿Crees que esta persona está pasando un mal rato? Bueno, la verdad es que las cebollas contienen aceites que irritan los ojos. Estos aceites escapan al aire al cortar la cebolla y los ojos comienzan a producir lágrimas para eliminar estos aceites.

A lo largo del tiempo, la gente ha intentado muchos trucos para no llorar al picar cebolla. Sin embargo, la mayoría de estos trucos no funciona. Haz el siguiente experimento para que veas lo que realmente funciona.

EXPERIMENTO · LÁGRIMAS DE CEBOLLA

Objetivo

Encontrar cómo impedir que lloren los ojos al cortar cebollas.

Materiales

1 cebolla

cuchillo

tabla para cortar

fósforos

queso

tazón con agua

goggles o visor para bucear

Procedimiento

1. Mientras rebanas la cebolla en la tabla para cortar, haz lo siguiente:

   • Coloca un fósforo entre tus dientes.

   • Coloca un trozo de queso entre tus dientes.

   • Ponte gafas para el sol.

   • Ponte unos goggles o un visor para bucear.

2. ¿Algo de lo anterior ayudó a evitar que te lloraran los ojos? ¿Cuál o cuáles?

¿Qué ocurrió?

Lo único que funciona para proteger tus ojos de los molestos aceites son los goggles o el visor para bucear. Esto es porque impiden que el aire (y los aceites presentes en el aire) entre en contacto con tus ojos. Sin embargo, como las lágrimas dejan de salir en pocos minutos, la mayoría de la gente prefiere dejar que corran libremente.

Sopa de cebolla a la francesa

La sopa de cebolla a la francesa es bastante fácil de hacer: simplemente se cuece la cebolla a fuego lento en caldo de res. Esta sopa se adorna o decora con una rebanada de pan tostado cubierta con queso.

Tiempo
25 a 30 minutos

Utensilios
cuchillo

tabla para cortar

cacerola grande

Se obtiene
4 porciones de 1 taza

Ingredientes

5 cebollas amarillas medianas o 3 grandes

2 cucharadas de aceite vegetal

$\frac{1}{2}$ litro o 2 latas (14$\frac{1}{4}$ onzas) de caldo de res

1 cucharada de salsa Worcestershire

4 rebanadas de bolillo de 1.5 cm ($\frac{1}{2}$ pulg) de grosor

$\frac{1}{2}$ taza de queso suizo rallado grueso

$\frac{1}{2}$ taza de queso parmesano rallado fino

Procedimiento

1. Quítale la piel delgada a las cebollas.

2. En una tabla para cortar, parte las cebollas a la mitad.

3. Coloca cada mitad de cebolla con la parte plana sobre la tabla y córtala en rebanadas de $\frac{1}{2}$ cm ($\frac{1}{4}$ de pulg).

4. Pon la cacerola en una hornilla y precaliéntala a fuego lento durante dos minutos.

5. Agrega el aceite a la cacerola.

6. Agrega las cebollas y saltéalas aproximadamente durante 5 minutos, hasta que estén doradas y suaves.

7. Agrega el caldo y la salsa Worcestershire a la cacerola. Deja que hierva a fuego lento durante 15 minutos, sin taparla.

8. Precalienta el asador.

9. Pon las rebanadas de pan en una charola para parrilla.

10. Pon un poco de los dos quesos sobre cada rebanada de pan.

11. Tuesta el pan hasta que el queso esté ligeramente dorado, cuidando que no se quemen ni el pan ni el queso.

12. Con un cucharón, sirve la sopa en tazones y en cada uno pon una rebanada de pan con el queso hacia arriba.

Para hacer una sopa realmente deliciosa, ralla tu propio queso parmesano, en vez de usar el queso rallado de la tienda.

CAPÍTULO 3

¿POR QUÉ EL PAN TOSTADO ES DE COLOR CAFÉ?

¿Alguna vez te has preguntado qué ocurre en el tostador para que el pan blanco común se transforme en pan tostado crujiente de color café? En el tostador o en la parrilla ocurren dos procesos cada vez que los usas. Primero, el calor producido por el tostador seca el agua que hay en la superficie del pan y hace que se forme una corteza seca y crujiente. Luego, el color café de la corteza se forma a medida que los azúcares y almidones del pan experimentan cambios químicos. Si alguna vez has calentado azúcar en una sartén, habrás notado que se vuelve de color café a medida que se calienta.

Tostar significa algo más que calentar pan en el tostador. También significa dorar, volver crujientes o secar muchos alimentos al exponerlos al calor. En las recetas de este capítulo se usan distintos utensilios para tostar: un tostador, un asador y una sartén.

¿CUÁL SE TUESTA MÁS RÁPIDO?

Materiales

2 rebanadas de pan

1 cucharada de margarina

1 charola para asador

Objetivo

Determinar si se dora más rápido el pan simple o el pan untado con margarina.

Procedimiento

1. Precalienta el asador. (¡No hagas este experimento en el tostador porque se descompondría!)

2. Unta la margarina en una rebanada de pan. Deja la otra rebanada como está. Pon las dos rebanadas en una charola para asador.

3. Pon la charola a 8 o 10 cm (3 o 4 pulgadas) de la fuente de calor y tuesta el pan hasta que una de las rebanadas esté bien dorada. Usa agarradores para retirar la charola del asador.

4. Compara el color de las dos rebanadas de pan, así como cuánto se doró cada una. ¿Cuál se tostó mejor?

¿Qué ocurrió?

Cuando el pan se expone al calor, la superficie se seca y se forma una corteza. La corteza se dora porque las proteínas y el azúcar del pan se oscurecen al ser calentados. Si el pan tiene una capa de margarina antes de tostarlo, se ablanda y no toma el color café porque la grasa impide que se seque.

Pan tostado con nuez moscada y azúcar mascabado

Tiempo
10 minutos

Utensilios
tazón pequeño

charola para asador

cuchillo para untar

Se obtiene
2 porciones de 2 rebanadas

Es realmente delicioso por la mañana antes de ir a la escuela.

Ingredientes

2 cucharadas de azúcar blanca

2 cucharadas de azúcar mascabado

¼ de cucharadita de nuez moscada molida

4 rebanadas de pan integral

4 cucharaditas de margarina

Procedimiento

1. Precalienta el asador.

2. Mezcla el azúcar blanca, el azúcar mascabado y la nuez moscada en un tazón pequeño.

3. Pon el pan en una charola a 15 cm (6 pulgadas) de la fuente de calor.

4. Tuesta el pan hasta que esté de color café dorado y luego retira la charola.

5. Voltea el pan y unta 1 cucharadita de margarina en cada rebanada.

6. Espolvorea la mezcla de azúcar uniformemente sobre el pan tostado.

7. Vuelve a meter el pan al asador con la mezcla de azúcar hacia arriba y sácalo cuando el azúcar esté de color café dorado.

• • • • •
Siempre vigila atentamente el pan (o cualquier alimento) que esté en el asador. Por las altas temperaturas del asador, los alimentos pueden quemarse si te descuidas aunque sólo sea un instante.
• • • • •

Pan tostado con canela a la antigua

Esta es una gran receta para compartir con los abuelos.

Ingredientes

4 cucharadas de azúcar

1 ½ cucharaditas de canela

4 rebanadas de pan integral

4 cucharaditas de margarina

Procedimiento

1. Precalienta el asador.

2. Mezcla el azúcar y la canela en un tazón pequeño.

3. Pon el pan en una charola a 15 cm (6 pulgadas) de la fuente de calor.

4. Calienta el pan hasta que esté de color café dorado y luego retira la charola.

5. Voltea el pan y unta 1 cucharadita de margarina en cada rebanada.

6. Espolvorea la mezcla de azúcar uniformemente sobre el pan tostado.

7. Vuelve a meter el pan al asador con el azúcar hacia arriba y sácalo cuando el azúcar esté de color café dorado.

Tiempo
10 minutos

Utensilios
tazón pequeño

charola para asador

cuchillo para untar

Se obtiene
4 piezas de pan tostado

• • • • •

Puedes sustituir el pan integral por pan blanco, pero prueba usar el pan integral. Proporciona más fibra y otros nutrientes que el pan blanco y tiene un agradable sabor a nuez.

• • • • •

Figuras de pan tostado francés con mantequilla de cacahuate y mermelada

Deliciosas en el desayuno, el almuerzo o como bocadillo.

Tiempo
15 minutos

Utensilios
cuchillo para untar

cortadores de galletas

tazón mediano

sartén

pala

tenedor

Se obtiene
4 porciones

Ingredientes

4 cucharadas de mantequilla de cacahuate

4 cucharadas de mermelada o jalea

8 rebanadas de pan integral

1 taza de leche (de preferencia descremada)

1 huevo, batido primero con un tenedor

1 cucharadita de extracto de vainilla

2 cucharadas de jugo de naranja

½ cucharadita de canela

aceite vegetal para cocinar en aerosol

azúcar glass

fruta

o

jarabe para hot cakes

Procedimiento

1. Unta la mantequilla de cacahuate y la mermelada en 4 rebanadas de pan. Pon encima las rebanadas restantes, haciendo 4 sandwiches.

2. Usa tus cortadores de galletas preferidos para cortar los sandwiches.

3. En el tazón, mezcla la leche, el huevo, el extracto de vainilla, el jugo de naranja y la canela.

4. Rocía la sartén con el aceite vegetal para cocinar.

5. Pon la sartén en una hornilla y precaliéntala a fuego medio-alto durante 2 minutos.

6. Con un tenedor, sumerge las formas que hiciste con los sandwiches en la mezcla de huevo y ponlas en la sartén. Cuando estén de color café dorado, voltéalas con una pala para que se cuezan del otro lado.

7. Espolvoréalas ligeramente con azúcar glass y sírvelas con fruta o jarabe para hot cakes.

Variante

Figuras de pan tostado francés con queso crema y mermelada. Sustituye la mantequilla de cacahuate por 120 g (4 onzas) de queso crema suavizado.

Pastelillos de Linz con pan tostado francés

Los pastelillos de Linz son sandwiches de galleta rellenos de mermelada de frambuesa. En esta receta se usa pan tostado francés en vez de las galletas. Hazlos un día de San Valentín y usa un cortador de galletas en forma de corazón.

Tiempo
15 minutos

Utensilios
tazón mediano

sartén

tabla para cortar

pala

cortador de galletas

cuchillo para untar

Se obtiene
4 porciones

Ingredientes

- 1 ½ tazas de leche (de preferencia descremada)
- 1 huevo batido
- 2 cucharadas de jugo de naranja
- 1 cucharadita de extracto de vainilla
- ½ cucharadita de canela
- ¼ de cucharadita de nuez moscada
- ¼ de cucharadita de clavos molidos
- aceite vegetal para cocinar en aerosol
- 8 rebanadas de pan integral azúcar glass
- 4 cucharadas de mermelada de frambuesa

Procedimiento

1. Mezcla la leche, el huevo, el jugo de naranja, el extracto de vainilla, la canela, la nuez moscada y los clavos en el tazón.
2. Rocía la sartén con el aceite vegetal para cocinar. Pon la sartén en una hornilla y precaliéntala a fuego medio-alto durante 2 minutos.
3. Sumerge cada rebanada de pan en la mezcla de huevo y ponla en la sartén.
4. Cuando la rebanada se vea de color café dorado por abajo, voltéala y fríe el otro lado.
5. Con la pala, pasa cada rebanada a una tabla para cortar y deja que se enfríe un poco.
6. Con el cortador de galletas, corta el centro de cada una de las 8 rebanadas de pan. Espolvorea ligeramente las 4 rebanadas de pan tostado francés con el azúcar glass.
7. Unta las 4 rebanadas restantes con mermelada de frambuesa.
8. Sobre las 4 rebanadas con mermelada coloca las 4 rebanadas con azúcar glass. Agrega jarabe si gustas.

La canela y la nuez moscada son especias dulces de uso común en repostería. La canela es la corteza de un árbol tropical y la nuez moscada es el fruto del árbol de la nuez moscada.

Tartaletas de pan tostado con fruta y queso crema

Tiempo
25 minutos

Utensilios
tabla para cortar
cuchillo
tazón grande
batidor de alambre o tenedor
tazón mediano
batidora eléctrica manual
tostador de pan
pelador

Se obtiene
6 porciones

Con esta receta puedes hacer un desayuno inolvidable para mamá o papá el día de la madre o del padre.

Ingredientes

1 paquete de 240 g (8 ½ onzas) de queso crema

1 caja de 100 g (3.4 onzas) de pudín de vainilla instantáneo

2 tazas de leche (de preferencia descremada)

1 cucharadita de extracto de vainilla

¼ de cucharadita de nuez moscada

6 rebanadas de pan integral

½ taza de blueberries

6 fresas grandes

1 kiwi

Procedimiento

1. En la tabla para cortar, corta el queso crema en cubos pequeños. Ponlos en el tazón grande y déjalos ahí.

2. En el tazón mediano, prepara la mezcla de pudín agregando leche y revuelve durante 2 minutos.

3. Agrega el extracto de vainilla y la nuez moscada al pudín.

4. Usa la batidora eléctrica a velocidad media y agrega lentamente el pudín al queso crema hasta que la mezcla esté suave. Deja a un lado la mezcla.

5. Tuesta el pan hasta que esté ligeramente dorado.

6. Lava los blueberries y las fresas.

7. Quítale los tallos a las fresas con un cuchillo o con un mondador y córtalas a la mitad en la tabla para cortar.

8. Pela y rebana el kiwi.

9. Unta la mezcla de pudín en el pan tostado y decora cada rebanada con la fruta.

Mantequilla de fresa

¡Esta es una gran receta de mantequilla que no lleva mantequilla!

Ingredientes

½ taza de fresas en conserva

1 taza de margarina suavizada

1 cucharada de azúcar glass

Tiempo
10 minutos

Utensilios
tazón mediano

cuchara de madera

Se obtiene
25 porciones de 1 cucharada

Procedimiento

1. Con la cuchara, bate las fresas, la margarina y el azúcar en el tazón hasta que la mezcla esté ligera y esponjada.

2. Sirve en pan tostado, galletas saladas o galletas.

Variantes

En lugar de las fresas, usa albaricoques, blueberries o frambuesas en conserva.

La diferencia entre la conserva y la jalea es que la conserva se hace con frutas enteras, mientras que la jalea sólo contiene el jugo de la fruta.

········· Paté de perejil y cebollinos ·········

Tiempo
15 minutos más 60 minutos
para calentar el queso crema

Utensilios
toallas de papel

cuchillo

tabla para cortar

tazón mediano

cuchara de madera

Se obtiene
25 porciones de 1 cucharada

*Este es un sabroso paté
ideal para comer con galletas
saladas a media tarde.*

Ingredientes

1 taza de perejil italiano
$^1/_2$ taza de cebollinos frescos

1 paquete de 240 g (8 $^1/_2$ onzas) de queso crema

Procedimiento

1. Lava el perejil y los cebollinos y sécalos con toallas de papel para la cocina.

2. En la tabla para cortar, pica finamente el perejil y los cebollinos. Déjalos a un lado.

3. En la tabla para cortar, corta el queso crema en cubos pequeños. Déjalos reposar durante 1 hora.

4. Pon los cubos en el tazón y con la cuchara de madera aplástalos contra las paredes del tazón hasta deshacerlos.

5. Agrega los cebollinos y el perejil al tazón. Mezcla bien con el queso. Sirve con galletas saladas o unta la mezcla en pan tostado.

CAPÍTULO 4

¿QUÉ TIENEN DE ESPECIAL LAS PAPAS?

Los franceses llaman *pommes de terre* a las papas, lo que significa *manzanas de la tierra*. Los estadunidenses algunas veces les dicen *spuds* y los españoles las llaman patatas.

Las papas son un alimento muy apreciado que se come en más variedad de platillos que cualquier otro vegetal. El estadunidense medio come anualmente alrededor de 25 kg (55 libras) de papas frescas y más de 30 kg (65 libras) de papas procesadas (como las congeladas o las papas a la francesa que venden en establecimientos de comida rápida). En Estados Unidos, las papas se cultivan principalmente en los estados del centro y del oeste. Sólo el estado de Idaho produce casi la tercera parte de las papas que se consumen en ese país.

Las papas tienen muchos nutrientes como vitamina C y fibra y se pueden cocinar en infinidad de formas. Se les puede hervir en agua y hacerlas puré, se les puede comer enteras o cortadas. Se le puede hornear, cocer al vapor, asar o freír. Se les puede cocer y después usarlas en un platillo frío como ensalada de papas.

La versátil papa también se procesa en varias formas, como papas a la francesa o ralladas congeladas, papas enteras en lata y hojuelas o en polvos deshidratados que se usan para hacer puré. A continuación se presentan algunas recetas en las que se usan papas frescas.

CULTIVA TU PROPIA PLANTA DE PAPA

Objetivo

Aprender cómo crece la planta de la papa.

Materiales

1 papa
frasco mediano de boca ancha
palillos

Procedimiento

1. Clava de 4 a 6 palillos en línea alrededor de la parte media de la papa.
2. Llena el frasco con agua ligeramente tibia.
3. Pon la papa en el frasco apoyada en los palillos de modo que la mitad inferior de la papa esté en el agua y la parte superior esté al aire.
4. Aleja la papa de la luz solar directa. Aproximadamente en una semana, brotarán hojas y raíces de la papa. Ahora puedes poner tu planta en un sitio soleado.
5. Cuando la planta de papa mida entre 15 y 20 cm (6 y 8 pulg) de alto, puedes trasplantarla a una maceta.

¿Qué ocurrió?

Las papas no se cultivan por medio de semillas; se siembran las partes de las papas que tienen dos o tres ojos (las pequeñas depresiones en forma ovalada que hay sobre la cáscara de la papa). A partir de los ojos crece la elegante planta de la papa con sus bonitas flores blancas y moradas.

Las papas son en realidad las raíces de una planta, razón por la cual se les llama tubérculos.

Papas al horno

Las papas al horno son uno de los alimentos más fáciles de preparar. Sólo lávalas, perfóralas con un tenedor y hornéalas.

Ingredientes

6   papas para hornear   condimentos
crema ácida o yogur natural

Procedimiento

1. Precalienta el horno a 200°C (400°F).
2. Restriega las papas con un cepillo bajo el chorro de agua.
3. Perfora las papas con un tenedor. Esto permite que escape el vapor que se forma dentro de la papa, de otro modo, explotaría.
4. Pon las papas en una rejilla en la parte central del horno y hornéalas hasta que estén suaves, de 50 a 60 minutos.
5. En una tabla para cortar, parte cada papa a la mitad y báñalas con la crema ácida o el yogur natural mezclados con tu condimento preferido, como cebollinos deshidratados o saborizante de eneldo y cebolla o ajo.

Variante

Para cocinar las papas en el horno de microondas, perfóralas con un tenedor como en el paso 3. Coloca las papas sobre una toalla de papel dentro del horno de microondas, dejando un espacio de 2.5 cm (1 pulg) entre las papas. Evita poner una papa en el centro rodeada por las otras, ya que la papa de en medio se cocinará mucho más lentamente. Usa el horno en la marca "high" y cuece una papa durante 4 a 6 minutos, 2 papas de 6 a 7 minutos y 4 papas de 10 a 12 minutos.

Tiempo
10 minutos
más
50 o 60 minutos para hornear

Utensilios
cepillo para restregar
tenedor
cuchillo
tabla para cortar

Se obtiene
6 papas

• • • • •
Siempre elige papas firmes y lisas. Evita las que tienen pliegues, áreas oscuras, superficies cortadas, retoños o un color verduzco bajo la cáscara.
• • • • •

• • • • •
Para que la cáscara quede crujiente, hornea las papas directamente en la rejilla del horno. Para que la cáscara quede suave, hornéalas envueltas en papel aluminio (o en el horno de microondas).
• • • • •

Papas rellenas de brócoli y queso Cheddar

Tiempo
70 minutos

Utensilios
cepillo para restregar

cuchillo

tabla para cortar

cacerola con canastilla para vaporizar

tazón grande

charola para galletas

Se obtiene
6 papas rellenas

• • • • •
*Los **ramitos** del brócoli son las cabezas firmemente apretadas de pequeños brotes en la parte superior de los tallos. Los tallos y los brotes pueden comerse crudos o cocidos.*
• • • • •

Para hacer papas rellenas, hornea las papas y agrégales un relleno. Luego hornéalas otra vez; por esta razón a algunas personas les gusta llamarlas "doblemente horneadas".

Ingredientes

6   papas para hornear
1   pieza de brócoli fresco
$1/2$ taza de leche
120 g (4 onzas) de queso

Cheddar rallado
$1/8$ de cucharadita de pimienta
120 g (4 onzas) de queso Cheddar rallado

Procedimiento

1. Prepara las papas según la receta de papas al horno.

2. Mientras se hornean las papas, lava el brócoli.

3. En una tabla para cortar, corta los ramitos del brócoli.

4. Pon los ramitos en un vaporizador.

5. Coloca el vaporizador dentro de una cacerola con agua suficiente para que apenas toque el fondo del vaporizador.

6. Pon la cacerola en una hornilla a fuego alto y deja que se cueza el brócoli durante 10 minutos.

7. Deja que se enfríe el brócoli. Luego, pícalo en trozos más pequeños sobre la tabla para cortar.

8. Con un cuchillo rebana la parte superior de cada papa y, con una cuchara, saca la pulpa de cada una. Pon la pulpa en el tazón grande.

9. Haz puré la pulpa de las papas con un tenedor.

10. Agrega el brócoli, la leche, 120 g de queso Cheddar y la pimienta al puré de papas. Mezcla bien.

11. Rellena las papas con la mezcla anterior. Espolvoréalas con el resto del queso Cheddar. Pon las papas en una charola para galletas.

12. Mete la charola al horno y cocina las papas durante 10 minutos o hasta que el queso burbujee.

Variantes

Papas a la mexicana rellenas de chile. En vez de brócoli, usa frijoles con chile de lata o el guisado hecho en casa.

Papas rellenas de queso y verduras. En vez del brócoli, usa 300 g (10 onzas) de cualquier verdura congelada. Descongela la verdura en el refrigerador 1 día antes de preparar la receta. Pica la verdura antes de agregarla a la pulpa de papas.

Puré de papas

Tiempo
40 minutos

Utensilios
cepillo para restregar
cuchillo
pelador de papas
tabla para cortar
cacerola mediana
escurridor
tazón grande
machacador de papas
o
batidora eléctrica

Se obtiene
4 porciones de ¹/₂ taza

• • • • •

Para usar un machacador de papas, ponlo sobre éstas y presiona hacia abajo. Continúa machacando hasta que se vean uniformes.

• • • • •

Esta receta es para preparar un antiguo platillo favorito de los estadunidenses: el puré de papas.

Ingredientes

2 papas medianas para hervir   ¹/₄ de taza de leche
2 cucharadas de margarina   una pizca de sal

Procedimiento

1. Restriega las papas con un cepillo bajo el chorro de agua.

2. Con un cuchillo quita los ojos y cualquier parte en mal estado.

3. Pela las papas.

4. Corta las papas en cuartos.

5. Pon las papas en la cacerola y cúbrelas con agua.

6. Hierve el agua a fuego medio-alto. Hierve las papas hasta que estén suaves, aproximadamente de 20 a 30 minutos.

7. Con un escurridor, tira el agua y pon las papas en un tazón grande.

8. Muele las papas con un machacador o una batidora eléctrica.

9. Agrega la margarina, la leche y la sal a las papas. Usa más leche para obtener un puré más líquido y menos para hacerlo más espeso.

Papas a la francesa fabulosas

Casi todas las papas a la francesa se fríen en mucho aceite, pero con esta receta se obtienen los mismos resultados crujientes horneándolas. Con este método se eliminan los riesgos de usar aceite caliente y también se reduce la cantidad de grasa en las papas.

Tiempo

25 minutos para preparar más

35 minutos para hornear

Utensilios

cepillo para restregar

cuchillo

tabla para cortar

tazón grande

charola para galletas

pala

toallas de papel

Se obtiene

6 porciones

Ingredientes

4 papas para hornear grandes

4 cucharadas de aceite vegetal comestible

$\frac{1}{4}$ de cucharadita de ajo en polvo

$\frac{3}{4}$ de cucharadita de sal condimentada

Procedimiento

1. Precalienta el horno a 200°C (400°F).

2. Restriega las papas con un cepillo bajo el chorro de agua.

3. Con un cuchillo quita los ojos y cualquier parte en mal estado.

4. Si quieres, pela las papas (¡aunque la cáscara también es sabrosa!).

5. En la tabla para cortar, corta las papas en rebanadas de $\frac{1}{2}$ cm ($\frac{1}{4}$ de pulg). Luego, corta cada rebanada en trozos a lo largo.

6. Pon los trozos de papa en un tazón grande lleno de agua para evitar que se pongan cafés antes del paso siguiente.

7. Cuando estén cortadas todas las papas, escurre muy bien el agua del tazón, dejando las papas en él.

8. Vierte el aceite sobre las papas.

9. Mueve el tazón hasta que todas las papas estén bañadas en aceite.

10. Pon las papas en una charola para galletas.

11. Hornea las papas durante 15 minutos o hasta que estén color café dorado de un lado. Voltéalas con una pala y déjalas en el horno otros 15 minutos o hasta que estén totalmente doradas.

12. Retira las papas de la charola y pónlas sobre toallas de papel para quitarles el exceso de grasa.

13. Espolvorea el ajo en polvo y la sal condimentada sobre las papas fritas y revuelve bien.

Cáscaras de papas con queso Cheddar y salsa

Las cáscaras de papa se han convertido en un bocadillo popular. Las cáscaras deben conservar una delgada capa de pulpa.

Ingredientes

4   papas para hornear grandes   ½ taza de salsa picante

¾ de taza de queso Cheddar
    rallado

Procedimiento

1. Precalienta el horno a 200°C (400°F).

2. Restriega las papas con un cepillo bajo el chorro de agua.

3. Con un cuchillo quita los ojos y cualquier parte en mal estado.

4. Perfora las papas con un tenedor.

5. Pon las papas en una rejilla en la parte central del horno y hornéalas hasta que estén suaves, aproximadamente de 50 a 60 minutos.

6. Saca las papas del horno. En la tabla para cortar, córtalas a la mitad a lo largo. Deja que se enfríen.

7. Cuando estén suficientemente frías para poder tomarlas con la mano, saca la pulpa blanca de cada mitad de papa y ponla en un tazón, dejando las cáscaras con una capa delgada de pulpa.

8. Corta cada cáscara en dos y espárceles el queso Cheddar.

9. En cada cáscara vierte 1 ½ cucharaditas de salsa picante.

10. Pon las cáscaras en una charola para galletas.

11. Hornea las cáscaras de 12 a 15 minutos o hasta que el queso burbujee.

Tiempo

1 ½ horas

Utensilios

cepillo para restregar

cuchillo

tenedor

tabla para cortar

tazón mediano

charola para galletas

Se obtiene

16 cáscaras

• • • • •

La pulpa puede usarse para hacer puré agregándole margarina, leche, sal y pimienta, como en la receta del puré de papas.

• • • • •

Fiesta con papas

Tiempo
1 ½ horas

Utensilios
cepillo para restregar
cuchillo
tenedor
tabla para cortar
tazón grande
machacador de papas
charola para galletas

Se obtiene
4 porciones

Invita a algunos amigos a una fiesta en la que el platillo principal sean papas y observa qué tan creativos son para preparar su cena.

Ingredientes

4 papas para hornear grandes   2 a 3 cucharadas de leche descremada

Procedimiento

1. Precalienta el horno a 200°C (400°F).

2. Restriega las papas con un cepillo bajo el chorro de agua.

3. Con un cuchillo quita los ojos y cualquier parte en mal estado.

4. Perfora las papas con un tenedor.

5. Pon las papas en una rejilla en la parte central del horno y hornéalas hasta que estén suaves, aproximadamente de 50 a 60 minutos. Deja que se enfríen lo suficiente para poder cogerlas.

6. En una tabla para cortar, rebana la parte superior de cada papa, sácale la pulpa y pon toda la pulpa en un tazón grande.

7. Agrega leche a las papas y aplasta la mezcla con un machacador. Combina los rellenos (cuyas recetas se dan enseguida) con las papas machacadas para hacer 5 rellenos diferentes.

8. Una vez que hayas rellenado las papas, ponlas en una charola para galletas y hornéalas de 12 a 15 minutos.

Rellenos

Papa estilo California. Carne molida cocida, jitomates cortados en cubos y queso Cheddar rallado. Cubre con pan molido condimentado.

Papa hawaiana. Jamón cocido cortado en cubos, pasitas y queso Munster rallado. Decora con una rebanada de piña y una cereza.

Papa "llévame al beisbol". Rebanadas de salchicha, frijoles molidos y queso Cheddar suave rallado. Decora con pan tostado cortado en cubos y condimentados para darles un sabor especial.

Papa estilo Popeye. Pollo cocido cortado en cubos, espinaca y queso suizo rallado. Cubre con pan molido.

Papa estilo libanés. *Bulgur* (trigo entero cocido, escurrido y quebrado), jitomates rebanados, queso suizo rallado y nueces picadas. Para el bulgur, pon una taza de trigo en una cacerola con 2 ½ tazas de agua y cocina a fuego lento durante 20 o 25 minutos.

¿CÓMO SE ESPESA UNA SALSA?

CAPÍTULO 5

Aunque pocas personas se toman la molestia de hacer sus propias salsas, la salsa hecha en casa vale el esfuerzo. Una salsa es cualquier líquido (casi siempre espeso) con sabor, que se usa en los alimentos. Casi todas las salsas se hacen a partir de un líquido, un espesador y condimentos. Por ejemplo, para hacer salsa de queso se podría usar leche, *roux* (un espesador) y queso rallado. A menudo también se agregan condimentos como sal y pimienta.

El espesador llamado roux es una mezcla de harina y grasa cocinadas juntas. La grasa (como margarina o

mantequilla) se derrite en una sartén; luego se agrega la harina y se mueve hasta que la mezcla esté homogénea. Entre más tiempo se cocina el roux, adquiere más sabor. Después se le puede usar para ligar salsas, sopas y *gravies* (salsas de carne).

En este capítulo se presentan dos recetas para preparar salsa de queso. En la primera se usa un roux para hacer en casa una salsa de queso que se sirve sobre una pasta.

EXPERIMENTO · USO DEL ROUX PARA ESPESAR

Objetivo

Mostrar la diferencia entre un líquido normal y un líquido espesado (ligado) con una mezcla de harina y grasa.

Materiales

$^1/_2$ litro o 2 latas (13.5 onzas) de caldo de pollo o de res

2 cucharadas de harina de trigo

2 cucharadas de margarina o mantequilla

cacerola pequeña

cacerola mediana

2 cucharas de madera

Procedimiento

1. Pon la cacerola pequeña a fuego medio y vierte en ella la mitad del caldo (1 lata). Mueve de vez en cuando mientras haces lo siguiente.

2. Pon la cacerola mediana a fuego lento y derrite ahí la margarina.

3. Agrega la harina a la margarina en la cacerola mediana y cocínala durante 4 minutos. Revuelve continuamente con la cuchara de madera.

4. Despacio, vacía la otra mitad del caldo o la otra lata en la cacerola mediana sin dejar de mover la mezcla. Deja que el líquido hierva a fuego alto y luego disminuye la flama a fuego medio durante 10 minutos.

5. ¿Cómo se ve el caldo en cada cacerola al terminar el procedimiento? ¿Cuál está más espesa?

¿Qué ocurrió?

El caldo calentado con el roux está más espeso que el caldo calentado sin harina o grasa.

¿Cómo funciona el roux? En realidad, es la harina la que espesa porque contiene mucho almidón. El almidón es una forma de carbohidrato que no se disuelve en agua a temperatura ambiente. Sin embargo, a medida que se calienta el agua, los gránulos de almidón absorben agua y se hinchan hasta alcanzar varias veces su tamaño original. El resultado es un líquido más espeso. El propósito de cocinar la harina con grasa es cubrir las partículas de harina con grasa para impedir que se agrupen y formen grumos en el líquido.

Montones de pasta y queso

Tiempo
35 minutos

Utensilios
2 cacerolas grandes

tazón grande

cacerola mediana

escurridor

cuchara de madera

Se obtiene
8 porciones

• • • • •

Para variar, usa pasta tricolor trenzada en lugar de los coditos.

• • • • •

Con esta receta se elabora una salsa de queso con roux, de leche y queso. La salsa de queso se sirve sobre pasta caliente. Pasta es un término genérico para describir fideos de cualquier forma, como los espaguetis o los macarrones en forma de codo. El platillo también puede hornearse, con lo que se tendrían macarrones con queso al horno.

Ingredientes

4 litros (1 galón) de agua	$^1/_2$ taza de harina de trigo
500 g (1 libra) de pasta de codito	3 tazas de queso Cheddar rallado
4 tazas de leche (de preferencia descremada)	1 $^1/_2$ tazas de queso suizo rallado
2 tazas de leche evaporada	3 cucharadas de pan molido
4 cucharadas de margarina	

Procedimiento

1. Pon a hervir el agua en una cacerola grande.

2. Agrega la pasta en pequeñas cantidades, moviendo después de cada vez que la agregues.

3. Cuece los coditos durante 8 minutos o hasta que estén suaves.

4. Pon el escurridor en el fregadero y escurre los coditos. Pásalos a un tazón grande.

5. Agrega la leche descremada y la leche evaporada a la cacerola mediana y ponla en una hornilla a fuego medio-alto.

6. Deja que la leche dé un hervor y después apaga la hornilla.

7. Mientras se calienta la leche, derrite la margarina en una cacerola grande a fuego lento. Déjala en el fuego hasta que empiecen a verse burbujas.

8. Agrega la harina a la margarina y cocina la mezcla a fuego lento durante 4 minutos, moviéndola frecuentemente con una cuchara de madera.

9. Lentamente vierte la leche caliente a la mezcla de harina, moviendo constantemente a fuego lento hasta agregar toda la leche.

10. Agrega los quesos a la cacerola y cuece la mezcla hasta que el queso se funda.

11. Vierte la salsa de queso sobre la pasta y espolvoréala con el pan molido.

Variante

Macarrones con queso al horno. Prepara la receta anterior y luego hornéala a 180°C (350°F) de 20 a 25 minutos, hasta que la superficie esté de color café dorado.

Salsa de queso sencilla

Tiempo
20 minutos

Utensilios
licuadora

cacerola mediana

Se obtiene
4 porciones de ¹/₂ taza

• • • • •

La leche descremada evaporada se hace quitando aproximadamente la mitad de agua de la leche descremada. La leche se esteriliza y enlata, de modo que no es necesario refrigerarla hasta después de abrir la lata.

• • • • •

Esta receta se prepara rápidamente y es excelente con cualquier tipo de pasta.

Ingredientes

1 recipiente de 360 g (12 onzas) de queso cottage

1 lata de 150 ml (5 onzas) de leche descremada evaporada

¹/₂ taza de queso americano o Cheddar rallado

Procedimiento

1. Mezcla el queso cottage y la leche evaporada en una licuadora hasta que la mezcla esté homogénea.

2. Vierte el contenido de la licuadora en una cacerola mediana.

3. Calienta la mezcla a fuego medio-alto, moviéndola constantemente.

4. Agrega el queso americano o el Cheddar a la mezcla caliente.

5. Mueve la mezcla hasta que se funda el queso.

6. Vierte la salsa sobre tu pasta favorita.

CAPÍTULO 6

¿POR QUÉ SE PONE DE COLOR CAFÉ UNA MANZANA CORTADA?

¿Qué tan apetitosa es una manzana después de un día de haberla pelado? La respuesta es: ¡No mucho! ¿Por qué? La manzana sin cáscara se habrá puesto de color café. Cuando se rebana fruta, el oxígeno que hay en el aire reacciona con los compuestos químicos de la fruta (la oxida), haciendo que ésta adquiera un color café. Hay dos formas de evitar esto: la más fácil es comerse la fruta de inmediato, aunque también puedes bañar la fruta cortada con un poco de jugo que contenga vitamina C (como el jugo de naranja).

La vitamina C impide que la fruta se ponga café, como verás en el siguiente experimento.

CÓMO IMPEDIR QUE LA FRUTA SE OXIDE

Objetivo

Mostrar cómo puedes evitar que la fruta se ponga de color café.

Materiales

1 plátano

tabla para cortar

cuchillo

2 tazones pequeños

$1/4$ de taza de jugo de naranja

Procedimiento

1. Corta el plátano en rebanadas.
2. Pon la mitad de fruta rebanada en cada tazón.
3. Salpica el jugo de naranja sobre las rebanadas de un tazón.
4. Deja reposar todo durante 15 minutos.
5. ¿Cuáles rebanadas se pusieron de color café? ¿Cuáles no?

¿Qué ocurrió?

La fruta que se puso de color café fue el plátano sin jugo de naranja. La vitamina C, un *antioxidante* presente en el jugo de naranja, impide el proceso de oxidación en el cual el oxígeno que hay en el aire reacciona con las sustancias de la fruta haciendo que ésta se ponga de color café.

Ensalada de frutas de verano

Esta receta se llama así porque algunas de las frutas que se utilizan para prepararla sólo se encuentran durante los meses del verano.

Tiempo
20 minutos

Utensilios
pelador para fresas (opcional)

cuchillo

tabla para cortar

tazón grande

cuchara

o

cortador para hacer
bolas de melón

Se obtiene
6 porciones

Ingredientes

1   racimo de uvas sin semilla
    medianas

2   tazas (1 pinta) de fresas

2   plátanos

$^1/_2$ taza de jugo de naranja

1   melón

$^1/_2$ taza de coco rallado

Procedimiento

1. Lava y seca las uvas y las fresas.

2. Quítale los tallos a las fresas con un cuchillo o un pelador.

3. Corta las fresas en trozos pequeños y rebana los plátanos, utilizando un cuchillo y una tabla para cortar.

4. Pon las fresas y los plátanos en el tazón grande con el jugo de naranja. Revuelve bien para bañar toda la fruta con el jugo.

5. En la tabla, corta el melón a la mitad y quítale las semillas.

6. Con una cuchara o un cortador para hacer bolitas de melón (un utensilio que parece una cuchara para hacer bolas de helado), corta bolitas de melón y ponlas en el tazón con la demás fruta.

7. Esparce el coco sobre la fruta.

Con un coco mediano se obtienen 3 tazas de coco rallado.

Ensalada de frutas de invierno

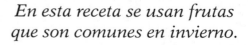

En esta receta se usan frutas que son comunes en invierno.

Tiempo
20 minutos

Utensilios
cuchillo
tabla para cortar
tazón grande

Se obtiene
6 porciones

Ingredientes

1   racimo pequeño de uvas sin semilla

1   manzana

1   pera

$^1/_4$ de taza de jugo de naranja

1   plátano

1   mandarina

1   taza de minimalvaviscos

$^1/_3$ de taza de nueces picadas

Procedimiento

1. Lava y seca las uvas, la manzana y la pera.

2. Parte las uvas a la mitad sobre la tabla para cortar.

3. Corta la manzana y la pera en trozos pequeños.

4. Pon la fruta en un tazón grande y agrega el jugo de naranja. Revuelve bien para bañar con el jugo a toda la fruta.

5. Pela el plátano, rebánalo y agrégalo al tazón con frutas. Baña toda la fruta con el jugo.

6. Pela la mandarina y separa los gajos con la mano. Pon los gajos en el tazón con frutas.

7. Esparce los minimalvaviscos y las nueces picadas sobre la fruta.

··Ensalada de frutas de lo que haya··

*Para hacer esta ensalada de frutas, abre
el refrigerador y saca lo que encuentres.
Luego, revisa la alacena para ver si no
hay otra fruta escondida por ahí.*

Tiempo
20 minutos

Utensilios
tabla para cortar
cuchillo
tazón grande

Ingredientes

Fruta de varios tipos, como
manzanas, plátanos, naranjas,
peras, duraznos, ciruelas,
cerezas o melones.

¹/₄ de taza de jugo de naranja
miel
minimalvaviscos
coco rallado

Procedimiento

1. Lava la fruta.
2. Pica la fruta en trozos pequeños sobre la tabla para cortar.
3. Pon la fruta en el tazón, vierte un poco del jugo de naranja y agita el tazón.
4. Vierte la miel, los minimalvaviscos y el coco rallado a tu gusto.

Brocheta de frutas

Esta receta no sólo es divertido prepararla, también es divertido comer el resultado.

Tiempo
20 minutos

Utensilios
pelador para fresas (opcional)

cuchillo

tabla para cortar

tazón pequeño

10 brochetas
(parecen palillos largos)

Se obtiene
10 brochetas

Ingredientes

20 fresas

20 uvas

2 manzanas

¼ de taza de jugo de naranja

20 trozos de piña (si usas piña en lata, escúrrele bien el líquido)

10 malvaviscos

Procedimiento

1. Lava y seca las fresas, las uvas y las manzanas.

2. Quítale los tallos a las fresas con un cuchillo o un pelador.

3. Corta las manzanas en 20 trozos pequeños sobre la tabla para cortar.

4. Baña los trozos de manzana con el jugo de naranja en un tazón pequeño. Escurre el jugo.

5. Para hacer los alambres, perfora cada trozo de fruta con la punta de la brocheta y atraviésalo. Puedes poner la fruta en cualquier orden, pero el siguiente es nuestro favorito:

1. Uva

2. Manzana

3. Fresa

4. Piña

5. Malvavisco

6. Repite del 1 al 4

¿POR QUÉ SUBE LA MASA DEL PAN?

Los panes hechos con levadura son uno de los alimentos preferidos por todo el mundo. Los panes acompañan prácticamente cualquier platillo. También hacerlos es muy sencillo y se usan muy pocos ingredientes; principalmente harina, agua, azúcar y levadura. La **levadura** es un hongo que hace subir (expandirse) la masa del pan. Se alimenta de azúcar y produce bióxido de carbono en forma de gas. El gas queda atrapado en la masa y la hace subir. Cuando se cuece la masa, el gas atrapado deja los pequeños orificios que ves en el pan y le dan su agradable textura suave.

Este capítulo incluye algunas recetas de masa para pan, pero primero debes conocer algunas reglas básicas sobre cómo sube la levadura, cómo preparar la levadura y cómo amasar, golpear y darle forma a la masa.

SIEMBRA DE LA LEVADURA

El primer paso al usar levadura es hacer la **siembra**, lo que significa disolver la levadura en un líquido tibio, casi siempre agua. Debes tener cuidado de no matar a la levadura al usar agua demasiado caliente. La levadura crece mejor en líquidos cuya temperatura está entre 38 y 43°C (100 y 110°F). Si el agua está demasiado fría, la levadura tarda más en crecer y el pan no sube mucho. Si no tienes un termómetro para verificar la temperatura exacta, pon un poco de agua en tu muñeca y asegúrate de que la sientes tibia, no caliente.

CÓMO MEZCLAR LA MASA

Una vez que pusiste a crecer la levadura en agua tibia, junta todos los ingredientes y bátelos formando una bola de masa. La masa debe estar un poco pegajosa, pero no tanto que se adhiera a tus dedos. Cuando una masa está demasiado pegajosa, es necesario agregar un poco más de harina.

AMASADO

Una vez que la masa está en su punto, ponla en una tabla o en una mesa para amasar, cuya superficie esté ligeramente enharinada. El **amasado** es el proceso de trabajar la masa presionándola y doblándola hasta que se vea homogénea. Así se forma el **gluten** (una sustancia elástica en la harina que le da al pan su estructura firme) y se mezclan los ingredientes. El amasado es importante para que el pan tenga la textura adecuada.

Para amasar, sigue los pasos siguientes:

1. Pon la bola de masa enfrente de ti y jala la mitad superior hacia ti.
2. Voltea la masa un cuarto de vuelta y repite el procedimiento.
3. Continúa dándole vuelta a la masa y repitiendo el procedimiento de amasado hasta que la masa esté muy suave. Si la masa se siente pegajosa, agrégale un poco de harina.

DEJANDO QUE LA MASA SUBA

Una vez que la masa está lista, ponla en un tazón ligeramente engrasado, cubre el tazón con un trapo húmedo, limpio y pon el tazón en un sitio tibio, libre de corrientes de aire. Deja que la masa repose y suba hasta que tenga el doble de su tamaño. Mientras sube la masa, la levadura se come a los azúcares y produce bióxido de carbono en forma de gas.

CÓMO GOLPEAR LA MASA

Una vez que subió la masa (para el pan, por lo general tarda entre 1 y 1 $\frac{1}{2}$ horas), prueba si ya está lista metiendo tus dedos en la masa hasta el primer nudillo, en varios sitios. Si el orificio hecho por el dedo se cierra muy despacio, la masa está lista para ser golpeada, ¡lo cual no significa que le des puñetazos! Para golpear la masa, jálala hacia fuera por todos lados, dóblala hacia el centro y presiona hacia abajo. Así, la masa se mantiene a una temperatura uniforme, se expele el gas, se forma más gluten y se introduce oxígeno fresco a las células de levadura con el que forman más gas.

DÁNDOLE FORMA A LA MASA

Una vez que golpeaste la masa, divídela (si es necesario), dale la forma que quieras (bollos, hogazas) y ponla en charolas antiadherentes o ligeramente aceitadas u otros moldes para hornear. Deja que la masa suba de nuevo hasta que se duplique su volumen. En una masa que ya subió por completo, las depresiones hechas por los dedos al tocarla con suavidad desaparecen lentamente.

Después de que suba por segunda vez, pon la masa directamente en un horno precalentado y hornéala hasta que el pan esté dorado y suene hueco al darle un golpe ligero.

Para ahorrar tiempo, en el supermercado, puedes comprar masa para pan congelada (casi siempre en paquetes de 450 g o 1 libra), lista para subir y hornear. Algunas personas también tienen máquinas para hacer pan que hacen todo el trabajo. Sin embargo, es mucho más divertido hacerlo a mano.

CRECIMIENTO DE LA LEVADURA

Objetivo

Comparar el crecimiento de la levadura en agua caliente, tibia y fría.

Materiales

3 sobres de levadura seca activa

3 cucharaditas de azúcar

3 tazones pequeños

Procedimiento

1. Vierte el contenido de un sobre de levadura seca activa y 1 cucharadita de azúcar en cada tazón.

2. Agrega una taza de agua muy caliente al primer tazón, una taza de agua tibia al segundo tazón y una taza de agua fría como hielo al tercer tazón.

3. Observa si la levadura produce burbujas de bióxido de carbono gaseoso en cualquiera de los tazones.

¿Qué ocurrió?

El agua muy caliente mata la levadura, de modo que es improbable que veas burbujas en el tazón con agua caliente. Quizá no veas burbujas en el tazón con agua fría, ya que la levadura crece mejor en agua tibia (entre 38 y 43°C o 100 y 110°F).

Pan blanco

Prepara esta receta un día lluvioso en el que vayas a estar en casa la mayor parte del día.

Tiempo
4 ½ horas

Utensilios
termómetro

tazón grande

cuchara grande

trapo de cocina

tazón mediano

2 moldes para hogazas de pan

Se obtiene
2 hogazas de pan (de 24 rebanadas cada una)

Ingredientes

2   tazas de agua tibia

1   paquete de levadura seca activa

1   cucharada de azúcar

1   cucharada de sal

5 ½ a 6 tazas de harina de trigo

aceite vegetal comestible

Procedimiento

1. Vierte el agua en un tazón grande. Con un termómetro, asegúrate de que la temperatura del agua esté entre 38 y 43°C (100 y 110°F) para que la levadura no muera (o se congele).

2. Agrega la levadura al agua y agita. Déjala en reposo 5 minutos.

3. Agrega el azúcar y la sal al agua y revuelve bien.

4. Agrega la harina al tazón en pequeñas cantidades y revuelve bien cada que la pongas. Agrega la cantidad justa de harina de modo que la masa no se adhiera a tus manos o al tazón.

5. Amasa la mezcla sobre una superficie ligeramente enharinada durante 4 minutos. Amásala presionándola hacia fuera y luego dóblala a la mitad. Dale un cuarto de vuelta a la masa después de cada doblez y vuelve a empezar.

6. Forma una bola con la masa y ponla en un tazón mediano ligeramente cubierto con el aceite vegetal comestible. Dale una vuelta a la masa en el tazón para que quede cubierta con una delgada capa de aceite.

7. Cubre el tazón con un trapo húmedo y déjalo en un sitio tibio durante 1 a 2 horas para que suba la masa.

● ● ● ● ●
*La **levadura seca activa** está hecha de gránulos deshidratados de levadura que se vuelven activos al ponerlos en agua. Su presentación comercial es en pequeños sobres sellados.*
● ● ● ● ●

8. Cuando puedas meter un dedo en la masa sin que rebote es hora de golpearla. Para golpearla, jálala hacia todos lados, dóblala hacia el centro y oprímela hacia abajo. Amasa todas las burbujas durante un minuto.

9. Corta la masa a la mitad. Forma dos hogazas haciéndola rodar y dándole palmaditas para que quepa en los moldes.

10. Pon la masa en moldes y cúbrelos con un trapo húmedo. Deja que suba hasta alcanzar el doble de su tamaño, aproximadamente durante 1 hora.

11. Hornea durante 30 a 40 minutos a 180°C (350°F) hasta que el pan esté dorado y suene hueco al darle un golpe ligero.

Masa básica para pizza

La masa para pizza se hace como la masa para pan, pero no tiene que subir, por lo que está lista para usarse en solo 25 minutos.

Tiempo
25 minutos

Utensilios
termómetro

tazón grande

cuchara grande

Se obtiene
1 bola de masa para pizza,
suficiente para 1 pizza de 30 cm
(12 pulg) de diámetro
u 8 rebanadas

Ingredientes

1   taza de agua tibia
1   paquete de levadura seca activa
1   cucharadita de azúcar
1   cucharadita de sal

2   cucharadas de aceite vegetal comestible
2 a 3 tazas de harina de trigo común o de harina de trigo integral

Procedimiento

1. Con un termómetro, asegúrate de que la temperatura del agua esté entre 38 y 43°C (100 y 110°F) para que la levadura no muera (o se congele).

2. Agrega la levadura al agua y agita.

3. Agrega el azúcar, la sal y el aceite al agua y revuelve bien.

4. Agrega la harina al tazón en pequeñas cantidades y revuelve bien después de cada adición. Agrega la cantidad justa de harina para que la masa no se adhiera a tus manos o al tazón.

5. Con tus manos, amasa la mezcla durante 2 a 3 minutos sobre una superficie ligeramente enharinada.

6. Antes de usar la masa, déjala reposar de 5 a 10 minutos.

Pizza de vegetales

Tiempo
35 a 45 minutos

Utensilios
tabla para cortar

cuchillo

sartén

cuchara de madera

molde para pizza de 30 cm
(12 pulg) de diámetro

Se obtiene
8 rebanadas

• • • • •
*Saltear las verduras
ayuda a mejorar su color
y su sabor.*
• • • • •

*Usa la masa básica para pizza
para inventar tu propia pizza.*

Ingredientes

1 taza de verduras rebanadas, como hongos, pimientos verdes, cebollas o brócoli.

1 cucharada de aceite vegetal comestible

1 preparación de masa básica para pizza

1 frasco de 465 ml (15 ½ onzas) de salsa para pizza

180 g (6 onzas) de queso mozzarella rallado

¼ de taza de aceitunas rebanadas (opcional)

Procedimiento

1. Precalienta el horno a 220°C (425°F).

2. Lava las verduras y rebánalas sobre la tabla para cortar.

3. Pon una sartén en una hornilla y precaliéntala a fuego medio durante dos minutos.

4. Agrega el aceite.

5. Agrega las verduras y saltéalas durante 3 minutos.

6. Oprime la masa uniformemente sobre el molde para pizza. También puedes usar una charola de 23 × 33 cm (9 × 13 pulg) para hacer una pizza con bordes altos.

7. Vierte la salsa para pizza, luego las verduras y por último el queso rallado y las aceitunas (si así lo deseas) sobre la masa.

8. Hornea la pizza a 220°C (425°F) de 20 a 25 minutos, hasta que la corteza esté ligeramente dorada y el queso burbujee.

••• Pizzoli Estrómboli •••

La Estrómboli contiene los mismos ingredientes que la pizza, sólo que se enrolla.

Ingredientes

1   preparación de masa básica para pizza

1   cucharada de aceite de oliva

¼ de taza de salsa para pizza

120 g (4 onzas) de queso mozzarella rallado

120 g (4 onzas) de pepperoni en rebanadas

aceite vegetal para cocinar en aerosol

2   cucharaditas de aceite de oliva

Tiempo
10 minutos para preparar
más
35 a 40 minutos para hornear

Utensilios
charola para galletas

Se obtiene
8 rebanadas

Procedimiento

1. Precalienta el horno a 190°C (375°F).

2. Sobre una superficie enharinada, aplana la masa y forma un rectángulo que mida aproximadamente 28 × 35 cm (11 × 14 pulg).

3. Barniza ligeramente la masa con la cucharada de aceite de oliva.

4. Distribuye la salsa sobre la masa, dejando un margen de 0.5 cm (¼ de pulg) alrededor del rectángulo.

5. Esparce el queso.

6. Pon las rebanadas de pepperoni sobre el queso.

7. Enrolla la masa a lo largo como un niño envuelto y cierra firmemente los extremos.

8. Rocía una charola para galletas con el aceite para cocinar.

9. Pon la Estrómboli sobre la charola.

10. Haz tres cortes en la parte superior de la Estrómboli para que escape el vapor.

11. Barniza ligeramente el rollo con las dos cucharadas de aceite de oliva.

12. Hornea la Estrómboli a 190°C (375°F) de 35 a 40 minutos o hasta que esté de color café dorado.

13. Saca la charola del horno. Deja que se enfríe 5 minutos; luego corta 8 rebanadas y sirve.

Rosca de bolitas de pan

Es divertido hacer esta rosca y para comerla es necesario romper las bolitas de que está hecha.

Tiempo
25 minutos para preparar,
30 minutos para subir y
60 minutos para hornear

Utensilios
molde para rosca de
25 cm (10 pulg) de diámetro

tazón pequeño

trapo de cocina

Se obtiene
15 porciones

• • • • •
Un molde para rosca es un molde metálico especial con un tubo en el centro, que se usa para hacer pasteles como "manjar de ángel", pasteles veteados y panes especiales.
• • • • •

Ingredientes

1 cucharada de manteca vegetal o margarina

1 taza de azúcar morena

³/₄ de taza de azúcar blanca

1 cucharadita de canela

harina para enharinar

3 hogazas de masa para pan congeladas (descongélalas y deja que suban según las instrucciones en el paquete)

o

1 ½ receta de masa para pan blanco (página 77)

³/₄ de taza de margarina derretida

Procedimiento

1. Con la manteca, engrasa un molde para rosca de 25 cm (10 pulg) de diámetro.

2. Comprime el azúcar morena en la taza para medir. Combina el azúcar morena, el azúcar blanca y la canela en un tazón pequeño. Mezcla bien.

3. Con las manos enharinadas, corta trozos de 3.5 cm (1 ½ pulg) de masa. Haz una bolita con cada trozo.

4. Sumerge cada bola en la margarina y después revuélcala en la mezcla de canela y azúcar hasta que esté completamente cubierta.

5. Pon cada bolita en el molde.

6. Continúa cubriendo las bolitas con el azúcar y poniéndolas en el molde a una distancia de 1.2 cm (¹/₂ pulg) entre una y otra, formando capas hasta que se acabe la masa o se llenen tres cuartas partes del molde.

7. Cubre el molde con un trapo de cocina húmedo, limpio y colócalo en un sitio tibio hasta que la masa suba hasta la parte superior del molde, lo cual sucede aproximadamente en 30 minutos.

8. Precalienta el horno a 180°C (350°F).

9. Mete el molde al horno y hornea durante 60 minutos. Si la parte superior del pan comienza a verse demasiado dorada, cubre el molde con papel aluminio no muy apretado.

10. Saca el molde del horno y deja que se enfríe de 5 a 10 minutos.

11. Voltea el molde, poniendo una mano bajo el pan. Deja que el pan se deslice fuera del molde.

12. Sirve tibio el pan. Para comerlo, ¡jala las bolitas.

¿QUÉ ES EL POLVO PARA HORNEAR?

Toma una cucharada de polvo para hornear y ponla en una taza de agua tibia. ¿Qué sucede? El polvo para hornear produce burbujas en el agua. El polvo para hornear contiene bicarbonato de sodio (una base) y un ácido. Los *ácidos* y las *bases* son compuestos químicos de sabor agrio que reaccionan juntos. En presencia de calor o humedad, el bicarbonato de sodio reacciona con el ácido, produciendo burbujas de bióxido de carbono (las mismas que ves en los refrescos gaseosos y en la soda). En platillos horneados, las burbujas hinchan el alimento en el horno, con lo que se obtienen, por ejemplo, bollos que suben.

El polvo para hornear se usa en casi todas las recetas que no dependen de la levadura (consulta el capítulo 7). La levadura es un organismo de uso común para hacer pan. También produce burbujas de bióxido de carbono. El polvo para hornear se usa para hacer casi todos los pasteles, galletas, bizcochos y panes de elaboración rápida.

Los *panes de elaboración rápida* son, como su nombre lo indica, ¡panes que se hacen rápidamente! A esta categoría pertenecen los muffins, hot cakes, waffles, panes de hogaza como el pan de plátano y los bisquets. Mientras que para hacer pan blanco y pan de harina de trigo integral se requiere levadura para que suban (lo cual tarda bastante tiempo), en los panes de elaboración rápida suele usarse polvo para hornear, el cual hace que suban rápidamente en el horno.

La elaboración de muffins es fácil. Sólo pon atención a las siguientes sugerencias para hornear.

- No batas demasiado la masa para muffins o éstos tendrán huecos internos.

- Una vez que la masa está lista, ponla en los moldes y hornéala de inmediato. El polvo para hornear comienza su actividad tan pronto como se hace la masa, por lo que es importante meter los muffins al horno lo más pronto posible.

- Llena los moldes para los muffins a la misma altura y pon un poco de agua en los moldes que queden vacíos.

- Hornea en el tercio superior del horno para que no se quemen las bases de los muffins y éstos se cuezan uniformemente.

- Hornea hasta que los muffins estén de color café dorado y salga limpio un palillo introducido en su centro. Los muffins horneados de más se resecan.

- Deja que se enfríen durante 5 minutos antes de sacarlos del molde. Para hacerlo, usa siempre un agarrador; simplemente voltea el molde sobre una rejilla para enfriar.

BURBUJAS EFERVESCENTES

Materiales

1 cucharadita de polvo para hornear de doble acción
1 taza para medir de vidrio de 1 litro (1 cuarto de galón)

Procedimiento

1. Vierte ½ taza de agua tibia en la taza para medir de 1 litro (1 cuarto de galón). Agrega el polvo para hornear a la taza. ¿Qué ocurre cuando mezclas el polvo para hornear y el agua tibia?

2. Luego, mete la taza para medir a un horno de microondas y enciéndelo en la marca "high" durante 60 segundos. Con un agarrador, saca la taza del horno de microondas. ¿Qué sucede ahora?

¿Qué ocurrió?

En este experimento viste que el polvo para hornear forma burbujas de bióxido de carbono al ser mezclado con agua y que sigue produciendo burbujas cuando se le calienta. Esta es la razón por la cual el polvo para hornear que usas se denomina de doble acción. Actúa cuando preparas la mezcla y nuevamente cuando la cueces.

EXPERIMENTO

Objetivo

Mostrar cómo actúa el polvo para hornear de doble acción.

Bisquets de polvo para hornear

Sirve estos bisquets calientes con mantequilla y miel o mermelada.

Tiempo
35 minutos

Utensilios
tazón mediano

2 cuchillos de mesa

un cortador de bisquets redondo de 5 cm (2 pulg) o un vaso para jugo

charola para galletas

Se obtiene
12 bisquets

• • • • •
Amasa sólo durante 30 segundos. La masa debe estar suave y algo elástica, pero no pegajosa. Si trabajas demasiado la masa, los bisquets saldrán duros, de modo que no lo hagas.
• • • • •

Ingredientes

2   tazas de harina de trigo
1   cucharada de polvo para hornear
$^1/_2$ cucharadita de bicarbonato de sodio

$^1/_4$ de cucharadita de sal
$^1/_4$ de taza de margarina fría
$^3/_4$ de leche o buttermilk (suero de leche)

Procedimiento

1. Precalienta el horno a 200°C (400°F).

2. Combina la harina, el polvo para hornear, el bicarbonato de sodio y la sal en un tazón mediano.

3. Pon la margarina en el tazón. Con un cuchillo de mesa en cada mano, corta la margarina y los ingredientes secos. Sigue cortando hasta que la mezcla de harina y grasa esté en trozos del tamaño de un chícharo aproximadamente.

4. Incorpora la leche (o buttermilk) sólo hasta que los ingredientes secos estén húmedos.

5. Amasa 5 veces la pasta sobre una superficie ligeramente enharinada. Amasa jalando la pasta hacia fuera y luego dóblala a la mitad. Dale un cuarto de vuelta a la masa después de cada doblez y empieza de nuevo.

6. Aplana la masa hasta que mida 1.3 cm ($^1/_2$ pulg) de grueso. Corta los bisquets con un cortador redondo de 5 cm (2 pulg) de diámetro (o usa un vaso pequeño).

7. Pon los bisquets en una charola sin engrasar a una distancia de 2.5 cm (1 pulg) unos de otros. Hornea durante 10 a 12 minutos a 200°C (400°F) o hasta que adquieran un tono dorado.

8. Sácalos del horno y deja que se enfríen durante unos minutos antes de servir.

···· ·· Osito de hot cakes y blueberries ·· ·····

Estos hot cakes, deliciosos y nutritivos, son ideales para satisfacer tu apetito en el desayuno o en el almuerzo.

Ingredientes

1 ¹/₂ tazas de harina de trigo
¹/₂ cucharadita de sal
3 cucharadas de azúcar
1 ³/₄ cucharaditas de polvo para hornear
2 huevos

3 cucharadas de margarina
1 ³/₄ tazas de leche o buttermilk (suero de leche)
³/₄ de taza de blueberries frescas, lavadas y secas
aceite vegetal comestible

Tiempo
20 minutos

Utensilios
tazón mediano
tazón pequeño
tenedor
plato pequeño para horno de microondas con tapa
plancha o sartén
pala

Se obtiene
15 hot cakes

Procedimiento

1. Mezcla la harina, la sal, el azúcar y el polvo para hornear en un tazón mediano.

2. Rompe los huevos en un tazón pequeño y bátelos ligeramente con un tenedor.

3. Pon la margarina en un plato para microondas, tapa y hornea en "high" de 30 a 60 segundos hasta que se derrita y burbujee. Deja que se enfríe 1 minuto antes de destapar el plato.

4. Agrega los huevos, la margarina y la leche (o buttermilk) a la mezcla de harina. Revuelve hasta que todo esté mezclado.

5. Agrega las blueberries con un movimiento envolvente (movimiento de arriba hacia abajo) a la mezcla.

6. Barniza una plancha o una sartén con aceite.

7. Pon la plancha o la sartén en una hornilla y caliéntala a fuego medio.

8. Vierte suficiente mezcla en la plancha o la sartén para hacer un hot cake de 8 cm (3 pulg). Luego, forma dos hot cakes más pequeños pegados al borde superior del primero, de modo que parezcan orejas. Cuece los hot cakes hasta que aparezcan burbujas y se doren del lado inferior.

9. Con cuidado, voltea el hot cake con una pala. Cuece el otro lado hasta que esté de color café dorado, aproximadamente un minuto.

10. Baña con jarabe o mermelada.

• • • • •

Si bates demasiado la masa obtendrás hot cakes duros. Revuelve justo hasta que los ingredientes secos se vean mezclados con los ingredientes húmedos. La masa debe tener algunos grumos, no estar perfectamente lisa.

• • • • •

Muffins sencillos

Tiempo

15 minutos para preparar más

20 a 25 minutos para hornear

Utensilios

moldes para muffins

tazón grande

tazón mediano

cuchara de madera

cuchara grande

espátula de hule

Se obtiene

12 muffins

Prueba esta receta como está o aventúrate e intenta una de las variantes.

Ingredientes

1   cucharada de manteca vegetal o margarina

2   tazas de harina de trigo

$1/4$ de taza de azúcar

1   cucharada de polvo para hornear

$1/4$ de cucharadita de sal

1   huevo

1   taza de leche descremada

$1/4$ de taza de aceite vegetal comestible

Procedimiento

1. Precalienta el horno a 200°C (400°F).

2. Engrasa el fondo y los lados de los moldes para muffins o usa una charola con moldes antiadherentes.

3. Mezcla la harina, el azúcar, el polvo para hornear y la sal en un tazón grande.

4. Mezcla el huevo, la leche y el aceite vegetal en un tazón mediano.

5. Vierte toda la mezcla de leche en el tazón grande que contiene la mezcla de harina.

6. Combina los ingredientes con una cuchara de madera hasta que se humedezcan todos los ingredientes secos.

7. Con una cuchara grande, llena cada molde hasta dos tercios de su capacidad con la masa.

8. Hornea de 20 a 25 minutos a 200°C (400°F) o hasta que los muffins estén de color café dorado.

9. Saca la charola del horno y ponla sobre una rejilla de alambre. Deja que se enfríe durante 5 minutos.

10. Afloja los muffins con una espátula de hule y sácalos de los moldes.

Variantes

Muffins de manzana y canela. Agrega una cucharadita de canela y 1 taza de manzana picada en el paso 2.

Muffins con chispas de chocolate. Agrega $2/3$ de taza de chispas de chocolate miniatura en el paso 2.

Muffins de plátano. Agrega 1 taza de plátano machacado en el paso 4.

Muffins de blueberries. Agrega 1 taza de blueberries lavadas y secas en el paso 4.

Muffins de avena y pasitas. Sustituye una taza de harina en el paso 2 por 1 taza de avena y agrega $1/2$ taza de pasitas en el paso 4.

Muffins de mantequilla de cacahuate y mermelada. Distribuye la mitad de la masa en 12 moldes para muffins. Vierte aproximadamente una cucharadita de mantequilla de cacahuate y $1/2$ cucharadita de mermelada en cada molde. Cubre cada molde con la masa restante.

Muffins de trigo integral. Sustituye una taza de harina de trigo por $3/4$ de taza de harina de trigo integral en el paso 2.

CAPÍTULO 9

¿QUÉ OCURRE CUANDO BATES CLARAS DE HUEVO?

Es sorprendente observar cómo las claras de huevo líquidas se vuelven ligeras y esponjosas y se expanden hasta alcanzar varias veces su tamaño original. Cuando bates claras de huevo con una batidora eléctrica o un batidor de alambre (o de globo), en realidad estás introduciéndoles aire. Las claras de huevo se estiran sin romperse, atrapando aire entre ellas. Las proteínas normalmente compactas que hay en las claras de huevo se expanden al ser batidas. Esto también hace que las claras de huevo se vean esponjosas.

Las claras de huevo batidas se usan para hacer más ligeros y que suban más algunos pasteles, hot cakes, waffles y soufflés (un platillo de huevo horneado ligero y esponjoso).

Estas son algunas reglas que debes seguir siempre que batas claras de huevo:

1. Cuando separes la clara de la yema, asegúrate que la yema no se mezcle con la clara. Las yemas contienen grasa y la grasa impide que las claras se batan bien.

2. Asegúrate de que los utensilios que uses para batir las claras (como el tazón y la batidora) estén perfectamente limpios. Un tazón de vidrio o de metal es mejor que uno de plástico porque a veces queda atrapada grasa en los rasguños que tienen los lados de los tazones de plástico.

3. Las claras de huevo se baten mejor a temperatura ambiente. Saca los huevos del refrigerador aproximadamente 1 hora antes de batir las claras.

4. Agrega una pequeña cantidad de cremor tártaro o jugo de limón a las claras para aumentar su volumen al batirlas.

5. No batas demasiado las claras. En casi todas las recetas debes detenerte cuando las claras formen picos al levantar la batidora. Si bates demasiado las claras, pasarán de húmedas a secas.

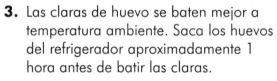

CLARAS DE HUEVO BATIDAS MÁS GRANDES Y MEJORES

Materiales

3 huevos a temperatura ambiente

3 huevos a temperatura del refrigerador

separador de huevos

batidora eléctrica

2 tazones para batir

Objetivo

Determinar si se baten más rápido las claras de huevo frías o las claras de huevo a temperatura ambiente.

Procedimiento

1. Separa los 3 huevos a temperatura ambiente con el separador. Bate las claras con la batidora eléctrica hasta que se formen picos rígidos.

2. Repite el paso 1 con los huevos fríos.

3. ¿Qué grupo de claras de huevo se batieron mejor y más grandes?

¿Qué ocurrió?

Las claras de los huevos fríos se baten hasta alcanzar casi el mismo volumen o un poco menos que los huevos a temperatura ambiente, pero las claras de los huevos a temperatura ambiente pueden batirse más rápido que las otras.

Conchas de merengue

El merengue es una mezcla de claras de huevo y azúcar que se hornea. El merengue es una cubierta popular para pays, en especial para los pays de limón.

Tiempo
20 minutos para preparar más 1 hora para hornear

Utensilios
charola para galletas

tazón mediano

batidor de alambre
o bien,
batidora eléctrica

cuchara

charola para galletas

Se obtiene
12 conchas de 10 cm (4 pulg)

• • • • •

*El **crémor tártaro** es un ácido blanco en polvo que se encuentra en el jugo de uva después de la fermentación. Se bate con las claras de huevo porque las hace más firmes y consistentes.*

• • • • •

Ingredientes

aceite vegetal para cocinar en aerosol

3 huevos

1 cucharadita de crémor tártaro

²/₃ de taza de azúcar

¹/₂ cucharadita de extracto de vainilla

Procedimiento

1. Precalienta el horno a 135°C (275°F).
2. Rocía ligeramente una charola para galletas con el aceite vegetal para cocinar.
3. Rompe los huevos y separa las claras de las yemas con un separador de huevos. Pon las claras en un tazón mediano.
4. Esparce el crémor tártaro sobre las claras de huevo.
5. Bate a punto de turrón usando un batidor de globo o una batidora eléctrica.
6. Agrega el azúcar lentamente y bate hasta que se formen picos firmes y lisos y el azúcar esté completamente disuelta.
7. Agrega el extracto de vainilla y bate 1 minuto más.
8. Con las claras de huevo batidas, forma 12 bolas de 10 cm (4 pulg) de diámetro sobre la charola para galletas.
9. Con la parte posterior de una cuchara, aplasta ligeramente el centro de cada bola para formar conchas.
10. Hornea durante 1 hora a 135°C (275°F) o hasta que el merengue esté seco y tenga un ligero color cremoso.
11. Deja enfriar durante 10 minutos; luego retíralos cuidadosamente de la charola.
12. Una vez frío, llena el merengue con fruta fresca, fruta enlatada, helado, nieve de fruta o hielo de sabores.

Pastel "manjar de ángel"

El pastel "manjar de ángel" es un pastel húmedo, ligero, con un sabor dulce delicado. Las claras de huevo batidas a punto de turrón permiten que el pastel suba sin necesidad de polvo para hornear. No contiene grasa.

Tiempo
30 minutos para preparar,
1 hora para hornear

Utensilios
tazón pequeño

separador de huevos

tazón grande

batidor de alambre

o

batidora eléctrica

espátula de hule

molde para rosca de
25 cm (10 pulg)

guantes para hornear

o

agarradores

pala metálica

botella de vidrio de refresco
gaseoso de 340 ml (12 onzas)

Se obtiene
1 pastel, 12 porciones

Ingredientes

12 huevos

1 taza de harina para pastel

3/4 de taza de azúcar glass

1 cucharadita de crémor tártaro

1/2 cucharadita de sal

3/4 de taza de azúcar glass

1 cucharadita de extracto de vainilla

1/2 cucharadita de extracto de almendra

1 cucharadita de jugo de limón

Procedimiento

1. Saca los huevos del refrigerador 30 minutos antes de empezar esta receta.

2. Precalienta el horno a 160°C (325°F).

3. Mezcla la harina y 3/4 de taza de azúcar en un tazón pequeño.

4. Rompe los huevos y separa las claras de las yemas con un separador de huevos. Pon las claras en un tazón grande y limpio.

5. Vierte el crémor tártaro y la sal sobre las claras de huevo.

6. Bate usando un batidor de alambre o una batidora eléctrica hasta formar picos firmes. Las claras deben estar brillantes y húmedas.

• • • • •
La harina para pastel se ve y siente más suave que la harina de trigo común. La harina para pastel contiene menos proteínas que la harina de trigo común, por lo que los pasteles son más suaves.
• • • • •

7. Espolvorea un poco del azúcar glass sobre las claras e incorpórala con un movimiento envolvente (de arriba hacia abajo) con una espátula de hule. Repite lo anterior hasta que incorpores toda el azúcar.

8. Espolvorea la mezcla de harina y azúcar sobre las claras de huevo e incorpórala con un movimiento envolvente. Repite hasta incorporar toda la harina y el azúcar.

9. Incorpora con movimientos envolventes los extractos de vainilla y almendra, así como el jugo de limón.

10. Con cuidado, vierte la masa en un molde para rosca de 25 cm (10 pulg) sin engrasar.

11. Hornea durante 1 hora a 160°C (325°F). Prueba si el pastel ya está listo presionándolo suavemente en el centro. El pastel debe recuperar su forma de inmediato si ya está cocido. En caso contrario, repite esta prueba cada 5 minutos.

12. Con los guantes de cocina o los agarradores, saca el pastel del horno y voltea el molde sobre el cuello de una botella de vidrio (no de plástico). Deja que el pastel se enfríe durante 1 ½ horas.

13. Cuando esté completamente frío, saca el pastel del molde aflojando los lados con una pala metálica.

Omelette esponjosa

Para hacer una omelette esponjosa, primero bate las claras de huevo; así quedará más ligera.

Ingredientes

2 huevos
1 cucharada de leche descremada

aceite vegetal para cocinar en aerosol

Tiempo
20 a 25 minutos

Utensilios
separador de huevos

tazón mediano

tazón pequeño

batidor de alambre o batidora eléctrica

tenedor

espátula de hule

sartén

Se obtiene
1 omelette

Procedimiento

1. Saca los huevos del refrigerador 30 minutos antes de empezar esta receta.

2. Rompe los huevos y separa las claras de las yemas con un separador de huevos. Pon las claras en un tazón mediano y las yemas en uno pequeño.

3. Bate las claras hasta formar picos firmes. Las claras deben estar brillantes y húmedas.

4. Bate las yemas con un tenedor y agrégales leche.

5. Suavemente, incorpora las claras a la mezcla de las yemas con una espátula de hule.

6. Rocía con el aceite una sartén pequeña.

7. Calienta la sartén a fuego lento.

8. Vacía los huevos en la sartén. Deja que se cueza hasta que los huevos ya no estén líquidos, luego dobla a la mitad y cuece 2 minutos más. Sácala de la sartén con la pala.

Variante

Puedes rellenar una omelette con casi todo lo que quieras. Sólo agrega el o los ingredientes antes de doblarla a la mitad. Te sugerimos algunos rellenos: queso rallado, pimientos verdes picados, cebolla cortada en cubos, hongos en rebanadas y jamón o pavo picados.

NO MÁS CAJAS, LATAS O ENVASES: HAZLO TÚ MISMO!

CAPÍTULO 10

PREPARA TUS PROPIOS ADEREZOS PARA ENSALADA

Los aderezos para ensalada son líquidos que se usan para dar sabor y humedecer las ensaladas. Muchos aderezos para ensalada se hacen con aceite vegetal, vinagre y hierbas y especias. Los aceites vegetales que se usan comúnmente en aderezos para ensalada son el aceite de oliva, el aceite de soya y el aceite de maíz. El vinagre y el jugo de limón son ácidos y tienen un sabor agrio. Le dan un sabor fuerte al aderezo para ensalada.

El aceite y el vinagre (o el jugo de limón) son sustancias que no se mezclan. Sin embargo, cuando los agitas juntos forman una *suspensión*, lo que significa que el aceite se separa en pequeñas gotas que permanecen mezcladas de manera uniforme en el aderezo durante un tiempo breve. Esta es la razón por la que se agitan las botellas que contienen aderezo para ensalada antes de usarlas. Cuando dejas quieta la botella del aderezo para ensalada, las gotitas de aceite se vuelven a unir y se separan del vinagre.

En otros aderezos para ensalada se usa mayonesa en vez de aceite y vinagre (como los aderezos ruso y mil islas). Los aderezos hechos a base de mayonesa son más espesos y cremosos que los aderezos en los que se usa aceite y vinagre. La mayonesa se hace a partir de yemas de huevo, aceite vegetal, jugo de limón y condimentos.

La mayonesa es una sustancia interesante porque contiene aceite y vinagre, que sí se mezclan. Esto se debe a las yemas de huevo. La yema de huevo rodea cada glóbulo de grasa e impide que formen grumos o se asienten fuera de la mayonesa. La mayonesa es una *emulsión*; una mezcla estable de dos líquidos, como el aceite y el vinagre o el jugo de limón, que normalmente se separan.

En algunos aderezos para ensalada fáciles de preparar se usan productos lácteos como buttermilk (suero de leche), crema ácida o yogur, en lugar de aceite y vinagre o mayonesa.

Materiales

2 yemas de huevo

1 cucharadita de sal

1 cucharadita de azúcar

3 cucharadas de vinagre

2 tazas de aceite

un tazón para 5 litros (5 cuartos de galón)

batidora eléctrica

Objetivo

Mostrar cómo es posible mezclar aceite y vinagre.

Procedimiento

1. Pon las yemas de huevo en el tazón de 5 litros.

2. Agrega la sal y el azúcar a las yemas de huevo y bate a velocidad media hasta que se mezclen.

3. Mezcla a alta velocidad pocas gotas de aceite por vez hasta completar ½ taza de aceite. Mezcla el resto del aceite, agregando aproximadamente 2 cucharadas cada vez. Agrega el vinagre a medida que la mezcla empiece a espesar.

4. Tapa el tazón y guárdalo en el refrigerador. La mayonesa se mantendrá en buen estado dos días.

¿Qué ocurrió?

La batidora separa las gotas de aceite en gotas más pequeñas y la yema de huevo rodea a las gotas de grasa de modo que no se agrupan entre sí. Batir constantemente y agregar el aceite en cantidades muy pequeñas ayuda a hacer y a mantener pequeñas las gotas de aceite.

Aderezo italiano

Tiempo
15 minutos

Utensilios
tazón pequeño

envoltura plástica

Se obtiene
15 porciones de 1 cucharada

• • • • •
Antes de usar un aderezo de aceite y vinagre, no olvides agitarlo.
• • • • •

El aderezo italiano es aceite con vinagre, jugo de lima o jugo de limón y condimentos. En esta receta se usa aceite de oliva.

Ingredientes

$^{1}/_{2}$ taza de aceite de oliva

4 cucharadas de jugo de lima

2 cucharadas de vinagre

$^{1}/_{4}$ de cucharadita orégano

$^{1}/_{4}$ de cucharadita de sal

$^{1}/_{4}$ de cucharadita de pimienta blanca

$^{1}/_{2}$ cucharadita de ajo en polvo

$^{1}/_{4}$ de cucharadita de azúcar

1 cucharada de pimiento verde finamente picado

1 cucharadita de pimiento rojo finamente picado

1 cucharadita de cebolla finamente picada

Procedimiento

1. Combina el aceite de oliva, el jugo de lima, el vinagre, el orégano, la sal, la pimienta blanca, el ajo en polvo y el azúcar en un tazón pequeño.

2. Agrega los demás ingredientes y revuelve bien.

3. Tapa el tazón con envoltura plástica y mételo al refrigerador. Este aderezo se conserva hasta por 7 días.

Aderezo de frambuesa

Este aderezo debe su nombre y sabor distintivo al vinagre de frambuesa. El vinagre es uno de los ingredientes para cocinar más antiguos que existen. Los mejores vinagres están hechos de vino. Se le da sabor al vinagre con hierbas o frutos aromáticos como romero, pimiento, limón o frambuesa.

Tiempo
10 minutos

Utensilios
tazón pequeño

envoltura plástica

Se obtiene
10 porciones de 1 cucharada

Ingredientes

2   cucharadas de aceite de oliva

½ taza de vinagre de frambuesa

1   cucharadita de azúcar

¼ de cucharadita de sal

Procedimiento

1. Combina el aceite de oliva, el vinagre, el azúcar y la sal en un tazón pequeño y revuelve bien.

2. Tapa el tazón con envoltura plástica y métela al refrigerador. Este aderezo se conserva hasta por 5 días.

Aderezo mil islas

Tiempo
10 minutos

Utensilios
tazón pequeño

envoltura plástica

Se obtiene
12 porciones de 1 cucharada

No es necesario que vayas a las Mil Islas en el río San Lorenzo para disfrutar de este aderezo.

Ingredientes

½ taza de mayonesa o mayonesa hecha en casa (ve la página 99)

¼ de taza de salsa picante

1 cucharada de condimento de pepinillos dulces en vinagre

Procedimiento

1. Combina la mayonesa, la salsa de picante y el condimento en un tazón pequeño y revuelve bien.

2. Tapa el tazón con envoltura plástica y mételo al refrigerador. Este aderezo se conserva hasta por 3 días.

• • • • •

*La **salsa picante** es una salsa de sabor fuerte, espesa, hecha con jitomates, pimiento dulce, chile, cebolla y especias. En el mercado hay salsa de picante suave, picante y muy picante.*

• • • • •

Aderezo ruso

Para cambiar, prueba este aderezo en un sandwich.

Ingredientes

1   taza de mayonesa o mayonesa hecha en casa (ve la página 99)

¼ de taza de salsa picante

2   cucharadas de pimiento verde finamente picado

2   cucharadas de cebolla finamente picada

Tiempo
15 minutos

Utensilios
tazón pequeño

tabla para cortar

envoltura plástica

Se obtiene
24 porciones de 1 cucharada

Procedimiento

1. Combina la mayonesa y la salsa de chile en un tazón pequeño.

2. Pon el pimiento verde y la cebolla en el tazón con los demás ingredientes y revuelve bien.

3. Tapa el tazón con envoltura plástica y mételo al refrigerador. Este aderezo se conserva hasta por 3 días.

Aderezo de yogur y miel

Tiempo
15 minutos

Utensilios
tazón pequeño

rallador

envoltura plástica

Se obtiene
20 porciones de 1 cucharada

• • • • •
*El **jengibre molido**
proviene de la raíz de la
planta de jengibre, que
crece en zonas
semitropicales.*
• • • • •

*Este es un aderezo excelente para
avivar ensaladas de frutas frescas.*

Ingredientes

1   taza de yogur natural
2   cucharadas de miel
1   cucharada de jugo de limón

$^1/_4$ de cucharadita de jengibre
    molido
1 $^1/_2$ cucharadas de cáscara de
    naranja rallada

Procedimiento

1. Combina el yogur, la miel, el jugo de limón y el
jengibre en un tazón pequeño y revuelve bien.

2. Ralla la cáscara de naranja y mézclala con los demás
ingredientes.

3. Tapa el tazón con envoltura plástica y métela al
refrigerador. Este aderezo se conserva hasta por 7
días.

Ensalada de atún

La ensalada de atún se puede usar como relleno para sandwiches, en galletas saladas o incluso en un barquillo para helado. Agrégale macarrones cocidos y tendrás una ensalada de atún y macarrones, que es un plato principal delicioso para el almuerzo o la comida; sólo decórala con verduras frescas como jitomates miniatura.

Tiempo
10 minutos

Utensilios
tazón mediano

cuchillo

tabla para cortar

Se obtiene
2 porciones

Ingredientes

1 lata de 180 g (6 $\frac{1}{2}$ onzas) de atún en agua

1 eneldo o un pepinillo dulce pequeño

3 cucharadas de mayonesa o mayonesa hecha en casa (página 99)

1 cucharada de vinagre

2 cucharadas de pan molido condimentado

Procedimiento

1. Abre la lata de atún y escurre el líquido. Pon el atún en un tazón mediano.

2. En una tabla para cortar, pica el pepinillo y ponlo en el tazón con el atún.

3. Agrega la mayonesa, el vinagre y el pan molido al atún y revuelve bien.

4. Sirve de inmediato sobre rebanadas de pan o galletas saladas, o tapa el tazón con envoltura plástica y mételo al refrigerador. Esta ensalada se conserva hasta por 2 días.

Ensalada Waldorf

Tiempo
20 minutos

Utensilios
cuchillo

tabla para cortar

tazón mediano

Se obtiene
2 porciones

La ensalada Waldorf, una mezcla de manzanas, apio y nueces picadas, se llama así por el hotel Waldorf-Astoria de Nueva York, donde la inventaron. La mayonesa se usa para mantener unidos los ingredientes. Esta ensalada suele servirse como guarnición sobre una hoja de lechuga.

Ingredientes

1   manzana roja grande

2   tallos de apio

2   cucharadas de pasitas

1   cucharadita de nueces picadas

2   cucharadas de mayonesa

hojas de lechuga

Procedimiento

1. Lava la manzana. En la tabla para cortar, pártela a la mitad y quítale las semillas. Córtala en cubos de 1.2 cm ($1/2$ pulg).

2. Quítale las hojas al apio y lava el tallo. Córtalo en rebanadas de 0.6 cm ($1/4$ de pulg).

3. Combina la manzana, el apio, las pasitas, las nueces y la mayonesa en un tazón mediano. Mezcla bien.

4. Sirve inmediatamente sobre las hojas de lechuga o tapa el tazón con envoltura plástica y métela al refrigerador. Esta ensalada se conserva hasta por 3 días.

Ensalada con tres tipos de frijoles

En esta ensalada se combinan tres tipos diferentes de frijoles con un aderezo de aceite y vinagre. Los frijoles suelen ser ejotes, frijoles blancos y frijoles negros, pero puedes usar cualquier frijol cocido o verdura parcialmente cocida.

Tiempo
20 minutos para preparar más
2 horas para refrigerar

Utensilios
escurridor

cuchillo

tabla para cortar

tazón pequeño

tazón mediano

envoltura plástica

Se obtiene
8 porciones

Ingredientes

1   lata de 420 g (14 onzas) de frijoles negros

1   lata de 450 g (15 onzas) de ejotes

1   lata de 450 g (15 onzas) de frijoles blancos

1   cebolla mediana

1/3 de taza de vinagre

2   cucharadas de aceite vegetal comestible

1/4 de cucharadita de sal

1/8 de cucharadita de pimienta

Procedimiento

1. Abre las latas de frijoles negros, ejotes y frijoles blancos.

2. Vierte las latas en un escurridor para escurrir el líquido.

3. Quítale la piel delgada a la cebolla, córtala a la mitad y pícala.

4. Combina el vinagre, el aceite, la sal y la pimienta en un tazón pequeño.

5. Pon los tres tipos de frijoles y la cebolla picada en un tazón mediano. Vierte el aderezo de aceite y vinagre sobre los frijoles.

6. Tapa el tazón con envoltura plástica y déjalo 2 horas en el refrigerador antes de servir. Esta ensalada se conserva hasta por 7 días.

• • • • •

*Los **frijoles** son semillas en forma de riñón. Los hay negros o blancos, aunque los negros son mucho más comunes. Se usan bastante en las cocinas mexicana e italiana.*

• • • • •

CAPÍTULO 11

HAZ TUS PROPIAS SALSAS PARA PASTAS

Muchos de los alimentos que comemos, como la salsa de jitomate o la salsa para espagueti, están condimentados y sazonados para que sepan bien. La sal, el azúcar y la pimienta se usan comúnmente para mejorar el sabor de los alimentos. La sal es un compuesto químico hecho de sodio y cloro. Se le encuentra en la naturaleza en depósitos superficiales y subterráneos de sal de roca y también puede provenir del agua de mar evaporada (sal de mar). A la gente le gusta la sal: en los países desarrollados se ingiere un promedio de casi una cucharada diaria por persona, la mayor parte de la cual está en los alimentos procesados.

Las hierbas y las especias también se usan para condimentar los alimentos. Las hierbas y las especias difieren sólo en que las hierbas son las hojas y tallos de las plantas, y las especias provienen de otras partes de las plantas, como la corteza, la raíz o las semillas. Las especias casi siempre están secas, mientras que muchas hierbas se pueden comprar frescas en el supermercado o cultivarse en casa. Los cocineros profesionales prefieren las hierbas frescas a las secas. Las hierbas frescas están menos concentradas que las secas. Las hierbas también pueden usarse como alternativa a la sal para sazonar los alimentos.

HIERBAS

Primero veamos cinco hierbas populares.

La **albahaca** es una planta perteneciente a la familia de la menta y de ella se usan las hojas. En la Grecia antigua, la albahaca era la planta de los reyes. Era el símbolo del amor en algunas culturas y el símbolo del odio en otras. Ahora, se conoce a la albahaca en Estados Unidos como la "hierba del jitomate" porque le da un excelente sabor.

Se usa para sazonar verduras, especialmente jitomates, berenjena, calabacitas, zanahorias y col. La albahaca también puede agregarse a sopas, guisados y salsa para espagueti.

El **eneldo** se compra como hojas quebradas (llamado *eneldo escardado*) o como semilla entera. Los dos tienen el característico sabor del vinagre con eneldo, aunque la semilla tiene un sabor más fuerte que las hojas. Al eneldo lo trajeron al continente americano alemanes, escoceses e irlandeses.

El eneldo se usa para sazonar verduras como ejotes, papas, zanahorias y brócoli, y en ensaladas frías como la ensalada de papas y la ensalada de pepinos.

Al **orégano** lo conocieron y usaron los antiguos griegos y romanos. Era casi desconocido en Estados Unidos hasta después de la Segunda Guerra Mundial, cuando los soldados estadounidenses de servicio en Italia llevaron a Estados Unidos el sabor de los platillos italianos sazonados con orégano. Actualmente el orégano con su picante sabor condimentado es una de las hierbas más populares en ese país.

El orégano se usa para sazonar la salsa de jitomate, la salsa para espagueti, las pizzas y otros platillos italianos. También se puede usar para condimentar carnes, aves, jitomates, berenjenas, calabacitas, chícharos y pan con hierbas.

El **perejil** es la hierba más comúnmente usada. Sus hojas verdes rizadas o planas tiene un sabor dulce ligero. Los ramitos de perejil se usan mucho en casi cualquier platillo como guarnición o adorno.

El término **estragón** proviene de la palabra francesa *estragon*, que significa "dragón pequeño". No hay nada peligroso en esta hierba, pero su sabor es un poco fuerte.

Las hojas de estragón se pueden usar en ensaladas, aderezos para ensalada, platillos de aves y pescados, y con verduras como chícharos y jitomates. También se le usa en salsas.

ESPECIAS

Veamos ahora algunas especias que, por su sabor dulce, son populares en repostería.

La **pimienta de Jamaica** es una baya pequeña de color café, originaria de las Antillas y América Latina. Su sabor es como una mezcla de canela, clavos y nuez moscada.

albahaca

eneldo

orégano

perejil

estragón

La **canela** proviene de la corteza de los árboles de canelo o casia. Las rajas de canela son la corteza seca y enrollada de estos árboles.

Los **clavos** y la **nuez moscada** son de Indonesia. Los clavos son los botones secos, sin abrir de un árbol tropical, y la nuez moscada es la semilla del fruto del árbol de la mirística. Estas dos especias se usan con frutas. La nuez moscada también combina bien con algunas verduras, como las papas y calabacitas.

EXPERIMENTO

CULTIVA TU PROPIA PLANTA DE ALBAHACA

Objetivo

Cultivar una hierba aromática.

Materiales

4 semillas de albahaca enana.

maceta de 15 cm (6 pulg) y tierra para macetas

Procedimiento

1. Planta las semillas a $1/2$ cm ($1/4$ de pulg) de profundidad y 10 cm (4 pulg) de distancia entre sí en la maceta llena de tierra.

2. Riega la maceta con bastante agua y ponla a la sombra hasta que germinen las semillas, más o menos en dos semanas.

3. Pon las plantas donde les dé el sol o tengan sombra parcial. Mantén la tierra ligeramente húmeda. La planta de albahaca crecerá hasta cerca de 25 cm (10 pulg) de alto en un periodo de 6 a 8 semanas. Córtale las hojas y úsalas tan pronto como quieras, volverán a crecer rápidamente.

¿Qué ocurrió?

La albahaca enana es una excelente variedad de albahaca para cultivar dentro de casa porque es bastante pequeña. La albahaca dulce suele crecer de 60 a 90 cm (2 a 3 pies). Usa las hojas de albahaca frescas para obtener un agradable sabor a especias. Las hojas frescas de albahaca también se pueden envolver en papel aluminio y congelarlas hasta por 6 meses.

Salsa de jitomate

Prepara esta antigua favorita sin abrir alguna lata. No es difícil.

Ingredientes

6 jitomates frescos medianos

1 cebolla mediana

aceite vegetal para cocinar en aerosol

$^1/_2$ cucharadita de azúcar

$^1/_2$ cucharadita de hojas secas de albahaca o

2 cucharaditas de hojas frescas de albahaca

$^1/_4$ de cucharadita de ajo en polvo

Tiempo
30 a 40 minutos

Utensilios
cacerola mediana

escurridor

cuchillo para pelar

cuchillo

tabla para cortar

sartén grande

Se obtiene
8 porciones de $^1/_2$ taza

Procedimiento

1. Calienta por lo menos 13 cm (5 pulg) de agua en una cacerola hasta que hierva. Introduce los jitomates en el agua hirviendo y déjalos ahí durante 30 segundos. Ten cuidado de que no te salpique el agua hirviendo.

2. Saca los jitomates con un cucharón y ponlos en el escurridor. Enjuágalos con agua fría. Pélalos con las manos o con un cuchillo para pelar sobre una tabla para cortar. Pica los jitomates en trozos pequeños.

3. Quítale la piel delgada a una cebolla, córtala a la mitad y pícala.

4. Rocía una sartén grande con aceite para cocinar. Calienta la sartén a fuego medio por un minuto.

5. Saltea la cebolla en el sartén 3 o 4 minutos.

6. Agrega los jitomates y el azúcar, la albahaca y el ajo en polvo a la sartén.

7. Deja que hierva a fuego lento durante 15 a 20 minutos para que se cueza y se mezclen los sabores. Ten cuidado de no cocer de más la mezcla.

8. Sirve sobre pasta cocida.

Sumergir los jitomates en agua caliente ayuda a pelarlos más fácilmente.

Variante

Salsa de carne. En el paso 5, fríe con las cebollas 230 g ($^1/_2$ libra) de carne molida magra de res, pollo o pavo. Escurre toda la grasa antes de continuar con el paso siguiente.

Tiempo
20 minutos

Utensilios
canastilla para vaporizar

cacerola con tapa

sartén grande

Se obtiene
6 porciones de ¹/₂ taza

• • • • •
Si no quieres usar verduras congeladas en esta receta, puedes usar las verduras frescas que te gusten.
• • • • •

En este platillo, la palabra "primavera" se refiere a toda la verdura de primavera que puedas incluir.

Ingredientes

1   bolsa de 300 g (10 onzas) de verduras congeladas estilo italiano

aceite vegetal para cocinar en aerosol

1   taza de leche evaporada

¹/₄ de cucharadita de eneldo escardado

¹/₄ de cucharadita de orégano

¹/₄ de cucharadita de albahaca

¹/₄ de cucharadita de sal

¹/₄ de cucharadita de pimienta

Procedimiento

1. Pon la canastilla para vaporizar en una cacerola y agrega agua hasta tocar el fondo de la canastilla. Pon la cacerola a fuego alto.

2. Cuando el agua comience a hervir, agrega las verduras congeladas. Tapa la cacerola y cuece las verduras durante 5 minutos.

3. Rocía una sartén grande con el aceite para cocinar. Calienta la sartén a fuego medio durante 1 minuto.

4. Con una cuchara, pon las verduras cocidas al vapor en la sartén. Saltéalas hasta que estén suaves, pero crujientes, más o menos durante 5 minutos.

5. Agrega la leche evaporada y el eneldo, el orégano, la albahaca, la sal y la pimienta. Deja que hierva a fuego lento de 3 a 5 minutos, hasta que esté caliente.

6. Sirve sobre pasta cocida.

Salsa *al pesto* hecha en licuadora

El ingrediente dominante en la salsa al pesto *es la albahaca. Usa en esta receta las hojas de la albahaca que cultivaste en tu casa. La salsa* al pesto *es popular servida sobre pastas calientes.*

Ingredientes

1 ½ tazas de hojas de albahaca bien compactadas

¼ de taza de queso parmesano rallado

¼ de taza de piñones

1 diente de ajo

½ taza de aceite de oliva

¼ de taza de piñones

Procedimiento

1. Lava las hojas de albahaca y sécalas.
2. En la licuadora combina la albahaca, el queso, los piñones, el ajo y el aceite de oliva.
3. Licúa a velocidad media hasta que la mezcla esté homogénea.
4. Agrega 1 cucharada de agua caliente a la mezcla y vuelve a licuar durante 1 minuto.
5. Sirve la salsa sobre pasta caliente. Esparce el queso y los piñones restantes.

Tiempo
1-5 minutos

Utensilios
licuadora

Se obtiene
4 porciones de ½ taza

• • • • •
*Los **frutos de los pinos** son pequeñas semillas de uno de muchas variedades de pinos. Tienen un ligero sabor dulce a pino. El nombre para el fruto del pino es **piñón**.*
• • • • •

HAZ TU PROPIO QUESO

Tal vez ya sepas que el queso se hace de la leche, pero ¿te has preguntado cómo? En el experimento de este capítulo vas a hacer tu propio queso cottage. El queso cottage es el resultado de una reacción química que ocurre cuando la **proteína** en la leche se mezcla con un ácido. La proteína se hace sólida o **coagula**. A esta proteína coagulada se le llama **requesón**.

El queso cottage es un queso blanco húmedo, blando, de sabor delicado. Se le elaboró en las cocinas domésticas de toda Europa durante siglos y se le llamó queso "cottage" (cabaña, en inglés) porque los campesinos lo fabricaban en sus propias cabañas. Este queso se hace con leche descremada, que casi no contiene grasa. Una taza proporciona tantas proteínas como una porción media de carne, ave o pescado. A algunos de los quesos cottage que venden en el supermercado les agregan crema para que estén más cremosos y sabrosos.

Además de que se le come sin agregarle nada, el queso cottage es popular en platillos con queso, como la lasaña, y con fruta como desayuno ligero o postre.

ELABORACIÓN DE REQUESÓN Y SUERO

Materiales

1 litro (1 cuarto de galón) de leche (de preferencia descremada)

cacerola mediana

2 cucharadas de jugo de limón

cuchara de madera con mango largo

manta de cielo (tela suave de algodón que permite que se filtren los líquidos y retiene los sólidos. Parece gasa para curación).

colador

taza y cucharas para medir

Objetivo

Mostrar cómo se hace el queso cottage y cómo se coagula la proteína.

Procedimiento

1. Vierte la leche en la cacerola mediana.

2. Deja que la leche dé un hervor a fuego medio. Observa el momento en que aparezcan burbujas, significa que la leche está comenzando a hervir.

3. Mientras se calienta la leche, mide dos cucharadas de jugo de limón y viértelas en una taza pequeña.

4. Cuando hierva la leche, retira la cacerola de la hornilla, agrega el jugo de limón y revuelve con la cuchara de madera.

5. Vuelve a poner la cacerola en la hornilla y revuelve hasta que veas grumos que se separan del líquido. Apaga el fuego, retira la cacerola de la hornilla y deja que se enfríe durante unos minutos.

6. Mientras tanto, cubre el colador con la manta de cielo y pon el colador en el fregadero. Vierte la leche al colador. Los grumos deben juntarse en la tela.

7. Una vez que se escurrió todo el líquido, retira los grumos de la tela y ponlos en un tazón. Este es el queso cottage.

¿Qué ocurrió?

Al agregar jugo de limón, que es un ácido, se crea una pequeña tormenta en la leche, que resulta en la formación de *requesón*, grumos blancos con consistencia como de flan, y *suero*, un líquido aguado y turbio.

Parfaits cremosos con fruta

Tiempo
10 minutos

Utensilios
tazón pequeño

cuchara

4 tazones para servir o copas para postre

Se obtiene
4 porciones de una taza

• • • • •
¿Sabías que se necesitan más de 3 litros (3 cuartos de galón) de leche para hacer $1/2$ kg (1 libra) de queso cottage?
• • • • •

Excelente para fiestas.

Ingredientes

1 taza de queso cottage

1 taza de yogur natural

1 taza de cereal seco para desayuno (elige uno crujiente)

1 taza de fruta, fresca o enlatada

Miel de abeja o maple

Procedimiento

1. Mezcla el queso cottage y el yogur en un tazón pequeño.

2. Con la cuchara, pon cereal en el fondo de 4 tazones o copas para postre, usando todo el cereal.

3. En cada tazón vierte una capa de la mezcla de yogur y queso cottage hasta terminarla.

4. En la parte superior de cada postre sirve una cucharada de fruta. Cubre con la miel. Sirve.

EL RESTO DE LA HISTORIA DEL QUESO

Ahora que ya hiciste queso cottage es probable que te preguntes cómo se hacen otros quesos. Hay muchas variantes en el proceso de elaboración de los quesos, con las que se obtiene la amplia diversidad de quesos que ves en el supermercado. El queso se hace con leche de distintos animales y el tipo de leche le da a cada variedad de queso su propio sabor especial. Las leches más comúnmente usadas para hacer queso son la de vaca, cabra y oveja.

Casi ningún queso está listo para comerse hasta que madura o se añeja. Durante este tiempo, el queso adquiere sabor. El queso cottage no pasa por un proceso de maduración. Otros quesos no madurados son el ricotta, el queso crema y el mozzarella (el más usado en las pizzas).

La maduración la realizan ciertas bacterias o mohos que le dan a cada queso un sabor distintivo. Estos no son bacterias o mohos dañinos. El moho es una parte natural de ciertos quesos, como el queso azul. En este queso, es fácil ver el moho porque es azul. En otros quesos madurados, como el Cheddar o el suizo, el fabricante agrega las bacterias o los mohos y son invisibles.

El queso americano es en realidad una combinación de Cheddar y otros quesos junto con ingredientes especiales que lo hacen permanecer fresco por mucho tiempo. Conocido como un *queso procesado*, el queso americano destaca por su delicado sabor y su capacidad para fundirse fácilmente en una hamburguesa o en un sandwich de queso a la parrilla.

La hamburguesa de queso típica

Tiempo

15 minutos para preparar más 20 o 25 minutos para cocinar

Utensilios

cuchillo

tabla para cortar

tazón grande

cuchara de madera

charola para hornear con rejilla

Se obtiene

4 hamburguesas

• • • • •

*La **salsa Worcestershire** es una salsa aguada de color café oscuro que se usa para sazonar carnes, salsas de carne y sopas.*

• • • • •

¿Sabías que casi todas las hamburguesas que se venden tienen queso? Esta es una gran receta para preparar en casa.

Ingredientes

1 cebolla mediana

½ kg (1 libra) de carne de res molida

1 cucharada de salsa Worcestershire

½ cucharadita de ajo en polvo

4 rebanadas de queso americano

4 panes para hamburguesa

Procedimiento

1. Precalienta el horno a 180°C (350°F).

2. Quítale la piel delgada a la cebolla. Córtala a la mitad y luego corta cada mitad en tres pedazos en la tabla para cortar. Pica la cebolla.

3. En un tazón grande, combina la cebolla, la carne molida, la salsa Worcestershire y el ajo en polvo con una cuchara de madera.

4. Forma cuatro hamburguesas con la carne.

5. Pon las hamburguesas en una rejilla dentro de una charola y hornéalas durante 15 minutos a 180°C (350°F).

6. Saca las hamburguesas del horno y pon una rebanada de queso americano sobre cada hamburguesa.

7. Vuelve a meter las hamburguesas al horno durante aproximadamente 5 minutos para que se cuezan a término medio o 10 minutos para que se cuezan bien.

8. Sirve en los panes para hamburguesa con tu aderezo preferido.

HAZ CREMA BATIDA Y MANTEQUILLA

La crema batida es una cubierta popular para muchos postres, como los sundaes de helado, la fruta y los pays. La mejor crema batida se hace con crema dulce o para batir. La crema para batir se obtiene de la parte grasosa de la leche fresca. La leche normal y la crema para café no se baten bien porque no contienen suficiente grasa.

A medida que bates la crema dulce, el aire queda atrapado en la crema en forma de burbujas pequeñas. Estas burbujas de aire hacen ligera a la crema batida. La parte sin grasa, con agua, de la crema que encierra a las burbujas de aire es sostenida por la grasa. Mientras más grasa haya en la crema, las burbujas son sostenidas más fácilmente.

Para batir crema bastan pocos minutos. Asegúrate de que la crema que será batida esté muy fría. El tazón para batir y las paletas también deben estar fríos. Si bates la crema demasiado tiempo, se convertirá en mantequilla ante tus ojos. Sabrás que la has batido demasiado cuando veas pequeños grumos en el líquido. Estos grumos son la mantequilla. La mantequilla se forma porque demasiada agitación (mezcla) calienta la crema hasta el punto en que las burbujas de aire se rompen y la grasa líquida comienza a juntarse. Esta grasa líquida es la mantequilla.

La mantequilla siempre se ha elaborado mediante un procedimiento de *batido*. Para batir mantequilla en casa, pon crema en un frasco grande y agítalo durante 20 minutos. La agitación obliga a las gotas de grasa a juntarse y formar la mantequilla. Las gotas de mantequilla crecen y forman una masa semisólida de mantequilla y un líquido. El líquido que queda al batir mantequilla se llama *suero* o *buttermilk*.

La mantequilla se usa para hacer cubiertas de crema de mantequilla para decorar pasteles. Las cubiertas de crema de mantequilla son mezclas ligeras y suaves de mantequilla (o margarina) y azúcar.

EXPERIMENTO

ELABORACIÓN DE CREMA BATIDA A PARTIR DE CREMA PARA CAFÉ Y CREMA DULCE

Objetivo

Determinar cómo el contenido de grasa afecta el batido de la crema.

Materiales

1 taza de crema dulce o crema para batir

1 taza de crema para café

tazón para mezclar de 2 litros (medio galón)

batidora eléctrica

Procedimiento

1. Con la crema dulce o para batir, haz crema batida hecha en casa (página siguiente).

2. Con la crema para café, haz crema batida hecha en casa (primero lava los utensilios).

3. ¿Con qué tipo de crema hiciste más crema batida?

¿Qué ocurrió?

La crema dulce contiene más grasa que la crema para café. Cuando bates crema dulce se obtiene más crema batida que con la crema para café. Esto se debe a que la grasa ayuda a sostener las burbujas de aire que se forman durante el batido.

Crema batida hecha en casa

He aquí una receta para hacer crema batida básica. Para darle sabor a la crema batida, prueba alguna de las cinco variantes.

Tiempo
10 minutos

Utensilios
tazón para mezclar de 2 litros
(2 cuartos)

batidora eléctrica

Se obtiene
8 porciones de $^1/_4$ de taza

Ingredientes

1   taza de crema dulce o para batir

Procedimiento

1. Pon el tazón y las paletas de la batidora eléctrica en el congelador durante 20 minutos.

2. Saca el tazón del congelador y ponle la crema dulce.

3. Con la batidora eléctrica a alta velocidad, bate hasta que se formen picos duros al sacar las paletas. Esto se logra más o menos en 2 o 3 minutos. ¡No batas de más!

Variantes

Agrega cualquiera de los ingredientes siguientes a la crema cuando comiencen a formarse picos suaves al batirla. Continúa batiendo hasta que se formen picos duros al sacar las paletas.

- 1 cucharada de azúcar glass

- 1 cucharadita de extracto de limón

- 1 cucharadita de extracto de vainilla

- 1 cucharadita de azúcar más $^1/_4$ de cucharadita de canela

- 1 cucharadita de azúcar más $^1/_4$ de cucharadita de nuez moscada

Sundae helado de yogur

Ahora que ya has hecho la crema batida, tal vez quieras hacer un postre helado para usarla. Simplemente pon un cucharón de tu yogur favorito en una copa alta para helado y cúbrelo con la crema batida. Luego, elige cualquiera de las saludables cubiertas siguientes.

- rebanadas de fresas o plátanos frescos
- kiwis rebanados o melón en cubos
- fruta enlatada, como piña en cubos
- fruta seca, como pasitas
- tu cereal favorito frío
- moronas de galletas de chocolate (u otra galleta)
- germen de trigo
- nueces picadas
- puré de manzana tibio

Cubierta de crema de mantequilla hecha en casa

La cubierta de crema de mantequilla lleva mantequilla y azúcar glass para hacer un delicioso decorado para pasteles. Asegúrate de refrigerarla, ya que contiene mantequilla y un poco de leche.

Tiempo
10 minutos

Utensilios
tazón mediano

batidora eléctrica

Se obtiene
2 tazas (suficiente para cubrir un pastel de 2 pisos de 23 cm [9 pulg] o 24 mantecadas)

Ingredientes

½ taza de mantequilla

225 g (½ libra) de azúcar glass

½ cucharadita de sal

½ cucharadita de extracto de vainilla

3 cucharadas de leche (de preferencia descremada), más una cucharada adicional si es necesario

225 g (½ libra) de azúcar glass

• • • • •
*El **azúcar glass** es azúcar de mesa molida muy fino.*
• • • • •

Procedimiento

1. Pon la mantequilla, 225 g (½ libra) de azúcar glass, la sal y el extracto de vainilla en un tazón mediano.

2. Bate con una batidora eléctrica hasta que la mezcla esté cremosa.

3. Agrega la leche y los 225 g (½ libra) restantes de azúcar glass y bate de 1 a 2 minutos a velocidad media hasta que esté cremosa. Si queda demasiado espeso, agrega 1 cucharada más de leche.

Mantecadas sencillas

Decora estas mantecadas con la cubierta de crema de mantequilla hecha en casa.

Ingredientes

Tiempo
20 minutos para preparar *más*
20 a 25 minutos para hornear

Utensilios
charola para muffins

tazón grande

tazón mediano

cuchara de madera

cuchara

Se obtiene
12 mantecadas

* * * * *

No cubras un pastel cuando esté caliente porque el pastel se pega al cuchillo para untar y la cubierta pierde firmeza y se vuelve líquida.

* * * * *

1 cucharada de grasa	½ cucharadita de sal
1 ¼ tazas de harina de trigo	1 huevo
1 taza de azúcar	³/₄ de taza de leche
1 ½ cucharaditas de polvo para hornear	⅓ de taza de grasa derretida
	1 cucharadita de extracto de vainilla

Procedimiento

1. Precalienta el horno a 200°C (400°F).
2. Engrasa los fondos y los lados de los moldes para muffins con la grasa o usa una charola antiadherente para muffins o pon moldes de papel en cada molde.
3. Mezcla la harina, el azúcar, el polvo para hornear y la sal en un tazón grande.
4. Mezcla el huevo, la leche, la grasa derretida y el extracto de vainilla en un tazón mediano.
5. Agrega toda la mezcla de leche al tazón grande que contiene la mezcla de harina.
6. Revuelve los ingredientes con una cuchara de madera hasta que estén bien mezclados.
7. Con una cuchara grande, vierte la masa hasta llenar ²/₃ de cada molde.
8. Hornea de 20 a 25 minutos a 200°C (400°F) o hasta que los panes estén de color café dorado.
9. Ponte los guantes para hornear y saca la charola del horno y deja que se enfríe durante 15 minutos sobre una rejilla.
10. Saca los panes de la charola y deja que se enfríen durante 1 hora.
11. Con un cuchillo para untar decora las mantecadas con la cubierta de crema de mantequilla hecha en casa. Antes de decorar las mantecadas, introduce el cuchillo para untar en agua caliente durante unos minutos. Si el cuchillo para untar está caliente, la cubierta se unta más rápida y fácilmente.

CAPÍTULO 14
HAZ TU PROPIA MEZCLA PARA PUDÍN

Los pudines son postres cremosos hechos con leche, azúcar, un espesador como maicena (fécula de maíz) y saborizantes. La maicena es una sustancia blanca en polvo que se hace de maíz. Las mezclas para pudín se consiguen fácilmente en el mercado, pero puedes hacer las tuyas en 15 minutos o menos. La mezcla casera para pudín que se presenta en este capítulo se puede usar para hacer muchos pudines y sundaes de pudín diferentes.

USO DEL ALMIDÓN DE MAÍZ PARA ESPESAR

Objetivo

Mostrar que el almidón de maíz espesa una salsa.

Materiales

2 latas de 240 g (8 onzas) de salsa de jitomate

1 cucharada de maicena

3 cucharadas de agua

2 cacerolas pequeñas

taza para medir

cuchara de madera

Procedimiento

1. Vierte una lata de salsa de jitomate en cada cacerola y caliéntalas a fuego medio durante 3 minutos.

2. Pon el agua en la taza para medir, agrega la maicena y disuelve bien.

3. Agrega la mezcla de maicena a la primera cacerola y sube el fuego a alto. Revuelve constantemente durante 2 minutos.

4. Reduce el calor a fuego medio de la cacerola que contiene la mezcla de salsa de jitomate y maicena y revuelve durante 4 minutos.

5. ¿Qué aspecto tiene la salsa de jitomate en cada cacerola al final? ¿Qué salsa se espesó?

¿Qué ocurrió?

La maicena o fécula de maíz es el almidón que hay en los granos de maíz. El almidón es una forma de carbohidrato que no se disuelve en el agua a temperatura ambiente. Sin embargo, a medida que se calienta el agua, los gránulos de almidón absorben agua y se hinchan hasta alcanzar varias veces su tamaño original. El resultado es un líquido más espeso. Debido a que el almidón absorbe agua, se le puede usar para espesar salsas, sopas y otros alimentos.

Mezcla casera para pudín

Esta mezcla se hace en un abrir y cerrar de ojos. Una vez hecha, puedes usarla para preparar muchos pudines distintos.

Ingredientes

3 $\frac{1}{2}$ tazas de leche en polvo

1 taza de azúcar

$\frac{3}{4}$ de taza de maicena

Tiempo
15 minutos

Utensilios
2 tazones grandes

cernidor

Se obtiene
5 tazas

Procedimiento

1. Mezcla la leche en polvo, el azúcar y la maicena en un tazón grande.

2. Pon el cernidor en otro tazón grande y cierne cucharadas de la mezcla de leche en polvo.

3. Cierne toda la mezcla de leche en polvo y déjala en el tazón.

4. Tapa herméticamente el tazón y déjalo en un sitio fresco y oscuro. La mezcla se conservará un mes.

Tiempo
20 minutos
más
1 ¼ horas de enfriamiento

Utensilios
cacerola

batidor

tazón
o
platos para servir

Se obtiene
6 porciones de ½ taza

Puedes adornar este pudín con crema batida y una galleta de barquillo.

Ingredientes

1   taza de mezcla casera para pudín

1 ¾ tazas de agua caliente

2   cucharadas de margarina

1   cucharadita de extracto de vainilla

Procedimiento

1. Combina la mezcla para pudín y el agua en una cacerola y revuelve hasta que se disuelva la mezcla para pudín.

2. Pon la cacerola en una hornilla a fuego medio. Dale un hervor a la mezcla (observa que haya burbujas, lo que significa que está empezando a hervir).

3. Reduce el fuego y cuece la mezcla a fuego lento durante 2 minutos, revolviendo vigorosamente.

4. Retira la cacerola de la hornilla e incorpora la margarina y el extracto de vainilla.

5. Con cuidado vierte el pudín a un tazón o en platos para servir. Déjalo reposar durante 15 minutos, luego mételo al refrigerador al menos 1 hora antes de servirlo.

El mejor pudín de chocolate

Si te gusta el chocolate, este pudín es para ti.

Ingredientes

1 $^3/_4$ tazas de agua caliente

2 cuadros de chocolate amargo

1 taza de mezcla casera para pudín

2 cucharadas de margarina

1 cucharadita de extracto de vainilla

Procedimiento

1. Pon el agua caliente en una taza para medir de 2 tazas y agrega los cuadros de chocolate para que se derritan.

2. Pon la mezcla para pudín en una cacerola pequeña. Agrega el chocolate fundido y el agua y revuelve hasta que se disuelva la mezcla para pudín.

3. Pon la cacerola en una hornilla a fuego medio. Dale un hervor al pudín (observa que haya burbujas, lo que significa que está empezando a hervir).

4. Reduce el fuego y cuece la mezcla a fuego lento durante 2 minutos, revolviendo vigorosamente.

5. Retira la cacerola del fuego e incorpora la margarina y el extracto de vainilla.

6. Con cuidado vierte el pudín en un tazón o en platos para servir. Déjalo reposar durante 15 minutos, luego métolo al refrigerador 1 hora antes de servirlo.

Tiempo

20 minutos
más
1 $^1/_4$ horas de enfriamiento

Utensilios

taza para medir de dos tazas

cacerola pequeña

batidor

tazón o platos para servir

Se obtiene

6 porciones de $^1/_2$ taza

• • • • •

*El **chocolate amargo** es chocolate puro sin azúcar. También se le llama **chocolate para repostería**. Por su sabor amargo, se le usa principalmente para cocinar u hornear cuando se va a agregar algún dulce.*

• • • • •

Tiempo
20 minutos
más
1 ¼ horas de enfriamiento

Utensilios
cacerola

batidor

tazón o platos para servir

Se obtiene
6 porciones de ½ taza

En este pudín se usan dulces de caramelo para darle su rico sabor.

Ingredientes

1 taza de mezcla casera para pudín

1 ³/₄ tazas de agua caliente

8 a 10 dulces de sabor caramelo

2 cucharadas de margarina

1 cucharadita de extracto de vainilla

Procedimiento

1. Combina la mezcla para pudín y el agua caliente en la cacerola y revuelve hasta que se disuelva.

2. Agrega los dulces de caramelo a la cacerola.

3. Pon la cacerola en una hornilla a fuego medio. Dale un hervor al pudín (observa que se formen burbujas, lo que significa que está empezando a hervir).

4. Reduce el fuego y cuece la mezcla a fuego lento durante 2 minutos, revolviendo bien.

5. Retira la cacerola de la hornilla e incorpora la margarina y el extracto de vainilla.

6. Con cuidado vierte el pudín en un tazón o en platos para servir. Déjalo reposar durante 15 minutos, luego métela al refrigerador por 1 hora antes de servirlo.

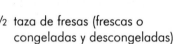

Sundae de fruta y pudín

Esta es una gran idea para fiestas. Puedes sustituir las frutas que se sugieren por otras que te gusten.

Ingredientes

1 receta de pudín de vainilla (página 128)

½ taza de crema dulce o para batir

2 plátanos

1 kiwi

½ taza de fresas (frescas o congeladas y descongeladas)

chispas de caramelo

6 cerezas marrasquino

Tiempo
20 minutos
más
1 ¼ horas de enfriamiento

Utensilios
tazón mediano
batidora eléctrica
cuchillo
tabla para cortar
6 copas altas para helado

Se obtiene
6 sundaes

Procedimiento

1. Sigue las instrucciones para hacer el pudín de vainilla y refrigéralo por lo menos durante una hora.

2. Mete al congelador un tazón mediano durante 10 minutos.

3. Saca el tazón del congelador y vierte la crema entera en el tazón.

4. Bate la crema con una batidora eléctrica a alta velocidad hasta que se formen picos firmes cuando levantes las paletas. No batas de más.

5. Pela los plátanos y el kiwi. En la tabla para cortar, rebana las fresas, los plátanos y el kiwi.

6. Para hacer los sundaes, divide la mitad de la fruta entre las 6 copas altas para helado.

7. Cubre con el pudín, luego con la crema batida, más fruta, las chispas de caramelo y cerezas.

CAPÍTULO 15

HAZ TUS PROPIAS PALETAS DE HIELO

Todo mundo sabe que las paletas de hielo están hechas de hielo, pero ¿alguna vez has pensado en lo que es realmente el hielo? El hielo es un sólido, uno de los tres estados de la materia. El hielo pesa y ocupa un lugar en el espacio. También tiene forma propia. Cuando el hielo se funde, se transforma en agua, que es un líquido. Los líquidos son otro estado de la materia. Los líquidos también pesan y ocupan un lugar en el espacio, pero no tienen una forma propia. Cuando hierve, el agua se transforma en vapor (el último estado de la materia). Sigue teniendo peso y ocupa un lugar en el espacio, pero no tiene forma.

El hielo tiene algunas propiedades únicas. Cuando pones una charola para hacer cubos de hielo llena de agua en el congelador, el agua se expande (se hace más grande) durante el congelamiento. Casi todas las sustancias se contraen (se hacen más pequeñas) al congelarse. El hielo también es menos denso que el agua, por lo que los cubos de hielo flotan.

AGUA CONGELADA

Materiales

¹/₂ taza de agua
un vaso de papel
una pluma o un lápiz

Objetivo

Observar que el agua se expande cuando se congela.

Procedimiento

1. Vierte el agua en el vaso de papel.

2. Con la pluma o el lápiz, marca el nivel del agua dentro del vaso.

3. Pon el vaso de papel en el congelador durante 4 horas.

4. Abre el congelador y saca el vaso. ¿Dónde está la superficie del hielo en relación con la línea que trazaste?

¿Qué ocurrió?

A medida que comienzan a formarse cristales de hielo en el agua, ésta se expande aproximadamente una onceava parte. Esta expansión hace que la parte superior del cubo de hielo esté arriba de la línea trazada. El mismo fenómeno ocurre cuando los alimentos se empacan en recipientes para congelación sin espacio adicional para permitir la expansión.

Paletas de jugo de fruta

Tiempo
10 minutos
más
2 horas para congelar

Utensilios
seis vasos de papel de 90 ml (3 onzas) y seis palitos de madera
o
6 moldes de plástico para paletas

papel aluminio

Se obtiene
6 paletas

Esta receta es para hacer una paleta sencilla con jugo de fruta congelado. ¡Puedes hacerla con cualquier jugo de fruta!

Ingredientes

2 ¼ tazas de tu jugo favorito

Procedimiento

1. Vierte el jugo en vasos de papel o moldes de plástico de 90 ml (3 onzas).

2. Cubre cada vaso con un trozo de papel aluminio y mete los vasos al congelador hasta que el jugo esté espeso y medio congelado, aproximadamente de 20 a 40 minutos.

3. Saca los vasos del congelador. Inserta un palito de madera a través del papel aluminio que cubre cada vaso y empújalo hasta el fondo del vaso. Si usas moldes de plástico, inserta un palito de plástico.

4. Vuelve a meter los vasos al congelador.

5. Congela hasta que el jugo esté completamente duro. Para comerte la paleta, sostenla por el palito y rompe el vaso de papel o pon el molde de plástico bajo agua caliente hasta que se afloje la paleta.

Variante

Paletas con fruta. Agrega trozos pequeños de fruta fresca o enlatada al jugo, como pulpa de piña, puré de plátanos o duraznos picados. Usa de ½ a 1 taza de fruta por cada 2 ½ tazas de jugo.

Paletas de yogur

Si te gustan las paletas cremosas, prueba éstas.

Ingredientes

½ taza de concentrado de jugo congelado   1 ¾ tazas de yogur natural

Procedimiento

1. Mezcla el concentrado de jugo y el yogur natural en un tazón pequeño.

2. Vierte la mezcla de jugo y yogur en los vasos de papel o moldes de plástico de 90 ml (3 onzas).

3. Cubre cada vaso con un pedazo de papel aluminio y mete los vasos al congelador hasta que la mezcla esté espesa y medio congelada, aproximadamente de 20 a 40 minutos.

4. Saca los vasos del congelador. Inserta un palito de madera a través del papel aluminio que cubre cada vaso y empújalo hasta el fondo del vaso. Si usas moldes de plástico, inserta un palito de plástico.

5. Vuelve a meter los vasos al congelador.

6. Congela hasta que la mezcla esté completamente dura. Para comerte la paleta, sostenla por el palito y rompe el vaso de papel o pon el molde de plástico bajo agua caliente hasta que se afloje la paleta.

Tiempo
10 minutos
más
2 horas para congelar

Utensilios
tazón pequeño

seis vasos de papel de 90 ml (3 onzas) y palitos de madera

o

6 moldes de plástico para paletas

papel aluminio

Se obtiene
6 paletas

• • • • •

Si quieres un sabor más dulce, usa más concentrado de jugo Si quieres que las paletas queden más cremosas, usa más yogur

• • • • •

Tiempo
10 minutos
más
2 horas para congelar

Utensilios
tazón mediano para mezclar

batidora eléctrica

seis vasos de papel de 90 ml
(3 onzas) y palitos de madera
o
6 moldes de plástico para paletas

papel aluminio

Se obtiene
6 paletas

Para hacer una paleta de vainilla y chocolate, prepara los dos pudines, de vainilla y chocolate, y vierte cantidades iguales en cada vaso. Para obtener un efecto marmoleado, pasa la hoja de un cuchillo de mesa alrededor del vaso.

Ingredientes

1 caja pequeña de mezcla para pudín instantánea, de cualquier sabor, o mezcla casera para pudín (página 127)

leche

Procedimiento

1. Prepara el pudín con la leche según las instrucciones en el paquete o prepara la mezcla para pudín hecha en casa.

2. Vierte el pudín en los vasos de papel o moldes de plástico de 90 ml (3 onzas).

3. Cubre cada vaso con un pedazo de papel aluminio y mételos al congelador durante 15 minutos.

4. Saca los vasos del congelador. Inserta un palito de madera a través del papel aluminio que cubre cada vaso y empújalo hasta el fondo del vaso. Si usas moldes de plástico, inserta un palito de plástico.

5. Vuelve a meter los vasos al congelador.

6. Congela hasta que el pudín esté completamente duro. Para comerte la paleta, sosténla por el palito y rompe el vaso de papel o pon el molde de plástico bajo agua caliente hasta que se afloje la paleta.

C

IENCIA EN EL
SUPERMERCADO

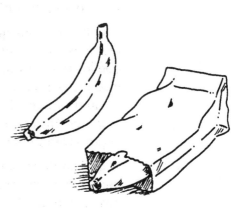

¿MADURO O VERDE?

Cuando estás en el supermercado, ¿te has preguntado alguna vez por qué las personas oprimen los jitomates, aprietan los melones y revisan el color de los plátanos? Todas estas son formas de comprobar si la fruta está madura para comerla o, en otras palabras, para ver si la fruta va a estar dulce y jugosa. Algunas frutas no maduran después de que las cosechan. Están maduras cuando las compras; algunas de estas frutas son las manzanas, las bayas, los cítricos y las uvas. Casi siempre es mejor guardar estas frutas en el refrigerador para que no se maduren demasiado y se echen a perder.

Entre las frutas que mejoran dejándolas madurar más están los plátanos, el kiwi, el melón, los duraznos y los melocotones. A medida que las frutas maduran, expelen un gas llamado *etileno*. Este gas es incoloro e inodoro y favorece la maduración de casi todas las frutas y verduras frescas. De hecho, tú puedes acelerar el proceso de maduración si guardas la fruta en una bolsa de papel, de modo que el gas etileno quede atrapado.

El viejo dicho sobre la manzana podrida que echa a perder a las demás es cierto. Las manzanas en mal estado expelen inclusive más gas etileno que las manzanas en buen estado. Por lo tanto, una manzana en mal estado acelera la putrefacción de cualquier fruta almacenada con ella.

A continuación se indica cuándo puede decirse que ciertas frutas están maduras.

- **Plátanos.** Un plátano amarillo con manchas de color café está maduro. Si el plátano se ve verde, todavía no está maduro.

- **Melón**. ¡Si huele a melón, está maduro! También, el extremo donde estaba la flor debe sentirse ligeramente suave al oprimirlo.

- **Duraznos y melocotones**. Cuando estas frutas están maduras se sienten suaves al tacto.

- **Piña**. La clave para determinar la madurez de una piña es olerla; mientras más fragante sea, más madura está.

A continuación se mencionan algunos hechos curiosos sobre las frutas. ¿Sabías que...

- aunque los jitomates se consideran legalmente como verduras, en realidad cumplen con la definición de fruta? Las frutas son la parte que contiene las semillas de una planta con flores. Los jitomates están llenos de semillas, por lo que técnicamente son una fruta. Como las frutas, son ligeramente dulces, pero se usan en ensaladas y otros platillos en los que no se pensaría en usar otras frutas.

- la "película" blanquecina que aparece en las uvas, ciruelas y blueberries no es suciedad o signo de putrefacción. De hecho, es una capa protectora que produce la fruta y que a menudo indica frescura.

- debes lavar las bayas, ciruelas y uvas justo antes de comerlas. Si estas frutas se lavan antes de guardarlas, a menudo aparecerán mohos.

- las frutas más populares son (en este orden) los plátanos, las manzanas y la sandía.

MADURACIÓN DE PLÁTANOS   EXPERIMENTO

Materiales

2 plátanos del mismo color
una bolsa de plástico o de papel

Procedimiento

1. Pon un plátano en la mesa de la cocina y el otro, en una bolsa de papel o plástico perforada con algunos orificios.

2. Cada mañana, durante tres días, escribe el color de cada plátano como "medio verde", "completamente amarillo" o "la cuarta parte está negra".

3. ¿Qué plátano maduró (y se volvió negro) más pronto?

¿Qué ocurrió?

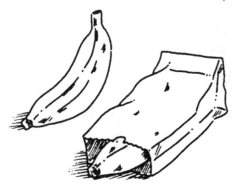

El plátano en la bolsa de papel o plástico maduró más rápido porque el gas etileno liberado por el plátano queda atrapado en la bolsa, con lo que se acelera su maduración.

Dips y patés para frutas y verduras

Prueba lo siguiente sobre trozos de tus frutas y verduras preferidas.

- $\frac{1}{2}$ taza de mantequilla de cacahuate mezclada con 2 cucharadas de miel
- mantequilla de manzana
- puré de frutas (puedes mezclarlas con germen de trigo)
- crema agria mezclada con pasitas y azúcar mascabado
- yogur de sabores
- queso cottage (puedes mezclarlo con fruta y con nueces)
- queso para untar
- ensalada de atún

Ensalada mariposa de sandía

Es divertido hacer esta ensalada y es casi demasiado bonita para comérsela.

Ingredientes

1	rebanada de sandía	3	fresas
1	hoja de lechuga	4	pasitas
1	zanahoria pelada		

Tiempo
15 minutos

Utensilios
tabla para cortar

cuchillo

palillos

Se obtiene
1 porción

Procedimiento

1. Sobre la tabla para cortar, corta a la mitad la rebanada de sandía. En cada mitad, corta un pequeño trozo en la esquina para formar las alas.

2. Pon una hoja de lechuga en un plato.

3. Acomoda las rebanadas de sandía sobre la hoja de lechuga, de modo que se vean como las alas de una mariposa. Pon una zanahoria en el centro para formar el cuerpo de la mariposa.

4. Sobre la tabla para cortar, parte las fresas a la mitad. Pon las mitades sobre la sandía para decorar las alas.

5. Inserta palillos en las pasitas y pon 2 en la zanahoria para los ojos y 2 en el extremo de la zanahoria para formar las antenas de la mariposa.

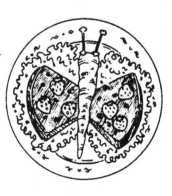

Manzanas al horno

Tiempo
10 minutos para preparar
más
45 a 60 minutos para hornear

Utensilios
tabla para cortar

despepitador de manzanas

tazón pequeño

charola para hornear

cuchara

Se obtiene
6 porciones

• • • • •

Algunas variedades de manzanas buenas para comer frescas u hornearlas son la Golden, Delicia, las rojas y las rayadas.

• • • • •

Las manzanas al horno son un postre fácil de hacer, que puedes preparar en cualquier época del año.

Ingredientes

6 manzanas

¼ de taza de azúcar mascabado

1 cucharadita de canela

1 cucharadita de nuez moscada

1 cucharada de aceite vegetal comestible

⅓ de taza de pasitas

Procedimiento

1. Precalienta el horno a 190°C (375°F).

2. Sobre una tabla para cortar, quítale el corazón a las manzanas con un despepitador de manzanas.

3. Pon las manzanas en la charola para hornear de modo que queden sobre su base.

4. En un tazón pequeño mezcla el azúcar mascabado, la canela, la nuez moscada, el aceite vegetal y las pasitas.

5. Llena el centro de las manzanas con la mezcla de azúcar y especias. Vierte una taza de agua alrededor de las manzanas.

6. Hornea de 45 a 60 minutos a 190°C (375°F) o hasta que las manzanas estén blandas. Con una cuchara, vierte el líquido que está en el fondo de la charola sobre las manzanas para mantenerlas húmedas. Ten cuidado de no tocar la charola caliente.

Variantes

Peras horneadas. En vez de las manzanas, usa 6 peras. Hornea de 45 a 60 minutos o hasta que las peras estén blandas.

Duraznos horneados. En vez de las manzanas, usa 6 duraznos. Pártelos a la mitad y sácales la semilla. Hornea de 20 a 25 minutos o hasta que estén blandos.

Pastel de manzana rápido

*Este postre horneado de manzana
es tan sabroso como el pay de manzana,
pero no contiene tanta grasa.*

Ingredientes

aceite vegetal para cocinar en aerosol

6 manzanas rojas o rayadas

2 cucharadas de jugo de limón

1 cucharada de harina de trigo integral

1 ½ cucharaditas de canela

3 cucharadas de margarina

½ taza de harina de trigo integral

1 taza de avena

½ cucharadita de canela

½ cucharadita de nuez moscada

¼ de taza de azúcar mascabado

Tiempo
20 minutos para preparar más
40 minutos para hornear

Utensilios
platón o molde para hornear cuadrado de 20 cm (8 pulg)

cuchillo

tabla para cortar

plato para microondas con tapa

tazón grande

tazón mediano

Se obtiene
8 porciones

Procedimiento

1. Precalienta el horno a 190°C (375°F).

2. Rocía el platón para hornear con el aceite para cocinar.

3. Lava las manzanas. Sobre una tabla para cortar, córtalas en cuartos y sácales el corazón y todas las semillas. Rebana cada cuarto en 4 trozos.

4. En un tazón grande mezcla el jugo de limón, la harina y la canela.

5. Pon las manzanas en el tazón y revuélvelas de 1 a 2 minutos.

6. Llena el platón para hornear con las manzanas.

7. Pon la margarina en el plato del microondas, tápalo y cocina en la marca "high" de 30 a 60 segundos, hasta que se derrita y burbujee.

8. Deja enfriar durante 1 minuto antes de destapar el plato. Vierte la margarina en un tazón mediano.

9. Agrega la harina, la avena, la canela, la nuez moscada y el azúcar a la margarina y revuelve todo. Esto va a ser la cubierta.

10. Esparce la cubierta sobre las manzanas.

11. Pon el platón en la parte central del horno y hornea durante 45 minutos a 190°C (375°F) o hasta que las manzanas estén suaves.

¿GRASA REAL O DE MENTIRITAS?

¿Sabías que hay un postre congelado que sabe a helado y no contiene grasa? Pues sí, existe. Simple Pleasures^{MR} es un postre congelado hecho con *Simplesse*, el primer sustituto de grasa aprobado por la *Food and Drug Administration* ([FDA, por sus siglas en inglés] organismo del gobierno estadunidense, pero reconocido mundialmente, que se asegura de que los alimentos pueden ingerirse sin riesgo). En términos legales, a Simple Pleasures^{MR} no se le puede llamar helado porque las normas de la FDA exigen que el helado contenga por lo menos 10% de grasa de mantequilla, así que se le denomina postre lácteo congelado.

Simplesse está hecho de claras de huevo y proteínas de la leche mezcladas y calentadas en un proceso que se llama *microparticulación*. El objetivo de este proceso es crear la sensación de un líquido cremoso con la textura de la grasa. Como está hecho de proteínas, contiene calorías, aunque sólo un poco más de 1 caloría por gramo debido a su gran contenido de agua.

Simple Pleasures^{MR} tiene aproximadamente la misma cantidad de calorías que el helado normal porque contiene más azúcar y proteínas, pero tiene casi la mitad de calorías que los helados de primera calidad. Los helados de primera calidad tienen un contenido de grasa muy grande.

Además de ser un ingrediente en los helados, *Simplesse* puede serlo en otros alimentos como mayonesa, aderezos para ensaladas, yogur, dips, crema ácida, mantequilla, margarina y quesos para untar. *Simplesse* no se puede usar para cocinar porque el calor lo hace perder su consistencia cremosa.

En repostería, a menudo se puede sustituir la grasa por salsa de manzanas o mantequilla de ciruelas. En las recetas de este capítulo se usan estos ingredientes en lugar de aceite, margarina o grasa. ¡Hornéalas y a ver qué opinas!

PRUEBA GUSTATIVA

Materiales

postre congelado Simple Pleasures^{MR}
helado normal del mismo sabor que el Simple Pleasures^{MR}
cuchara para helado
2 tazones pequeños
un asistente

Procedimiento

1. Pide al asistente que ponga una bola de Simple Pleasures^{MR} en un tazón y una bola de helado en el otro tazón. Pide al asistente que no te diga cuál es cuál.

2. Observa y prueba las dos bolas. ¿Puedes decir cuál es el verdadero helado?

¿Qué ocurrió?

Es probable que hayas identificado correctamente cuál era el helado normal y cuál era el helado sin grasa. Los alimentos con grasa tienen un sabor peculiar y las versiones sin grasa a menudo no saben igual.

EXPERIMENTO

Objetivo

Comparar el sabor y la textura de la grasa real y la de mentiritas.

Brownies de chocolate

En esta receta la salsa de manzana sustituye al aceite o margarina, que son grasos.

Tiempo

15 minutos para preparar más

35 a 40 minutos para hornear

Utensilios

molde para hornear cuadrado de 20 cm (8 pulg)

cuchara de madera

tazón mediano

tazón grande

batidor

espátula de hule

Se obtiene

12 porciones

Ingredientes

aceite vegetal para cocinar en aerosol

$^1/_2$ taza de cocoa en polvo sin azúcar

$^3/_4$ de taza de harina de trigo

1 cucharadita de polvo para hornear

$^1/_2$ cucharadita de sal

2 cucharadas de margarina

1 $^1/_2$ tazas de azúcar

2 claras de huevo

$^1/_2$ taza de salsa de manzana

1 cucharadita de extracto de vainilla

Procedimiento

1. Precalienta el horno a 180°C (350°F).

2. Rocía el molde para hornear con el aceite vegetal para cocinar.

3. En un tazón mediano mezcla la cocoa en polvo, la harina, el polvo para hornear y la sal.

4. Con una cuchara de madera mezcla la margarina y el azúcar en un tazón grande presionándolos contra la pared del tazón.

5. Incorpora las claras de huevo, la salsa de manzana y el extracto de vainilla a la mezcla de margarina.

6. Lentamente revuelve la mezcla de harina con la mezcla de huevo hasta que estén bien combinadas.

7. Vierte la mezcla en el molde para hornear. Distribúyela uniformemente con la espátula de hule.

8. Hornea de 35 a 40 minutos a 180°C (350°F) o hasta que esté firme.

9. Saca el molde del horno y deja que se enfríe.

10. Corta el pan en cuadros.

Galletitas con chispas de chocolate

La mantequilla de ciruela no contiene grasa, solamente ciruelas y azúcar. En esta receta, se usa mantequilla de ciruela en vez de mantequilla real.

Ingredientes

- 1 taza de mantequilla de ciruela
- $3/4$ de taza de azúcar mascabado
- $3/4$ de taza de azúcar
- 2 huevos
- 2 cucharaditas de extracto de vainilla
- 2 tazas de harina de trigo

- 1 cucharadita de polvo para hornear
- 1 cucharadita de bicarbonato de sodio
- 1 cucharadita de sal
- $3/4$ de taza de chispas de chocolate

Tiempo
15 minutos para preparar
más
8 a 10 minutos para hornear

Utensilios
tazón grande
cernidor
tazón mediano
charolas para galletas
vaso de vidrio
pala

Se obtiene
4 docenas

Procedimiento

1. Precalienta el horno a 180°C (350°F).

2. En un tazón grande, combina la mantequilla de ciruela, el azúcar mascabado, el azúcar, los huevos y el extracto de vainilla e incorpora todo hasta que esté bien mezclado.

3. Cierne juntos la harina, el polvo para hornear, el bicarbonato de sodio y la sal en un tazón mediano.

4. Agrega la mezcla de harina al tazón grande con la mantequilla de ciruela. Bate hasta que esté húmeda.

5. Agrega las chispas de chocolate y termina de mezclar.

6. Refrigera la masa durante 1 hora.

7. Haz bolitas con la masa y aplánalas sobre la charola para galletas con el fondo de un vaso.

8. Hornea a 180°C (350°F) de 8 a 10 minutos o hasta que las galletas tengan un ligero color café dorado.

9. Usa guantes para hornear para sacar la charola del horno y deja que las galletas se enfríen aproximadamente 5 minutos.

10. Desprende las galletas de la charola con una pala.

CAPÍTULO 18

¡CUÁNTA AZÚCAR!

Hay muchas formas distintas de azúcar en el supermercado: azúcar blanca, azúcar mascabado, azúcar glass o para repostería, jarabe de maíz, melaza y fructosa. En realidad, sólo hay dos tipos de azúcar básicos: azúcar natural y azúcar refinada. El azúcar natural existe de forma natural en los alimentos. La glucosa, la fructosa y la miel son ejemplos de azúcares naturales. La glucosa forma parte de la sangre que hay en tu cuerpo y proporciona energía a todas tus células. La fructosa se denomina *azúcar de fruta* porque se encuentra en las frutas maduras. La miel la hacen las abejas.

El azúcar refinada más conocida es el azúcar de mesa, que contiene glucosa y fructosa. Otros nombres del azúcar de mesa son azúcar blanca, azúcar granulada y sacarosa (su nombre químico). Si observas de cerca el azúcar de mesa, verás que es un **cristal**, el cual es una **molécula** de compuestos químicos acomodados de manera uniforme. Se cristaliza a partir del jugo de la caña de azúcar o de la remolacha. El azúcar glass o para repostería es azúcar de mesa molida hasta hacerla polvo. La melaza es el jarabe espeso de color café que queda después de refinar el azúcar de la caña de azúcar. El azúcar mascabado es una mezcla de azúcar blanca y melaza.

El jarabe de maíz es espeso y dulce. Se hace de fécula de maíz y a menudo se usa en platillos horneados. El jarabe de maíz con gran contenido de fructosa es jarabe de maíz que se modifica químicamente aumentando la cantidad de fructosa que contiene para hacerlo más dulce que el jarabe de maíz común.

En este capítulo se incluyen cuatro recetas para hacer galletas y en cada una se usa un tipo de azúcar distinto.

ELABORACIÓN DE CRISTALES DE AZÚCAR

Materiales

1 taza de agua

cacerola pequeña

2 tazas de azúcar

un trozo de cuerda de 30 cm (12 pulg) de largo

un popote

un clip

un frasco de vidrio

lupa

Objetivo

Demostrar el crecimiento de los cristales de azúcar.

Procedimiento

1. Pon una taza de agua en la cacerola. Ponla a fuego vivo hasta que hierva.

2. Agrega el azúcar y revuelve hasta que se disuelva toda.

3. Apaga el fuego y retira la cacerola de la hornilla. Deja que se enfríe durante 10 minutos.

4. Ata un extremo de la cuerda al popote. Ata el clip al otro extremo de la cuerda, de modo que el clip apenas roce el fondo del frasco cuando atravieses el popote sobre la boca de éste.

5. Mete en el frasco el extremo de la cuerda que tiene el clip y pon el popote en posición transversal en la boca del frasco.

6. Vierte el agua azucarada en el frasco. Pon el frasco en un sitio en donde no lo muevan durante 7 días.

7. Observa el frasco con la lupa. ¿Qué ves?

¿Qué ocurrió?

Cuando se disuelve el azúcar, de ningún modo desaparece. El azúcar simplemente se divide en trozos cada vez más pequeños hasta que no puedes verla. Cuando mezclas algo con un líquido, obtienes una *solución*. En agua caliente puedes disolver más azúcar que en agua fría. A medida que tu solución de azúcar y agua se enfrió, el azúcar salió de la solución y formó cristales sobre la cuerda.

Supermasa para galletas

Esta masa para galletas es fácil de preparar y se usa para hacer las galletas de las recetas que siguen. Si tienes una porción de esta masa en el refrigerador, es cuestión de minutos hornear tus galletas favoritas cuando se te antojen.

Tiempo
15 minutos

Utensilios
tabla para cortar

tazón grande

mezcladora para repostería
o
2 cuchillos de mesa

recipiente para guardar con tapa

Se obtiene
14 tazas (aproximadamente
5 hornadas de galletas)

Ingredientes

2   tazas de margarina

4 ½ tazas de harina de trigo

4 ½ tazas de harina de trigo

2   tazas de leche en polvo

⅓ de taza de polvo para hornear

¼ de taza de azúcar

1   cucharada de sal

Procedimiento

1. En la tabla para cortar y con un cuchillo de mesa, corta la margarina en trozos pequeños. Pon los trozos en un tazón grande.

2. Agrega 4 ½ tazas de harina al tazón con la margarina.

3. Con un cuchillo de mesa en cada mano, corta la margarina y los ingredientes secos. Si usas un mezclador para repostería, corta la margarina y los ingredientes secos. Sigue cortando hasta que la mezcla de harina y grasa esté en trozos más o menos del tamaño de un chícharo.

4. Agrega 4 ½ tazas de harina, leche en polvo, polvo para hornear, azúcar y sal a la mezcla de harina y grasa.

5. Vacía la mezcla a un recipiente con tapa hermética y métela al refrigerador. La mezcla puede guardarse en el refrigerador hasta por 5 semanas.

Delicias de mantequilla de cacahuate

En esta receta se usa azúcar blanca.

Tiempo

15 minutos para preparar más

10 minutos para hornear

Utensilios

envoltura plástica

tazón mediano

2 charolas para galletas

vaso de vidrio

tenedor

Se obtiene

2 docenas de galletas

Ingredientes

1 cucharada de manteca vegetal o margarina

⅓ de taza de mantequilla de cacahuate

⅔ de taza de azúcar

1 huevo

1 cucharadita de extracto de vainilla

1 cucharada de agua

1 ½ tazas de la supermasa para galletas

3 cucharadas de azúcar

Procedimiento

1. Precalienta el horno a 190°C (375°F).

2. Coge la grasa con un trozo de envoltura plástica o papel encerado y frótala sobre las charolas para galletas.

3. Mezcla la mantequilla de cacahuate y el azúcar en un tazón mediano.

4. Agrega el huevo, el extracto de vainilla y el agua a la mezcla de mantequilla de cacahuate. Revuelve bien.

5. Agrega la supermasa para galletas a la mezcla de mantequilla de cacahuate y revuelve bien.

6. Haz bolitas de masa de 2.5 cm (1 pulg).

7. Revuelca las bolitas en el azúcar.

8. Aplana las bolitas con el fondo de un vaso de vidrio.

9. Pon las bolitas en una charola para galletas y con los dientes de un tenedor haz una X en la parte superior de cada pieza.

10. Hornea a 190°C (375°F) de 8 a 10 minutos o hasta que las galletas estén de color café dorado.

11. Con los guantes para hornear puestos, saca la charola del horno y deja que las galletas se enfríen durante 5 minutos.

12. Retira las galletas de la charola con una pala.

Galletas M&M^{MR}

En esta receta se usa azúcar mascabado.

Ingredientes

1 cucharada de manteca vegetal o margarina

3 tazas de supermasa para galletas

³/₄ de taza de azúcar mascabado oscura

1 huevo

¹/₃ de taza de agua

¹/₂ cucharadita de extracto de vainilla

1 ¹/₂ tazas de dulces de chocolate del tipo de los M&M^{MR}

Tiempo

15 minutos para preparar más

10 minutos para hornear

Utensilios

envoltura plástica

tazón mediano

tazón pequeño

2 charolas para galletas

cucharita

Se obtiene

3 docenas de galletas

Procedimiento

1. Precalienta el horno a 190°C (375°F).

2. Coge la grasa con un trozo de envoltura plástica o papel encerado y frótala sobre las charolas para galletas.

3. Pon la supermasa para galletas en un tazón mediano. Déjalo a un lado.

4. Mezcla el azúcar mascabado oscura, el huevo, el agua y el extracto de vainilla en un tazón pequeño.

5. Agrega la mezcla de azúcar y huevo a la masa para galletas y revuelve hasta que esté bien mezclado.

6. Incorpora los chocolates M&M^{MR} a la masa para galletas.

7. Vierte cucharaditas de la mezcla para galletas en las charolas para galletas.

8. Hornea a 190°C (375°F) de 8 a 10 minutos o hasta que las galletas estén de color café dorado. Después de 5 minutos, cambia la posición de la charola para galletas para que el horneado sea uniforme.

9. Con los guantes para hornear puestos, saca la charola del horno y deja que las galletas se enfríen durante 5 minutos.

10. Saca las galletas de la charola con una pala.

Variantes

Galletas con chispas de chocolate. En vez de los dulces de chocolate M&M^{MR}, usa 1 ¹/₂ tazas de chispas de chocolate.

Galletas con chispas de mantequilla de cacahuate. En vez de los dulces de chocolate M&M^{MR}, usa 1 ¹/₂ tazas de chispas de mantequilla de cacahuate.

Galletas de manzana y pasitas. En vez de los dulces de chocolate M&M^{MR}, usa 1 taza de manzana fresca en cubos y ¹/₂ taza de pasitas.

Bocados de melaza

*En esta receta se usa principalmente
melaza para endulzar.*

Tiempo
15 minutos para preparar
más
10 minutos para hornear

Utensilios
envoltura plástica

tazón mediano

tazón pequeño

batidor

cucharita

charolas para galletas

Se obtiene
4 docenas de galletas

• • • • •

*Los **clavos** son las flores
sin abrir de un árbol
tropical de hojas perennes.*

• • • • •

Ingredientes

1 cucharada de manteca
  vegetal o margarina

4 tazas de la supermasa para
  galletas

$\frac{1}{4}$ de taza de azúcar

$\frac{1}{2}$ taza de azúcar mascabado

1 cucharadita de canela

1 cucharadita de jengibre

$\frac{1}{2}$ cucharadita de clavos

1 huevo

1 taza de melaza

Procedimiento

1. Precalienta el horno a 190°C (375°F).

2. Coge la grasa con un trozo de envoltura plástica o
papel encerado y frótala sobre las charolas para
galletas.

3. En un tazón mediano pon la supermasa para galletas,
el azúcar, el azúcar mascabado, la canela, el jengibre
y los clavos. Mezcla bien.

4. Mezcla el huevo con la melaza en un tazón pequeño
hasta que estén bien combinados.

5. Pon la mezcla de huevo en el tazón con la supermasa
para las galletas. Revuelve hasta mezclar bien.

6. Vierte cucharaditas de la masa para galletas en las
charolas para galletas.

7. Hornea a 190°C (375°F) de 8 a 10 minutos o hasta
que las galletas estén de color café dorado.

8. Con los guantes para hornear puestos, saca la
charola del horno y deja que las galletas se enfríen
durante 5 minutos.

9. Despega las galletas de la charola con una pala.

Deliciosos brownies de doble chocolate y miel

En esta receta se usa miel como dulce.

Ingredientes

1 cucharada de manteca vegetal o margarina

4 tazas de supermasa para galletas

²/₃ de taza de miel

½ taza de cocoa sin azúcar

¼ de taza de margarina

1 huevo

¼ de taza de agua

1 cucharadita de extracto de vainilla

1 taza de chispas de minichocolates o 1 taza de dulces de chocolate como los M&M$^{®}$

Tiempo
15 minutos para preparar más
20 minutos para hornear

Utensilios
envoltura plástica

molde cuadrado de 23 cm (9 pulg)

tazón mediano

plato pequeño para horno de microondas con tapa

Se obtiene
25 brownies

Procedimiento

1. Precalienta el horno a 180°C (350°F).

2. Coge la grasa con un trozo de envoltura plástica o papel encerado y frótala sobre el fondo y los lados del molde.

3. Pon la masa para galletas, la miel y la cocoa en un tazón mediano. Mezcla bien.

4. Pon la margarina en el plato para horno de microondas y tápalo.

5. Cuece la margarina en la marca "high" de 30 a 60 segundos, hasta que se derrita y burbujee.

6. Deja que se enfríe durante 1 minuto antes de destapar el plato.

7. Agrega la margarina, el huevo, el agua y el extracto de vainilla al tazón con la mezcla. Revuelve bien.

8. Envuelve las chispas de chocolate o los dulces M&M$^{®}$ con la masa.

9. Vierte la masa en el molde.

10. Hornea a 180°C (350°F) más o menos durante 20 minutos o hasta que la superficie de la masa esté ligeramente dorada.

11. Deja que se enfríe antes de cortar en cuadros.

CAPÍTULO 19

¿QUÉ CEREAL TIENE MÁS FIBRA?

La fibra no es una sola sustancia sino una variedad de sustancias. La característica única de la fibra es que los humanos no podemos digerirla. En otras palabras, casi toda la fibra pasa por tu estómago y tus intestinos sin experimentar ningún cambio y así se excreta. Esta característica de la fibra es importante porque ayuda a nuestro organismo a procesar y excretar otros desechos sólidos.

La fibra sólo se encuentra en alimentos de origen vegetal, donde es el sostén de los tallos, hojas y semillas de la planta. Hay fibra en las frutas, en los frijoles y chícharos secos, en los granos y en las verduras. La fibra *no* se encuentra en alimentos de origen animal como carne, aves, pescados, productos lácteos y huevos.

Existen dos tipos principales de fibra: soluble e insoluble. La fibra soluble se disuelve en agua, donde forma un gel muy parecido a la gelatina. La pectina, una fibra soluble, es especialmente útil para hacer jalea, como verás en el siguiente experimento. La fibra insoluble no se disuelve en el agua.

Muchos de los cereales que venden en el supermercado tienen escritas con letras grandes las palabras "contiene fibra". Algunos cereales para el desayuno pueden ser una excelente fuente de fibra. Para saber qué cereal contiene la mayor cantidad de fibra, consulta la etiqueta de "información nutricional" que viene en la caja. Ahí encontrarás la cantidad de gramos de fibra que hay en una porción del cereal. Los expertos en nutrición recomiendan comer 25 gramos de fibra diariamente. Muchos cereales proporcionan 3 gramos o más por ración.

Las recetas de esta sección se centran en alimentos con gran contenido de fibra, como el salvado de trigo (la capa exterior del grano de trigo), los frijoles secos y las lentejas.

ELABORACIÓN DE JALEA CON PECTINA

Materiales

4 tazas de zarzamoras, frambuesas o fresas (limpia las fresas)

4 tazas de azúcar

$1/4$ de cucharadita de cáscara de limón finamente rallada

la mitad de un paquete de 180 g (6 onzas) de pectina de fruta líquida

2 cucharadas de jugo de limón

tazón mediano

tazón pequeño

4 recipientes de plástico para congelador de 250 ml ($1/2$ pinta)

cuchara

Objetivo

Mostrar el efecto de la pectina en fruta triturada.

Procedimiento

1. Tritura las frutas.

2. Mide 2 tazas de zarzamoras o frambuesas trituradas o 1 $3/4$ de tazas de fresas y ponlas en el tazón grande.

3. Agrega el azúcar y la cáscara de limón a la fruta triturada. Deja reposar 10 minutos.

4. Combina la pectina y el jugo de limón en un tazón pequeño.

5. Agrega la mezcla de pectina y jugo de limón a la fruta triturada. Revuelve durante 3 minutos.

6. De inmediato, vierte cucharadas de la fruta triturada en los recipientes hasta 1.25 cm ($\frac{1}{2}$ pulg) del borde superior de los recipientes. Séllalos.

7. Deja reposar los recipientes a la temperatura ambiente durante unas 2 horas o hasta que la jalea esté firme.

8. Guarda los recipientes hasta 3 semanas en el refrigerador o 1 año en el congelador.

¿Qué ocurrió?

La jalea adquiere una consistencia semisólida por la pectina, que es una forma de fibra. Las moléculas de pectina largas, semejantes a cuerdas, espesan la mezcla de fruta enlazándose entre sí. Este enlace crea una especie de red que atrapa el líquido de la fruta y le da su consistencia a la jalea. Algunas frutas, como las uvas, tienen la pectina suficiente para hacer su propia jalea. Otras frutas requieren que se les agregue pectina.

Muffins de salvado fáciles de hornear

Los muffins de salvado son una gran fuente de fibra en el desayuno o como golosinas.

Ingredientes

aceite vegetal para cocinar en aerosol

1 taza de agua

3 tazas de salvado sin procesar

2 huevos

2 tazas de yogur natural o 2 tazas de buttermilk (suero de leche)

$\frac{1}{2}$ taza de aceite vegetal comestible

1 taza de pasitas

2 $\frac{1}{2}$ cucharaditas de bicarbonato de sodio

$\frac{1}{2}$ cucharadita de sal

$\frac{1}{3}$ de taza de azúcar

1 taza de harina de trigo

1 $\frac{1}{2}$ tazas de harina de trigo integral

Tiempo
25 minutos para preparar más
20 minutos para hornear

Utensilios
2 charolas para muffins

cacerola pequeña

tazón grande

2 tazones medianos

cuchara de madera

guantes para hornear

Se obtiene
24 muffins

Procedimiento

1. Precalienta el horno a 220°C (425°F).

2. Rocía los moldes para muffins con el aceite vegetal en aerosol para cocinar o usa moldes antiadherentes.

3. Pon agua en una cacerola pequeña y caliéntala a fuego alto. Deja que hierva.

4. Mezcla el salvado y el agua hirviendo en un tazón grande. Revuelve para que se absorba el agua y deja aparte para que se enfríe.

5. En un tazón mediano mezcla los huevos, el buttermilk o el yogur, el aceite y las pasitas. Revuelve con la mezcla de salvado.

6. En otro tazón mediano, revuelve el bicarbonato de sodio, la sal, el azúcar, la harina de trigo y la harina de trigo integral. Revuelve con la mezcla de salvado.

7. Con una cuchara grande, llena con la masa cada molde hasta dos terceras partes de su capacidad.

8. Hornea a 220°C (425°F) durante 20 minutos.

9. Con los guantes para hornear puestos, saca el molde del horno y deja que se enfríe durante 10 minutos, sobre una rejilla.

10. Saca los panes de los moldes.

*El **salvado** es la capa exterior de un grano de cereal, como el trigo. El salvado de trigo es una excelente fuente de fibra.*

Cuadros de amaranto y chocolate

Esta nutritiva semilla formaba parte de la dieta básica de los antiguos mexicanos. Es una importante fuente de proteínas y fibra. Además es particularmente rica en calcio, fósforo y magnesio. Te encantará para la hora del recreo.

Tiempo
20 minutos para preparar más
2 horas de reposo

Utensilios
tazón pequeño para horno de microondas con tapa

tazón grande para incorporar (de 2 a 3 litros de capacidad)

charola para galletas con orillas

una hoja de papel encerado

rodillo

cuchillo aserrado

Se obtiene
16 porciones

Ingredientes

aceite vegetal para cocinar en aerosol

1   tablilla de chocolate amargo o semiamargo

2 a 3 cucharaditas de miel de abeja (o al gusto)

4   tazas de semilla de amaranto tostada (la encuentras en el supermercado)

Procedimiento

1. Engrasa la charola para galletas con el aceite vegetal en aerosol y déjala a un lado.

2. Pon el chocolate amargo en el tazón pequeño para horno de microondas y cúbrelo.

3. Calienta el chocolate en la marca "high" durante 30 a 60 segundos, hasta que se funda.

4. Deja que se enfríe un minuto antes de destapar el plato.

5. En el tazón grande, pon las semillas de amaranto, vierte el chocolate fundido y agrega la miel. Incorpora todo muy bien.

6. Vacía el amaranto en la charola engrasada extendiendo bien. Cubre con el papel encerado y aplana con el rodillo.

7. Espera dos horas.

8. Corta los cuadros de amaranto y chocolate con un cuchillo aserrado.

Variantes

En vez de usar un cuchillo, corta el amaranto con un cortador de galletas con tus figuras favoritas.

Agrega cacahuates o nueces.

Burritos de lentejas

Si te gusta enrollar tu comida en una tortilla, prueba esta receta.

Ingredientes

1 cebolla mediana
1 taza de lentejas
2 tazas de agua
½ cucharadita de comino molido
un chorrito de salsa picante
1 jitomate

1 pimiento morrón verde o rojo
1 taza de salsa suave para tacos
8 tortillas de harina pequeñas
120 g (4 onzas) de queso mozzarella rallado

Tiempo

30 minutos

Utensilios

cuchillo

tabla para cortar

escurridor

cacerola mediana

plato para horno de microondas

toalla de papel

Se obtiene

8 burritos

Procedimiento

1. Pela la cebolla. Sobre la tabla para cortar, pártela a la mitad y pícala.
2. Lava las lentejas en el escurridor.
3. Pon las lentejas y la cebolla en una cacerola mediana. Agrega el agua, el comino y la salsa picante.
4. Pon la cacerola en una hornilla y caliéntala a fuego alto. Deja que hierva.
5. Reduce el fuego a lento-medio y deja que se cuezan las lentejas de 15 a 20 minutos, justo hasta que estén suaves.
6. Mientras se cuecen las lentejas, lava el jitomate y el pimiento.
7. En la tabla para cortar, parte a la mitad el jitomate y el pimiento.
8. Quita las semillas al pimiento.
9. Pica el jitomate y el pimiento.
10. Cuando las lentejas estén suaves, agrega los jitomates, el pimiento y la salsa para tacos y continúa calentando.
11. Pon una pila de 8 tortillas en un plato para horno de microondas y cúbrelas con una toalla de papel húmeda. Enciende el horno de microondas en la marca "high" durante 40 segundos o hasta que se calienten las tortillas.
12. Para hacer los burritos, pon ½ taza de lentejas en medio de cada tortilla.
13. Esparce queso sobre la mezcla de lentejas y enrolla cada burrito.

• • • • •
Cuando laves las lentejas, asegúrate de quitar todo lo que no sea una lenteja, como guijarros, que pudiera haberse mezclado con ellas
• • • • •

CAPÍTULO 20

ARROZ BLANCO O ARROZ INTEGRAL?

El arroz es una de muchas clases de granos. Los granos son las semillas de gramíneas cultivadas, como el arroz, el trigo o la avena. Todos los granos tienen una estructura semejante que incluye capas de salvado, un endosperma y un germen. El *endosperma* es la gran área central del grano. En su mayor parte, contiene almidón. En uno de los extremos del endosperma está el germen.

El *germen* es una buena fuente de aceite y vitamina E. El *salvado*, que está lleno de fibra, cubre al endosperma y al germen.

salvado

endosperma

germen

Una semilla contiene todo lo necesario para que la planta se reproduzca: el germen es el embrión a partir del cual crecerá una nueva planta, el endosperma contiene los nutrimentos para el crecimiento y el salvado lo protege.

El arroz, como casi todos los granos, se procesa o muele después de la cosecha. La forma más común del arroz es el arroz blanco. Para hacer arroz blanco se quita la cáscara exterior del grano y las capas de salvado se muelen o pulen hasta que el grano es blanco. Si solo se retira la cáscara externa del grano (de todos modos no es comestible) y se deja el

ARROZ BLANCO GRANO LARGO

ARROZ INTEGRAL DE MORELOS

salvado, al arroz se le llama arroz moreno o integral. Se le llama arroz moreno por su color café dorado. Mientras el arroz blanco es más bien insípido, el arroz integral tiene un sabor como a nuez y su textura es pegajosa. El arroz integral también tarda más en cocerse que el blanco porque las capas de salvado actúan como una barrera para la cocción.

El arroz es una excelente fuente de carbohidratos y sólo contiene una mínima cantidad de grasa y no contiene colesterol. El arroz integral, por ser un grano entero, contiene más nutrimentos (como fibra y vitamina E) que el arroz blanco.

Otros arroces que puedes encontrar en la tienda son el arroz basmati y el arroz silvestre. El arroz basmati es una variedad de arroz con un fuerte sabor a nuez único que combina bien con la comida de la India. El arroz silvestre no es un arroz verdadero. Es una gramínea que crece silvestre en la región de los grandes lagos en Estados Unidos. El arroz silvestre es de color café oscuro y tiene un sabor a nuez.

El arroz se cocina en agua hirviendo, luego se reduce el calor a fuego lento, se le tapa y se deja cocer hasta que se absorbe el líquido. Para cocinar arroz blanco normal se requieren aproximadamente 20 minutos. Puedes comprar arroz blanco precocido o instantáneo que se cuece en menos tiempo. Aunque este tipo de arroz se cocina rápidamente, los granos se vuelven pegajosos si se cuecen demasiado.

Otro tipo de arroz blanco es el llamado arroz a *medio cocer* o *transformado*. El arroz a medio cocer es arroz parcialmente cocido a presión de vapor, que se seca y se pule para quitarle la cáscara y el salvado. El proceso de cocción parcial da por resultado un grano más nutritivo que el arroz blanco normal, pero tarda un poco más en cocerse (aproximadamente 25 minutos).

COCCIÓN DEL ARROZ BLANCO Y DEL ARROZ INTEGRAL

Objetivo

Comparar los tiempos de cocción del arroz blanco y del arroz integral.

Materiales

2 cacerolas con tapa
$\frac{1}{2}$ taza de arroz blanco (a medio cocer)
$\frac{1}{2}$ taza de arroz integral
un plato

Procedimiento

1. Pon una taza de agua y el arroz blanco en una cacerola.

2. Pon una taza de agua y el arroz integral en la otra cacerola.

3. Pon las dos cacerolas a fuego alto. Apenas hierva el agua, baja la flama a fuego lento y, con las cacerolas tapadas, mantenlas así 25 minutos.

4. Sirve una pequeña cantidad de cada arroz en un plato. ¿Alguno está suave y puede comerse? ¿Alguno requiere de más cocimiento?

¿Qué ocurrió?

Después de 25 minutos de cocción, el arroz blanco estará suave y el arroz integral estará duro. El arroz integral tarda más tiempo en cocerse porque el salvado en la parte externa de cada grano actúa como barrera para el calor y la cocción.

Arroz con fruta

Esta receta es un cambio agradable del arroz simple.

Ingredientes

1   taza de arroz, integral o blanco

3   manzanas

1   cucharada de aceite vegetal comestible

½   taza de pasitas

1   cucharada de ajonjolí (opcional)

Procedimiento

1. Cocina el arroz según las instrucciones del paquete.

2. Mientras se cuece el arroz, lava las manzanas. Sobre una tabla para cortar, pártelas a la mitad, quítales el centro y todas las semillas.

3. Rebana las manzanas.

4. Pon el aceite en una sartén pequeña a fuego medio. Cuando el aceite esté caliente, agrega las manzanas.

5. Cuécelas 5 minutos, luego voltéalas con una pala. Cocina las manzanas otros 5 minutos.

6. Mezcla las pasitas y las manzanas en el arroz cocido. Cocina sin dejar de revolver constantemente hasta que el arroz esté completamente caliente.

7. Sirve el arroz en platos y esparce encima el ajonjolí si así lo deseas.

Tiempo
30 a 60 minutos
(dependiendo del tipo de arroz)

Utensilios
cacerola mediana con tapa

cuchillo

tabla para cortar

sartén pequeña

pala

cuchara

Se obtiene
4 porciones

Pollo cremoso con arroz

Tiempo
30 a 60 minutos
(dependiendo del tipo de arroz)

Utensilios
cacerola mediana con tapa

cuchillo

tabla para cortar

sartén pequeña

Se obtiene
4 porciones

Esta es una gran forma de aprovechar sobras de pollo.

Ingredientes

1   taza de arroz, integral o blanco

sobras de pollo cocido, 1 taza

1   lata de crema de champiñones de 315 ml (10 $\frac{1}{2}$ onzas)

Procedimiento

1. En una cacerola mediana, cocina el arroz según las instrucciones del paquete.

2. Corta el pollo en trozos pequeños en la tabla para cortar.

3. Pon el pollo y la crema en una cacerola pequeña. Mézclalos y caliéntalos a fuego medio. Deja la cacerola a fuego lento durante 10 minutos, hasta que se caliente por completo.

4. Sirve el arroz en platos y sobre el arroz vierte la mezcla de pollo y crema.

PRINCIPIOS ELEMENTALES DE NUTRICIÓN

La **nutrición** trata sobre ti y los alimentos. Su tema son los alimentos que comes y cómo los utiliza tu cuerpo. Necesitas comida para obtener energía para jugar, respirar y que tu corazón siga latiendo. A la energía que hay en los alimentos se le llama **calorías**. Los alimentos también proporcionan una variedad de sustancias denominadas **nutrimentos**, que son necesarios para ayudarte a crecer, reparar tu cuerpo y mantenerte sano.

En el folleto "Principios de alimentación para los estadunidenses" del Departamento de Agricultura y el Departamento de Salud y Servicios Humanos de Estados Unidos, se dan las siguientes respuestas a la pregunta "¿Qué debemos comer para estar sanos?"

1. *Comer diversos alimentos.* Necesitas más de 40 nutrimentos distintos para tener buena salud.

2. *Mantener un peso saludable.* Si estás muy gordo o muy flaco, aumentan las probabilidades de que tengas problemas de salud. Para bajar de peso necesitas comer menos calorías (las calorías nos indican cuánta energía contiene cada alimento).

3. *Elegir una dieta con poca **grasa** y **colesterol**.* La grasa es un nutrimento que proporciona más energía que cualquier otro. Las personas cuya alimentación tiene un gran contenido de grasa son más propensas a enfermarse del corazón y a adquirir ciertos tipos de cáncer que los que no ingieren tanta grasa. Algunas grasas que comes puedes verlas, como la margarina, el aceite vegetal y la mantequilla. Pero muchas otras grasas no son tan obvias, como la grasa que hay en las hamburguesas, en la leche entera y en muchos quesos, en galletas, pasteles, alimentos fritos, mayonesa, aderezos para ensalada y otros alimentos. El colesterol es un nutrimento semejante a la grasa, que se produce en el organismo y se encuentra en todas las células. Los huevos y el hígado son los alimentos que contienen las cantidades de colesterol más grandes.

4. *Comer muchas verduras, frutas y productos de granos como panes, cereales, pasta y arroz.* Estos alimentos en general tienen poca grasa. Si los eliges frecuentemente es probable que disminuyas las grasas y aumentes los carbohidratos en tu alimentación. Los

carbohidratos son un grupo de nutrimentos que incluyen al azúcar, el almidón y la **fibra**. La fibra se encuentra sólo en alimentos vegetales como frutas, verduras y granos. Comer fibra tiene muchos efectos positivos.

5. *No comer demasiada azúcar.* Los azúcares y los alimentos que los contienen en grandes cantidades suministran calorías, pero pocos nutrimentos. Por tanto, las personas no requieren mucha azúcar y ésta puede hacerlas aumentar de peso innecesariamente.

6. *No comer demasiada sal y sodio.* La sal de mesa contiene sodio y cloro, que son dos minerales necesarios en la alimentación. Sin embargo, la mayoría de las personas come más sal y sodio de la que necesita. El sodio también se agrega a muchos alimentos durante su elaboración. Siempre lee cuidadosamente las etiquetas antes de comprar.

PIRÁMIDE NUTRICIONAL BÁSICA

Otra manera de ver lo que necesitamos comer cada día se ilustra en la pirámide nutricional básica, que se muestra a continuación. En la pirámide nutricional básica se destacan los alimentos de los cinco grupos alimentarios de las tres secciones inferiores. Cada uno de estos grupos de alimentos suministra algunos, pero no todos los nutrimentos que necesitas. Los alimentos de un grupo no pueden sustituir a los de otro. Ningún grupo es más importante que otro; para estar sano, necesitas todos. Sin embargo, necesitas más de algunos grupos, como el pan, que de otros, como las grasas. También, varía tu elección de alimentos dentro de cada grupo porque alimentos específicos difieren en los tipos y cantidades de nutrimentos que proporcionan.

Pirámide nutricional básica
Guía para elegir los alimentos diarios

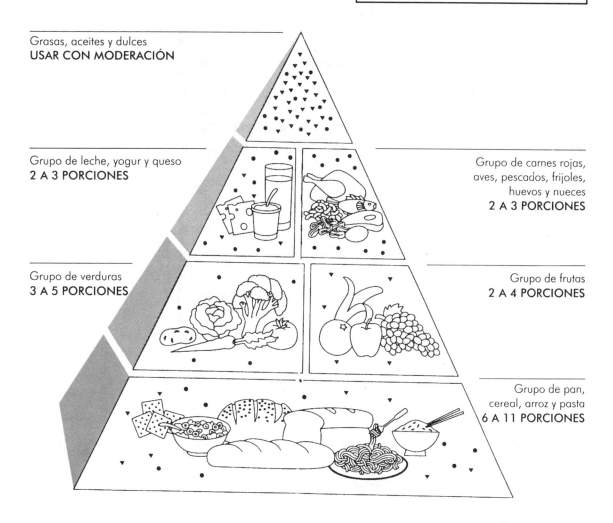

Grasas, aceites y dulces
USAR CON MODERACIÓN

Grupo de leche, yogur y queso
2 A 3 PORCIONES

Grupo de carnes rojas, aves, pescados, frijoles, huevos y nueces
2 A 3 PORCIONES

Grupo de verduras
3 A 5 PORCIONES

Grupo de frutas
2 A 4 PORCIONES

Grupo de pan, cereal, arroz y pasta
6 A 11 PORCIONES

CÓMO LEER LA ETIQUETA DE UN ALIMENTO

¿Has observado alguna vez la pequeña sección de la etiqueta en los alimentos llamada Información nutricional de los alimentos que compras en el supermercado? A continuación se analiza de arriba a abajo la etiqueta de un alimento congelado.

El tamaño de la porción es de 340 g (12 onzas); es decir, $^1/_3$ kg ($^3/_4$ de libra). Este paquete contiene una porción, por lo que tienes que comer todo el alimento del paquete para obtener las cantidades de los nutrimentos mencionados.

La porción contiene 340 calorías, de las cuales 45 provienen de la grasa. Esto está bien.

Los nutrimentos mencionados son los más importantes para la salud de una persona promedio. Debes tratar de comer diariamente 100% de los valores de carbohidratos, fibras, vitaminas y minerales en varias comidas. Debes mantener bajo el porcentaje de grasa, grasa saturada, colesterol y sodio. Este alimento no tiene demasiada grasa y colesterol y es una buena fuente de fibra, proteína y vitamina C.

La columna del valor porcentual diario indica con cuánto contribuye este alimento a la cantidad recomendada diaria de un nutrimento para una dieta de 2 000 calorías. Tus valores diarios pueden ser mayores o menores, dependiendo de cuántas calorías necesites.

En la parte inferior de la etiqueta se citan las cantidades recomendadas de varios nutrimentos para una dieta de 2 000 y 2 500 calorías. Para grasa, colesterol y sodio, las cantidades son máximas; debes tratar de comer *menos* que las cantidades citadas.

Información nutricional

Tamaño de la porción 340 g (12 onzas)
Porciones por recipiente 1

Cantidad por porción

Calorías 340 — Calorías provenientes de grasa 45

Valor porcentual diario*

Total de grasa 5 g	8%
Grasa saturada 2 g	10%
Colesterol 30 mg	10%
Sodio 470 mg	20%
Total de carbohidratos 61 g	20%
Fibra alimenticia 5 g	20%
Azúcares 2-3 g	
Proteínas 14 g	

Vitamina A 10%	Vitamina C 35%
Calcio 15%	Hierro 10%

* Los valores porcentuales diarios se basan en una dieta de 2 000 calorías. Los valores diarios pueden ser mayores o menores, dependiendo de la necesidad de calorías:

	Calorías	2 000	2 500
Grasa total	Menos de	65g	80g
Grasa saturada	Menos de	20g	25g
Colesterol	Menos de	300mg	300mg
Sodio	Menos de	2 400mg	2 400mg
Total de carbohidratos		300g	375g
Fibra alimenticia		25g	30g

Calorías por gramo:
Grasa 9 • Carbohidratos 4 • Proteínas 4

APÉNDICE

B CONTENIDO NUTRICIONAL DE LAS RECETAS

En esta tabla se muestran las cantidades de calorías, grasa, colesterol, fibra y sodio que contiene una porción de cada una de las recetas de este libro. Puedes comparar estas cifras con la cantidad que necesitas diariamente.

Receta	Tamaño de la porción	Calorías	Grasa (gramos)	Colesterol (miligramos)	Fibra (gramos)	Sodio (miligramos)
Capítulo 1						
Las mejores palomitas	2 tazas	98	5	0	1	0
Palomitas con color	2 tazas	131	9	0	1	106
Cuadros de palomitas con pasitas	1 cuadro	110	4	0	0.5	49
Mezcla energética para irse de excursión	1 taza	111	4	0	1.6	75
Palomitas con queso Cheddar y cebollinos	2 tazas	134	10	7	0.7	127
Palomitas Santa Fe	1 cuadro	63	4	6	0.2	180
Bolas de palomitas para fiesta	1 bola	230	9	0	1	111
Capítulo 2						
Sopa de cebolla a la francesa	1 taza	252	12	12	2	912
Capítulo 3						
Pan tostado con nuez moscada y azúcar mascabado	2 rebanadas	290	10	0	3	301
Pan tostado con canela a la antigua	2 rebanadas	290	10	0	3	301

Receta	Tamaño de la porción	Calorías	Grasa (gramos)	Colesterol (miligramos)	Fibra (gramos)	Sodio (miligramos)
Figuras de pan tostado francés con mantequilla de cacahuate y mermelada	1 sandwich	323	11	54	4	332
Pastelillos de Linz con pan tostado francés	1 sandwich	248	3	55	4	271
Tartaletas de pan tostado con fruta y queso crema	1	395	8	22	3	645
Mantequilla de fresa	1 cucharadita	74	7	0	1	90
Paté de perejil y cebollinos	1 cucharadita	16	2	5	0	14
Capítulo 4						
Papas al horno	1 papa	220	0	0	5	16
Papas rellenas de brócoli y queso Cheddar	1 papa	398	13	40	5	277
Puré de papas	$1/2$ taza	115	6	0	1	77
Papas a la francesa fabulosas	$3/4$ de taza	157	13	0	3	77
Cáscaras de papas con queso Cheddar y salsa	1 cáscara	79	2	6	1	65
Capítulo 5						
Montones de pasta y queso	1 porción	642	27	68	0	542
Salsa de queso sencilla	$1/2$ taza	160	6	24	0	472
Capítulo 6						
Ensalada de frutas de verano	1 porción	117	3	0	3	25
Ensalada de frutas de invierno	1 porción	63	0	0	2	1
Brocheta de frutas	1 brocheta	74	0.4	0	2	3
Capítulo 7						
Pan blanco	1 rebanada	58	0	0	0.5	134
Masa básica para pizza	$1/8$ de receta	163	4	0	1	267

Receta	Tamaño de la porción	Calorías	Grasa (gramos)	Colesterol (miligramos)	Fibra (gramos)	Sodio (miligramos)
Pizza de vegetales	1/8 de receta	352	15	24	2	742
Pizzoli Estrómboli	1/8 de receta	288	14	16	1	588
Rosca de bolitas de pan	1 porción	477	15	0	3	755

Capítulo 8

Receta	Tamaño de la porción	Calorías	Grasa (gramos)	Colesterol (miligramos)	Fibra (gramos)	Sodio (miligramos)
Bisquets de polvo para hornear	galleta	117	4	0.5	0.5	221
Osito de hot cakes y blueberries	hot cake	101	3	30	0.5	175
Muffins sencillos	1 muffin	167	5	18	1	264

Capítulo 9

Receta	Tamaño de la porción	Calorías	Grasa (gramos)	Colesterol (miligramos)	Fibra (gramos)	Sodio (miligramos)
Conchas de merengue	1 concha	44	0	0	0	14
Pastel "manjar de ángel"	1/12 de pastel	142	0	0	0	138
Omelette esponjosa	porción	155	10	426	0	134

Capítulo 10

Receta	Tamaño de la porción	Calorías	Grasa (gramos)	Colesterol (miligramos)	Fibra (gramos)	Sodio (miligramos)
Aderezo italiano	1 cucharadita	65	7	0	0	0
Aderezo de frambuesa	1 cucharadita	17	2	0	0	36
Aderezo mil islas	1 cucharadita	39	3	3	0	77
Aderezo ruso	1 cucharadita	30	3	3	0	34
Aderezo de yogur y miel	1 cucharadita	14	0	1	0	8
Ensalada de atún	1 porción	227	9	46	0	507
Ensalada Waldorf	1 porción	123	5	5	3	37
Ensalada con tres tipos de frijoles	1 porción	88	4	0	3	24

Capítulo 11

Receta	Tamaño de la porción	Calorías	Grasa (gramos)	Colesterol (miligramos)	Fibra (gramos)	Sodio (miligramos)
Salsa de jitomate	1/2 taza	19	0	0	1	7
Salsa primavera	1/2 taza	78	0	1.7	3	164

Receta	Tamaño de la porción	Calorías	Grasa (gramos)	Colesterol (miligramos)	Fibra (gramos)	Sodio (miligramos)
Salsa al pesto hecha en licuadora	30 mil (1 onza)	155	15	14	0	244
Capítulo 12						
Parfaits cremosos con fruta	1 taza	116	1	4	1	110
La hamburguesa de queso típica	1 hamburguesa	350	19	63	1	338
Capítulo 13						
Crema batida hecha en casa	1/4 de taza	103	11	42	0	11
Cubierta de crema de mantequilla hecha en casa	1/4 de taza	320	11	31	0	253
Mantecadas sencillas	1	172	7	18	0	143
Capítulo 14						
Pudín de vainilla	1/2 taza	101	4	1	0	95
El mejor pudín de chocolate	1/2 taza	125	6	1	0	95
Rico pudín de caramelo	1/2 taza	145	6	4	0	111
Sundae de fruta y pudín	1 sundae	221	11	28	1	104
Capítulo 15						
Paletas de jugo de fruta	1 paleta	43	0	0	0	3
Paletas de yogur	1 paleta	75	0	1	0	57
Paletas de pudín	1 paleta	59	0	0	0	138

Receta	Tamaño de la porción	Calorías	Grasa (gramos)	Colesterol (miligramos)	Fibra (gramos)	Sodio (miligramos)
Capítulo 16						
Ensalada mariposa de sandía	1 porción	105	1	0	4	29
Manzanas al horno	1 manzana	159	3	0	3	5
Pastel de manzana rápido	¹/₈ de receta	230	6	0	6	53
Capítulo 17						
Brownies de chocolate	¹/₁₂ de receta	165	3	0	0	150
Galletitas con chispas de chocolate	1 galleta	53	0	9	0	72
Capítulo 18						
Delicias de mantequilla de cacahuate	1 galleta	77	3	9	0	75
Galletas M&M^(MR)	1 galleta	86	4	6	0	77
Bocados de melaza	1 galleta	66	2	5	0	77
Deliciosos brownies de doble chocolate y miel	1 cuadro	95	5	9	0	70
Capítulo 19						
Muffins de salvado fáciles de hornear	1 muffin	147	5	19	12	150
Cuadros de amaranto y chocolate	³/₄ de taza	203	1	0	2	597
Burritos de lentejas	1 burrito	209	4	8	4	196
Capítulo 20						
Arroz con fruta	1 porción	314	4	0	4	5
Pollo cremoso con arroz	1 porción	438	13	90	0.5	475

C ¿QUÉ ES SEGURO COMER?

Aun cuando elijas una dieta muy nutritiva, sigue habiendo peligros escondidos en tus alimentos. Estos peligros parecen estar siempre presentes en la televisión, los periódicos y las revistas. ¿En realidad se rocían las manzanas con productos químicos peligrosos? ¿Comer una hamburguesa mal cocida preparada en un establecimiento de comida rápida puede causar que te hospitalicen? A continuación se considera cómo mantener la seguridad alimentaria.

INTOXICACIÓN ALIMENTARIA

La **enfermedad de origen alimentario**, comúnmente llamada *intoxicación alimentaria*, la provocan sustancias contenidas en los alimentos (como bacterias y mohos) que te hacen daño al estómago, pero que pueden ser más graves. Algunas veces producen fiebre e infección. Los síntomas pueden comenzar una hora después de comer el alimento sospechoso o presentarse hasta varios días después.

La enfermedad de origen alimentario suelen provocarla microorganismos. Los microorganismos incluyen a las bacterias y los virus. *Micro* significa pequeño y tanto las bacterias como los virus son tan pequeños que no se les puede ver a simple vista. Las bacterias están en el aire, en el suelo y en ti y en mí. Con la temperatura adecuada y el tiempo suficiente, las bacterias se multiplican en los alimentos (duplican su cantidad cada 20 minutos). Las bacterias provocan intoxicación alimentaria cuando se multiplican en los alimentos hasta el punto en que cuando éstos se comen, hacen daño. Sin embargo, no todas las bacterias producen intoxicación alimentaria; solo un número muy pequeño lo hace.

Las bacterias crecen fácilmente en estas tres condiciones:

1. **En un alimento que contiene proteínas** como carne, aves, pescado, huevos, productos lácteos, gravies y salsas, papas, frijoles y arroz.

2. **A una temperatura entre 7 y 60°C (45 y 140°F).** La temperatura normal de refrigeración es de 7°C (45°F) o menos, de modo que las bacterias crecen lentamente, si lo hacen. El crecimiento bacteriano es aún más lento en el congelador, que suele mantenerse a −18°C (0°F) o menos. La temperatura ambiente normalmente está alrededor de 21°C (70°F), que es una temperatura ideal para que crezcan las bacterias.

3. Por lo menos dos horas en el intervalo de temperatura dado en el punto anterior.

En algunos casos, no en todos, la cocción adecuada del alimento contaminado (74°C o 165°F) evita problemas. Sin embargo, la cocción no mata a todas las formas de bacterias y en muchos casos el alimento contaminado no se cuece más, como en el caso de la ensalada de atún.

Estas son algunas formas de prevenir la intoxicación alimentaria en tu casa.

1. Mantén calientes los alimentos calientes y fríos los alimentos fríos (menos de 7°C o 45°F).

2. Lávate las manos frecuentemente, en especial después de manipular carne, aves, mariscos o huevos crudos.

3. Cuando manipules alimentos, no te toques porque las bacterias de tu piel pueden introducirse en los alimentos. No uses tus dedos para probar los alimentos, usa una cuchara.

4. Cubre todas las cortadas, quemadas y abscesos con vendas impermeables. Las cortadas, las quemadas y los abscesos son el hogar de muchas bacterias indeseables en los alimentos.

5. Mantén todos los utensilios brillando de limpios y lávalos después de cada uso. Por ejemplo, si cortas pollo en la tabla para cortar, lávala bien con agua *caliente* y jabón antes de cortar la lechuga en ella (¡también lava el cuchillo!).

6. Usa una cuchara para revolver los alimentos crudos, como la carne que estás cociendo, y otra para revolver los alimentos cocidos.

7. Cuece y calienta los alimentos hasta que estén muy calientes y bien cocidos.

8. No comas carne, pescado o huevos crudos. Pueden contener bacterias, virus o parásitos peligrosos. Si una masa o pasta contiene huevos crudos, no la comas antes de cocerla.

9. Descongela las carnes, aves y mariscos toda la noche en el refrigerador. No los descongeles a la intemperie.

Estas reglas son buenos consejos a seguir. Una última regla práctica es: "Si tienes duda, tíralo". No vale la pena enfermarse por un alimento cuyo buen estado está en duda.

MOHOS

¿Notaste alguna vez una pequeña pelusa de color azul verdosa que crece en los jitomates? Quizá ya sabías que era simplemente moho, pero te habrás preguntado si debías cortar solamente el área con moho o tirar todo el jitomate. Los mohos causan putrefacción (muy a menudo de las frutas y el pan), olores a descompuesto y sabores desagradables en los alimentos. Los mohos también crecen en verduras, carnes y quesos que han estado expuestos al aire. Aunque los mohos mueren con casi cualquier cocción, las toxinas (veneno) que producen no, de modo que necesitas evitar comer alimentos mohosos. En alimentos de textura firme, como las papas y los quesos duros, basta con cortar la zona mohosa. Cuando se trata de alimentos blandos, como pan o jitomates, es mejor tirar el alimento si tiene moho.

Para evitar un moho peligroso que crece en los cacahuates (y el maíz), es mejor adquirir productos nacionales. También tira los cacahuates, mantequilla de cacahuate, harina de maíz u otros productos de maíz que tengan moho.

PLAGUICIDAS

Los plaguicidas son productos químicos que se usan para controlar insectos, enfermedades, malas hierbas, hongos, moho y otras plagas en plantas, verduras, frutas y animales. Los plaguicidas suelen aplicarse a los cultivos en forma de rocío, niebla o polvo.

El gobierno permite que en los alimentos para consumo humano quede una pequeña cantidad de plaguicidas, pero para estar seguro, debes evitar comerlos. Aquí se indica cómo.

• Siempre que sea posible, compra frutas y verduras orgánicas (se cultivan sin usar plaguicidas).

• Tira las hojas externas de vegetales con hojas como la lechuga.

• Lava cuidadosamente las frutas y las verduras con un cepillo.

• Pela las zanahorias, los pepinos, los duraznos y las peras porque en estos alimentos hay mayor probabilidad de que contengan residuos peligrosos de plaguicidas.

• Compra productos locales, ya que probablemente hayan sido tratados con menor cantidad de plaguicidas que los productos que tienen que recorrer una gran distancia.

• Quítale la grasa y la piel a carnes, aves y pescados. Los plaguicidas que contiene el alimento para animales se concentran en la grasa de éstos. Quita la grasa que escurra en la cazuela, así como la que se forme en caldos, salsas y sopas.

• Ten una alimentación variada en la que no domine un solo alimento.

GLOSARIO

Acremar Mezclar margarina o mantequilla y azúcar (casi siempre) presionándolas con la parte posterior de una cuchara contra la pared del tazón hasta que se vea cremoso.

Amasar Trabajar una mezcla hasta convertirla en una masa lisa al comprimirla y doblarla.

Batir Revolver rápidamente con un movimiento circular, por lo general con un batidor de alambre, para incorporar aire a la mezcla (como cuando se hace crema batida).

Caloría Una medida de la energía que contiene un alimento.

Carbohidratos Grupo de nutrimentos que incluyen al azúcar, el almidón y la fibra.

Coagular Volverse firme.

Cocinar a fuego lento Cocer en un líquido que está justo abajo de su punto de ebullición.

Colesterol Nutrimento semejante a la grasa, que se produce en el organismo y está en cada célula de éste.

Cortar en cubos Partir en dados del mismo tamaño.

Cristal Sustancia sólida transparente, que tiene superficies lisas y formas regulares en todos sus lados.

Desmenuzar Frotar un alimento contra una superficie que tiene orificios o ranuras de tamaño mediano a grande para obtener trozos pequeños del alimento.

Envolver Mezclar ingredientes aplicando un movimiento suave de arriba hacia abajo con un utensilio.

Fibra Variedad de sustancias presentes en los alimentos de origen vegetal, que el organismo no puede digerir.

Freír Cocinar en una sartén a fuego moderado en una pequeña cantidad de grasa.

Gluten Una sustancia elástica que contiene la harina y le da al pan su estructura firme.

Grasa Nutrimento que suministra más energía que cualquier otro nutrimento.

Hacer picadillo Cortar en trozos muy finos.

Hacer puré Cambiar un alimento sólido a un líquido espeso.

Hervir Estar en la temperatura de ebullición del agua: 100°C (212°F). Cuando un líquido hierve, significa que está convirtiéndose en vapor (el estado gaseoso del agua).

Incorporar Batir los ingredientes con un batidor de alambre hasta que queden bien mezclados.

Intoxicación alimentaria Enfermedad causada por sustancias contenidas en los alimentos, como bacterias y mohos.

Levadura Pequeño organismo unicelular que hace subir la masa para pan.

Mezclar Combinar dos o más ingredientes de modo que todos queden distribuidos de manera uniforme.

Molécula Dos o más átomos que constituyen una sustancia con propiedades distintas a las de los átomos que la integran.

Nutrición Ciencia que estudia los alimentos que comes y la forma en que el organismo los utiliza.

Nutrimento Una de muchas sustancias contenidas en los alimentos, necesarias para crecer, reparar el cuerpo y estar sano.

Picar Cortar en trozos de tamaño irregular.

Probar la levadura Agregar levadura a agua tibia y azúcar para asegurarse de que la levadura está activa.

Proteína Un nutrimento que necesita el cuerpo para crecer y estar sano.

Rallar Frotar un alimento contra los pequeños orificios de un rallador para obtener trozos de alimento pequeños o finos.

Rebanar Cortar en rebanadas uniformes.

Revolver Mover el utensilio de un lado a otro para mezclar ingredientes.

Saltear Cocer rápidamente en una cacerola a fuego medio-alto en una pequeña cantidad de grasa.

Sodio Un mineral presente en la sal, necesario para tu organismo.

Vaporizar Cocer al vapor.

ÍNDICE

D

E

La edición, composición, diseño e impresión de esta obra fueron realizados
bajo la supervisión de GRUPO NORIEGA EDITORES.
Balderas 95, Col. Centro. México, D.F. C.P. 06040
1200825000901528DP9200IE

STUDY GUIDE AND COMPUTER WORKBOOK FOR

Statistics for Psychology

Arthur Aron
State University of New York at Stony Brook

Elaine N. Aron
Pacifica Graduate Institute

PRENTICE HALL, Englewood Cliffs, New Jersey 07632

1, 2, 3, 4, 5 (-193), 7, 8, 9 (-087)

Executive Editor: Peter Janzow
Project Manger: Jenny Moss
Editorial Assistant: Marilyn Coco
Production Coordinator: Tricia Kenny
Cover Designer: Jayne Conte
Cover Photo: George Holton/The National Audubon Society Collection/Photo Researchers

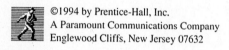

Printed in the United States of America
10 9 8 7 6 5 4 3 2 1

ISBN 0-13-845728-X

Prentice-Hall International (UK) Limited, *London*
Prentice-Hall of Australia Pty. Limited, *Sydney*
Prentice-Hall Canada Inc., *Toronto*
Prentice-Hall Hispanoamericana, S.A., *Mexico*
Prentice-Hall of India Private Limited, *New Delhi*
Prentice-Hall of Japan, Inc., *Tokyo*
Simon & Schuster Asia Pte. Ltd., *Singapore*

Table of Contents

Introduction (How to Use this *Study Guide and Computer Workbook*)

Table of Contents   v

Introduction
(How to Use this Study Guide and Computer Workbook)

This study guide is designed to help you master the material in your text, *Statistics for Psychology*. *First*, you should read the chapter in the text and work the practice problems. *Then*, you should work through the material in the corresponding chapter here.

The first part of each chapter in this *Guide* helps you solidify your knowledge. It includes a list of learning objectives, a thorough outline of the chapter, formulas (including their expression in words and numbers, as well as what all the symbols stand for), and step-by-step instructions for doing the various procedures covered in the chapter.

In most chapters, the next part of each chapter in this *Guide* is a detailed outline of one or more of those essays on explaining the material in the chapter "to a person who has never had a course in statistics." These sections will help you carry out these essay exercises in each chapter (and to prepare you for possible exam questions of this kind). Plus, being able to write a strong essay of this kind is the surest way to be confident you have really mastered the material.

Next in each chapter is a set of Self-Tests--multiple-choice, fill-in, and problem/essays--to help you evaluate how well you have learned the material and to give you practice for course exams. The answers are in the back of this *Guide*.

The last part of each chapter helps you use one of the standardly available statistical computer programs--SPSS/PC+ Studentware Plus and MYSTAT--to carry out the procedures and deepen your knowledge of the material covered in the text chapter. In addition to these sections in each chapter for the two programs, there is an appendix at the end of the book on how to get started using each of these programs.

Finally, at the very end of this *Guide* there is a set of glossary flash-cards to be cut out. Many students find that in statistics conquering the terminology is half the battle. These flash cards are designed to help you in that process.

Acknowledgements. Many people helped me in the preparation of this manual. Elijah Aron, Ken Galaka, Kip Obenauf, Paul Sanders, and Rosemary Torrano all prepared draft items for the Self-Tests; and Ken, Rosemary, and Miles Holland reviewed the finished items for accuracy. Sami Corn and Elijah helped with the typing, and Menko Johnson formatted the typing for the final typeset printing. Above all, I am grateful to Elaine Aron who read, checked for accuracy, and offered helpful advice on the entire manuscript.

Chapter 1
Displaying the Order in a Group of Numbers

Learning Objectives

To understand, including being able to carry out any necessary procedures:

- Descriptive versus inferential statistics.
- Frequency tables.
- Terminology of variable, value, and score.
- Grouped frequency tables.
- Histograms.
- Frequency polygons.
- Unimodal and bimodal frequency distributions.
- Symmetrical and skewed frequency distributions.
- Normal and kurtotic frequency distributions.
- Ways in which frequency tables and their graphic equivalents can be misused.

Chapter Outline

I. **The Two Branches of Statistical Methods**

   A. *Descriptive statistics* are used to summarize and make understandable a group of numbers collected in a research study. (This is the focus of Chapters 1-4.)

   B. *Inferential statistics* are used to draw conclusions based on but going beyond the numbers actually collected in the research. (This is the focus of Chapters 5-17.)

II. **Frequency Tables**

   A. They show how frequently each of the different values occur.

   B. They make the pattern of numbers clear at a glance.

   C. To understand them, some basic statistics terminology is needed.

      1. *Variable*–a characteristic that can take on different values.
      2. *Value*–a number of category that a score can have.
      3. *Score*–a particular person's value on a variable.

   D. There are three steps to creating a frequency table.

      1. Make a list down the page of each possible value, starting from the highest and ending with the lowest.
      2. Go one by one through the group of scores you wish to describe, making a mark for each next to the corresponding value on your list.
      3. Make a neat table of how many times each value on your listing occurs.

III. **Grouped Frequency Tables**
  A. They are used when there are so many different possible values that the frequency table is too cumbersome to give a simple account of the information.
  B. They group values of all cases within a certain interval.
  C. There are four steps to creating a grouped frequency table.
     1. Subtract the lowest from the highest value to find the range.
     2. Divide the range by a reasonable interval size.
        a. Use 2, 3, 5, 10, or a multiple of 10 if possible.
        b. The size, after rounding up, should represent a reasonable number of intervals (in general, no fewer than 5, no more than 15).
     3. Make a list of the intervals from highest to lowest, making the lower end of each interval equal to a multiple of the interval size. (Be sure that the intervals do not overlap.)
     4. Proceed as you would for an ordinary frequency table.

IV. **Histograms**
  A. They are one type of graphic display of the information in a frequency table.
  B. They are a kind of bar chart (in which the bars are put right next to each other without divisions); the height of each bar corresponds to the frequency of each value or interval in the frequency table.
  C. They look like a city skyline.
  D. There are four steps to creating a histogram.
     1. Make a frequency table (or a grouped frequency table).
     2. Place the scale of values (or intervals) along the bottom of a page.
        a. The values (or intervals) should go from left to right, from lowest to highest.
        b. For a grouped frequency table it is conventional to mark only the midpoint of each interval, in the center of each bar. (The midpoint is figured as the point between the start of the interval and the start of the next interval.)
     3. Make a scale of frequencies along the left edge of the page.
     4. Make a bar for each value (or interval), the height corresponding to the frequency of the value (or interval) it represents.
  E. Making a histogram will be easiest if you use graph paper.

V. **Frequency Polygons**
  A. They are another type of graphic display of the information in a frequency table.
  B. They are a kind of line graph in which the bottom of the graph shows the values or intervals (as in a histogram), and the line moves from point to point, with the height of each point showing the number of cases in that interval.
  C. They look like a mountain–peak skyline.

D. There are four steps to creating a frequency polygon.
   1. Make a frequency table (or a grouped frequency table).
   2. Place the scale of values (or intervals) along the bottom.
      a. The values (or intervals) should go from left to right, from lowest to highest.
      b. Be sure to include one extra value (or interval) above and one extra value (or interval) below the values (or intervals) that actually have any scores in them.
      c. For a grouped frequency table, use the midpoint of each interval. (The midpoint is figured as the point between the start of the interval and the start of the next interval.)
   3. Along the left of the page make a scale of frequencies that runs from 0 at the bottom to the highest frequency in any value (or interval).
   4. Mark a point above the center of each value (or interval) corresponding to the frequency of that value (or interval).
   5. Connect the points with lines.

VI. Shapes of Frequency Distributions
   A. A frequency table, histogram, or frequency polygon describes a *frequency distribution*–how the number of cases or "frequencies" are spread out or "distributed."
   B. It is useful to describe in words the key aspects of the way numbers are distributed–which can be thought of as the shape of the histogram or frequency polygon that represents the frequency distribution.
   C. Unimodal and bimodal.
      1. A distribution with a single high peak is *unimodal*. (This is the most common in psychology.)
      2. A distribution with two major peaks is *bimodal*.
      3. Any distribution with two or more peaks is called *multimodal*.
      4. A distribution in which all the values have about the same frequency is called *rectangular*.
   D. Symmetrical and skewed.
      1. A distribution with approximately equal numbers of cases (and a similar shape) on both sides of the middle is *symmetrical*. (Approximations to this are the most common in psychology.)
      2. A distribution which is clearly not symmetrical is *skewed*.
         a. The direction of skew refers to the side with the long tail.
         b. A distribution that is skewed to the right–the positive side of the middle–is also called *positively skewed*.
         c. A distribution skewed to the left–the negative side of the middle–is also called *negatively skewed*.

3. In practice, highly skewed distributions come up in psychology mainly when what is being measured has some upper or lower limit.
   a. The situation in which many scores pile up at the low end because it is not possible to have any lower score is called a *floor effect*.
   b. The situation in which many scores pile up at the high end because it is not possible to have any higher score is called a *ceiling effect*.

E. Kurtosis.
   1. If a distribution is particularly flat or particularly peaked it has something called *kurtosis*.
   2. The standard of comparison is the *normal curve*, a bell–shaped curve that is widely approximated in frequency distributions in psychological research–and in nature generally. (See Chapter 5.)
   3. How peaked and pinched together versus flat and spread out a distribution is, compared to the normal curve, is called its degree of kurtosis. *flat = platykurtotic tall = leptokurtotic*

VII. Controversies and Limitations: How Frequency Tables and their Graphic Equivalents Can Be Misused

A. Failure to use equal interval sizes.

B. Exaggeration of proportions.
   1. Ordinarily the height of a histogram or frequency polygon should begin at 0 or the lowest value of the scale and continue to the highest value of the scale.
   2. The overall proportion of the graph should be about 1.5 times as wide as it is tall.

VIII. Frequency Tables, Histograms, and Frequency Polygons in Research Articles

A. They are mainly used by researchers as an intermediary step in the process of more elaborate statistical analyses.

B. Frequency tables are used in two situations.
   1. Sometimes they are presented to compare frequencies on two or more variables or for two or more groups.
   2. Most often they are used when the values of the variable are categories rather than numbers.

C. Histograms and frequency polygons almost never appear in research
   articles (except articles *about* statistics); but their shape is sometimes commented on in the text of the article, particularly if the distribution seems to be far from normal.

How to Make a Frequency Table

I.   Make a list down the page of each possible value, starting from the highest and ending with the lowest.

II. Go one by one through the group of scores you wish to describe, making a mark for each next to the corresponding value on your list.

III. Make a neat table showing how many times each value on your list occurs.

How to Make a Grouped Frequency Table

I.   Subtract the lowest from the highest value to find the range.

II. Divide the range by a reasonable interval size.
   1. Use 2, 3, 5, 10, or a multiple of 10 if possible.
   2. The size, after rounding up, should represents a reasonable number of intervals (in general, no fewer than 5, no more than 15).

III. Make a list of the intervals, from highest to lowest–making the lower end of each interval equal to a multiple of the interval size. (Be sure that the intervals do not overlap.)

IV. Proceed as you would for an ordinary frequency table.

How to Make a Histogram

I.   Make a frequency table (or a grouped frequency table).

II. Place the scale of values (or intervals) along the bottom of a page.
   A. The values (or intervals) should go from left to right, from lowest to highest.
   B. For a grouped frequency table, it is conventional to mark only the midpoint of each interval, placed in the center of each bar. (The midpoint is figured as the point between the start of the interval and the start of the next interval.)

III. Along the left of the page make a scale of frequencies that runs from 0 at the bottom to the highest frequency in any value (or interval).

IV. Make a bar for each value (or interval), the height corresponding to the frequency of the value (or interval) it represents.

How to Make a Frequency Polygon

I.   Make a frequency table (or a grouped frequency table).
II.   Place the scale of values (or intervals) along the bottom of a page.
      A. Be sure to include one extra value (or interval) above and one extra value (or interval) below the values (or intervals) that actually have any scores in them.
      B. For a grouped frequency table, use the midpoint of each interval. (The midpoint is figured as the point between the start of the interval and the start of the next interval.)
III. Along the left of the page make a scale of frequencies that runs from 0 at the bottom to the highest frequency in any value (or interval).
IV.   Mark a point above the center of each value (or interval) corresponding to the frequency of that value (or interval).
V.   Connect the points with lines.

Chapter Self–Tests

Multiple–Choice Questions

1. Psychologists use _____ statistics like frequency tables to help make sense of the numbers they collect.

   a. inferential.
   b. descriptive.
   c. intuitive.
   d. abstract.

2. A researcher studies the amount of self–confidence people have after doing well on a test. Self–confidence in this study is a

   a. score.
   b. descriptive statistic.
   c. value.
   d. variable.

3. A psychologist administers a personality scale on which people can get a score of any number between 24 to 86. The results would be described using a grouped frequency table rather than an ordinary frequency table because an ordinary frequency table would

   a. have too many values.
   b. not be able to include all cases.
   c. create a skewed distribution.

d. has to start at 0 (or 0%).

4. To determine the interval size to use in a grouped frequency table, you first find the range and then try different numbers to divide it by, trying to end up with an interval size that is

    a. twice the range.
    b. an odd number if possible.
    c. some common regular number (such as 2, 3, 5 or 10).
    d. some even number if possible.

5. What is generally the largest number of intervals you would want in a grouped frequency table?

    a. 5.
    b. 15.
    c. 45.
    d. 60.

6. A histogram

    a. is similar to a line graph.
    b. always approximates a normal curve.
    c. is a graphic description of frequency table.
    d. describes the relation between two variables.

7. In a frequency polygon, the vertical (up and down) dimension represents

    a. frequency.
    b. possible values the variable can take.
    c. intensity of the variable.
    d. mean score.

8. Suppose 50 people take a math exam–25 math experts, 25 people very poor at math. This distribution will probably be _____.

    a. unimodal.
    b. bimodal.
    c. normal.
    d. skewed.

9. Describe the distribution of the following scores (you will probably need to make a frequency table, histogram, or frequency polygon to do this).

    1,10,6,8,7,5,5,4,9,2,9,8,6,7,8,3,4,3,5,5,7,6,4,6,6,7

    a unimodal and approximately normal.
    b. bimodal and negatively skewed.
    c. normal and positively skewed.
    d. normal and negatively skewed.

10. A graphic display of a frequency distribution is misleading when
   a. the proportions are close to 1–1/2 across to 1 up.
   b. the frequencies are grouped or percentages are used.
   c. some of the intervals are larger than others.
   d. the intervals (or values) are put across the bottom.

Fill–In Questions

1. When making a frequency table, the _____ are listed in the first column and the frequencies corresponding to each of these are listed in the next column.

2. A researcher used a(n) _____ because there were too many different values for an ordinary frequency table.

3. Because the range went from 10 to 99, the researcher used a(n) _____ of 10 for the grouped frequency table.

4. A graph describing a frequency table and looking like a city skyline is called a(n) _____

5. A(n) _____ distribution shows up in a frequency polygon as two peaks that are much higher than all the others.

6. If the number of scores at each value is approximately the same, this creates a(n) _____ distribution, which is also symmetrical.

7. The distribution of incomes in a small community tends to be _____ skewed, because most people earn small to modest incomes, and a decreasing number earn large incomes (though a very small number earn a very great deal).

8. In a pilot test of a planned memory study, the majority received a perfect score. Seeking to avoid such a(n) _____ in the real study, the researcher made the task more difficult.

9. The _____ represents a particular unimodal, symmetrical distribution commonly found in psychology research and nature generally.

10. _____ refers to a distribution being much more peaked or flat than is typical of distributions in psychology.

Chapter One

Essays and Problems

1. Under what conditions would you prefer to make a grouped frequency table over an ordinary frequency table? Why?

2. Twenty–four adolescent girls whose parents had just divorced completed a questionnaire about their attitudes toward their parents. Their scores were as follows (the scale goes from 0, very negative attitude, to 80, very positive attitude):

17,73,8,19,68,11,41,24,61,44,53,18,0,21,75,3,18,11,72,12,11,79,71,4

  (a) Make a grouped frequency table.
  (b) Make a histogram based on the grouped frequency table.
  (c) Describe in words the shape of the histogram.

3. The average life spans in captivity for 43 different mammals (as reported in the *1989 World Almanac*, p. 258) are as follows:

  12 20 18 25 20 5 15 12 12 20 6 15 8 12 35 40 15 7 10 8 15

  20 4 25 20 7 12 15 15 12 3 3 1 10 12 5 15 20 12 12 10 16 5

  (a) Make a grouped frequency table.
  (b) Make a frequency polygon based on the grouped frequency table.
  (c) Describe in words the shape of the histogram.

4. Explain what it means to have a floor effect in a distribution of scores. Give an example.

Using SPSS/PC+ Studentware Plus with this Chapter

If you are using SPSS for the first time, before proceeding with the material in this section, read the Appendix on Getting Started and the Basics of Using SPSS/PC+ Studentware Plus.

You can use SPSS to create frequency tables and histograms, including grouped frequency tables and histograms based on those grouped frequency tables. You should work through the example, following the procedures step by step. Then look over the description of the general principles involved and try to create frequency tables and histograms on your own for some of the problems listed in the Suggestions for Additional Practice. Finally, you may want to try the suggestions for using the computer to deepen your understanding, and you can explore the additional SPSS procedure, the box plot, described at the end.

I.   An Example
  A. Data: Fourteen students rated the quality of social life in their dormitory on a 1 to 10 scale. The ratings were 6, 9, 9, 4, 9, 7, 1, 7, 4, 10, 7, 1, 9, and 4.
  B. Follow the instructions in the SPSS Appendix for starting up SPSS and be sure the cursor is in the Scratch Pad window.

C. Enter the data as follows.
   1. Type **DATA LIST FREE / RATINGS.** and press Enter to go to the next line.
   2. Type **BEGIN DATA.** and press Enter to go to the next line.
   3. Type **6**, the score for the first subject, and press Enter.
   4. Type **9**, the score for the second subject, and press Enter. At this point, the screen should appear as shown in Figure SG1–1.

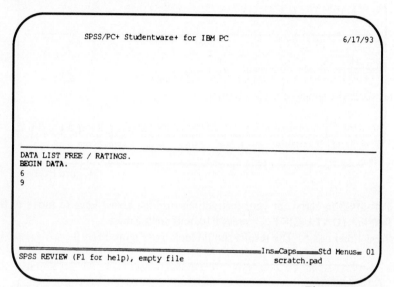

```
            SPSS/PC+ Studentware+ for IBM PC                    6/17/93




    _____
    DATA LIST FREE / RATINGS.
    BEGIN DATA.
    6
    9




    =================================================Ins=Caps======Std Menus= 01
    SPSS REVIEW (F1 for help), empty file              scratch.pad
```

Figure SG1–1

   5. Type the remaining scores, one per line. (Note that when you have filled the Scratch Pad window, the earlier lines will move up, giving you more room to type. You can always move back to an earlier line, using the arrow keys.)
   6. Type **END DATA.** and press Enter to move to the next line.
D. Make a frequency table and histogram, as follows.
   1. Type **FREQUENCIES RATINGS / HISTOGRAM / FORMAT NOTABLE.** and press Enter to go to the next line. At this point the screen should look like Figure SG1–2.

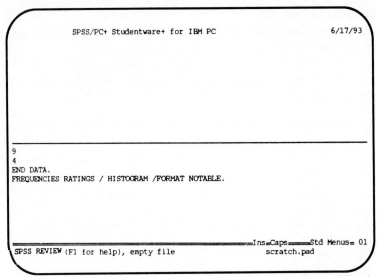

Figure SG1–2

2. Tell SPSS to carry out your instructions–use the arrow keys to move to the start of the first line (**DATA LIST ...**), press F10, and press Enter.
3. Press Enter again. The results should look like Figure SG1–3.

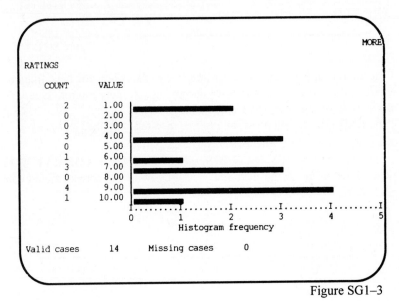

Figure SG1–3

4. Inspect the results.
   a. At the top of the screen (on the left), SPSS reminds you of the name of the variable you are examining (in this case, **RATINGS**).
   b. The two columns of numbers are the frequency table itself. The left column, labeled **COUNT**, gives the frequencies. The column to its right, labeled **VALUE,** gives the various values, from lowest to highest. (This is different from an ordinary frequency table, such as those shown in the text, in which the column of values would be on the left and the values would be listed going down from highest to lowest.)
   c. The histogram is shown next to the column of values. It is like the histograms in the text except for being set on its side (also, the bars do not touch each other).
5. Print out this result (make a screen print by holding shift and pressing the PrintScrn key).

E. Make a grouped frequency table and histogram, as follows.
   1. Return to the Scratch Pad window by pressing F2.
   2. Move to the last line (**FREQUENCIES ...**) and erase enough to type instead, **FREQUENCIES RATINGS / HISTOGRAM MINIMUM(0) MAXIMUM(12) INCREMENT(2)**.
   3. Continue on the next line with / **FORMAT NOTABLE.**; then press Enter.
   4. Tell SPSS to carry out your instructions–use the arrow keys to move to the start of the first line (**DATA LIST ...**), press F10, and press Enter.
   5. Press Enter again. The results should look like Figure SG1–4.

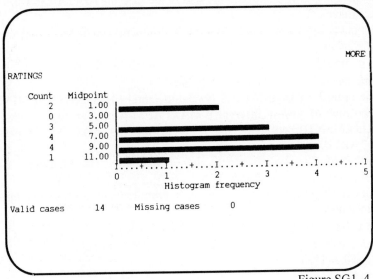

Figure SG1–4

6. Inspect the result–note that only the midpoints are shown (not the values representing the start and end of each intervals, as was done in the text).

7. Print out the result (make a screen print by holding shift and pressing the PrintScrn key).

F. Save your lines of data and instructions, as follows.

1. Return to the Scratch Pad window by pressing F2.

2. Press F9 and Enter.

3. Type **CH1XMPL** and press enter.

II. Systematic Instructions for Making a Frequency Table and Histogram and Grouped Frequency Table and Histogram

A. Start up SPSS.

B. Enter the data as follows.

1. Type **DATA LIST FREE / [variable name].** and press Enter to go to the next line. Substitute the name of your variable for "[variable name]."

2. Type **BEGIN DATA.** and press Enter to go to the next line.

3. Type each subject's score on a separate line.

4. Type **END DATA.** and press Enter to move to the next line.

C. Make a frequency table and histogram as follows.

1. Type **FREQUENCIES [variable name] / HISTOGRAM / FORMAT NOTABLE.** and press Enter to go to the next line.

2. Use the arrow keys to move to the start of the first line (**DATA LIST ...**), press F10, and press Enter.

3. Print out a copy of the result (using Shift–PrintScrn) and press F2 to return to the Scratch Pad window.

D. Make a grouped frequency table and histogram as follows.

1. Erase the previous **FREQUENCIES** line.

2. Type instead, **FREQUENCIES [variable name] / HISTOGRAM MINIMUM([value at bottom of lowest interval]) MAXIMUM([value at top of highest interval]) INCREMENT([increment size]);** then, on the next line, type **/ FORMAT NOTABLE.** and press Enter.

3. Use the arrow keys to move to the start of the first line (**DATA LIST ...**), press F10, and press Enter.

4. Print out a copy of the result (using Shift–PrintScrn) and press F2 to return to the Scratch Pad window.

E. Save your lines of data and instructions as follows.

1. Return to the Scratch Pad window by pressing F2 and Enter.

2. Press F9 and Enter.

3. Type **[file name]** and press enter.

III. Additional Practice
(For each data set, enter the data, create a frequency table and histogram, a grouped frequency table and histogram where appropriate, and compare your results to those in the text. Also, be sure to save your data sets so that you can use them again in Chapter 2.)

A. Text examples.
1. Use the data shown in the text for the stress levels of students in the first week of their statistics class (from Aron, Paris, & Aron, 1993).
2. Use the data shown in the text for children's attitudes toward achievement (from Moorehouse & Sanders, 1992).
3. Use the data shown in the text for milliseconds to read ambiguous and nonambiguous sentences (fictional data).
4. Note that these examples have a lot of data to enter, but they have the advantage of providing sufficient numbers of cases to give you a real sense of the value of a frequency table and histogram and of having a computer set it up for you.

B. Practice problems in the text.
1. Set I: 1–3.
2. Set II: 1–3, 6.

IV. Using the Computer to Deepen Your Knowledge

A. Getting a sense of a normal distribution.
1. Make up a data set of any 15 numbers and then make a histogram of it.
2. Print out the histogram and then go back to your data set and try to modify it to come out closer to a normal curve.
3. Repeat this process until your results are very close to a normal curve.
4. Try the process again starting with a whole new group of numbers.
5. Try to write down what you have learned about what goes into making a distribution come out normal.

B. Getting a sense of skew.
1. Take one of the data sets from your normal curve approximations from the previous exercise and modify it to make the curve come out slightly skewed to one side.
2. Now try to make it more skewed.
3. Repeat this process, creating several different degrees of skew.
4. Try to write down what you have learned about what goes into creating different degrees of skew.

C. Interval sizes: Using one of the large data sets in Chapter 2, try making a grouped frequency table (and histogram) using a variety of interval sizes and compare the results.

V. Advanced Procedure: The Box Plot
A. This is a widely used way of summarizing a group of scores. An example based on the fictional ratings of dormitory social life is shown in Figure SG1–5. The center of the box is the middle case, the point at which half the scores have higher values and half lower values. The two sides of the box are the points one quarter of the way through the scores and the two lines (the "whiskers") go to the two most extreme scores.

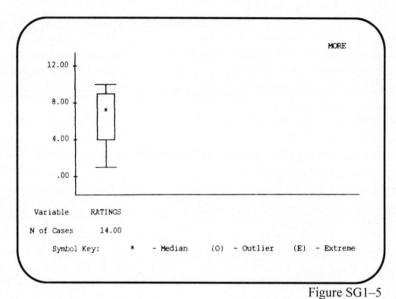

Figure SG1–5

B. The line for making a box plot is **EXAMINE [variable name] /PLOT=BOXPLOT**.

Using MYSTAT with this Chapter

If you are using MYSTAT for the first time, before proceeding with the material in this section, read the Appendix on Getting Started and the Basics of Using MYSTAT.

You can use MYSTAT to create frequency tables and histograms. You should work through the example, following the procedures step by step. Then look over the description of the general principles involved and try to create a frequency table and histogram on your own for some of the problems listed in the Suggestions for Additional Practice. Finally, you may want to try the suggestions for using the computer to deepen your understanding, and you can explore the additional MYSTAT procedure, the box plot, described at the end.

I.   An Example
A. Data: Fourteen students rated the quality of social life in their dormitory on a 1 to 10 scale. The ratings were 6, 9, 9, 4, 9, 7, 1, 7, 4, 10, 7, 1, 9, and 4.
B. Create a file of your data as follows.
1. Follow the instructions in the MYSTAT Appendix for starting up MYSTAT. (Including being sure that the computer is set to the disk drive–such as "A:" that has MYSTAT on it and on which you will be saving your MYSTAT data files.)
2. Using the instructions in the MYSTAT Appendix for creating a file of your data, proceed as follows.
   a. Type in the variable name **"RATINGS"** at the top of the first column and press Enter.
   b. Since you don't have a second variable name to type in, use the left–arrow key to go back one column, then the down–arrow key to set up to start entering the data.
   c. Then type in the ratings **6, 9, 9**, one at a time, going down the column, pressing Enter after each. When you are done the screen should look like Figure SG1–6.

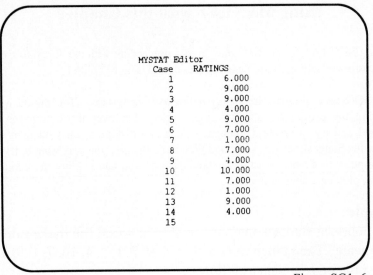

```
MYSTAT Editor
  Case      RATINGS
   1          6.000
   2          9.000
   3          9.000
   4          4.000
   5          9.000
   6          7.000
   7          1.000
   8          7.000
   9          4.000
  10         10.000
  11          7.000
  12          1.000
  13          9.000
  14          4.000
  15
```

Figure SG1–6

3. Save the file by pressing Escape to get to the bottom of the screen, typing >**SAVE CH1XMPL,** and pressing Enter.

4. Return to the Main Menu by typing >**QUIT** and pressing Enter twice.

C. Tell MYSTAT to use your data file by typing >**USE CH1XMPL** and pressing Enter twice.

D. Create a frequency table for the ratings by typing >**TABULATE RATINGS / LIST** and pressing Enter. The result should appear as shown in Figure SG1–7.

```
                   CUM          CUM
        COUNT     COUNT   PCT    PCT   RATINGS
          2          2   14.3   14.3      1.000
          3          5   21.4   35.7      4.000
          1          6    7.1   42.9      6.000
          3          9   21.4   64.3      7.000
          4         13   28.6   92.9      9.000
          1         14    7.1  100.0     10.000




        Press ENTER <-' or RETURN
```

Figure SG1–7

E. Inspect the result.

    1. The furthest column on the right, labeled **RATINGS**, shows the various values of this variable that were included in the data file, listed down the screen from lowest to highest. (This is different from an ordinary frequency table, such as those shown in the text. In an ordinary frequency table, the column of values would be on the left side, the values would be listed going down from highest to lowest, and all possible values–including those in which there was a frequency of zero–would be included.)

    2. The furthest column on the left, labeled **COUNT**, shows the frequency of cases for each value. (On an ordinary frequency table this column would be on the right.)

    3. The columns in the middle provide additional information not provided on an ordinary frequency table.

        a. The second column from the left, **CUM COUNT**, gives the cumulative count or frequency–the frequencies adding up as you go down (so that the first number is the frequency of the first value, the second number is the sum of the frequencies for the first two values, etc.)

        b. The third column, **PCT**, gives the percentages each value's frequency is of the total.

        c. The fourth column, **CUM PCT**, gives the cumulative percentages.

F. Print out the result (make a screen print by holding shift and pressing the PrintScrn key) and then return to the Main Menu by pressing Enter.

G. Make a histogram of the ratings by typing **>HISTOGRAM RATINGS / BARS = 10** and pressing Enter. The output should appear as shown in Figure SG1–8.

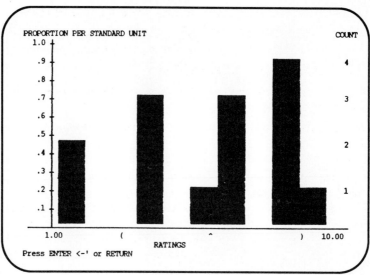

Figure SG1–8

H. Inspect the result (comparing it to the printout of the frequency table you just made).

　1. Ignore the scale along the left side of the screen–it is based on advanced material and represents statistics not often used by psychologists.

　2. The scale on the right, **COUNT**, represents the frequencies corresponding to the heights of the bars.

　3. The minimum and maximum on the scale for the variable **RATINGS** are given along the bottom–but MYSTAT does not display intermediate ratings.

I. Print out the result (make a screen print by holding shift and pressing the PrintScrn key), then return to the Main Menu by pressing Enter.

II. Systematic Instructions for Making a Frequency Table and Histogram

A. Start up MYSTAT.

B. Create a file with the data you want to make into a frequency table, giving a label to the variable and a name to the file of your choosing. (Write down the file name so you don't forget it.) Then return to the Main Menu.

C. With the Main Menu on the screen, tell MYSTAT you want to use this particular file by typing **>USE [filename]** and pressing Enter twice. Substitute the name of your file for "[filename]."

D. Type **>TABULATE [variable name] / LIST** and press Enter. Substitute the name of your variable for "[variable name]."

E. Print out a copy of the result (using Shift–PrintScrn) and press Enter to return to the Main Menu.

F. Type >**HISTOGRAM [variable name] / BARS = [number of values]** and press Enter. Substitute the number of possible values (all values, from the lowest to the highest, including in–between values that have no cases actually at that value) for "[number of values]."

G. Print out a copy of the result and press Enter to return to the Main Menu.

III. **Additional Practice**

(For each data set, enter the data, create a frequency table and histogram, and compare your results to those in the text).

A. Text examples

1. Use the data shown in the text for the stress levels of students in the first week of their statistics class (from Aron, Paris, & Aron, 1993).

2. Use the data shown in the text for children's attitudes toward achievement (from Moorehouse & Sanders, 1992).

3. Note that these examples have a lot of data to enter, but they have the advantage of providing sufficient numbers of cases to give you a real sense of the value of a frequency table and histogram and of having a computer set it up for you.

B. Practice problems in the text.

1. Set I: 1a and 3a.

2. Set II: 1a, 3a, and 6.

IV. **Using the Computer to Deepen Your Knowledge**

A. Getting a sense of a normal distribution.

1. Make up a data set of any 15 numbers and then make a histogram of it. (You can ignore the / **BARS** = part for this exercise.)

2. Print out the histogram and then go back to your data set and try to modify it to come out closer to a normal curve.

3. Repeat this process until your results are very close to a normal curve.

4. Try the process again starting with a whole new group of numbers.

5. Try to write down what you have learned about what goes into making a distribution come out normal.

B. Getting a sense of skew.

1. Take one of the data sets from your normal curve approximations from the previous exercise and modify it to make the curve come out slightly skewed to one side.

2. Now try to make it more skewed.

3. Repeat this process, creating several different degrees of skew.

4. Try to write down what you have learned about what goes into creating different degrees of skew.

V. Advanced Procedure: The Box Plot

A. This is a widely used way of summarizing a group of scores. An example based on the fictional ratings of dormitory social life is shown in Figure SG1–9. The center of the box is the middle case, the point at which half the scores have higher values and half lower values. The two sides of the box are the points one quarter of the way through the scores and the two lines (the "whiskers") go to the two most extreme scores.

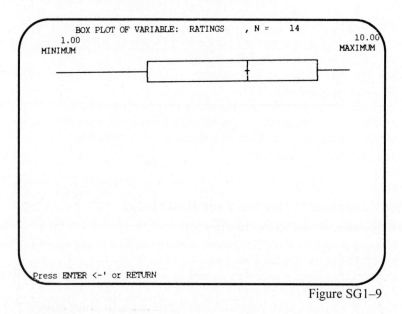

Figure SG1–9

B. The commands for making a box plot, at the Main Menu, are as follows:
>**USE [file name]** (press Enter)
>**BOX [variable name]** (press Enter)

Chapter 2
The Mean, Variance, Standard Deviation, and *Z* Scores

Learning Objectives

To understand, including being able to conduct any necessary computations:

- The mean.
- Statistical symbols and formulas.
- The mode and the median.
- Variance.
- Standard deviation.
- *Z* scores and converting to and from raw scores.
- Objections to using statistical methods.
- How mean, variance, and standard deviation are reported in research articles.

Chapter Outline

I. **The Mean**
    A. It is usually the best single number for describing a group of scores.
    B. It is the ordinary average, the sum of all the scores divided by the number of scores.
    C. It gives the *central tendency*, or the general, typical, or representative value of the group of scores.
    D. You can visualize the mean as a kind of balancing point for the distribution of scores: Imagine a board balanced over a log; on the board are piles of blocks distributed along the board, one for each score in the distribution; and the mean would be the point on the board where the weight of the blocks on each side would exactly balance.
    E. The formula for the mean is $M = \Sigma X / N$.
       1. M is a symbol for the mean.
       2. Σ is the symbol for "sum of."
       3. X refers to scores in the distribution of the variable X.
       4. N stands for number of scores in the distribution.

F. The mode is an alternative measure of central tendency.
　　1. It is the most common single number in a distribution.
　　2. It is the value with the largest frequency in a frequency table, the high point or peak of a distribution's frequency polygon or histogram.
　　3. In a perfectly symmetrical unimodal distribution, and in a few other cases, the mode is the same as the mean.
　　4. When the mode is not the same as the mean, it generally corresponds less well to what we intuitively understand as central tendency.
　　5. The mode, unlike the mean, can be unaffected by changes in some scores.
　　6. Psychologists rarely use the mode.
G. The median is another alternative measure of central tendency.
　　1. It is the middle score if you line up all the scores from highest to lowest.
　　2. If there are two middle scores, it is their average (when, as can happen with an even number of cases, the two "middle" score would fall between two different values).
　　3. It is less distorted by a few extreme cases (outliers) than the mean.

II. The Variance and the Standard Deviation

A. These measure how spread out a distribution is.
B. Variance.
　　1. It is the average of each score's squared difference from the mean.
　　　　a. First subtract the mean of the distribution from each score in the distribution.
　　　　b. Square each of these deviation scores (to remove the effect of positive and negative deviations which would cancel each other out when summed).
　　　　c. Add up all the squared deviation scores.
　　　　d. Divide this sum of squared deviations by the number of cases.
　　2. You can visualize the variance as an average area, considering each squared deviation as a square whose sides are the amount of deviation.
　　3. The variance plays an important role in many other statistical procedures, but is used only occasionally by itself as a descriptive statistic since it is scaled in squared units, a metric that is not very intuitively direct for giving a sense of just how spread out the distribution is.
C. The standard deviation.
　　1. It is the most widely used for describing the spread of a distribution.
　　2. It is the square root of the variance.
　　3. Roughly speaking, the standard deviation is the average amount that scores differ from the mean. (It is not exactly this because the squaring, summing, and taking the square root does not quite give the same result.)
D. The variance formula is $SD^2 = \Sigma(X-M)^2 / N$.
　　1. SD^2 is the symbol for the variance.
　　2. $\Sigma(X-M)^2$ describes the sum of squared deviations from the mean.
　　3. Sum of squared deviations from the mean is also symbolized as SS–thus, $SD^2 = SS/N$.
E. The standard deviation formula is $SD = \sqrt{SD^2}$.

F. The above formulas are "definitional"; in other books you may see them in a different "computational" form.
    1. Computational formulas are mathematically equivalent and easier to use when computing by hand or with a hand calculator.
    2. Computational formulas are rarely used today in research practice because most statistical computations are done by computer.
    3. This textbook emphasizes the definitional formulas (the version of the formula that corresponds to and reminds you of the definition of the statistic).
       a. Thus, doing exercises reinforces understanding.
       b. But the exercises involve fewer and simpler numbers than that of most real research situations so that the total time to complete the exercises is no more than if you were using computational formulas.
    4. The traditional computational formulas are provided in a Chapter Appendix.
G. Variance and standard deviation are sometimes computed using the sum of squared deviations divided by N-1.
    1. These situations are described beginning in Chapter 9.
    2. Hand calculators and computer outputs sometimes give this figure instead of the formula emphasized in this chapter.

III. *Z* Scores ~ put raw scores on the same scale

A. It is an ordinary score transformed so that it better describes that score's location in a distribution.
B. It is the number of standard deviations the score is above the mean (if it is a positive Z score) or the number of standard deviations the score is below the mean (if it is a negative Z score). (Thus, the standard deviation serves as a kind of standard yardstick through changing raw scores to Z scores.)
C. *Z* scores have many practical uses and are crucial ingredients in many of the statistical procedures in the rest of this book.
D. Scores on different scales can be easily compared once they are converted to *Z* scores.
E. The formula for converting *from* a raw score is $Z = (X\text{-}M) / SD$.
F. The formula for converting *to* a raw score is $X = (Z)(SD) + M$.
G. There are three characteristics of a distribution of *Z* scores.
    1. The mean is always exactly 0 (because converting to a Z score involves subtracting the mean from each raw score). *(pos. Z scores balance the neg. Z scores)*
    2. The standard deviation is always exactly 1.0 (because converting to a Z score involves dividing each raw score by the standard deviation).
    3. The variance is always 1.0 (because it is the square of the standard deviation, which is always 1.0).

IV. Controversies and Limitations: The Tyranny of the Mean *(doesn't account for the richness of indiv. responses)*

A. Although the use of statistics is a central part of psychology, there are several opposing schools of thought.

B. Behaviorism was the first to criticize statistical procedures.

1. Behaviorism dominated much of the history of psychology research and rejected the study of inner states because they are impossible to observe objectively–hence it focused instead on externally observable behavior.

2. Its leading modern exponent, B. F. Skinner, was opposed to using statistics in behavioral research because the averaging of observations over many cases can lose or distort the information revealed from each case.

C. Humanistic psychology was the next to criticize statistics.

1. In the 1950's it became the "third force," in reaction to behaviorism and psychoanalysis (the only significant applied psychology at the time).

2. It holds that human experience should be studied intact, as a whole, as it is experienced by individuals.

3. It does not object to all uses of statistics, but notes that human experience can never be fully reduced to numbers and each individual's experience is unique.

4. This emphasis on an idiographic or in depth study of the single person, over the nomothetic or the searching for general laws that apply over many persons, has been a long tradition in clinical and personality psychology as well.

D. Qualitative research is sometimes seen as an alternative or complement to quantitative research methods.

1. Qualitative methods are based in part on phenomenology, a philosophical position opposed to logical positivism (a basis of modern scientific thinking that holds there is an objective reality to be known); phenomenology seeks instead to gain a deep understanding of the unique reality of each individual.

2. Qualitative methods also come from the ethnographic research tradition in cultural anthropology.

3. Many proponents hold that one should first use qualitative methods to discover which variables are most important, then determine their incidence in the larger population through quantitative methods.

E. The "statistical mood." Some depth psychologists raise the concern that emphasizing averages dilutes our feelings about the importance of the single individual and thus, among other consequences, makes immoral actions more likely. *(ex: deindividuation and mob behavior)*

V. The Mean, Variance, Standard Deviation, and Z Scores as Described in Research Articles

A. The mean, variance and standard deviation are commonly reported, and in a variety of ways–either in the text, in tables, or in graphs.

B. Z scores rarely appear in research articles.

Formulas

I. Mean (*M*)

Formula in words: Sum of all the scores divided by the number of scores.

Formula in symbols: $M = \Sigma X / N$ (2-1)

Σ is an instruction to sum all the scores.

X is each score in the distribution of the variable X.

ΣX is the sum of all the scores in the distribution of the variable X.

N is the number of scores in the distribution.

II. Variance (*SD²*)

Formula in words: Average of each score's squared difference from the mean.

Formula in symbols: $SD^2 = \Sigma(X-M)^2 / N$ or SS / N (2-2, 2-3)

$\Sigma(X-M)^2$ is the sum of squared deviations from the mean.

SS is the sum of squared deviations from the mean.

III. Standard Deviation (*SD*)

Formula in words: Square root of the variance (square root of the average of each score's squared difference from the mean).

Formula in symbols: $SD = \sqrt{SD^2}$ (2-4)

IV. *Z* Scores from Raw Scores

Formula in words: The number of standard deviations above or below the mean–the deviation score (the score minus the mean) divided by the standard deviation.

Formula in symbols: $Z = (X - M) / SD$ (2-7)

V. Raw Scores from *Z* Scores

Formula in words: Multiply the *Z* score times the standard deviation (to get the raw deviation above or below the mean) and add the mean.

Formula in symbols: $X = (Z)(SD) + M$ (2-8)

How to Compute the Mean

I. Add up all the scores.

II. Divide by the number of scores.

How to Compute the Variance and the Standard Deviation

I. Compute the mean (*M*): Add up all the scores and divide by the number of scores.

II. Compute the deviation scores: Subtract the mean from each score.

III. Compute the squared deviations scores: Multiply each deviation score times itself.

IV. Compute the sum of the squared deviation scores (*SS*): Add up all the squared deviation scores.

V. Compute the variance (*SD*^{2}), the average of the squared deviation scores: Divide the sum of the squared deviation scores by the number of scores.

VI. Compute the standard deviation (*SD*), the square root of the average of the squared deviation scores: Find the square root of the number computed above.

How to Convert a Raw Score to a *Z* Score

I. Compute the deviation score: Subtract the mean from the raw score.

II. Compute the *Z* score: Divide the deviation score by the standard deviation.

How to Convert a *Z* score to a Raw Score

I. Compute the deviation score: Multiply the *Z* score by the standard deviation.

II. Compute the raw score: Add the mean to the deviation score.

Outline for Writing Essays on the Logic and Computations for the Mean, Variance, Standard Deviation, and Z Scores

The reason for your writing essay questions in the practice problems and tests is that this task develops and then demonstrates what matters so very much–your comprehension of the logic behind the computations. (It is also a place where those better at words than numbers can shine, and for those better at numbers to develop their skills at explaining in words.)

Thus, to do well, be sure to do the following in each essay: (a) give the reasoning behind each step; (b) relate each step to the specifics of the content of the particular study you are analyzing; (c) state the various formulas in nontechnical language, because as you define each term you show you understand it (although once you have defined it in nontechnical language, you can use it from then on in the essay); (d) look back and be absolutely certain that you made it clear just *why* that formula or procedure was applied and *why* it is the way it is.

The outlines below are *examples* of ways to structure your essays. There are other completely correct ways to go about it. And this is an *outline* for an answer–you are to write the answer out in paragraph form. Examples of full essays are in the answers to Set I Practice Problems in the back of the text.

These essays are sometimes long for you to write (and for others to grade). But this is the very best way to be sure you understand everything thoroughly. You engrain it in your mind. The time is never wasted. It is an excellent way to study.

Essays on Finding the Mean, Variance, and Standard Deviation

I. **Find mean.**
    A. Procedure: $M = \Sigma X / N$.
    B. Explanation: This is the ordinary average, the sum of the scores divided by the number of scores.

II. **Find the variance.**
    A. Procedure: $SD^2 = \Sigma(X-M)^2 / N$.
    B. Explanation.
        1. Describes the spread of the scores.
        2. Finds the average of the squared amount each score differs from the mean.

III. Find the standard deviation.

A. Procedure: $SD = \sqrt{SD^2}$.

B. Explanation.

1. The variance is an average of squared scores; by taking its square root, the measure of spread of the scores is returned to ordinary nonsquared scores.
2. The result is approximately the average amount each score varies from the mean.
3. To be exact it is the square root of the average squared deviation from the mean.
4. Due to the squaring, averaging, and square root process, it is not quite the same as the average amount each score varies from the mean, but the use of squaring in the process avoids mathematical problems (for example, it eliminates the sign of the deviations–the fact that some are negative and some positive).

Essays Involving Z Scores

I. Find a *Z* score based on a raw score.

A. Procedure: $Z = (X - M) / SD$.

B. Explanation.

1. Explain mean and standard deviation (as described in outline above).
2. Finding a Z score converts an ordinary score to its number of standard deviations above or below the mean.
3. This is done by subtracting the mean from the score and dividing the result by the standard deviation.
4. This puts the score on a scale that is highly standard–for example, high scores (those above the mean) are always positive Z scores, low scores (those below the mean) are always negative Z scores, and the amount a Z score is above or below the mean is in direct proportion to the standard deviation.
5. This procedure puts scores on different variables onto the same scale, permitting comparisons between them.

II. Find a raw score based on a *Z* score.

A. Procedure: $X = (Z)(SD) + M$.

B. Explanation.

1. Explain mean and standard deviation (as described in outline above).
2. This converts a Z score, a special score that indicates a score's number of standard deviations above or below the mean, back to an ordinary score.
3. This is done by multiplying the Z score times the standard deviation to get the number of ordinary score units above or below the mean, and then adding this to the mean to get the actual raw score.

Chapter Self-Tests

Multiple-Choice Questions

1. Six students record the amount of time studied on a particular evening (rounded off to the nearest hour). They report 0, 0, 1, 1, 4 and 6 hours. What is the mean time studied?

    a. 1.
    b. 2.
    c. 2.5.
    d. 3.5.

2. What does "ΣX" refer to?

    a. standard deviation of X.
    b. expected value of X.
    c. estimated value of X.
    d. sum of X.

3. What is the mode of the following scores? 0,1,1,1,2,3,7,8,8,9,15

    a. 1.
    b. 3
    c. 5.
    d. 8.

4. What is the median of the following scores? 0,1,1,1,2,3,7,8,8,9,15

    a. 1.
    b. 3.
    c. 5.
    d. 8.

5. In the following set of scores, which would be the preferred measure of central tendency?
   5,41,42,42,44,46,47,47,47

    a. mean.
    b. median.
    c. mode.
    d. standard error.

6. The variance is

    a. the sum of the squared deviations from the mean.
    b. the average of the deviations from the mean.
    c. the sum of the square roots of the deviations from the mean.
    d. the average of the squared deviations from the mean.

Chapter Two   31

7. If the variance is 7, what is the standard deviation?

    a. $\sqrt{7}$.

    b. 7^2.

    c. $7 - M$.

    d. $(7-M)^2$.

8. What is the variance of the four scores, 1, 5, 5, and 9?

    a. 4.

    b. 5.

    c. 8.

    d. 16.

9. The standard deviation of a distribution of Z scores is always

    a. 0.

    b. 1.

    c. smaller than the mean of the raw scores.

    d. greater than the standard deviation of the raw scores.

10. A person has a Z score of .5. If the mean of the distribution is 71 and the standard deviation is 20, what is this person's raw score?

    a. 70.5.

    b. 71.5.

    c. 76.

    d. 81.

Fill-In Questions

1. The sum of the scores divided by the number of scores is the _____.

2. The mean, median, and mode are examples of indicators of the _____ of a distribution.

3. A study produces the scores 14, 15, 17, 18 and 18. What is N? _____.

4. The _____ of the scores 6, 6, 6, 7, and 9 is 6.

5. If you line up all the scores from highest to lowest, the middle score is the _____.

6. If a group of scores are 14, 17, 17, 18, 18, and 91, the score of 91 is called a(n) _____.

7. In symbols, the formula for the variance is _____.

8. A deviation score is the score minus _____.

9. The _____ is the most commonly used descriptive statistic for indicating spread of a group of scores.

10. The formula for converting a raw score to a Z score is _____.

Problems and Essays

1. A psychologist administers a test of hand-eye coordination to eight severely depressed adult men and finds scores of 3.1, 3.8, 4.0, 4.5, 4.5, 5.4, 6.0 and 8.7.

   (a) Compute the mean, variance, and standard deviation.
   (b) Explain what you have done and what the results mean to a person who has never had a course in statistics.

2. A person visits a vocational counselor and is administered various tests. The person scores 50 on a test that measures aptitude for a career in sales (for people in general on this test, $M = 40$, $SD = 4$) and 95 on a test of aptitude for a career in education (for people in general on this test, $M = 80, SD = 20$). (On both tests high scores mean greater aptitude).

   (a) In relation to other people, what is this person's greater aptitude? (Be sure to show the calculations that are the basis of your answer.)
   (b) Explain what you have done and the basis of your conclusion to a person who has never had a course in statistics.

3. Two children complete a standard test of vocabulary which was sent off to a special service for scoring. The school counselor received the results in terms of Z scores. One child, Mary, received a Z score of 1.23 and the other child, Susan, received a Z score of -.62. The school counselor is interested also in the raw number correct each student received. Looking up the information in the test's manual, the school counselor found out that the mean raw score for this test is 42 questions correct, with a standard deviation of 6.5.

   (a) What are the raw numbers correct for each child?
   (b) Explain what you have done to a person who has never had a course in statistics.

4. A researcher administered a questionnaire to a group of healthy adults all over 80 years old. The questionnaire included one item that asked about happiness with life, using a 10-point scale from 1 = very unhappy to 10 = very happy. The researcher reported the result on this scale as follows: "For the 65 subjects who completed this item, $M = 6.83$, $SD = 2.41$." Explain what this result means to a person who has never had a course in statistics.

Using SPSS/PC+ Studentware Plus with this Chapter

If you are using SPSS for the first time, before proceeding with the material in this section, read the Appendix on Getting Started and the Basics of Using SPSS/PC+ Studentware Plus.

You can use SPSS to compute the mean and variance and to convert a series of raw scores to Z scores. However, as you will see, the variance that SPSS gives you is computed using a slightly different formula than what you have been using in Chapter 2–instead of dividing the sum of squared deviations by N, it divides by N-1. (This other way of computing the variance is also correct, but is used for a different purpose that you will learn in Chapter 9.) Thus, when computing the variance using SPSS, you have to make an adjustment to what SPSS gives you, using your hand calculator. Once you have made the adjustment, you can take the square root of your result (again with your hand calculator) to get the standard deviation.

You should work through the example, following the procedures step by step. Then look over the description of the general principles involved and try the procedures on your own for some of the problems listed in the Suggestions for Additional Practice. Finally, you may want to try the suggestions for using the computer to deepen your understanding, and you can explore the additional, advanced SPSS procedure at the end, involving skew and kurtosis.

I.   Example
A. Data: The number of therapy sessions for each of 10 clients of a psychotherapist (fictional data), from the example in the text. The numbers of sessions are 7, 8, 8, 7, 3, 1, 6, 9, 3, and 8.
B. Follow the instructions in the SPSS Appendix for starting up SPSS and be sure the cursor is in the Scratch Pad window.
C. Enter the data as follows.
 1. Type **DATA LIST FREE / SESSIONS.** and press Enter to go to the next line.
 2. Type **BEGIN DATA.** and press Enter to go to the next line.
 3. Type **7**, the number of sessions for the first subject, and press Enter.
 4. Type **8**, the number of sessions for the second subject, and press Enter. At this point the screen should look like Figure SG2-1.

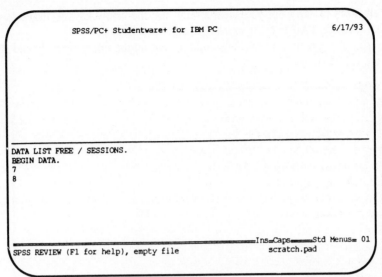

```
        SPSS/PC+ Studentware+ for IBM PC                          6/17/93




_____
DATA LIST FREE / SESSIONS.
BEGIN DATA.
7
8




                                              ══Ins═Caps══════Std Menus═ 01
                                                    scratch.pad
═══════════════════════════════════════════
SPSS REVIEW (F1 for help), empty file
```

Figure SG2-1

5. Type the remaining numbers of sessions, one per line. (Note that when you have filled the Scratch Pad window, the earlier lines will move up, giving you more room to type. You can always move back to an earlier line, using the arrow keys.)

6. Type **END DATA.** and press Enter to move to the next line.

D. Compute the mean and variance for the number of sessions as follows.

1. Type **FREQUENCIES SESSIONS / STATISTICS = MEAN VARIANCE / FORMAT NOTABLE.** and press Enter. (Be sure to spell **SESSIONS** with an **S** at the end.) At this point the screen should look like Figure SG2-2.

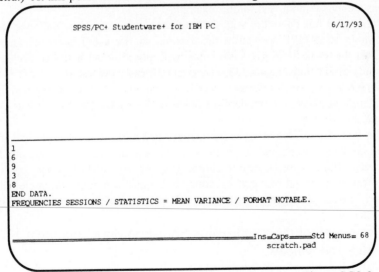

```
        SPSS/PC+ Studentware+ for IBM PC                          6/17/93




_____
1
6
9
3
8
END DATA.
FREQUENCIES SESSIONS / STATISTICS = MEAN VARIANCE / FORMAT NOTABLE.



                                              ══Ins═Caps══════Std Menus═ 68
                                                    scratch.pad
═══════════════════════════════════════════
```

Figure SG2-2

2. Tell SPSS to carry out your instructions–use the arrow keys to move to the start of the first line (**DATA LIST ...**), press F10, and press Enter.
3. Press Enter again. The results should appear on the upper window and should look like Figure SG2-3.

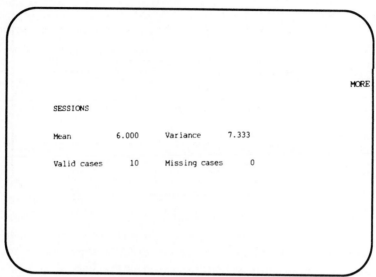

```
                                                              MORE

     SESSIONS

     Mean          6.000     Variance      7.333

     Valid cases      10     Missing cases      0
```

Figure SG2-3

E. Inspect and adjust the result.
1. At the top is **SESSIONS**, the name of the variable being analyzed.
2. The second line first gives the **Mean,** which SPSS computed to be **6.000**, the same as was computed in the text for this example.
3. The second line continues with the **Variance**. However this "variance" is based on the formula of $SS/(N-1)$ instead of the formula we are using in this chapter of SS/N. To adjust the result SPSS gives, you must multiply it by $N-1$ and then divide by N. In this example, SPSS displays **7.333**. There are 10 cases, so the adjustment is 9 times 7.333, divided by 10–which comes out to 6.6, the same as what was computed in the text. The square root of 6.6, the standard deviation, 2.57, is also the same as was computed in the text.
4. The final line of output gives the number of **Valid Cases**–the number of subjects who did not have missing values on the variable being measured–and the number of **Missing Cases**. (In your work in this course, you are not likely to have any missing values. However, in actual research situations it is quite common that some subjects will not have answered a particular question or participated in a particular condition of an experiment.)

F. Print out a copy of the result (using Shift-PrintScrn) and press F2 to return to the Scratch Pad window.

Chapter Two

G. Find the Z scores corresponding to the raw scores, using the following steps.
  1. Add a line, right after the **END DATA** line, that tells SPSS to create a new variable that consists of the Z scores– type **COMPUTE ZSESS = (SESSIONS - 6) / 2.57.** (be sure you type everything exactly as shown, with no spelling errors) and then press Enter.
  2. Tell SPSS to list the Z scores for you to see.
     a. Erase the **FREQUENCIES** line.
     b. Type instead, **LIST.** and press Enter. The screen should appear as shown in Figure SG2-4.

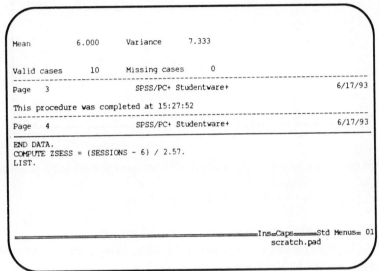

```
Mean           6.000     Variance      7.333


Valid cases     10      Missing cases     0
---------------------------------------------------------------------
Page   3                 SPSS/PC+ Studentware+                 6/17/93

This procedure was completed at 15:27:52
---------------------------------------------------------------------
Page   4                 SPSS/PC+ Studentware+                 6/17/93

END DATA.
COMPUTE ZSESS = (SESSIONS - 6) / 2.57.
LIST.




                                          =Ins=Caps====Std Menus= 01
                                                scratch.pad
```

Figure SG2-4

     c. Use the arrow keys to move to the start of the first line (**DATA LIST ...**), press F10, and press Enter. The results should appear as shown in Figure SG2-5.

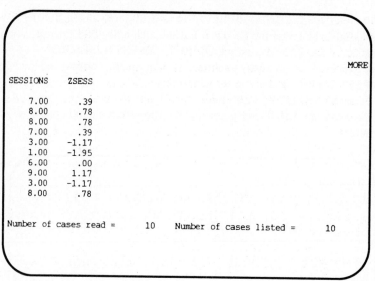

```
                                                          MORE

  SESSIONS    ZSESS

     7.00      .39
     8.00      .78
     8.00      .78
     7.00      .39
     3.00    -1.17
     1.00    -1.95
     6.00      .00
     9.00     1.17
     3.00    -1.17
     8.00      .78


Number of cases read =      10    Number of cases listed =     10
```

Figure SG2-5

3. Print out a copy of the result (using Shift-PrintScrn) and press F2 and Enter to return to the Scratch Pad window.

4. Save your lines of data and instructions, as follows.
   a. Press F9 and Enter.
   b. Type **CH2XMPL** and press Enter.

II. Systematic Instructions for Computing the Mean and Variance and for Converting a Series of Raw Scores to Z Scores

A. Start up SPSS.

B. Enter the data as follows.
   1. Type **DATA LIST FREE / [variable name].** and press Enter to go to the next line. Substitute the name of your variable for "[variable name]."
   2. Type **BEGIN DATA.** and press Enter to go to the next line.
   3. Type each subject's score on a separate line.
   4. Type **END DATA.** and press Enter to move to the next line.

C. Compute the mean and variance for the number of sessions as follows.
  1. Type **FREQUENCIES [variable name] / STATISTICS = MEAN VARIANCE / FORMAT NOTABLE.** and press Enter.
  2. Tell SPSS to carry out your instructions–use the arrow keys to move to the start of the first line (**DATA LIST ...**), press F10, and press Enter. Then press Enter again.
  3. Print out a copy of the result (using Shift-PrintScrn) and press F2 to return to the Scratch Pad window.
  4. Adjust the variance SPSS gives you to the kind of variance described in Chapter 2 of the text: Multiply SPSS's variance times the number of subjects minus 1, then divide the result by the total number of subjects. Take the square root of this number to get the standard deviation.

D. Find the *Z* scores corresponding to the raw scores, using the following steps.
  1. Insert a line, right after the **END DATA** line, that tells SPSS to create a new variable that consists of the *Z* scores–type **COMPUTE [Z score variable name] = ([variable name] - [mean]) / [standard deviation].**
    a. For "[Z score variable name]" substitute a variable name of your choosing to be the variable that will represent the *Z* score values. (Preferably begin this variable name with a "Z" to remind you of what it is.)
    b. For "[mean]" substitute the number SPSS just computed as the mean of your raw scores.
    c. For "[variable name]" substitute the name of your original variable (the one with the raw scores you want to convert to *Z* scores).
    d. For "[standard deviation]" substitute the number that is the standard deviation you just computed by hand (which was based on your adjustment of the variance that was given by SPSS).
  2. Erase the **FREQUENCIES** line.
  3. Type instead, **LIST.** and press Enter.
  4. Use the arrow keys to move to the start of the first line (**DATA LIST ...**), press F10, and press Enter.
  5. Print out a copy of the result (using Shift-PrintScrn) and press F2 and Enter to return to the Scratch Pad window.
  6. Save your lines of data and instructions, as follows.
    a. Press F9 and Enter.
    b. Type **[file name]** and press Enter. Use any file name of your choice.

III. Additional Practice

(For each data set, enter the data and compute the mean and variance–adjusting the latter and determining the standard deviation. Then make *Z* scores. Finally, compare your results to those in the text.)

A. Text examples–use same data sets as for Chapter 1 computer problems.

B. Practice problems in the text.
  1. All problems listed for use with the computer in the last chapter.
  2. Set I: 1-2.
  3. Set II: 2-3.

IV. Using the Computer to Deepen Your Knowledge

A. The effect of outliers (extreme scores) on the mean.

1. Use SPSS to compute the mean and variance for the example several times, each time changing one of the numbers of sessions to a more extreme number–such as changing the 9 to a 10, then to a 15, then a 20, then a 100 (someone getting long-term depth therapy perhaps).
2. For each run record the mean and variance.
3. Make a chart of the results and notice how sensitive both statistics are to the changes in a single score. (For purposes of this exercise, the unadjusted variance will be adequate to make the point clear.)

B. Mean and variance of Z scores.

1. Use SPSS to compute the mean and variance of the Z scores created in the example and also in one of the other additional problems.
2. Note that whatever the original mean and variance, the mean and variance of Z scores are always 0 and 1 respectively (within rounding error). (The variance is 1 only after you have made the adjustment to have a variance that was computed with N, not N-1.)

C. The effects of adding or subtracting a constant.

1. Using the example, create a new variable that is the same as the number of sessions, but in which 8 is added to each score. (Use the following line: **COMPUTE SESPLUS8 = SESSIONS + 8.**) Then run the mean and variance and compare to the original.
2. Do the same thing, but this time subtracting 3 from each score. (This will create some negative numbers of sessions!)
3. Notice that the mean is affected; it is the original mean but with the number you added or subtracted to each score added or subtracted to it.
4. But also notice that the variance (whether you adjust it or not) is not affected by adding or subtracting a constant.
5. If you think in terms of a histogram of the distribution of scores, adding or subtracting a number to each score moves the whole distribution over to one side or the other, thus changing the mean. But the variation among the scores stays the same.

D. The effects of multiplying or dividing by a constant.

1. Using the example, create a new variable that is the same as the number of sessions, but in which each is multiplied by 8. (Use the following line: **COMPUTE SESX8 = SESSIONS * 8.** Computers show multiplication by using an asterisk.) Then have SPSS compute the mean and variance; make the adjustment of the variance and take its square root to get the standard deviation.
2. Do the same thing, but this time, dividing each score by 3 (**COMPUTE SESDIV3 = SESSIONS / 3.**)
3. Compare your results to the original.
   a. Notice that the mean is affected; it is the original mean, but multiplied or divided by the number by which you multiplied or divided each score.
   b. Also notice that in this case the variance and standard deviation are also affected.

V. Advanced Procedures: Skewness and Kurtosis

A. In this chapter you have learned that you can describe a distribution by computing numbers for its central tendency (the mean) and its variation (the variance and standard deviation). It is also possible to use numbers to describe the extent to which a distribution approximates a normal curve.

1. One such number describes the skew, the extent to which a distribution is not symmetrical. The closer this number is to 0, the more symmetrical. Positive numbers mean the distribution is skewed to the right (has a long tail to the right); negative numbers mean the distribution is skewed to the left.

2. Another such number describes the kurtosis, the extent to which a distribution is more or less peaked than a normal curve. The closer this number is to 0, the closer the distribution is to a normal curve. Positive numbers mean the distribution is too peaked; negative, too flat.

B. To get skew and kurtosis, add the words **SKEWNESS** and **KURTOSIS** to your **FREQUENCIES** command. For the example, the command would be **FREQUENCIES [variable name] / STATISTICS = MEAN VARIANCE SKEWNESS KURTOSIS / FORMAT NOTABLE.** (Since this command line is too long to fit on a single screen line, type the **/ FORMAT NOTABLE.** on a second line.)

Using MYSTAT with this Chapter

If you are using MYSTAT for the first time, before proceeding with the material in this section, read the Appendix on Getting Started and the Basics of Using MYSTAT.

You can use MYSTAT to compute the mean and variance and to convert a series of raw scores to Z scores.   However, as you will see, the variance that MYSTAT gives you is computed using a slightly different formula than what you have been using in Chapter 2–instead of dividing the sum of squared deviations by N, it divides by N-1. (This other way of computing the variance is also correct, but is used for a different purpose that you will learn in Chapter 9.) Thus, when computing the variance using MYSTAT, you have to make an adjustment to what MYSTAT gives you, using your hand calculator. Once you have made the adjustment, you can take the square root of your result (again with your hand calculator) to get the standard deviation.

You should work through the example, following the procedures step by step. Then look over the description of the general principles involved and try the procedures on your own for some of the problems listed in the Suggestions for Additional Practice. Finally, you may want to try the suggestions for using the computer to deepen your understanding, and you can explore the additional, advanced MYSTAT procedure at the end, involving skew and kurtosis.

I. Example

A. Data: The number of therapy sessions for each of 10 clients of a psychotherapist (fictional data), from the example in the text. The numbers of sessions are 7, 8, 8, 7, 3, 1, 6, 9, 3, and 8.

B. Create a file of your data as follows.

    1. Follow the instructions in the MYSTAT Appendix for starting up MYSTAT. (Including being sure that the computer is set to the disk drive–such as "A:" that has MYSTAT on it and on which you will be saving your MYSTAT data files.)

    2. Using the instructions in the MYSTAT Appendix for creating a file of your data, type in the variable name **"SESSIONS"** at the top of the first column. Then, going down the column, type in the ratings (**7**, **8**, **8**, etc.). When you are done the screen should look like Figure SG2-6.

```
MYSTAT Editor
 Case    SESSIONS
   1        7.000
   2        8.000
   3        8.000
   4        7.000
   5        3.000
   6        1.000
   7        6.000
   8        9.000
   9        3.000
  10        8.000
  11
  12
  13
  14
  15
```

Figure SG2-6

    3. Save the file by pressing Escape to get to the bottom of the screen, typing >**SAVE CH2XMPL**, and pressing Enter.

    4. Return to the Main Menu by typing >**QUIT** and pressing Enter twice.

C. Tell MYSTAT to use your data file by typing >**USE CH2XMPL** and pressing Enter twice.

D. Compute the mean and variance for the number of sessions by typing >**STATS SESSIONS / MEAN VARIANCE** and pressing Enter. (Be sure to spell **SESSIONS** with an **S** at the end.) The result should appear as shown in Figure SG2-7.

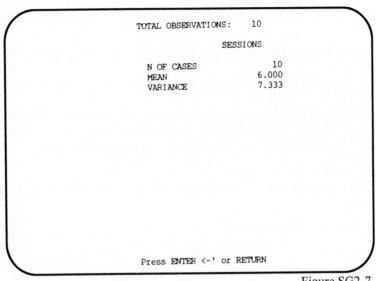

```
            TOTAL OBSERVATIONS:     10

                        SESSIONS

      N OF CASES              10
      MEAN                 6.000
      VARIANCE             7.333




            Press ENTER <-' or RETURN
```

Figure SG2-7

E. Inspect and adjust the result.

1. The **TOTAL OBSERVATIONS** at the top is the number of subjects (in the example, **10**).

2. The next line down gives the name of the variable for which MYSTAT has computed the mean and variance–in the example, **SESSIONS**.

3. The next line down, **N OF CASES**, is the number of subjects used in the computation of the mean and variance. (Ordinarily, as in this example, **N OF CASES** will be the same as the **TOTAL OBSERVATIONS**. Only if there are subjects listed in your data file who did not have a score on this particular variable–what is called a "missing value"–will these two numbers be different. In your work in this course, you are not likely to have any missing values. So if these two numbers come out different it could well mean you have made a mistake in entering the data into the file.)

4. The next line, **MEAN**, displays the mean of the data, based on the usual formula. In the example the mean of **6.000** corresponds to what was computed in the chapter.

5. The next line, **VARIANCE**, gives the "variance"–but using the formula of $SS/(N-1)$ instead of the formula we are using in this chapter of SS/N. To adjust the result MYSTAT gives, you must multiply it by $N-1$ and then divide by N. In this example, MYSTAT displays **7.333**. There are 10 cases, so the adjustment is 9 times 7.333, divided by 10–which comes out to 6.6, the same as what was computed in the chapter. The square root of 6.6, the standard deviation, 2.57, is also the same as was computed in the chapter.

F. Print out the result (make a screen print by holding shift and pressing the PrintScrn key). Then return to the Main Menu by pressing Enter.

G. Convert all the raw scores (for **SESSIONS**) to Z scores, using the following steps.

1. Call your data file up onto the edit screen by typing >**EDIT CH2XMPL** and pressing Enter.
2. Press Escape to move to the line at the bottom of the screen where you can give commands.
3. Tell MYSTAT to create the Z scores by typing >**LET ZSESS = (SESSIONS - 6) / 2.57** (be sure you type everything exactly as shown, with no spelling errors) and then pressing Enter. The results appear in a new column as shown in Figure SG2-8.

```
MYSTAT Editor
Case    SESSIONS        ZSESS
 1         7.000         .389
 2         8.000         .778
 3         8.000         .778
 4         7.000         .389
 5         3.000       -1.167
 6         1.000       -1.946
 7         6.000         .000
 8         9.000        1.167
 9         3.000       -1.167
10         8.000         .778
11
12
13
14
15
```

Figure SG2-8

H. Inspect and print out the result, then return to the Main Menu by pressing Enter twice.

II. **Systematic Instructions for Computing the Mean and Variance and for Converting a Series of Raw Scores to Z Scores**

A. Start up MYSTAT.

B. Create a file with the data for which you want to compute the mean and variance, and/or convert to Z scores, giving a label to the variable and a name to the file of your choosing. (Write down the file name so you don't forget it.) Then return to the Main Menu.

C. With the Main Menu on the screen, tell MYSTAT you want to use this particular file: Type **>USE [filename]** and press Enter twice. Substitute the name of your file for "[filename]."

D. Type **>STATS [variable name] / MEAN VARIANCE** and press Enter. Substitute the name of your variable for "[variable name]."

E. Print out a copy of the result (using Shift-PrintScrn) and press Enter to return to the Main Menu.

F. Adjust the variance MYSTAT gives you to the kind of variance described in Chapter 2 of the text: Multiply MYSTAT's variance times the number of subjects minus 1, then divide the result by the total number of subjects. Then take the square root of this number to get the standard deviation. (It is a good idea to write all these calculations onto the printout.)

G. Call your data file up onto the edit screen by typing **>EDIT [file name]** and pressing Enter.

H. Press Escape to move to the line at the bottom of the screen where you can give commands.

I. Tell MYSTAT to create the *Z* scores.
    1. Type >LET [Z score variable name] = ([variable name] - [mean]) / [standard deviation].
        a. For "[Z score variable name]" substitute a variable name of your choosing to be the variable that will represent the *Z* score values. (Preferably begin this variable name with a "Z" to remind you of what it is.)
        b. For "[mean]" substitute the number MYSTAT just computed as the mean of your raw scores.
        c. For "[variable name]" substitute the name of your original variable (the one with the raw scores you want to convert to *Z* scores).
        d. For "[standard deviation]" substitute the number that is the standard deviation you just computed by hand (which was based on your adjustment of the variance as given by MYSTAT).
    2. Check that you have typed everything with no spelling errors and with the numbers exactly correct, and have not left out any of the words, then press Enter.

J. Print out a copy of the result, save the changed file, and return to the Main Menu.

III. Additional Practice

(For each data set, enter the data and compute the mean and variance–adjusting the latter and determining the standard deviation. Then make *Z* scores. Finally, compare your results to those in the text).

A. Text examples–use same data sets as for Chapter 1 computer problems.

B. Practice problems in the text.
    1. All problems listed for use with the computer in the last chapter.
    2. Set I: 1-2.
    3. Set II: 2-3.

IV. Using the Computer to Deepen Your Knowledge

A. The effect of outliers (extreme scores) on the mean.
    1. Use MYSTAT to compute the mean and variance for the example several times, each time changing one of the numbers of sessions to a more extreme number–such as changing the 9 to a 10, then to a 15, then a 20, then a 100 (someone getting long-term depth therapy perhaps).
    2. For each run record the mean and variance.
    3. Make a chart of the results and notice how sensitive both statistics are to the changes in a single score. (For purposes of this exercise, the unadjusted variance will be adequate to make the point clear.)

B. Mean and variance of Z scores.
    1. Use MYSTAT to compute the mean and variance of the Z scores created in the example and also in one of the other additional problems.
    2. Note that whatever the original mean and variance, the mean and variance of Z scores are always 0 and 1 respectively (within rounding error). (The variance is 1 only after you have made the adjustment to have a variance that was computed with N, not N-1.)

C. The effects of adding or subtracting a constant.
    1. Using the example, create a new variable that is the same as the number of sessions, but in which 8 is added to each score. (On the edit screen, type >**LET SESPLUS8 = SESSIONS + 8**.) Then run the mean and variance and compare to the original.
    2. Do the same thing, but this time subtracting 3 from each score. (This will create some negative numbers of sessions!)
    3. Notice that the mean is affected; it is the original mean but with the number you added or subtracted to each score added or subtracted to it.
    4. But also notice that the variance (whether you adjust it or not) is not affected by adding or subtracting a constant.
    5. If you think in terms of a histogram of the distribution of scores, adding or subtracting a number to each score moves the whole distribution over to one side or the other, thus changing the mean. But the variation among the scores stays the same.

D. The effects of multiplying or dividing by a constant.
  1. Using the example, create a new variable that is the same as the number of sessions, but in which each is multiplied by 8. (On the edit screen, type >**LET SESX8 = SESSIONS * 8**. Computers show multiplication by using an asterisk.) Then have MYSTAT compute the mean and variance; make the adjustment of the variance and take its square root to get the standard deviation.
  2. Do the same thing, but this time, dividing each score by 3 (type >**LET SESDIV3 = SESSIONS / 3**).
  3. Compare your results to the original.
     a. Notice that the mean is affected; it is the original mean, but multiplied or divided by the number by which you multiplied or divided each score.
     b. Also notice that in this case the variance and standard deviation are also affected.

V. **Advanced Procedure: Skew and Kurtosis**
  A. In this chapter you have learned that you can describe a distribution by computing numbers for its central tendency (the mean) and its variation (the variance and standard deviation). It is also possible to use numbers to describe the extent to which a distribution approximates a normal curve.
     1. One such number describes the skew, the extent to which a distribution is not symmetrical. The closer this number is to 0, the more symmetrical. Positive numbers mean the distribution is skewed to the right (has a long tail to the right); negative numbers mean the distribution is skewed to the left.
     2. Another such number describes the kurtosis, the extent to which a distribution is more or less peaked than a normal curve. The closer this number is to 0, the closer the distribution is to a normal curve. Positive numbers mean the distribution is too peaked; negative, too flat.
  B. To get skew and kurtosis, add the words **SKEW** and **KURTOSIS** to your **STATS** command. For the example, the command would be **STATS SESSIONS / MEAN VARIANCE SKEW KURTOSIS**.

Chapter 3
Correlation

Learning Objectives

To understand, including being able to conduct any necessary computations or carry out any necessary procedures:

- Scatter diagrams.
- Patterns of correlation: linear, positive, negative, curvilinear, and no correlation.
- The correlation coefficient (r).
- Causality and correlation.
- Use of proportionate reduction in error (r^2) to compare correlations.
- Effect of restriction in range and unreliability of measurement on the correlation coefficient.
- Binomial-effect-size display.
- How correlation results are presented in research articles.

Chapter Outline

I. **Key Terms and Concepts**

   A. The pattern of high scores on one variable going with high scores on the other variable, low scores going with low scores, and moderate with moderate, is an example of a *correlation*.

   B. When two variables are correlated, and one is considered a cause of the other, they are distinguished by different terms.

      1. The variable considered as cause is called the *independent variable*.

      2. The variable considered as effect is called the *dependent variable*.

   C. When two variables are correlated and it is not clear what their casual relationship is (a common situation in research involving correlations), we still often speak of predicting one variable from the other.

      1. The variable being predicted from is called the *predictor variable*.

      2. The variable being predicted about is still usually called the dependent variable. (The proper but rarely used term is "criterion variable.")

II. Graphing Correlations: The Scatter Diagram

A. A *scatter diagram* displays the degree and pattern of relation of the two variables.

B. Making a scatter diagram involves three steps.

1. Draw the axes and determine which variable should go on which axis.
   a. The independent or predictor variable goes on the horizontal axis.
   b. The dependent variable goes on the vertical axis.
2. Determine the range of values to use for each variable and mark them on the axes.
   a. Your numbers should go upward on each axis, starting from where the axes meet.
   b. Ordinarily, begin with the lowest value your measure can possibly have, or zero, and continue to the highest value your measure can possibly have.
   c. When there is no obvious or reasonable lowest or highest possible value, begin or end at a value that is as high or low as people ordinarily score in the group of people of interest for your study.
3. Mark a dot for the pair of scores for each case.
   a. Locate the place on the horizontal axis for that person's score on the predictor variable.
   b. Move up to the height on the vertical axis which represents that person's score on that variable and mark a clear dot.
   c. If there are two cases in one place, you can either put the number "2" in that place or locate a second dot as near as possible to the first–if possible touching–but being sure it is clear that there are in fact two dots in the one place.

III. Patterns of Correlation

A. These can be identified by the general pattern of dots on the scatter diagram.

B. Linear correlation is where the pattern of dots follows a straight line.

C. Positive correlation (or positive linear correlation) is the term for one pattern.

1. It refers to low scores on one variable going with low scores on the other variable, mediums with mediums, and highs with highs.
2. On the scatter diagram, the dots follow a line which slopes up and to the right. (That is, the line has a positive slope.)

D. Negative correlation (or negative linear correlation) is the term for another pattern.

1. It refers to low scores on one variable going with high scores on the other variable, mediums with mediums, and highs with lows.
2. On the scatter diagram, the dots follow a line which slopes down and to the right. (That is, the line has a negative slope.)

E. Curvilinear correlation is yet another pattern.

1. It refers to when the relationship between two variables does not follow any kind of straight line, positive or negative, but instead follows a curving or more complex pattern.
2. Not all curvilinear relationships are even simple curves.

F. No correlation means no pattern–the two variables are completely unrelated to each other.
1. On the scatter diagram the dots are spread everywhere, and there is no line, straight or otherwise, that is any reasonable representation of a simple trend.
2. Note that in actual research situations sometimes the relationship between two variables does exist (that is, it is not really a no–correlation situation), but it is not very strong and thus hard to see visually in a scatter diagram.

IV. **Computing an Index of Degree of Linear Correlation: The Pearson Correlation Coefficient (r)**
A. The degree of correlation can be considered numerically or graphically.
1. It is the extent to which there is a clear pattern, some particular relationship, between the distributions of scores on two variables.
   a. For a positive linear correlation, it is the extent to which high numbers go with highs, mediums with mediums, lows with lows.
   b. For a negative linear correlation, it is the extent to which lows go with highs, etc.
2. In terms of a scatter diagram, a high degree of linear correlation means that the dots all fall very close to a straight line (the line sloping up or down depending on whether the linear correlation is positive or negative).
B. The computation of the degree of linear correlation has a clever logic behind it.
1. The first requirement of any such measure is that it be a consistent way of deciding for both variables what is a high and what is a low score–and how high is a high and how low is a low–this is accomplished by converting all scores to Z scores.
   a. This puts both variables on the same scale.
   b. A high score will always be positive.
   c. A low score will always be negative.
   d. The extent to which a score is high or low will be in proportion to its standard deviation.
2. A second requirement is a way to combine this information to get a number that reflects the *degree* to which highs go with highs, etc.–this is accomplished by computing the sum of cross–products of Z scores.
   a. A cross–product of Z scores is the Z score of the subject on one variable times the Z score of that subject on the other variable.
   b. If highs go with highs (positive Z times positive Z) or lows with lows (negative Z times negative Z), the result is positive in either case–thus a high positive sum (of these cross–products, over all subjects) results when there is a strong positive linear correlation.
   c. If highs go with lows (positive Z times negative Z) or lows with highs (positive Z times negative Z), the result is negative in either case–thus a high negative sum results when there is a strong negative linear correlation.

d. If highs sometimes go with highs (positive Z times positive Z) but sometimes highs go with lows (positive Z times negative Z), and so forth, the result is that positives and negatives cancel out–thus the sum is near zero when there is no correlation.

3. A third requirement is that the measure of the degree of correlation have some standard scale–this is accomplished by finding the average of the cross–products of Z scores (dividing the sum by the number of cases).

a. This is called r, the Pearson correlation coefficient.

b. When there is a perfect positive linear correlation, $r = 1$.

c. When there is a perfect negative linear correlation, $r = -1$.

d. When there is no linear correlation, $r = 0$.

e. In between degrees of correlation have values between 0 and 1 (for positive correlations) and between 0 and -1 (for negative correlations).

C. In terms of a formula: $r = \Sigma(Z_X Z_Y) / N$.

D. A computational formula for the correlation coefficient is described in Chapter Appendix I.

V. Testing the Statistical Significance of the Correlation Coefficient

A. The correlation coefficient, by itself, is a descriptive statistic–it describes the degree and direction of linear correlation in the particular group measured.

B. However, when conducting research in psychology we are often more interested in a particular set of scores as representative of the larger population which we have not directly studied.

C. A correlation is said to be "significant" if it is very unlikely (less than 5% or 1% probability) that we could have obtained a correlation this big if in fact the overall group had no correlation.

D. The logic and procedures of statistical significance are the major focus of the text starting with Chapter 5, but are not considered in any more detail in this chapter on correlation (except in Chapter Appendix II).

VI. Issues in Interpreting the Correlation Coefficient

A. Causality and correlation.

1. For any particular correlation between variables X and Y, there are three possible directions of causality.

a. X causes Y.

b. Y causes X.

c. Some third factor could be causing both X and Y.

2. The issue is confused by two uses of the word "correlation":

a. A statistical procedure.

b. A type of research design (that does not use random assignment and is often, but not always, analyzed using the correlation coefficient).

B. Comparing magnitude of correlations.
  1. Larger values of r (values further from zero) indicate a higher degree of correlation, but are not proportionally related: for example, an r of .4 is *not* twice as strong as an r of .2.
  2. To compare correlations with each other, the measure you use is r^2, called the *proportionate reduction in error*. (The meaning of this statistic is discussed in detail in Chapter 4).
C. Restriction in range: When only a limited range of the possible values on one or both variables are included in the group studied, the resulting correlation can not be properly extended to apply to the entire range of values the variable might have among people in general.
D. Unreliability of measurement.
  1. A measure that is not perfectly accurate is unreliable.
  2. If one or both variables in a correlation are unreliable, the correlation is reduced (attenuated).
  3. More advanced texts describe formulas for estimating what the correlation between two variables would be if the two variables were perfectly reliable (called disattenuating or correcting for attenuation).

VII. **Controversies and Recent Developments: What is a Large Correlation?**
A. Traditionally a large correlation is considered to be .5 or above, a moderate correlation to be about .3, and a small correlation to be about .1.
B. In fact, in psychology it is rare to obtain correlations greater than .4.
C. It is traditional to caution that a low correlation is not very important even if it is statistically significant.
D. Even experienced research psychologists tend to *over*estimate the degree of association that a correlation coefficient represents.
E. However, Rosnow and Rosenthal (1989) have argued that in many cases even very low correlations can have important practical implications.
F. They illustrate their point with a binomial-effect-size display:
  1. This is a table in which the cases are divided in half on each variable, and the number of cases in each of the four combinations is considered.
  2. In this layout, the difference in percentages between the two halves is exactly what you would get if you computed the correlation coefficient.

VIII. **How Correlation Coefficients Are Described in Research Articles**
A. Correlation coefficients are often described in the text of a research article.
  1. They are usually reported with the letter r, an equal sign, and the correlation coefficient (e.g., $r = .31$).
  2. Sometimes the significance level, such as "$p < .05$," will also be reported.
B. A table of correlations, called a *correlation matrix*, is common when correlations have been computed among many variables.

Formula

Correlation coefficient (*r*)

Formula in words: Average of the cross–product of Z scores.

Formulas in symbols: $r = \Sigma(Z_X Z_Y) / N$ (3–1)

Z_X is the Z score for each case on the X variable.

Z_Y is the Z score for each case on the Y variable.

$Z_X Z_Y$ is the cross–product of Z scores (for each case, Z_X times Z_Y).

N is the number of cases.

How to Graph and Compute a Correlation

I. Construct a scatter diagram.

   A. Draw the axes and determine which variable should go on which axis.

   B. Determine the range of values to use for each variable and mark them on the axes.

   C. Mark a dot for the pair of scores for each case.

   D. Determine if clearly curvilinear–if so, do not compute the correlation coefficient (or do so with the understanding that you are only describing the degree of linear relationship).

II. Estimate the direction and degree of linear correlation.

III. Compute the correlation coefficient.

   A. Convert all scores to Z scores.

   B. Compute the cross–product of the Z scores for each case.

   C. Sum the cross–products of the Z scores.

   D. Divide by the number of cases.

IV. Check the sign and size of your computed correlation coefficient against your estimate from the scatter diagram.

Outline for Writing Essays on the Logic and Computations for a Correlation Problem

The reason for your writing essay questions in the practice problems and tests is that this task develops and then demonstrates what matters so very much–your comprehension of the logic behind the computations. (It is also a place where those better at words than numbers can shine, and for those better at numbers to develop their skills at explaining in words.)

Thus, to do well, be sure to do the following in each essay: (a) give the reasoning behind each step; (b) relate each step to the specifics of the content of the particular study you are analyzing; (c) state the various formulas in nontechnical language, because as you define each term you show you understand it (although once you have defined it in nontechnical language, you can use it from then on in the essay); (d) look back and be absolutely certain that you made it clear just *why* that formula or procedure was applied and *why* it is the way it is.

The outlines below are *examples* of ways to structure your essays. There are other completely correct ways to go about it. And this is an *outline* for an answer–you are to write the answer out in paragraph form. Examples of full essays are in the answers to Set I Practice Problems in the back of the text.

These essays are necessarily very long for you to write (and for others to grade). But this is the very best way to be sure you understand everything thoroughly. One short cut you may see on a test is that you'll be asked to write your answer for someone who understands statistics up to the point of the new material you are studying. You can choose to take the same short cut in these practice problems (maybe writing for someone who understands right up to whatever point you yourself start being just a little unclear). But every time you write for a person who has never had statistics at all, you review the logic behind the entire course. You engrain it in your mind. Over and over. The time is never wasted. It is an excellent way to study.

I. **Construct a scatter diagram.**
   A. Procedure: A two–dimensional graph with each variable on one axis and a dot for each score representing its score on the two variables.
   B. Explanation: This graph shows the pattern of relationship among the two variables.

II. **Estimate the direction and degree of linear correlation.**
   A. Procedure: Inspect the pattern of dots.
   B. Explanation: The general pattern of dots shows whether highs go with highs, lows with lows (or the reverse), indicating the degree of association. (Note the pattern for your particular data.)

III. Compute the correlation coefficient.
A. Procedure: $r = \Sigma(Z_X Z_Y) / N$.
B. Explanation.
1. The correlation represents the degree high scores go with high scores and low scores with low scores (or if describing a negative correlation, the reverse).
2. One can identify the extent to which a score is high or low by converting to Z scores (explain meaning of a Z score, and mean and standard deviation in lay terms, as per the explanation in the outline for writing essays in Chapter 2 of this *Study Guide*).
   a. With Z scores, a high score is always positive.
   b. A low score is always negative.
   c. The degree to which a score is high or low is in proportion to the standard deviation.
3. After converting all scores to Z scores, one multiplies each individual's Z score on one variable times that individual's Z score on the other variable.
   a. If describing a positive correlation, note that if highs go with highs then positives will always be multiplied by positives (giving a positive product) and if lows go with lows then negatives will always be multiplied by negatives (also giving a positive product)–the sum over all cases will thus be high and positive.
   b. If describing a negative correlation, note that if highs go with lows then positives will always be multiplied by negatives (giving a negative product)–the sum over all cases will thus be a large negative number.
4. One then sums the cross–products and divides by the number of cases to get an average cross–product (called r).
   a. If describing a positive correlation, note that the more highs go with highs and lows with lows (or the dots fall near a straight line that slopes up), the closer r is to 1, with no association being an r of 0. (Discuss the degree of correlation of your particular result.)
   b. If describing a negative correlation, note that the more highs go with lows and lows with highs (or the dots fall near a straight line that slopes down), the closer r is to -1, with no association being an r of 0. (Discuss the degree of correlation of your particular result.)

IV. Check the sign and size of your computed correlation coefficient against your estimate from the scatter diagram (Step II above).

Chapter Self–Tests

Multiple-Choice Questions

1. A variable that is considered to be an effect is called a(n)

   a. dependent variable.
   b. predictor variable.
   c. causal variable.
   d. independent variable.

2. Which of these statements about scatter diagrams is true?

   a. their usual purpose is to describe the relationship between three or more variables.
   b. when the dots on the graph seem to form a straight line, this is called a curvilinear correlation.
   c. the lowest to highest values of the independent variable are marked on the vertical axis and the lowest to highest values of the dependent variable are marked on the horizontal axis.
   d. each individual's pair of scores is represented as a dot on this two–dimensional graph.

3. A study finds that the more exercise people do, the less money they spend on medical treatment, but only up to a point. Beyond that point, the more exercise they do, the more money they spend on medical treatment. The relation between amount of exercise and money spent on medical treatment represents

   a. a positive linear correlation.
   b. a negative linear correlation.
   c. a curvilinear correlation.
   d. no correlation (that is, neither linear nor curvilinear).

4. Which choice best describes the data on this scatter diagram?

   a. no correlation.
   b. curvilinear correlation.
   c. positive linear correlation.
   d. negative linear correlation.

5. Which of the following statements is true about the correlation coefficient?

   a. it is an index of the degree of curvilinear correlation.
   b. it is the average of the cross–products of Z scores.
   c. it is symbolized as c.
   d. it is highly positive when there is a strong negative linear correlation.

6. An employer conducts a survey of how much coffee workers drink each day and how much work they get done. The result is a positive correlation that is statistically significant at the .05 level. What should she conclude?

   a. Coffee increases the rate at which people work.
   b. Working quickly causes people to drink more coffee.
   c. Having a faster metabolism causes people to work faster and to crave coffee.
   d. She cannot make any definite conclusions about the direction of causality just from knowing that the correlation is positive and significant.

7. Given that the correlation coefficient is .3, what is the proportionate reduction in error?

   a. $(c)(.3)$
   b. $(2)(.3) = .6$
   c. $(10)(.3) = 3$
   d. $.3^2 = .09$

8. Suppose you were conducting a study of the relation between appearance (good looks) and income. Which of the following is likely to DECREASE the size of the correlation you would find?

   a. studying a group of people who vary a great deal on appearance.
   b. using a measure of income that is highly exact.
   c. using a measure of good looks that is fairly ambiguous.
   d. none of the above.

9. In psychology a large correlation coefficient is traditionally considered to be a correlation that is at least

   a. .3
   b. .5
   c. .7
   d. .9

10. In a research article, the correlations among several variables are often presented in a table called a

    a. contingency table.
    b. scatter diagram.
    c. correlation matrix.
    d. C table.

Fill–In Questions

1. If X is considered to be the cause of Y, X is called the _____ variable.

2. In a scatter diagram of the relation between amount of tiredness and confusion in thinking (in which tiredness is considered to be the cause of confusion in thinking), a dot located at 6 across and 4 up means the person had a score of 6 on _____.

3. A scatter diagram shows a pattern of dots that follow a line that starts going up and to the right and then about half–way along stops going up and just stays flat as it continues to the right. This pattern is an example of _____ correlation.

4. A study finds that the more self–confidence people have, the less fear they have of meeting new people. The relation between self–confidence and fear of meeting new people is an example of a(n) _____ correlation.

5. If two variables have a positive linear correlation, then in general the cross–products of Z scores should be _____.

6. When there is a perfect negative correlation, the average of the cross–product of Z scores equals _____.

7. If pairs of scores for a group of people are highly correlated, a researcher will often conclude that it is likely that for people in general these scores are highly correlated. The researcher would say that this result is statistically _____.

8. A correlation of .6 is considered to be _____ times as strong a relationship as a correlation of .2.

9. When a correlation is computed between two variables that are measured with questionnaires having a lot of ambiguous questions (and are thus not very reliable), the resulting correlation is likely to be _____ ("lower than," "higher than," or "the same as") if the two variables were measured with a completely unambiguous questionnaire.

10. Rosnow and Rosenthal have shown that even small correlations can have important implications. One way of illustrating this is by making a table in which each variable is divided into high and low and the numbers of cases falling into each high–low combination of the two variables is shown. This kind of a table is called a(n) _____.

Problems and Essays

1. Four individuals kept records for a month on how many eggs they ate per day and then were measured on their cholesterol level. Here are the (fictional) results:

Average Eggs Eaten Per Day	Cholesterol Level
2	210
0	100
1	180
5	270

(a) Make a scatter diagram of the raw data.
(b) Describe the general pattern of the data in words.
(c) Compute the correlation coefficient.
(d) Compute the proportionate reduction in error.
(e) Indicate plausible directions of causality in terms of the variables involved.
(f) Explain your result to a person who has never had a course in statistics.

2.   The following (fictional) data are from six LA gang leaders. Here are raw scores and Z scores of the size of each leader's gang and of each leader's willingness to help in a campaign to stop gang violence:

Gang Leader	Size of Gang Raw	Z	Rated Willingness to Help Campaign Raw	Z
Gang A	24	−1.2	10	1.6
Gang B	106	.4	4	−.5
Gang C	42	−.9	7	.5
Gang D	70	−.3	6	.2
Gang E	90	.1	5	−.2
Gang F	178	1.9	1	−1.6

(a) Make a scatter diagram of the raw data.
(b) Describe the general pattern of the data in words.
(c) Compute the correlation coefficient.
(d) Compute the proportionate reduction in error.
(e) Indicate plausible directions of causality in terms of the variables involved.
(f) Explain your answer to a person who has never had a course in statistics.

3. A Canadian social psychologist conducted a (fictional) survey of attitudes towards a particular immigrant nationality among members of that nationality. The survey also included questions about how much the respondents identified with their group of national origin and about how many generations the person's parents had been in Canada (which ranged from 1–first–generation immigrants–through 6). The researcher reported the following results: "There appears to be a strong association between positive attitudes and degree of identification, with a correlation between the two measures of $r = .51$, $p < .01$. However, there was little association between positive attitudes and number of generations, $r = .16$, not significant." Explain this result to a person who has never had a course in statistics. (Discuss the statistical–significance aspect only in a very general way.)

4. An educational psychologist analyzed the relation between high school students' performance in various classes as measured by their grades and reported the (fictional) results in the following table.

	English	Math	Science	History
English		.12	.19	.53**
Math			.68**	.09
Science				.28*
History				

$*p < .05$; $**p < .01$

Explain these results to a person who has never had a course in statistics. (Discuss the statistical–significance aspect only in a very general way.)

Using SPSS/PC+ Studentware Plus with this Chapter

If you are using SPSS for the first time, before proceeding with the material in this section, read the Appendix on Getting Started and the Basics of Using SPSS/PC+ Studentware Plus.

You can use SPSS to create a scatter diagram and to compute a correlation coefficient. You should work through the example, following the procedures step by step. Then look over the description of the general principles involved and try the procedures on your own for some of the problems listed in the Suggestions for Additional Practice. Finally, you may want to try the suggestions for using the computer to deepen your understanding, and you can explore the advanced SPSS procedure, a correlation matrix, at the end.

I. Example
A. Data: The number supervised and stress level for five managers (fictional data), from the example in the text. The scores for the managers for the two variables are number supervised 6, stress 7; 8, 8; 3, 1; 10, 8; and 8, 6.

B. Follow the instructions in the SPSS Appendix for starting up SPSS and be sure the cursor is in the Scratch Pad window.

C. Enter the data as follows.

    1. Type **DATA LIST FREE / NUMSUPD STRESS.** and press Enter to go to the next line.

    2. Type **BEGIN DATA.** and press Enter to go to the next line.

    3. Type **6**, a space, and **7** (the number supervised and the stress level, respectively for the first subject). Then press Enter to continue to the next line.

    4. Type **8 8** (the number supervised and the stress level for the second subject) and press Enter.

    5. Type the scores for the remaining subjects, one each line one subject's number supervised and stress level, in that order.

    6. Type **END DATA.** and press Enter to move to the next line.

D. Create a scatter diagram for the two variables as follows.

    1. Type **PLOT PLOT STRESS WITH NUMSUPD.** and pressing Enter. (Yes, the word **PLOT** appears twice.) The screen should now appear as shown in Figure SG3–1.

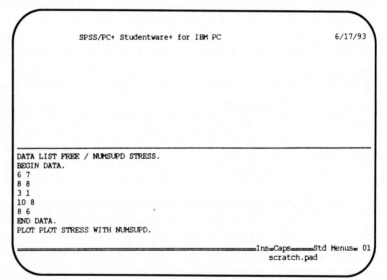

Figure SG3–1

    2. Tell SPSS to carry out your instructions–use the arrow keys to move to the start of the first line (**DATA LIST ...**), press F10, and press Enter.

    3. Press Enter again. The scatter diagram should look like Figure SG3–2.

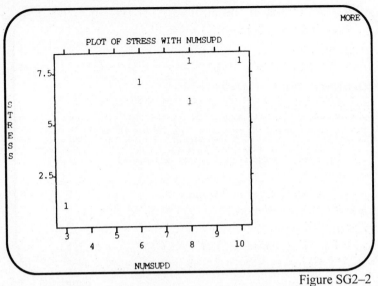

Figure SG2–2

E. Inspect the result.

1. The label for the vertical axis, **STRESS**, is shown along the left side, and the label for the horizontal axis, **NUMSUPD**, is shown along the bottom of the screen.

2. The **1**s represent the data points (if there were two data points at the same location, SPSS would indicate this by putting a **2** at this location).

3. Notice that this scatter diagram corresponds closely to the one in the text for these data.

F. Print out a copy of the result (using Shift–PrintScrn) and press F2 and Enter to return to the Scratch Pad window.

G. Compute the correlation coefficient as follows.

1. Erase the **PLOT** line.

2. Type instead, **CORRELATION STRESS NUMSUPD.** and press Enter.

3. Use the arrow keys to move to the start of the first line (**DATA LIST ...**), press F10 and press Enter. The results should appear as shown in Figure SG3–3.

Chapter Three   **63**

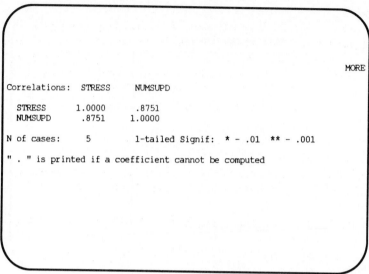

```
                                                    MORE

Correlations:   STRESS      NUMSUPD

    STRESS      1.0000       .8751
    NUMSUPD      .8751      1.0000

N of cases:      5         1-tailed Signif:  * - .01  ** - .001

" . " is printed if a coefficient cannot be computed
```

Figure SG3–3

4. Inspect the result: The screen shows the combination of variables with **1.000** for each variable's correlation with itself, and **.8751** for the correlation between the two variables (the correlation in the chapter, in which everything was rounded off to two decimal places, was .88).

5. Print out a copy of the result (using Shift–PrintScrn) and press F2 and Enter to return to the Scratch Pad window.

6. Save your lines of data and instructions, as follows.
   a. Press F9 and Enter.
   b. Type **CH3XMPL** and press Enter.

II. Systematic Instructions for Creating a Scatter Diagram and Computing a Correlation Coefficient

A. Start up SPSS.

B. Enter the data as follows.
   1. Type **DATA LIST FREE / [variable name 1] [variable name 2].** and press Enter to go to the next line. Substitute the names of your variable for [variable name 1] and [variable name 2].
   2. Type **BEGIN DATA.** and press Enter to go to the next line.
   3. Type each subject's two scores on a line, in the same order as the variables are listed in the **DATA LIST** line; one such line per subject.
   4. Type **END DATA.** and press Enter to move to the next line.

D. Create a scatter diagram for the two variables as follows.

    1. Type **PLOT / PLOT [variable name 1] WITH [variable name 2]**. and press Enter. Note that the variable you put first will be on the vertical axis. (Thus, if there is any basis for deciding which is the dependent variable, that variable should go first.)

    2. Tell SPSS to carry out your instructions–use the arrow keys to move to the start of the first line (**DATA LIST ...**), press F10, and press Enter.

    3. Print out a copy of the result (using Shift–PrintScrn) and press F2 and Enter to return to the Scratch Pad window.

G. Compute the correlation coefficient as follows.

    1. Erase the **PLOT** line.

    2. Type instead, **CORRELATION [variable name 1] [variable name 2]**. and press Enter.

    3. Use the arrow keys to move to the start of the first line (**DATA LIST ...**), press F10, and press Enter.

    4. Print out a copy of the result (using Shift–PrintScrn) and press F2 and Enter to return to the Scratch Pad window.

    5. Save your lines of data and instructions, as follows.

      a. Press F9 and Enter.

      b. Type **[file name]** and press Enter.

III. Additional Practice

(For each data set, create a scatter diagram, compute the correlation coefficient, and compare your results to those in the text).

A. Text examples.

    1. Fictional study of number of exposures to words and words recalled (from Table 3–3).

    2. Fictional study of class size and achievement test scores of five elementary schools (from Table 3–5).

B. Practice problems in the text.

    1. Set I: 1–3,6,7.

    2. Set II: 2,3.

IV. Using the Computer to Deepen Your Knowledge

A. The effect of outliers (extreme scores) on the correlation coefficient.

    1. Use SPSS to compute correlations for the example several times, each time changing one of the numbers supervised to a more extreme number–such as changing the 10 to a 11, then to a 15, then a 20, then a 100. For each run record the correlation.

    2. Do the same with the original numbers, but changing one of the stress ratings, perhaps one of the 8s. For each run record the correlation.

    3. Do the same thing with the original numbers, but this time creating a joint outlier–perhaps making the 10,8 pair into a 20,16 pair, then a 40,32 pair, etc. For each run record the correlation.

4. Do the same thing, but this time creating a joint outlier that is not an outlier on either variable by itself. Try 2,8 and 10,0.
5. Make a chart of the results and notice how sensitive the correlation coefficient is to outliers involving one variable and outliers involving two variables.

B. The effect of adding, subtracting, multiplying, or dividing by a constant on the correlation coefficient.

1. Use SPSS to compute the correlation coefficient using the example data–except this time add five to every stress score. Then add 10. Then try adding 5 to every number–supervised score. Note that the correlations in each case are the same.
2. Do the same, this time multiplying one of the scores by 5. Then try dividing one of the scores by 8. Again, there is no effect.
3. Do the same, this time using Z scores. Again there is no effect.

C. Estimating correlations.

1. Begin with the example and modify the scores for two of the subjects until you have reduced the correlation to as close to .50 as you can.
2. Modify as many scores as necessary to create a correlation near to zero.
3. Modify as many scores as necessary to create a correlation near to –.50.
4. Create a scatter diagram on paper that you think represents a correlation of about .25. Then enter the numbers and try it on the computer to see how close you get. Modify the scatter diagram until you have achieved a correlation of about .25.
5. Do the same for correlations of –.50, –.25, 0, .50, and .75.

V. **Advanced Procedure: Correlation Matrix**

A. Add a third variable to your data representing job difficulty. The scores for the managers (in the same order) are 35, 30, 25, 40, and 35. (To do this, you must add a variable name for this variable, such as **JOBDIFF**, to the **DATA LIST** line and add each subject's scores to his or her line of scores.)
B. Have SPSS compute the correlations among all three variables by using **CORRELATION STRESS NUMSUPD JOBDIFF.**

Using MYSTAT with this Chapter

If you are using MYSTAT for the first time, before proceeding with the material in this section, read the Appendix on Getting Started and the Basics of Using MYSTAT.

You can use MYSTAT to create a scatter diagram and to compute a correlation coefficient. You should work through the example, following the procedures step by step. Then look over the description of the general principles involved and try the procedures on your own for some of the problems listed in the Suggestions for Additional Practice. Finally, you may want to try the suggestions for using the computer to deepen your understanding, and you can explore the advanced MYSTAT procedure, a correlation matrix, at the end.

I. Example

A. Data: The number supervised and stress level for five managers (fictional data), from the example in the text. The scores for the managers for the two variables are number supervised 6, stress 7; 8, 8; 3, 1; 10, 8; and 8, 6.

B. Create a file of your data as follows.

1. Follow the instructions in the MYSTAT Appendix for starting up MYSTAT.
2. Using the instructions in the MYSTAT Appendix for creating a file of your data, type in the variable names **"NUMSUPD"** at the top of the first column and **"STRESS"** at the top of the second column. Then type in the data for each manager, going down the screen. When you are done the screen should look like Figure SG3–4.

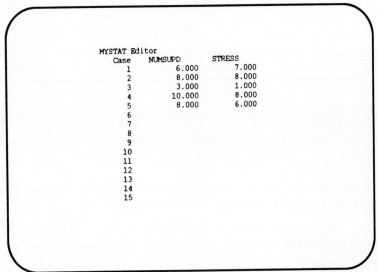

Figure SG3–4

3. Save the file by pressing Escape to get to the bottom of the screen, typing >**SAVE CH3XMPL**, and pressing Enter.
4. Return to the Main Menu by typing >**QUIT** and pressing Enter twice.

C. Tell MYSTAT to use your data file by typing >**USE CH3XMPL** and pressing Enter twice.

D. Create a scatter diagram for the two variables by typing >**PLOT STRESS*NUMSUPD** and pressing Enter. The result should appear as shown in Figure SG3–5.

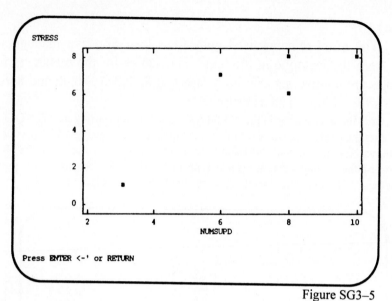

STRESS

Press ENTER <-' or RETURN

Figure SG3–5

E. Inspect the result.
  1. The label for the vertical axis, **STRESS**, is shown at the top left, and the label for the horizontal axis, **NUMSUPD** is shown along the bottom of the screen.
  2. The little squares represent the data points.
F. Print out the result (make a screen print by holding shift and pressing the PrintScrn key) and then return to the Main Menu by pressing Enter.
G. Compute the correlation coefficient by typing **>PEARSON STRESS,NUMSUPD** and pressing Enter. The results appear in a new column as shown in Figure SG3–6.

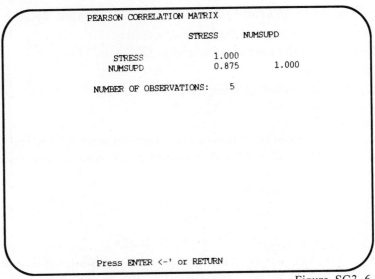

```
    PEARSON CORRELATION MATRIX

                        STRESS      NUMSUPD

         STRESS          1.000
         NUMSUPD         0.875       1.000

    NUMBER OF OBSERVATIONS:      5




            Press ENTER <-' or RETURN
```

Figure SG3–6

H. Inspect the result: The screen shows the combination of variables with **1.000** for each variable's correlation with itself, and **0.875** for the correlation between the two variables (the correlation in the chapter, in which everything was rounded off to two decimal places, was .88).

I. Print out the result and return to the Main Menu.

II. Systematic Instructions for Creating a Scatter Diagram and Computing a Correlation Coefficient

A. Start up MYSTAT.

B. Create a file with the data, giving variable names of your choosing to the two variables to be correlated. (Write down the file name so you don't forget it.) Then return to the Main Menu.

C. With the Main Menu on the screen, tell MYSTAT you want to use this particular file by typing >**USE [filename]** and pressing Enter twice.

D. Type >**PLOT [variable name 1]*[variable name 2]** and press Enter. Substitute the names of your two variables for "[variable name 1]" and "[variable name 2]." Note that the variable you put first will be on the vertical axis. (Thus, if there is any basis for deciding which is the dependent variable, that variable should go first.)

E. Print out a copy of the result (using Shift–PrintScrn) and press Enter to return to the Main Menu.

F. Type **>PEARSON [variable name 1],[variable name 2]** and press Enter. The order of variables is not at all important here.

G. Print out a copy of the result and return to the Main Menu.

III. Additional Practice

(For each data set, create a scatter diagram, compute the correlation coefficient, and compare your results to those in the text).

A. Text examples.
   1. Fictional study of number of exposures to words and words recalled (from Table 3–3).
   2. Fictional study of class size and achievement test scores of five elementary schools (from Table 3–5).

B. Practice problems in the text.
   1. Set I: 1–3,6,7.
   2. Set II: 2,3.

IV. Using the Computer to Deepen Your Knowledge

A. The effect of outliers (extreme scores) on the correlation coefficient.
   1. Use MYSTAT to compute correlations for the example several times, each time changing one of the numbers supervised to a more extreme number–such as changing the 10 to a 11, then to a 15, then a 20, then a 100. For each run record the correlation.
   2. Do the same with the original numbers, but changing one of the stress ratings, perhaps one of the 8s. For each run record the correlation.
   3. Do the same thing with the original numbers, but this time creating a joint outlier–perhaps making the 10,8 pair into a 20,16 pair, then a 40,32 pair, etc. For each run record the correlation.
   4. Do the same thing, but this time creating a joint outlier that is not an outlier on either variable by itself. Try 2,8 and 10,0.
   5. Make a chart of the results and notice how sensitive the correlation coefficient is to outliers involving one variable and outliers involving two variables.

B. The effect of adding, subtracting, multiplying, or dividing by a constant on the correlation coefficient.
   1. Use MYSTAT to compute the correlation coefficient using the example data–except this time add five to every stress score. Then add 10. Then try adding 5 to every number–supervised score. Note that the correlations in each case are the same.
   2. Do the same, this time multiplying one of the scores by 5. Then try dividing one of the scores by 8. Again, there is no effect.
   3. Do the same, this time using Z scores. Again there is no effect.

C. Estimating correlations.
  1. Begin with the example and modify the scores for two of the subjects until you have reduced the correlation to as close to .50 as you can.
  2. Modify as many scores as necessary to create a correlation near to zero.
  3. Modify as many scores as necessary to create a correlation near to –.50.
  4. Create a scatter diagram on paper that you think represents a correlation of about .25. Then enter the numbers and try it on the computer to see how close you get. Modify the scatter diagram until you have achieved a correlation of about .25.
  5. Do the same for correlations of –.50, –.25, 0, .50, and .75.

V. **Advanced Procedure: Correlation Matrix**
  A. Add a third column to your data for job difficulty. The scores for the managers (in the same order) are 35, 30, 25, 40, and 35.
  B. Have MYSTAT compute the correlations among all three variables: Type **>PEARSON STRESS,NUMSUPD,JOBDIFF** and press Enter.

Chapter 4
Prediction

Learning Objectives

To understand, including being able to conduct any necessary computations:

- Bivariate prediction model with Z scores and associated formulas, terminology and symbols.
- Why prediction is sometimes called regression.
- Two methods of bivariate prediction with raw scores and associated terminology, formulas and symbols.
- Regression line.
- Proportionate reduction in error in bivariate prediction and associated formulas, terminology and symbols.
- Multiple regression with Z scores and associated formulas, terminology, and symbols. (You are not expected to be able to compute ßs, but should be able to interpret them and make predictions using them if they are given.)
- Multiple regression with raw scores and associated formulas, terminology, and symbols. (You are not expected to be able to compute a and bs, but should be able to interpret them and make predictions using them if they are given.)
- The multiple correlation coefficient.
- Limitations of regression.
- Basic issues in interpreting the relative importance of predictor variables in multiple regression.
- How results of studies using multiple regression are reported in research articles.

Chapter Outline

I. **Terminology of Bivariate Prediction**
    A. In bivariate prediction (same as bivariate regression), we use a person's score on a predictor (or independent) variable to make predictions about a person's score on a dependent variable.
    B. The predictor variable is usually labeled X, the dependent variable Y. *(outcome)*

II. **The Bivariate Prediction Model with Z Scores** *(outcome)*
    A. A person's predicted Z score on the dependent variable is found by multiplying a particular number, called a *regression coefficient*, times that person's Z score on the predictor variable.

B. Because we are working with Z scores (which are also called standard scores), the regression coefficient in this case is called a *standardized regression coefficient*.

    1. It is symbolized by the Greek letter beta (ß).

    2. Because it is a kind of measure of how much weight or importance to give the predictor variable, it is called a "beta weight."

C. Formula and symbols: Predicted $\hat{Z}_Y = (\beta)(Z_X)$.

D. $\beta = r$ (in bivariate prediction). Below is some insight as to why.

mean for Z Scores is zero

    1. If there is no correlation ($r = 0$), $\beta = 0$: The predictor variable is irrelevant, and the best predictor is the mean of the dependent variable (a Z_Y of 0). ($Z_Y = [\beta][Z_X] = [0][Z_X] = 0$.)

    2. If there is a perfect correlation ($r = 1$), $\beta = 1$: The dependent variable's Z score exactly equals the predictor variable's Z score. ($Z_Y = [\beta][Z_X] = [1][Z_X] = Z_X$.)

    3. Thus, in the intermediate cases, when r is between 0 and 1, the best number for beta is also between 0 and 1.

E. Why prediction is sometimes called regression.

    1. When there is less than a perfect correlation between two variables, the dependent variable Z score is some fraction (the value of r) of the predictor variable Z score.

    2. As a result, the dependent variable Z score is closer to its mean (that is, it regresses or returns to a Z of zero).

III. Bivariate Prediction Using Raw Scores

A. Convert the raw score on the predictor variable to a Z score.

B. Multiply beta times this Z score to get the predicted Z score on the dependent variable.

C. Convert the predicted Z score on the dependent variable to a raw score.

IV. Direct Raw-Score-to-Raw-Score Prediction

A. Reduces the three-step process (III above) to a single formula which automatically takes into account the conversion into and from Z scores.

B. Raw-score prediction formula: $\hat{Y}\hat{Y} = a + (b)(X)$

    1. b (the raw-score regression coefficient) = $(\beta)(SD_Y/SD_X)$.

    2. a (the regression constant) = $M_Y - (b)(M_X)$.

V. The Regression Line

A. Graphic representation of the prediction model.

B. A line in which the horizontal axis represents the predictor variable scores and the vertical axis represents the predicted scores on the dependent variable.

(outcome)

C. The slope of the regression line.
    1. It equals b, the raw-score regression coefficient.
    2. This equivalence (of the slope of the regression line and b) emphasizes that a regression coefficient serves as a kind of rate of exchange between the predictor and dependent variable (that is, for each unit increase in the predictor variable, there is a predicted fractional increase in the dependent variable equal to b).
D. How to draw the regression line.
    1. Draw and label the axes of the graph, as for a scatter diagram.
    2. Pick any value of the predictor variable, compute (using the prediction rule) the corresponding predicted value on the dependent variable, and mark the point on the graph.
    3. Do the same thing again, starting with any other value of the predictor variable (it is easiest to draw an accurate line if the predictor-variable values used in this step and 2 are far apart).
    4. Draw a line that passes through the two marks.
E. You can check the accuracy of a drawn regression line by finding any third point.
F. The point where the regression line crosses the vertical axis, the "Y intercept," is the point at which $X = 0$, and thus $\hat{Y} = a$.

VI. **Error and Proportionate Reduction of Error**
A. The accuracy of predictions using a prediction model can be estimated by considering how much error would result using the prediction model to predict the scores used to compute the correlation coefficient in the first place.
B. Error is the actual score minus the predicted score.
C. We used squared error (in part because positive and negative errors will offset each other): $\text{Error}^2 = (Y - \hat{Y})^2$.
D. Graphic interpretation of error: The vertical distance between the dot for a subject's actual score and the regression line.
E. Proportionate reduction in error.
    1. It is the most common way to think about the accuracy of a prediction model.
    2. It is a comparison of squared errors indicating how much better predictions are likely to be using a particular model than making predictions without the model. (using the mean)
F. Strategy for computing proportionate reduction in error.
    1. Compute total of squared errors using the prediction model: $SS_E = \Sigma(Y - \hat{Y})^2$.
    2. Compute total of squared errors not using a prediction model (that is, predicting the mean for each dependent variable score): $SS_T = \Sigma(Y - M)^2$.
    3. Compute the reduction using the prediction rule: Reduction $= SS_T - SS_E$.
    4. Compute the proportionate reduction: Reduction/SS_T or $(SS_T - SS_E)/SS_T$.

G. Some insight into meaning of proportionate reduction in error.
    1. If the prediction model is no improvement, $SS_E = SS_T$; thus, reduction $= 0$ and proportionate reduction $= 0$ or 0%.
    2. If the prediction model predicts perfectly, $SS_E = 0$; thus reduction $= SS_T - 0 = SS_T$, and proportionate reduction $= 1$ or 100%.
    3. For in between cases, where the prediction rule is some improvement but does not predict perfectly, proportionate reduction in error is between 0% and 100%.

H. Proportionate reduction in error $= r^2$.

I. Proportionate reduction in error is also called the proportion of variance accounted for (because SS_T is also the sum of squared deviations from the mean, the essential ingredient in the variance).

J. Graphic interpretation of proportionate reduction in error.
    1. If each score is predicted to be the mean, the line representing these predictions would be a horizontal line.
    2. The proportionate reduction in error can be thought of as the extent to which the regression line's accuracy is greater than the horizontal line's accuracy.

VII. Extension to Multiple Regression and Correlation

A. The association between a dependent variable and two or more predictor variables is called *multiple correlation*; making predictions in this situation is called *multiple regression*.

B. These procedures have become increasingly important in psychology and are today very widely used.

C. Because this is an advanced topic, it is only introduced in a general way in this text.

D. Z score prediction model in multiple regression: Predicted $Z_Y = (\beta_1)(Z_{X1}) + (\beta_2)(Z_{X2}) + (\beta_3)(Z_{X3})$ ......

E. In multiple regression, ß for a predictor variable is *not* the same as r for that predictor variable with the dependent variable.
    1. ß is usually lower (closer to 0) than r because part of what any one predictor variable measures will overlap with what the other predictor variables measure.
    2. In multiple regression, ß is based on the unique, distinctive contribution of the variable, excluding any overlap with other predictor variables.

F. Raw-score prediction model in multiple regression: $\hat{Y} = a + (b_1)(X_1) + (b_2)(X_2) + (b_3)(X_3)$ ...... (each b gives the raw-score rates of exchange for its predictor variable at any given levels of the other predictor variables).

G. The multiple correlation coefficient (R) describes the overall correlation between the predictor variables, taken together, and the dependent variable.

    1. Due to overlap in predicting the dependent variable, R is usually less than (and cannot be more than) the sum of each predictor variable's r with the dependent variable.

    2. R ranges from 0 to 1.0 (unlike r, it can not be negative).

H. Proportionate reduction in error in multiple regression.

    1. It follows the same principle as in bivariate regression except errors are calculated using predictions based on the multiple regression prediction rule.

    2. Proportionate reduction in error = R^2.

VIII.   **Controversies and Limitations**

A. The limitations of correlation (see Chapter 3) apply with equal or greater force to bivariate and multiple prediction.

    1. It only assesses linear aspect of relationship.

    2. It is distorted by restriction in range.

    3. It is distorted by unreliability of measures.

    4. It does not indicate direction of underlying causal relationships.

B. There is controversy over how to assess the relative importance of the several predictor variables in predicting the dependent variable.

    1. For purely predictive purposes, the regression coefficients (either standardized or raw score) serve well.

    2. But for a theoretical understanding of the relative importance of the different predictors, the regression coefficients are not necessarily the best indicators.

       a. They reflect only the unique contribution of the predictor variable to the prediction after considering all the other predictors.

       b. Thus, when predicting by itself, without considering the other predictors (that is, using r), a variable may appear to have a quite different importance relative to the other predictors.

    3. Whenever the predictor variables are correlated with each other (called multicollinearity, the usual situation in multiple regression) there is no agreed-upon approach to the question of the relative importance of these sorts of predictor variables.

IX. Prediction Models as Described in Research Articles

A. Bivariate prediction models are rarely cited in psychology research articles–in most cases, simple correlations are reported.

B. Multiple regression models are commonly reported (either in the text or a table), including the following.

    1. The regression coefficients (ßs or a and bs or all of these).

    2. R^2.

    3. R.

    4. Statistical significance of R^2, regression coefficients, or both.

Formulas

I. Predicted *Z* score for a particular subject on the dependent variable (predicted Z_Y) in bivariate prediction.

      Formula in words: Standardized regression coefficient times the subject's *Z* score on the predictor variable.

      Formula in symbols: Predicted $Z_Y = (\beta)(Z_X)$ (4-1)

          ß   is the standardized regression coefficient.

          Z_X is the known subject's known *Z* score on the predictor variable.

II. Standardized regression coefficient (ß) in bivariate prediction.

      Formula in words: It is the same as the correlation coefficient.

      Formula in symbols: ß = *r*

          r   is the ordinary correlation coefficient between the predictor variable and the dependent variable.

III. Predicted raw score for a particular subject on the dependent variable $(\hat{Y}\,\hat{Y})$ in bivariate prediction

      Formula in words: The raw-score regression constant plus the product of the raw-score regression coefficient times the subject's score on the predictor variable.

      Formula in symbols: $\hat{Y} = a + (b)(X)$ (4-2).

          a   is the raw-score regression constant.

          b   is the raw score regression coefficient.

          X   is the subject's known raw score on the predictor variable.

IV. Raw score regression coefficient (*b*)

      Formula in words: The standardized regression coefficient times the ratio of the standard deviation of the predictor variable to the standard deviation of the independent variable.

      Formula in symbols: $b = (\beta)(SD_Y/SD_X)$ (4-3)

          SD_Y is the standard deviation of the dependent variable.

          SD_X is the standard deviation of the predictor variable.

V. Raw score regression constant (*a*)

      Formula in words: The mean of the dependent variable minus the product of the raw-score regression coefficient times the mean of the predictor variable.

      Formula in symbols: $a = M_Y - (b)(M_X)$ (4-4)

          M_Y is the mean of the dependent variable.

          M_X is the mean of the predictor variable.

VI. Sum of squared error using the prediction rule (SS_E)

Formula in words: Sum over all the scores of the square of each dependent variable score minus its predicted score using the prediction rule.

Formula in symbols: $SS_E = \Sigma(Y - \hat{Y})^2$

VII. Sum of squared error predicting each score from the mean (SS_T)

Formula in words: Sum over all the scores of the square of each dependent variable score minus the mean of the dependent variable scores.

Formula in symbols: $SS_T = \Sigma(Y-M)^2$

VIII. Proportionate reduction in error (R^2)

Formula in words: Amount of squared error reduced (sum of squared error using the mean to predict minus sum of squared error using the prediction rule) divided by the total squared error available to be reduced (sum of squared error using the mean to predict).

Formula in symbols: $R^2 = (SS_T-SS_E) / SS_T$ (4-6)

IX. Predicted Z score for a particular subject on the dependent variable (predicted Z_Y) in multiple prediction.

Formula in words: Sum, over all predictor variables, of the product of each predictor variable's standardized regression coefficient times the subject's Z score on that predictor variable.

Formula in symbols: Predicted $Z_Y =(\beta_1)(Z_{X1})+(\beta_2)(Z_{X2})+(\beta_3)(Z_{X3})$ ......   (4-8)

X. Predicted raw score for a particular subject on the dependent variable ($\hat{Y}$) in multiple prediction.

Formula in words: Raw-score regression constant, plus the sum over all predictor variables of the product of each predictor variable's regression coefficient times the subject's score on that predictor variable.

Formula in symbols: $\hat{Y} = a+(b_1)(X_1)+(b_2)(X_2)+(b_3)(X_3)$ ......   (4-9)

How to Construct a Z-Score Prediction Model in Bivariate Regression

I.   Compute the correlation coefficient.
II.   Set ß equal to *r*.
III.   The prediction model: Predicted $Z_Y = (\beta)(Z_X)$

How to Make a *Z*-Score Prediction for a Particular Subject in Bivariate Regression

I.   Determine the *Z*-score prediction model.
II. Find the *Z* score for that subject's score on the predictor variable: $Z_X = (X-M_X)/SD_X)$.
III. Substitute the above *Z* score into the prediction model and solve.

How to Make a Raw-Score Prediction for a Particular Subject in Bivariate Regression Based on a *Z*-Score Prediction Rule

I.   Determine the *Z*-score prediction model.
II. Find the *Z* score for that subject's score on the predictor variable: $Z_X = (X-M_X)/SD_X)$.
III. Substitute the above *Z* score into the prediction model and solve for the predicted *Z* score on the dependent variable.
IV. Find the raw score corresponding to that subject's predicted *Z* score on the dependent variable: $\hat{Y} = (SD_Y)(\text{Predicted } Z_Y) + M_Y$.

How to Construct a Raw-Score Prediction Model in Bivariate Regression

I.   Determine the *Z*-score prediction model.
II. Compute *b*: $b = (\beta)(SD_Y/SD_X)$.
III. Compute *a*: $a = M_Y - (b)(M_X)$.
IV. The prediction model is $\hat{Y} = a + (b)(X)$.

How to Make a Raw-Score Prediction for a Particular Subject in Bivariate Regression Based on a Raw-Score Prediction Rule

I.   Determine the raw-score prediction model.
II. Substitute the subject's raw score on the predictor variable into the prediction model and solve.

How to Draw a Regression Line

I.   Draw and label the axes for a scatter diagram of the two variables, with the predictor variable on the horizontal axis and the dependent variable on the vertical axis.
II. Pick a low value of the predictor variable, compute the corresponding predicted value on the dependent variable, and mark the point on the graph.
III. Pick a high value on the predictor variable, compute the corresponding predicted value on the dependent variable, and mark the point on the graph.
IV. Draw a line that passes through the two marks.
V.   Check the accuracy of your line by finding any third point and being sure it falls on the line.

How to Compute the Proportionate Reduction in Error in Bivariate Regression
(Using the Method Involving Computation of Errors)

I.   Determine the Z-score or raw-score prediction model.
II. Compute for each dependent variable score the corresponding raw-score predicted value for that score.
III. Determine the sum of squared errors using the bivariate prediction rule.
    A. Find the error for each score: subtract the predicted score from the actual score; that is, error $= Y - \hat{Y}$).
    B. Square each error.
    C. Sum the squared errors; that is, $SS_E = \Sigma(Y - \hat{Y})^2$.
IV. Determine the sum of squared errors using the mean to predict.
    A. Find the error for each score: subtract the mean from the actual score; that is, error $= Y - M_Y$).
    B. Square each error.
    C. Sum the squared errors; that is, $SS_T = \Sigma(Y - M_Y)^2$.
V.   Find the reduction in error: Subtract the sum of squared error using the mean to predict from the sum of squared error using the bivariate prediction rule; that is, reduction in error $= SS_T - SS_E$.

VI. Find the proportionate reduction in error: Divide the reduction in error by the sum of squared error using the mean to predict: that is, proportionate reduction in error = reduction in error / SS_T or proportionate reduction in error = $(SS_T$-$SS_E) / SS_T$.

VII. Cross check your calculation by squaring the correlation coefficient—r^2 should equal the proportionate reduction in error as computed above.

How to Make a *Z*-Score Prediction for a Particular Subject in Multiple Regression

I. Identify the *Z*-score prediction model (it must be given to you, since you have not learned how to compute this model in this text).

II. Find the *Z* score for that subject's score on each predictor variable: For example, for the first predictor variable, $Z_{X1} = (X_1$-$M_{X1})/SD_{X1}$.

III. Substitute above *Z* scores into the prediction model and solve.

How to Make a Raw-Score Prediction for a Particular Subject in Multiple Regression

I. Identify the raw-score prediction model (it must be given to you, since you have not learned how to compute this model in this text).

II. Substitute the subject's predictor variable scores into the prediction model and solve.

Outline for Writing Essays on the Logic and Computations for a Bivariate Prediction Problem

The reason for your writing essay questions in the practice problems and tests is that this task develops and then demonstrates what matters so very much–your comprehension of the logic behind the computations. (It is also a place where those better at words than numbers can shine, and for those better at numbers to develop their skills at explaining in words.)

Thus, to do well, be sure to do the following in each essay: (a) give the reasoning behind each step; (b) relate each step to the specifics of the content of the particular study you are analyzing; (c) state the various formulas in nontechnical language, because as you define each term you show you understand it (although once you have defined it in nontechnical language, you can use it from then on in the essay); (d) look back and be absolutely certain that you made it clear just *why* that formula or procedure was applied and *why* it is the way it is.

The outlines below are *examples* of ways to structure your essays. There are other completely correct ways to go about it. And this is an *outline* for an answer–you are to write the answer out in paragraph form. Examples of full essays are in the answers to Set I Practice Problems in the back of the text.

These essays are necessarily very long for you to write (and for others to grade). But this is the very best way to be sure you understand everything thoroughly. One shortcut you may see on a test is that you may be asked to write your answer for someone who understands statistics up to the point of the new material you are studying. You can choose to take the same shortcut in these practice problems (maybe writing for someone who understands right up to whatever point you yourself start being just a little unclear). But every time you write for a person who has never had statistics at all, you review the logic behind the entire course. You engrain it in your mind. Over and over. The time is never wasted. It is an excellent way to study.

I. **Construct a scatter diagram and compute the correlation: Carry out and explain procedures as described in the Outline for Writing Essays in Chapter 3. (This also includes explaining mean, standard deviation and Z scores.)**

II. **Identify the predictor and dependent variable in your particular problem.**

III. Determine the bivariate prediction model with Z scores.
A. Procedure: Set up formula, Predicted $Z_Y = (\text{ß})(Z_X)$, setting ß equal to r.

B. Explanation.
1. The formula describes the optimal principle that allows prediction.
2. Some insight into why the correlation coefficient represents that key relationship.
   a. If there is no correlation ($r = 0$), the predictor variable is irrelevant and the best predictor is the mean of the dependent variable (which for any Z score is 0). ($Z_Y = [\beta][Z_X] = [0][Z_X] = 0$.)
   b. If there is a perfect correlation ($r = 1$), ß = 1: The dependent variable's Z score exactly equals the predictor variable's Z score. ($Z_Y = [\beta][Z_X] = [1][Z_X] = Z_X$.)
   c. Thus, in the intermediate cases, when r is between 0 and 1, the best number for beta is also between 0 and 1.

IV. Determine bivariate prediction model using raw scores.
A. Procedure: Compute a and b and set up the formula of $\hat{Y} = a + (b)(X)$, in which $b = (\text{ß})(SD_Y/SD_X)$ and $a = M_Y - (b)(M_X)$.

B. Explanation.
1. One could compute raw-score predictions by converting the predictor variable raw score to a Z score, making the prediction using the Z-score prediction rule, and then converting the predicted Z score to a raw score.
2. However, by combining the formulas for converting raw scores to Z scores and vice versa into the Z-score prediction formula, you get a set of formulas that use the means and standard deviations and allow you to end up with a formula that makes direct predictions from raw scores to raw scores. (You do *not* need to explain the specific arithmetic of this, just the principle.)
3. Give the specific raw-score prediction formula for your data.

V. Draw the regression line.
A. Procedure.
1. Draw and label the axes of the graph, as for a scatter diagram.
2. Pick a low value of the predictor variable, compute (using the prediction rule) the corresponding predicted value on the dependent variable, and mark the point on the graph.
3. Do the same thing again using a high value of the predictor variable.
4. Draw a line that passes through the two marks.
5. Pick an intermediate value of the predictor variable, find the corresponding dot, and check that it falls on the regression line you have drawn.

B. Explanation.
1. The regression line is a graphic representation of the prediction model.
2. The line represents the predicted scores on the dependent variable.

VI. Find the proportionate reduction in error.

A. Procedure.

1. Compute for each dependent variable score the corresponding raw-score predicted value for that score (using the prediction model).
2. Find the sum of squared errors using the prediction model to predict.
   a. Find the error for each score: Error = $Y - \hat{Y}$).
   b. Square each error.
   c. Sum the squared errors: $SS_E = \Sigma(Y - \hat{Y}^2)$.
3. Find the sum of squared errors using the mean to predict.
   a. Find the error for each score: Error = $Y - M_y$).
   b. Square each error.
   c. Sum the squared errors: $SS_T = \Sigma(Y - M_Y)^2$.
4. Find the proportionate reduction in error: Proportionate reduction in error = $(SS_T - SS_E) / SS_T$.
5. Cross check: Proportionate reduction in error = r^2.

B. Explanation.

1. The accuracy of predictions using a prediction model can be estimated by considering how much error would result using the prediction model to predict the scores used to compute the correlation coefficient in the first place.
2. Error is the actual score minus the predicted score. Give an example of one of the scores in your data. (Also note that error can be seen graphically as the vertical distance between the dot for a subject's actual score and the regression line.)
3. We used squared error (in part because positive and negative errors will offset each other).
4. Proportionate reduction in error is the most common way to think about the accuracy of a prediction model.
5. Proportionate reduction in error is a comparison of squared errors indicating how much better predictions are likely to be using a particular model than making predictions without the model. (using the mean)
6. Predicting without the model is the same as using the mean to predict.
7. Thus, we compare squared error using the prediction rule to squared error using the mean to predict.
8. The proportionate reduction is the reduction from using the prediction model (squared error using the mean to predict minus squared error using the prediction rule) as a proportion of (that is, divided by) the squared error without the model (the squared error using the mean to predict). (Give all the figures from the data in your sample as you explain this.)

9. This gives a proportion between 0% and 100%. (Below is some insight as to why.)
   a. If the prediction model is no improvement, error using the two methods (the prediction rule and predicting from the mean) are equal, thus there is a 0% reduction and a 0% proportionate reduction.
   b. If the prediction model predicts perfectly, there is no error using the prediction rule, thus the reduction in error (error using the mean minus error using the prediction model) is the same as the error using the mean to predict. When divided by the error using the mean to predict, this gives a 100% reduction in error.
   c. In your data (probably), the reduction is in between, since there is some improvement but not a perfect prediction.
10. Also note that the extent to which the regression line is different from horizontal (the line for predicting from the mean) represents the proportionate reduction in error.
11. It turns out that the proportionate reduction in error is the same as the square of the correlation coefficient. This serves as a check on the computations. (Give the equivalent numbers.)

Chapter Self-Tests

Multiple-Choice Questions

1. In the equation, predicted $Z_Y = (\beta)(Z_X)$, the symbol Z_X stands for the
   a. known Z score of the predictor variable.
   b. standardized regression coefficient.
   c. predicted value of the Z score for the dependent variable.
   d. regression constant.

2. Suppose that there is a .52 correlation between performance on the midterm exam and performance on the final exam. If a person's midterm exam score is 3 standard deviations above the mean (Z score = +3), then what is the person's predicted Z score on the final?
   a. $3/.52 = 5.8$.
   b. $.52 + 3 = 3.52$.
   c. $.52/3 = .17$.
   d. $(.52)(3) = 1.56$.

3. Suppose that every time a person's score goes down 2 points on a depression scale it is associated with a decrease of 3 points on predicted amount of insomnia. In this example the 3 is the
   a. proportionate reduction in error.
   b. regression constant.
   c. raw score regression coefficient.
   d. standardized regression constant.

4. On a scatter diagram, a horizontal line whose height is the mean of the dependent variable represents

a. the regression line when $r = 1$.
b. the squared error of estimate line.
c. predictions using the mean as the predictor.
d. the regression line when $r = -1$.

5-6 A study is done of three students during finals week, which involves predicting tension from number of finals to be taken. The subjects' scores on the tension questionnaire were 12, 8, and 4. Their respective predicted scores, using a bivariate prediction rule from the data, were 10, 8, and 6.

5. Which of the following is the correct computation for SS_T?

a. $12^2 + 8^2 + 4^2$
b. $(12-10)^2 + (8-8)^2 + (4-6)^2$
c. $(12-8)^2 + (8-8)^2 + (4-8)^2$.
d. $(10-8)^2 + (8-8)^2 + (6-8)^2$

6. Which of the following is the correct computation for SSE?

a. $10^2 + 8^2 + 6^2$
b. $(12-10)^2 + (8-8)^2 + (4-6)^2$
c. $(12-8)^2 + (8-8)^2 + (4-8)^2$.
d. $(10-8)^2 + (8-8)^2 + (6-8)^2$

7. What does the proportionate reduction in error tell you?

a. The reduction in error when predicting from the mean versus when predicting from the raw scores.
b. The amount of error when predicting from the mean.
c. The amount of error when predicting from the raw scores.
d. How much of an advantage it is to use the prediction model to make a prediction over predicting from the mean.

8. The proportionate reduction in error equals

a. the correlation coefficient squared.
b. the regression coefficient.
c. the regression constant.
d. the raw-score regression coefficient squared.

9. What is the raw-score formula for multiple regression with two predictor variables?

    a. Predicted $Y = a + (b_1)(X_1) + (b_2)(X_2)$.

    b. Predicted $Y = a^2 + [(b_1)(X_1) + (b_2)(X_2)]^2$.

    c. Predicted $Y = a - [(b_1 + X_1) + (b_2 + X_2)]$.

    d. Predicted $Y = a + (b_1 + b_2)/(X_1 + X_2)$.

10. How are prediction models described in research articles?

    a. Prediction models, both bivariate and multiple regression, are rarely cited in research articles, in most cases, only the simple correlations are reported.

    b. Both bivariate and multiple regression prediction models are often reported in research articles, usually in the form of a table.

    c. Bivariate prediction models are rarely cited; however, multiple regression models are commonly reported using a table that includes the betas, the regression constant, and R^2, as well as other statistics.

    d. Bivariate prediction models are often reported in research articles, using a table that includes the betas, regression constant, and R^2, as well as other statistics, whereas, multiple regression models are rarely cited.

Fill-In Questions

1. Bivariate prediction is also called bivariate _____.

2. In the bivariate prediction model for your data, $a = 15$ and $b = 3$. For an individual whose score on X is 8, the predicted score for Y is _____.

3. When making a prediction using the raw-score regression equation, each subject's predicted score is the raw-score regression coefficient times his or her score on the predictor variable, plus the _____ (do not give a symbol).

4. The _____ of the regression line corresponds to the raw-score regression coefficient.

5. _____ is the person's actual score minus the person's predicted score.

6. If $SS_T = 80$ and $SS_E = 60$, $r^2 = $ _____.

7. The proportionate reduction in error is also called _____. (Do not give a symbol.)

8. _____ describes the situation when there are correlations among the predictor variables in multiple regression.

9-10   In a multiple prediction situation with two predictor variables, it has been found that $\beta_1 = .3$, $\beta_2 = -.4.$, $a = -16.2$, $b_1 = 2.5$, and $b_2 = -16$.

9.A particular subject's Z score on the first predictor variable is -1.5, and this subject's Z score on the second predictor variable is .8. This subject's predicted Z score on the dependent variable is

_____.

10.   A particular subject's raw score on the first predictor variable is 14, and this subject's raw score on the second predictor variable is 2. This subject's predicted raw score on the dependent variable is _____.

Problems and Essays

1. A researcher is interested in predicting how well people will do who participate in an outdoor training program (ratings by instructor at end of program on a 100-point scale from 0 to 10) on the number of hours they exercise each week. In a pilot study of five people, these results were obtained.

Person Tested	Hours Exercised Per Week		Performance in Training Program	
	X	Z_X	Y	Z_Y
1	3	-.59	45	-.54
2	11	1.76	90	1.47
3	6	.29	53	-.18
4	1	-1.17	25	-1.43
5	4	- .29	72	.67

$M=5$ $M=57$
$SD=3.41$ $SD=22.35$

The correlation was found to be .87. Based on the above information, (a) give the Z-score prediction formula for predicting performance in the training program based on number of hours of exercise per week; (b) compute the proportionate reduction in squared error based on the scores in this sample (do this based on making actual predictions for each score–show your work for the entire process); (c) draw a diagram showing the regression line; (d) using the bivariate prediction rule, predict the performance in the training program for a person who has exercised 8 hours per week; and (e) explain what you have done to a person who has never taken a course in statistics.

2. A psychologist is interested in predicting number of days to recover from a particular illness, based on number of stressful events the person experienced in the preceding month. The scores for four people studied are shown here (all data are fictional):

Person Tested	Number Stressful Events		Number Days to Recover	
	X	Z_X	Y	Z_Y
A	2	-.395	-.63	
B	0	-1.17	4	-1.26
C	3	0	7	.63
D	7	1.57	8	1.26

$$M=3 \qquad M=6$$
$$SD=2.55 \qquad SD=1.58$$

The correlation was found to be .93. Based on the above information, (a) give the Z-score prediction formula for predicting number of days to recover from number of stressful events; (b) compute the proportionate reduction in squared error based on the scores in this sample (do this based on making actual predictions for each score–show your work for the entire process); (c) draw a diagram showing the regression line; (d) using the bivariate prediction rule, predict the number of days to recover for a person who has experienced 5 stressful events in the previous month; and (e) explain what you have done to a person who has never taken a course in statistics.

3. Based on insurance company statistics, a health psychologist computed the following multiple regression equation for predicting how long a person can expect to live based on a study of women in a particular industrial nation (fictional data):

Predicted Years = 75   - (.1) (pounds overweight)
                          - (4) (packs of cigarettes smoked per day)
                          + (.9)(hours exercised per week)
                          + (3) (number of grandparents who lived past 80)

(a) Compute the predicted life expectancy for a woman from this nation who is 15 pounds overweight, does not smoke, exercises 2 hours a week, and has one grandparent who lived past 80. (b) Compute the predicted life expectancy for another woman from this nation who is not at all overweight, smokes two packs of cigarettes a day, exercises 1 hour a week, and has no grandparents who lived past 80. (c) Explain what you have done (including why the predictions for the two women are different) to a person who has never had a course in statistics.

4. A sports psychologist is interested in what psychological and social factors predict winning in a particular team sport. She administered questionnaires to members of 100 college teams at the beginning of the season and then used these factors to predict how many games each team won during the season. The report of the results of this fictional study noted, "The overall R^2 was .49, which was statistically significant . . ., and the betas were .22 for positive attitude towards the team, .11 for positive attitude towards the coach, -.15 for personal depression, and .06 for love of the sport."

Explain what these results mean, both substantively and statistically (in a general way), to a person who has never had a course in statistics.

Using SPSS/PC+ Studentware Plus with this Chapter

If you are using SPSS for the first time, before proceeding with the material in this section, read the Appendix on Getting Started and the Basics of Using SPSS/PC+ Studentware Plus.

You can use SPSS to carry out a linear regression analysis, including constructing a Z-score and raw-score regression model. You should work through the example, following the procedures step by step. Then look over the description of the general principles involved and try the procedures on your own for some of the problems listed in the Suggestions for Additional Practice. Finally, you may want to try the suggestions for using the computer to deepen your understanding, and you can explore the additional, advanced SPSS procedure, multiple regression, at the end.

I. Example
A. Data: The number supervised and stress level for five managers (fictional data), from the example in the text. The scores for the managers for the two variables, are number supervised 6, stress 7; 8, 8; 3, 1; 10, 8; and 8, 6. These are the same data used for the SPSS example for Chapter 3 of this *Study Guide and Computer Workbook.* If you followed that example, you should now have the data (and instructions) saved in a file called "CH3XMPL." If you did not carry out that example, you can turn back to it now to follow the steps and illustrations for creating a file with these data.
B. Follow the instructions in the SPSS Appendix for starting up SPSS and be sure the cursor is in the Scratch Pad window.
C. Call up the file from Chapter 3.
    1. Press F3 and then Enter.
    2. Type **CH3XMPL** and press Enter. (The file should appear on the screen.)
D. Erase the **CORRELATION** line and type instead **REGRESSION DEPENDENT STRESS / ENTER NUMSUPD.** The screen should now appear as shown in Figure SG4-1.

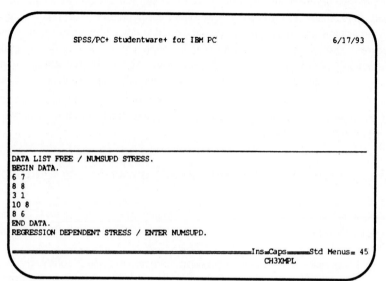

```
                 SPSS/PC+ Studentware+ for IBM PC                      6/17/93



_____
DATA LIST FREE / NUMSUPD STRESS.
BEGIN DATA.
6 7
8 8
3 1
10 8
8 6
END DATA.
REGRESSION DEPENDENT STRESS / ENTER NUMSUPD.
                                        ══Ins═Caps═════Std Menus═ 45
                                             CH3XMPL
```

Figure SG4-1

E. Tell SPSS to carry out your instructions—use the arrow keys to move to the start of the first line (**DATA LIST ...**), press F10, and press Enter.

F. Press Enter again. The screen of results that now appears should look like Figure SG4-2.

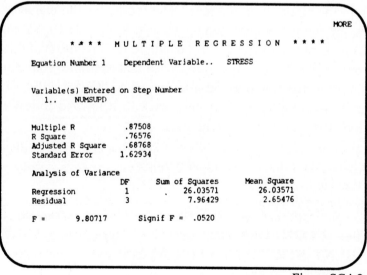

```
                                                              MORE

          * * * *   M U L T I P L E   R E G R E S S I O N   * * * *

Equation Number 1    Dependent Variable..   STRESS


Variable(s) Entered on Step Number
   1..    NUMSUPD


Multiple R          .87508
R Square            .76576
Adjusted R Square   .68768
Standard Error     1.62934

Analysis of Variance
                    DF      Sum of Squares      Mean Square
Regression           1    .    26.03571          26.03571
Residual             3         7.96429            2.65476

F =     9.80717      Signif F =  .0520
```

Figure SG4-2

Chapter Four

G. Inspect the results on this screen.

    1. There is a great deal of information in this screen and you only need to attend to a small part of it. (The rest involves more advanced material.)

    2. The first important line is **Multiple R**. Because this same output screen layout is used for both multiple and bivariate prediction situations, SPSS describes a "multiple" *R*. But when using SPSS for bivariate prediction, this is actually the ordinary bivariate *r*. Notice that the figure given, **.87508**, is, within rounding error, what was computed for *r* in the text (and when using SPSS to compute correlation in the previous chapter).

    3. The next line, **R Square** is the same as r^2, the proportionate reduction in error.

H. Press Enter again. The next screen of results should look like Figure SG4-3.

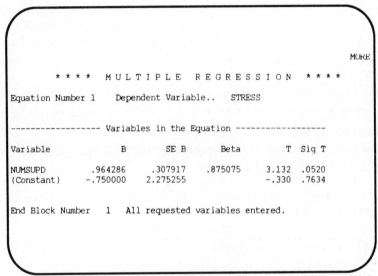

Figure SG4-3

I. Inspect the results–the **Variables in the Equation** section provides the information for the prediction rules.

    1. The first column, **VARIABLE**, lists the predictor variables. In the case of bivariate prediction, there is one predictor variable (in this case, **NUMSUPD**). If this were a result of a multiple regression problem, there would be additional predictor variables listed. In addition, in any prediction situation, when working with raw scores, part of the prediction is always the regression constant.

    2. The second column, **B**, gives the figures for the raw-score prediction model. The first figure given, which is in the **NUMSUPD** row, is the raw-score regression coefficient, *b*. In the example it is **.964286**. The second figure given, which is in the **(Constant)** row, is

the raw-score regression constant, *a*. In the example, it is **-.750000**. Thus, the raw score prediction model is Predicted Stress Score = -.75 + (.964286)(Number Supervised). Within rounding error, this is what was computed in the text.

3. Now skip to the fourth column, **Beta**, which gives the standardized regression coefficient, the information needed for making predictions with Z scores. When predicting with Z scores there is no regression constant to add in, so the figure in the **CONSTANT** row will always be blank. The key figure, the beta itself, is in the row for the predictor variable. In this case, beta is **.875075**–as always in bivariate prediction, this is the same as the correlation coefficient.

4. The sixth and seventh columns give information regarding statistical significance. In general, if the figure under **Sig T** in the row for the predictor variable is .05 or less, we say the result is "significant." In this example, the figure is **.0520**, so this result is not quite statistically significant. (The topic of statistical significance is the main focus of the text beginning in Chapter 6, and in the context of correlation is considered briefly in the second appendix to Chapter 3.)

J. Print out the result.

II. Systematic Instructions for Computing the Bivariate Prediction Rule

A. Start up SPSS.

B. Enter the data as follows.

1. Type **DATA LIST FREE / [independent variable name] [dependent variable name].** and press Enter to go to the next line.
2. Type **BEGIN DATA.** and press Enter to go to the next line.
3. Type each subject's two scores on a line, in the same order as the variables are listed in the DATA LIST line; one such line per subject.
4. Type **END DATA.** and press Enter to move to the next line.

C. Carry out the regression analysis.

1. Type **REGRESSION DEPENDENT [dependent variable name] / ENTER [independent variable name].** and press Enter.
2. Tell SPSS to carry out your instructions–use the arrow keys to move to the start of the first line (**DATA LIST ...**), press F10, and press Enter.
3. Print out a copy of the result (using Shift-PrintScrn) and press F2 and Enter to return to the Scratch Pad window.

D. Locate the key information from among all of the output.

1. Note the correlation coefficient (listed as **Multiple R**) and proportionate reduction in error (listed as R Squared).
2. Formulate the raw-score prediction rule: *b* is the first number in the column labeled **B**; *a* is the second number in this column.
3. Formulate the Z-score prediction rule: ß is the same as the correlation coefficient. (It is also the first number in the column labeled **Beta**.)
4. Note whether the result is statistically significant: It is significant if the first number in the column labeled **Sig T** is .05 or less.

E. Print out a copy of the result.

III. Additional Practice

A. For each data set, determine the raw-score and *Z*-score prediction rules and compare your results to those in the text.

B. Use the same text examples and practice problems as listed in the Chapter 3 section on using the computer.

IV. Using the Computer to Deepen Your Knowledge

A. The effect of changing the scale on the raw-score and *Z*-score prediction rules.

1. Use SPSS to compute prediction rules for the example several times, each time changing the scale of the dependent variable by adding a constant to it, such as 5 or 10. Notice that *a* is affected, but neither *b* nor ß are. Think about why this might be the case. (Consider the effect of adding a constant to the mean and standard deviation–and how this effect impacts *Z* scores, which is what affects the correlation coefficient, and about what goes into the formula for computing *b*.)

2. Use the original values for the dependent variable, but this time add the same constant to the independent variable. Again, only *a* is affected–and it is affected a bit differently. Think about why. (Focus on the formula for computing *a*.)

3. Use the original values for both variables, but this time multiply the independent variable by 5 and then do it again using 10. Notice the effects and think about why they might occur in this way.

4. This time multiply the dependent variable by 5 and then by 10 and think about the effects, comparing the result to what was obtained when you multiplied these constants times the independent variable.

B. *Z*-score and raw-score prediction: Using the example data, convert both variables to *Z* scores and compute the prediction rules. What happens to the raw-score prediction rule? Why?

V. Advanced Procedure: Multiple Regression

A. Add a third variable to your data for job difficulty, using the data described in the SPSS Advanced Procedure section of Chapter 3 of this *Study Guide and Computer Workbook*. (The scores for the managers are 35, 30, 25, 40, and 35).

B. Have SPSS compute the multiple-regression prediction rule for predicting stress from the combination of number supervised and job difficulty. The instruction line is **REGRESSION DEPENDENT STRESS / ENTER NUMSUPD JOBDIFF.**

Using MYSTAT with this Chapter

If you are using MYSTAT for the first time, before proceeding with the material in this section, read the Appendix on Getting Started and the Basics of Using MYSTAT.

You can use MYSTAT to carry out a linear regression analysis, including constructing a Z-score and raw-score regression model. You should work through the example, following the procedures step by step. Then look over the description of the general principles involved and try the procedures on your own for some of the problems listed in the Suggestions for Additional Practice. Finally, you may want to try the suggestions for using the computer to deepen your understanding, and you can explore the additional, advanced MYSTAT procedure, multiple regression, at the end.

I. Example
A. Data: The number supervised and stress level for five managers (fictional data), from the example in the text. The scores for the managers for the two variables, are number supervised 6, stress 7; 8, 8; 3, 1; 10, 8; and 8, 6. These are the same data used for the MYSTAT example for Chapter 3 of this *Study Guide and Computer Workbook*. If you followed that example, you should now have the data saved in a file called "CH3XMPL." If you did not carry out that example, you can turn back to it now to follow the steps and illustrations for creating a file with these data.
B. Tell MYSTAT to use your data file by typing **>USE CH3XMPL** and pressing Enter twice.

C. Construct the prediction model as follows.
  1. Type >**MODEL STRESS = CONSTANT + NUMSUPD** and press Enter.
  2. Type >**ESTIMATE** and press Enter.
  3. The screen should appear as shown in Figure SG4-4.

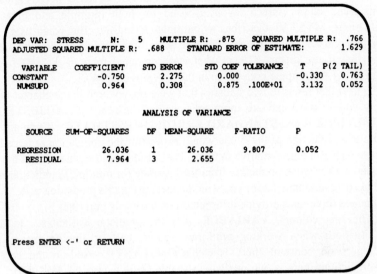

```
DEP VAR:  STRESS        N:    5    MULTIPLE R:  .875    SQUARED MULTIPLE R:  .766
ADJUSTED SQUARED MULTIPLE R:  .688      STANDARD ERROR OF ESTIMATE:        1.629

  VARIABLE     COEFFICIENT     STD ERROR      STD COEF TOLERANCE     T    P(2 TAIL)
CONSTANT         -0.750         2.275           0.000            -0.330    0.763
NUMSUPD           0.964         0.308           0.875  .100E+01   3.132    0.052


                         ANALYSIS OF VARIANCE

   SOURCE    SUM-OF-SQUARES    DF   MEAN-SQUARE     F-RATIO       P

REGRESSION        26.036        1       26.036        9.807      0.052
  RESIDUAL         7.964        3        2.655




Press ENTER <-' or RETURN
```

Figure SG4-4

D. Inspect the result.

1. The top line begins with the basic information.
   a. **DEP VAR:** refers to the dependent variable (in this case, **STRESS**).
   b. **N:** refers to the number of cases (in this case **5**).
2. The top line continues with **MULTIPLE R** and **SQUARED MULTIPLE R**. Because this same output screen layout is used for both multiple and bivariate prediction situations, MYSTAT describes a "multiple" R and R^2. But when using MYSTAT for bivariate prediction, these numbers are actually the ordinary bivariate r and r^2. Indeed, the first figure given, **.875**, is what was computed for r in the text (and when using MYSTAT to compute correlation in the previous chapter).
3. The next line refers to two statistics that were not covered in the chapter because they are less widely used and are more advanced. These are the **ADJUSTED SQUARED MULTIPLE R** and **STANDARD ERROR OF ESTIMATE**. If you are interested, the first is a projection of the r^2 one would expect for the population at large based on using these data as a representative sample. The second is the square root of the average of the squared error when predicting from the bivariate (or multiple) prediction rule; it is a kind of average amount of error you would expect using this prediction rule.
4. The next three lines provide information on the prediction rules.
   a. The first column, **VARIABLE**, lists the predictor variables. In any prediction situation, when working with raw scores, part of the prediction is always the regression constant (here labeled **CONSTANT**). And in the case of bivariate prediction, there is one predictor variable (in this case, **NUMSUPD**). If this were a result of a multiple regression problem, there would be additional predictor variables listed.
   b. The second column, **COEFFICIENT**, gives the figures for the raw-score prediction model. The first figure given, which is in the **CONSTANT** row, is the raw-score regression constant, a. In the example, it is **-0.750**. The second figure given, which is in the **NUMSUPD** row, is the raw-score regression coefficient, b. In the example it is **0.964**. Thus, the raw score prediction model is Predicted Stress Score = -.75 + (.964)(Number Supervised). Within rounding error, this is what was computed in the text.
   c. The third column, **STD ERROR**, has to do with material that is beyond what is covered in this introductory book.
   d. The fourth column, **STD COEF**, gives the standardized regression coefficients, the betas, the information needed for making predictions with Z scores. When predicting with Z scores there is no regression constant to add in, so the figure in the **CONSTANT** row will always be **0.000**. The key figure, the beta itself, is in the row for the predictor variable. In this case, beta is **0.875**–as always in bivariate prediction, this is the same as the correlation coefficient.
   e. The fifth column, **TOLERANCE** is another advanced topic that is not basic to understanding regression.
   f. The sixth and seventh columns give information regarding statistical significance. In general, if the figure under **P(2 TAIL)** in the row for the predictor variable is .05 or

less, we say the result is "significant." In this example, the figure is **0.052**, so this result is not quite statistically significant. (The topic of statistical significance is the main focus of the text beginning in Chapter 6, and in the context of correlation is considered briefly in the second appendix to Chapter 3.)

    5. The final lines of output, labeled **ANALYSIS OF VARIANCE**, refer to another approach to examining the statistical significance of the prediction rule. This approach to the significance of a prediction rule is discussed briefly in Chapter 16, but in general is beyond the material covered in this book. Do not confuse this analysis of variance with the analysis of variance for differences among means of groups that is covered in Chapters 11 through 13 of this text. (There is a relation between this output and that procedure–which is discussed in Chapter 16–but the relation requires some considerable explanation.)

  E. Print out the result and return to the Main Menu.

II. Systematic Instructions for Computing the Bivariate Prediction Rule

  A. Start up MYSTAT.

  B. Create a file with the data, giving variable names of your choosing to the predictor and dependent variables. (Write down the file name so you don't forget it.) Then return to the Main Menu.

  C. With the Main Menu on the screen, tell MYSTAT you want to use this particular file: Type >**USE [filename]** and press Enter twice.

  D. Type >**MODEL [dependent variable name] = CONSTANT + [independent variable name]** and press Enter.

  E. Type >**ESTIMATE** and press Enter. The result will then appear on the screen.

  F. Locate the key information from among all of the output.

    1. Cross check that the correct variable is identified as the dependent variable and that the correct number of cases were included.

    2. Note the correlation coefficient (listed as **MULTIPLE R**) and proportionate reduction in error (listed as **SQUARED MULTIPLE R**).

    3. Formulate the raw-score prediction rule: a is the first number in the column labeled **COEFFICIENT**; b is the second number in this column.

    4. Formulate the Z-score prediction rule: ß is the same as the correlation coefficient. (It is also the second number in the column labeled **STD COEF**.)

    5. Note whether the result is statistically significant: It is significant if the second number in the column labeled **P(2 TAIL)** is .05 or less.

  F. Print out a copy of the result (using Shift-PrintScrn) and press Enter to return to the Main Menu.

III. Additional Practice

A. For each data set, determine the raw-score and Z-score prediction rules and compare your results to those in the text.

B. Use the same text examples and practice problems as listed in the Chapter 3 section on using the computer.

IV. Using the Computer to Deepen Your Knowledge

A. The effect of changing the scale on the raw-score and Z-score prediction rules.

    1. Use MYSTAT to compute prediction rules for the example several times, each time changing the scale of the dependent variable by adding a constant to it, such as 5 or 10. Notice that a is affected, but neither b nor ß are. Think about why this might be the case. (Consider the effect of adding a constant to the mean and standard deviation–and how this effect impacts Z scores, which is what affects the correlation coefficient, and about what goes into the formula for computing b.)

    2. Use the original values for the dependent variable, but this time add the same constant to the independent variable. Again, only a is affected–and it is affected a bit differently. Think about why. (Focus on the formula for computing a.)

    3. Use the original values for both variables, but this time multiply the independent variable by 5 and then do it again using 10. Notice the effects and think about why they might occur in this way.

    4. This time multiply the dependent variable by 5 and then by 10 and think about the effects, comparing the result to what was obtained when you multiplied these constants times the independent variable.

B. Z-score and raw-score prediction: Using the example data, convert both variables to Z scores and compute the prediction rules. What happens to the raw-score prediction rule? Why?

V. Advanced Procedure: Multiple Regression

A. Add a third column to your data for job difficulty, using the data described in the MYSTAT Advanced Procedure section of Chapter 3 of this *Study Guide and Computer Workbook*. (The scores for the managers are 35, 30, 25, 40, and 35).

B. Have MYSTAT compute the multiple-regression prediction rule for predicting stress from the combination of number supervised and job difficulty. Here is the procedure.

    1. Type >**MODEL STRESS = CONSTANT + NUMSUPD + JOBDIFF** and press Enter.

    2. Type >**ESTIMATE** and press Enter.

Chapter 5
Some Ingredients for Inferential Statistics:
The Normal Curve, Probability, and Population versus Sample

Learning Objectives

To understand, including being able to conduct any necessary computations:

- The shape of the normal distribution.
- The 50%-34%-14% approximations for normal curve areas.
- The normal curve table.
- Converting Z and raw scores to percentages of cases in a normal distribution.
- Converting percentages of cases in a normal distribution to Z and raw scores.
- Long-run relative-frequency interpretation of probability.
- Subjective interpretation of probability.
- Calculating probabilities.
- The normal curve as a probability distribution.
- Sample and population.
- Random and nonrandom methods of sampling.
- Statistical terminology and symbols regarding samples and populations.

Chapter Outline

I. **The Normal Distribution**
   A. The distributions of many variables that psychologists measure follow a unimodal, roughly symmetrical, bell-shaped distribution.
   B. These bell-shaped histograms or frequency polygons approximate a precise and important mathematical distribution called the *normal distribution*, or more simply, the *normal curve*.
   C. Why the normal curve is so common in nature.
      1. The score on any particular variable can be thought of as influenced by a large number of essentially random factors, which on the average balance out to a middle value, with equal but decreasing numbers of cases balancing out above and below the middle value.
      2. This produces a unimodal, symmetrical distribution.
      3. It can be shown mathematically that in the long run, if the influences are truly random, a precise normal curve will result.
   D. Because this shape is standard, there is a known percentage of cases below or above any particular point.

E. Approximate percentages of cases in a normal curve for major demarcations.
   1. Because the distribution is symmetrical, exactly 50% of the cases fall below the mean and exactly 50% above the mean.
   2. Approximately 34% of the cases fall between the mean and one standard deviation from the mean in each direction.
   3. Approximately 14% of the cases fall between one and two standard deviations from the mean in each direction.
   4. These 50%, 34%, and 14% approximations are useful practical rules.
   5. Knowing these percentages, if you know a distribution on a variable is normal, you can determine what percentage of cases fall between, above, or below various whole number Z scores.
   6. Knowing these percentages also permits you to approximate a person's number of standard deviations from the mean from their percentage in relation to other people in their distribution.
F. The normal curve table and Z scores.
   1. Because the normal curve is exactly defined, it is also possible to compute the exact percentage of cases between any two Z scores.
   2. Statisticians have created helpful tables of the normal curve that give the percentage of cases between the mean (a Z score of 0) and any other Z score. (Table B-1 in the text is a normal curve table.)
   3. This table can be used to compute the percentage of cases from Z scores or from raw scores (by converting them to Z scores).
   4. This table can be used to compute a Z score or raw score (by converting from a Z score) from percentage of cases.

II. **Probability**
   A. Scientific research does not permit determining the truth or falsity of theories or applied procedures.
   B. Inferential statistics can be applied to results of research to permit probabilistic conclusions about theories or applied procedures.
   C. Probability is a large and controversial topic, but there are only a few key ideas you need to know to understand basic inferential statistical procedures.
   D. The long-run relative-frequency interpretation of probability. Probability is the long-run, expected relative frequency of a particular outcome.
      1. An *outcome* is the result of an experiment (or virtually any event, such as a coin coming up heads or it raining tomorrow).
      2. *Frequency* means how many times something occurs.
      3. *Relative frequency* means the number of times something occurs relative to the number of times it could have occurred.
      4. *Long-run relative frequency* is what you would expect to get, in the long run, if you were to repeat the experiment many times.

or expective relative freq.

E. Subjective interpretation of probability: How certain one is that a particular thing will happen.

F. Calculating a probability: The number of possible successful outcomes divided by the number of all possible outcomes.

G. The range of probabilities.
   1. Something that has no chance of happening has a probability of 0.
   2. Something that is certain to happen has a probability of 1.

H. Probability is usually symbolized by the letter p and expressed as equaling, greater than, or less than some fraction or percentage.

I. The normal distribution can also be thought of as a probability distribution: The proportion of cases between any two Z scores is the same as the probability of selecting a case between those two Z scores.

III. Sample and Population

A. A *population* is the entire set of things of interest.

B. A *sample* is the subset of the population about which you actually have information.

C. Why samples are studied (instead of populations).
   1. Usually it is not practical to study entire populations.
   2. The goal of science is to make generalizations or predictions about events beyond our reach, such as the behavior of entire populations.

D. The general strategy of psychology research is to study a sample of individuals who are believed to be representative of the general population (or of some particular population of interest).

E. At the minimum, researchers try to study people who at least do not differ from the general population in any systematic way which would be expected to matter for that topic of research.

F. There are several methods of sampling.
   1. The ideal method of sampling is *random selection*: The researcher obtains a complete list of all the members of a population and randomly selects some number of them to study.
   2. *Haphazard selection* is quite different from true random selection and is likely to produce a sample that is a biased subset of the population as a whole.
   3. In psychology research it is rarely possible to employ true random sampling, but researchers try to study a sample that is not systematically *un*representative of the population in any known way.

G. Statistical terminology for samples and populations.

    1. The mean, variance, and standard deviation of a population are called population parameters.

        a. A population parameter is usually an unknown which is, at best, estimated from sample information.

        b. Population parameters are symbolized by Greek letters.

            i. Population mean $= \mu$.

            ii. Population standard deviation $= \sigma$.

    2. The mean, variance, and standard deviation you calculate to describe a sample are *sample statistics*.

        a. A sample statistic is computed from known information.

        b. Generally, the symbols for sample statistics (which is what we have used so far) are ordinary letters.

            i. Sample mean $= M$.

            ii. Sample standard deviation $= SD$.

IV. Relation of Normal Curve, Probability, and Sample versus Population

A. In most research situations the population parameters are unknown.

B. However, the population distribution is often assumed to be approximately normal.

C. Thus, researchers collect information from a sample in order to make probabilistic inferences about the parameters of a normally distributed population.

D. This is illustrated in the logic of a two-group experiment.

    1. The experimental group is a sample intended to represent a population exposed to the experimental manipulation.

    2. The control group is a sample intended to represent a population not exposed to the experimental manipulation.

    3. The populations these samples represent may not even really exist (as no one other than the experimental subjects may have ever been exposed to the experimental manipulation).

    4. If they did exist it is presumed that the population would be normally distributed.

    5. The question of interest is a question about probability.

        a. Suppose in fact the means of the two populations (population parameters) are actually the same, and thus the experimental manipulation makes no difference.

        b. What then is the probability that the means of our two samples (sample statistics) could be as different as they actually are?

V. Controversies and Limitations

A. Is the normal curve really so common?

1. It is widely assumed that it is, and this assumption plays an important role in carrying out statistical analyses of research in psychology.

2. One recent study indicates that the measures most commonly used in psychology often do not yield scores that are normally distributed.

3. Still more recent research, however, suggests that the kinds of variations from normal that have been found may not create serious problems for the typical applications of statistical methods in psychology.

B. Bayesian methods.

1. These are based on the subjective interpretation of probability.

2. Bayesians hold that science is about conducting research in order to adjust our pre-existing beliefs in light of evidence we collect.

3. Bayesian methods are based on this principle.

4. Critics of Bayesian methods argue that conclusions drawn from each study would depend too heavily on the subjective belief of the particular scientist conducting the study.

C. The appropriateness of drawing conclusions from nonrandom samples.

1. Samples used in psychology experiments are usually nonrandom (whoever is available) and small.

2. Psychologists are fairly comfortable with this situation because they are mainly interested in the pattern of relationships among variables, which are thought to be fairly constant even if mean levels of variables vary greatly across populations.

VI. Normal Curves, Probabilities, Samples, and Populations as Described in Research Articles

A. These topics, which are important fundamentals, are rarely found discussed explicitly in research articles (except articles *about* methods or statistics).

B. The normal curve is sometimes mentioned when describing the distribution of scores on a particular variable.

C. Probability is rarely discussed directly, except in the context of statistical significance (see Chapter 6 and beyond).

D. The method of selecting the sample from the population is sometimes described, particularly if the study is a survey.

How to Determine the Percentage of Cases Above or Below a Particular Score Using a Normal Curve Table

I.   If it is a raw score, convert it to a Z score: $Z = (X-M)/SD$.
II. Look up the Z score in the Z column and find the percentage in the adjacent *% Mean to Z* column.
III. For a percentage of cases above a particular Z score.
   A. If the Z score is positive, subtract this percentage from 50% (that is, 50% minus this percentage).
   B. If the Z score is negative, add 50% to it.
IV. For a percentage of cases below a particular Z score.
   A. If the Z score is positive, add 50% to this percentage.
   B. If the Z score is negative, subtract this percentage from 50% (that is, 50% minus this percentage).

How to Determine a Score from Knowing the Percentages of Cases Above or Below that Score Using a Normal Curve Table

I. For a situation in which there is a particular percentage of cases higher than the score.
   A. If the percentage is less than 50%.
      1. Subtract the percentage from 50% (that is, 50% minus the percentage).
      2. Look up the closest percentage to this difference in the *% Mean to Z* column and find the Z score in the adjacent Z column.
   B. If the percentage is greater than 50%.
      1. Subtract 50% from the percentage (that is, the percentage minus 50%).
      2. Look up the closest percentage to this difference in the *% Mean to Z* column and find the Z score in the adjacent Z column.
      3. Make this Z score negative (put a minus sign in front of it).
II. For a situation in which there is a particular percentage of cases lower than the score.
   A. If the percentage is less than 50%.
      1. Subtract the percentage from 50% (that is, 50% minus the percentage).
      2. Look up the closest percentage to this difference in the *% Mean to Z* column and find the Z score in the adjacent Z column.
      3. Make this Z score negative (put a minus sign in front of it).

B. If the percentage is more than 50%.
   1. Subtract 50% from the percentage (that is, the percentage minus 50%).
   2. Look up the closest percentage to this difference in the *% Mean to Z* column and find the *Z* score in the adjacent *Z* column.

III. Convert the *Z* score to a raw score: $X = (Z)(SD) + M$.

Outline for Writing Essays on the Logic and Computations for Determining a Percentage of Cases in a Normal Distribution from a Score or Vice Versa

The reason for your writing essay questions in the practice problems and tests is that this task develops and then demonstrates what matters so very much--your comprehension of the logic behind the computations. (It is also a place where those better at words than numbers can shine, and for those better at numbers to develop their skills at explaining in words.)

Thus, to do well, be sure to do the following in each essay: (a) give the reasoning behind each step; (b) relate each step to the specifics of the content of the particular study you are analyzing; (c) state the various formulas in nontechnical language, because as you define each term you show you understand it (although once you have defined it in nontechnical language, you can use it from then on in the essay); (d) look back and be absolutely certain that you made it clear just *why* that formula or procedure was applied and *why* it is the way it is.

The outlines below are *examples* of ways to structure your essays. There are other completely correct ways to go about it. And this is an *outline* for an answer--you are to write the answer out in paragraph form. Examples of full essays are in the answers to Set I Practice Problems in the back of the text.

These essays are necessarily very long for you to write (and for others to grade). But this is the very best way to be sure you understand everything thoroughly. One shortcut you may see on a test is that you may be asked to write your answer for someone who understands statistics up to the point of the new material you are studying. You can choose to take the same shortcut in these practice problems (maybe writing for someone who understands right up to whatever point you yourself start being just a little unclear). But every time you write for a person who has never had statistics at all, you review the logic behind the entire course. You engrain it in your mind. Over and over. The time is never wasted. It is an excellent way to study.

I. **If a raw score, convert it to a *Z* score (see outlines for essays on *Z* scores, mean, and standard deviation from Chapter 2 of this *Study Guide*).**

II. **Find the percentage of cases between this *Z* score and the mean.**

A. Procedure: Look up the *Z* score in the *Z* column and find the percentage in the adjacent *% Mean to Z* column.

B. Explanation.

    1. The normal distribution.

      a. It is bell-shaped.

      b. It is a highly common distribution in psychology.

      c. This shape is so common because a score on anything is usually a kind of average of a number of influences which have random variation; the chance of getting many of these random influences all in the same extreme direction is low, making most cases (each case representing an average of random influences) fall near the middle.

      d. It can be shown mathematically that in the long run, if the influences are truly random, a precise normal curve will result.

    2. The normal curve table.

      a. Because this shape is mathematically defined, there is a known percentage of cases below or above any particular point.

      b. Statisticians have created tables which give the percentage of cases between the mean and any particular number of standard deviations (including fractions of standard deviations) from the mean--that is, between the mean and any positive *Z* score.

    3. Describe what the percentage is for your particular *Z* score.

III. **To determine the percentage above your score.**

A. If the *Z* score is positive.

    1. Procedure: Subtract this percentage from 50%.

    2. Explanation.

      a. Since the *Z* score is positive (that is, it is above the mean), the amount above this score is the 50% above the mean less what is between this score and the mean (the percentage from the table).

      b. Give your actual difference.

      c. Illustrate with a picture of a normal curve showing your situation.

B. If the *Z* score is negative.

    1. Procedure: Add 50% to this percentage.

    2. Explanation.

      a. Since the *Z* score is negative (that is, it is below the mean), the total above this score is what is between it and the mean (the percentage from the table) plus the 50% above the mean.

      b. Give your actual sum.

      c. Illustrate with a picture of a normal curve showing your situation.

IV. To determine the percentage below your score.

A. If the Z score is positive.

    1. Procedure: Add 50% to this percentage.

    2. Explanation.

        a. Since the Z score is positive (that is, it is above the mean), the total below this score is the amount between it and the mean (the percentage from the table) plus the 50% below the mean.

        b. Give your actual total.

        c. Illustrate with a picture of a normal curve showing your situation.

B. If the Z score is negative.

    1. Procedure: Subtract this percentage from 50%.

    2. Explanation.

        a. Since the Z score is negative (that is, it is below the mean), the amount below this score is the 50% below the mean less the percentage between the mean and this score (the amount computed earlier).

        b. Give your actual difference.

        c. Illustrate with a picture of a normal curve showing your situation.

Determining a Score from a Percentage

I. Explain the logic of the normal curve and a normal curve table.

A. The normal distribution.

    1. It is bell-shaped.

    2. It is a highly common distribution in psychology.

    3. This shape is so common because a score on anything is usually a kind of average of a number of influences which have random variation; the chance of getting many of these random influences all in the same extreme direction is low, making most cases (each case representing an average of random influences) fall near the middle.

    4. It can be shown mathematically that in the long run, if the influences are truly random, a precise normal curve will result.

B. Explain the logic of Z scores (see outlines for essays on Z scores, mean, and standard deviation from Chapter 2 of this *Study Guide*).

C. The normal curve table.

    1. Because this shape is mathematically defined, there is a known percentage of cases below or above any particular point.

    2. Statisticians have created tables which give the percentage of cases between the mean and any particular number of standard deviations (including fractions of standard deviations) from the mean--that is, between the mean and any positive Z score.

II. For a situation in which there is a particular percentage of cases higher than the score.

A. If the percentage is less than 50%.

1. Procedure.
   a. Subtract the percentage from 50% (that is, 50% minus the percentage).
   b. Look up the closest percentage to this difference in the *% Mean to Z* column and find the *Z* score in the adjacent *Z* column.
2. Explanation.
   a. The percentage between the mean and the score (the percentage that can be looked up on the table to find the corresponding *Z* score) is what remains between the percentage above the score and 50% (the total above the mean).
   b. Give your figures.
   c. Illustrate with a picture of a normal curve showing your situation.

B. If the percentage is greater than 50%.

1. Procedure.
   a. Subtract 50% from the percentage (that is, the percentage minus 50%).
   b. Look up the closest percentage to this difference in the *% Mean to Z* column and find the *Z* score in the adjacent *Z* column.
   c. Make this *Z* score negative (put a minus sign in front of it).
2. Explanation.
   a. The percentage between the mean and the score (the percentage that can be looked up on the table to find the corresponding *Z* score) is what remains after subtracting out the 50% above the mean.
   b. Since there are more than 50% above this score, the score must be below the mean, and hence a negative *Z* score.
   c. Give your figures.
   d. Illustrate with a picture of a normal curve showing your situation.

III. **For a situation in which there is a particular percentage of cases lower than the score.**
  A. If the percentage is less than 50%.
      1. Procedure.
          a. Subtract the percentage from 50%.
          b. Look up the closest percentage to this difference in the *% Mean to Z* column and find the *Z* score in the adjacent *Z* column.
          c. Make this *Z* score negative (put a minus sign in front of it).
      2. Explanation.
          a. The percentage between the mean and the score (the percentage that can be looked up on the table to find the corresponding *Z* score) is what remains after subtracting it from the total of 50% below the mean.
          b. Since there are less than 50% below this score, the score must be below the mean and hence a negative *Z* score.
          c. Give your figures.
          d. Illustrate with a picture of a normal curve showing your situation.
  B. If the percentage is more than 50%.
      1. Procedure.
          a. Subtract 50% from the percentage (that is, the percentage minus 50%).
          b. Look up the closest percentage to this difference in the *% Mean to Z* column and find the *Z* score in the adjacent *Z* column.
      2. Explanation.
          a. The percentage between the mean and the score (the percentage that can be looked up on the table to find the corresponding *Z* score) is what remains above the mean after subtracting out the 50% below the mean.
          b. Give your figures.
          c. Illustrate with a picture of a normal curve showing your situation.
IV. **Convert the *Z* score to a raw score.**
  A. Procedure: $X = (Z)(SD) + M$.
  B. Explanation: See outline for essay on converting a *Z* score to a raw score in Chapter 2 of this *Study Guide*.

Chapter Self-Tests

Multiple-Choice Questions

1. A normal curve is

   a. bimodal and slightly skewed to the right.
   b. unimodal and symmetrical.
   c. unimodal and slightly skewed to the left.
   d. bimodal and roughly symmetrical.

2. The mean score on a depression scale is 10 and the standard deviation is 3. The distribution is normal. Using the approximation rules for normal curves, how many people would get a score between 10 and 16?

   a. 50%.
   b. 34%.
   c. 34% + 14% = 48%.
   d. 34% + 34% = 68%.

3. A person received a test score that was in the top 30% of all the cases. Using the normal curve table, what was this person's Z score?

   a. .52.
   b. .84.
   c. 5.03.
   d. 5.34.

4. A person has a creativity score of 6.8, which equals a Z score of +2.4. What is the percentage of cases above this score?

   a. 49.18% - 50% = -.82%.
   b. 100% - 49.18% = 50.82%.
   c. 50% + 49.18% = 99.18%.
   d. 50% - 49.18% = .82%.

5. What is the Z score a person would have to receive to be in the top 2% of their class?

   a. -2.05.
   b. 0.05.
   c. .48.
   d. 2.05.

6. *Approximately* what Z score would a person have to have to be in the bottom 16% of their group?

   a. -2.
   b. -1.
   c. 0.
   d. +1.

7. How do you calculate probability?

   a. The number of all possible outcomes divided by the number of possible successful outcomes.
   b. The number of all possible outcomes multiplied by the number of possible successful outcomes.
   c. The number of possible successful outcomes divided by the number of possible outcomes.
   d. The number of all possible outcomes minus the number of possible successful outcomes.

8. What is the difference between random selection and haphazard selection?

   a. There is no difference--they mean the same thing.
   b. In random selection you take whoever is available, whereas in haphazard selection you choose people in a way that systematically avoids a regular rotation.
   c. In random selection you obtain a complete list of all members of a population and randomly select some of them, whereas in a haphazard selection you select whoever is available.
   d. In random selection you just choose who happens to be at the top of the list of the members in the population, whereas in haphazard selection you take volunteers.

9. Which of the following statements is most accurate about population parameters?

   a. They are essential to making any statements about probability.
   b. They are rarely known.
   c. They are usually smaller than the sample parameters.
   d. They are essential and cannot be estimated from the sample information.

10. What is the "Bayesian" approach?

   a. It says that science is about conducting research in order to adjust our pre-existing beliefs in light of new evidence we collect.
   b. It says that it is better not to make any assumptions about prior beliefs; instead one should just look at the evidence as it is.
   c. It says that one should avoid using theory when conducting scientific research.
   d. It emphasizes that studies should not be conducted by people who have a biased opinion.

Fill-In Questions

1. In a normal curve approximately _____ percent of the cases fall between the mean and one standard deviation above the mean.

2. In a normal curve approximately 14% of the cases fall between a *Z* score of _____ and a *Z* score of -2.

3. The percentage of cases between any two *Z* scores on a normal curve can be exactly determined based on a formula for the normal curve or by using a(n) _____.

4. A person says that the chances he will get a new job are about 80%--meaning that on a scale of 0% to 100% this feels like how likely it is. This is an example of the _____ interpretation of probability.

5. The normal curve can be thought of as a frequency distribution or as a _____ distribution.

6. To pick 15 people for a study of faculty opinion at a particular college, a student gives a questionnaire to each faculty member who arrives at the faculty club on a particular evening. This is an example of _____ selection.

7. A characteristic of a population, such as its mean, is called a(n) _____.

8. A characteristic of a sample, such as its standard deviation, is called a(n) _____.

9. σ^2 is to SD^2 as *M* is to _____.

10. _____ is the branch of statistics which draws conclusions about populations based on information in samples.

Problems and Essays

1. Suppose a test of musical ability has a normal distribution with a mean of 50 and a standard deviation of 5. Approximately what percentage of people are (a) above 55, (b) below 40, and (c) above 45. (Use the normal curve approximation rules.) (d) Explain your answers to a person who has never had a course in statistics.

2. Suppose the number of clients seen in any given week by full time psychotherapists in a particular city is normally distributed with a mean of 15.3 and a standard deviation of 2.8. (a) A therapist who is in the top 5% of number of clients seen would be seeing at least how many? (b) What is the most a therapist could be seeing and still be in the bottom 10%. (c) Explain your answers to a person who has never had a course in statistics.

3. Thirty students in a particular elementary school classroom include 8 girls who are of an ethnic minority, 4 boys of an ethnic minority, 7 girls who are not of an ethnic minority, and 11 boys not of an ethnic minority. A student is selected at random to represent the class. (a) What is the probability that student will be a girl? (b) What is the probability the student will be of an ethnic minority?

4. A health psychologist plans to conduct a mail survey of a sample of doctors in a particular U.S. state to ask about their attitudes toward drug advertisements. What would be the best way to go about selecting the sample of doctors to study? Explain what you would do and why to a person who is unfamiliar with research methods or statistics.

Note. There is no section on using SPSS or MYSTAT with this chapter because none of the procedures covered are easily implemented using standard computerized statistical packages.

Chapter 6
Introduction to Hypothesis Testing

Learning Objectives

To understand, including being able to carry out any necessary procedures or computations:
- The core logic of hypothesis testing.
- The populations involved in hypothesis testing (Populations 1 and 2).
- The research hypothesis.
- The null hypothesis.
- The comparison distribution.
- Determining the cutoff score on the comparison distribution.
- Significance and conventional levels of significance.
- When to reject the null hypothesis and the implications of this decision.
- When not to reject the null hypothesis and the implications of this decision.
- The steps of hypothesis testing and their relation to the core logic.
- Directional and nondirectional hypotheses.
- One–tailed versus two–tailed tests.
- How results of studies using hypothesis–testing procedures are reported in research articles.

Chapter Outline

I. **The Core Logic of Hypothesis Testing**
   A. The key idea is that we test (and hopefully reject) the notion that the experimental manipulation made no difference. If the notion of no difference can be rejected, this supports the idea it does make a difference.
   B. Put another way, we draw conclusions by evaluating the probability of getting our research results if the opposite of what we are predicting were true.
   C. This double–negative, roundabout kind of logic is awkward, but necessary.

II. The Steps of Hypothesis Testing (as applied to the situation in which a single individual is exposed to the experimental manipulation and compared to a known population distribution of people not so exposed)

A. Reframe the question into a research hypothesis and a null hypothesis about populations. (Step 1.)

1. Research is conducted using samples to test hypotheses about populations.
2. One population (Population 1) is the people who are exposed to the experimental manipulation.
   a. This population does not usually exist (except for the one person in the sample being studied), but is a logical construction of the group to whom the results of the experiment might be applied.
   b. The characteristics of the distribution of this population (μ, σ, shape) are unknown.
3. The other population (Population 2) is the people who have not been exposed to the experimental manipulation.
   a. This is a real population (usually the population at large of people of the same category as those in the sample, but these people were not exposed to the experimental manipulation).
   b. The characteristics of the distribution of this population are known (for example, from previous research).
4. The research hypothesis is a statement about a predicted difference between populations.
   a. Typically the difference predicted is that the mean of one population is different (or more specifically, higher or lower) than the mean of the other.
   a. The prediction is usually based on theory or practical experience.
5. The null hypothesis is a statement about a relation between populations which represents the crucial opposite of the research hypothesis.
   a. It usually is a prediction of no difference (or that if there is a difference it is in the direction opposite to what is predicted).
   b. It has this name because it predicts a "null" or nondifference.
6. The research hypothesis and the null hypothesis are opposites and mutually exclusive.
   a. It is this oppositeness which is at the heart of the hypothesis–testing process.
   b. Because the null hypothesis is so important to the logic of the process, the research hypothesis, is often called the "alternative hypothesis."

B. Determine the characteristics of the comparison distribution. (Step 2.)
   1. In terms of hypothesis–testing language, the crucial question is as follows: Given a particular sample value, what is the probability of obtaining it if the null hypothesis is true?
   2. To determine this probability, we need to know the characteristics of the distribution the score would come from if the null hypothesis is true; this is necessary to permit us to determine the likelihood of getting a particular extreme score from this distribution.
   3. This crucial distribution is called the *comparison distribution*.
   4. If the null hypothesis is true, both populations are the same and the score in Population 1 comes from a distribution with the same characteristics as that of Population 2.
   5. Thus, the comparison distribution (in the situation considered in this chapter) has the characteristics of Population 2 (the known population of individuals not exposed to the experimental manipulation).
C. Determine the cutoff sample score on the comparison distribution at which the null hypothesis should be rejected. (Step 3.)
   1. Before making an observation, researchers consider what kind of observation would be sufficiently extreme to reject the null hypothesis.
   2. Researchers do not usually use an actual number of units on the direct scale of measurement of the comparison distribution; instead they state how extreme a score should be in terms of a Z score on this distribution (and the associated probability of getting a Z score that extreme on this distribution).
   3. Very small percentages (probabilities of getting this extreme a score) are taken as the cutoff.
   4. Since the comparison distribution is ordinarily a normal curve, the cutoff is found in a normal curve table.
   5. The cutoff percentage is called the "level of significance."
   6. Conventional levels of significance used by psychology researchers are 5% (the .05 significance level) or 1% (the .01 significance level).
   7. When a sample value is so extreme that the null hypothesis is rejected, the result is said to be *statistically significant.*
D. Determine the sample's score on the comparison distribution. (Step 4.)
   1. This is the result of the actual experiment or observation.
   2. The raw–score result is converted to a Z score on the scale of the comparison distribution to make it comparable to the cutoff Z score.

E. Compare the scores obtained in Steps 3 and 4 to determine whether or not to reject the null hypothesis. (Step 5.)

    1. This step is entirely mechanical.

    2. If the actual sample's Z score (from Step 4) is more extreme than the cutoff Z score (from Step 3), the null hypothesis is rejected.

       a. Thus, the research hypothesis is supported.

       b. However, the research hypothesis is not "proven" or shown to be "true"–no pattern of results can prove a hypothesis based on research data; it can only support or fail to support a particular hypothesis.

    3. If the actual sample's Z score (from Step 4) is not more extreme than the cutoff Z score (from Step 3), the null hypothesis is not rejected.

       a. Thus, the experiment is inconclusive.

       b. However, we do not say the null hypothesis is supported (and certainly not that it is proven or true).

       c. The null hypothesis could be false, even though the study does not succeed in rejecting it–for example, we could fail to reject it because the effect was too weak to show up significantly in the study.

III. One–Tailed and Two–Tailed Hypothesis Tests

A. A *directional hypotheses* is used when there is a specific predicted direction of effect (such as predicting an increase or predicting a decrease).

    1. The research hypothesis is that Population 1's mean is higher (or lower, if that is the prediction) than Population 2's mean.

    2. The null hypothesis is that Population 1's mean is not higher (or lower, if that is the prediction) than Population 2's mean. (That is, the null hypothesis is true if Population 1's mean is the same as or lower than Population 2's (presuming higher was predicted).

    3. Significance testing is carried out as follows (for simplicity, points a and b below assume a higher score was predicted and the 5% significance level used).

       a. To reject the null hypothesis, the obtained score has to be in a region of the comparison distribution that is in its upper 5%.

       b. That is, it has to be in the area on one tail only, and thus this is called a *one–tailed test*.

B. A *nondirectional hypothesis* is used when the researcher predicts one population will be different from the other, without specifying whether they will be different by Population 1 having higher or lower scores.

    1. The research hypothesis is that Population 1's mean is different from Population 2's mean.

    2. The null hypothesis is that Population 1's mean is not different.

    3. Significance testing is carried out as follows (for simplicity, points a through c below assume the 5% significance level is used).

        a. To reject the null hypothesis, the obtained score has to be in a region of the comparison distribution that is in either the upper 2.5% or the lower 2.5%, making a total of 5% of the area in which the null hypothesis could be rejected.

        b. That is, it can be in either tail of the distribution, and thus this is called a *two–tailed test*.

        c. Using a two–tailed test requires a more extreme cutoff than a one–tailed test for the same situation.

C. When to use one–tailed versus two–tailed tests.

    1. It is "easier" to reject the null hypothesis with a one–tailed test–easier in the sense that a sample result need not be so extreme before an experimental result is significant.

    2. But there is a price: If the result is extreme in the other direction, no matter how extreme, the null hypothesis can not be rejected.

    3. In principle you plan to use a one–tailed test when you have a clearly directional hypothesis and a two–tailed test when you have a clearly nondirectional hypothesis.

    4. In practice, the situation is not so simple.

        a. Even when a theory clearly predicts a particular result, we sometimes find that the result is just the opposite of what we expected and that this reverse of what we expected may actually be more interesting.

        b. For this reason, by using one–tailed tests we run the risk of having to ignore possibly important results.

    5. Thus, there is debate as to whether one–tailed tests should be used, even when there is a clearly directional hypothesis.

    6. To be safe, many researchers use two–tailed tests both when there are nondirectional hypotheses and also when there are directional hypotheses.

    7. In most psychology articles, unless the researcher specifically notes that a one–tailed test was used, it is usually assumed that it was a two–tailed test.

    8. In most cases the final conclusion is not really affected by whether a one– or two–tailed test is used (the result is either extreme enough to reject the null hypothesis either way, or not extreme enough to reject the null hypothesis either way).

    9. If a result is so close that it matters which method is used, results should be interpreted cautiously pending further research.

IV. **Controversies and Limitations: More on one– versus two–tailed tests.**
   A. If a study is exploratory (where there is no clear basis for making a directional prediction), everyone agrees that two–tailed tests should be used.
   B. But when there is a basis for a directional prediction, if a one–tailed test is used there is the risk of getting a strong result in the opposite direction which would then have to be ignored.
   C. A possible compromise procedure is to do a fractional–tailed test, in which the 5% is divided up as 4% in the predicted direction and 1% in the nonpredicted direction.
V. **Hypothesis Tests As Reported in Research Articles**
   A. Hypothesis tests are usually reported in the context of one of the specific statistical procedures covered in later chapters.
   B. For each result of interest, the article usually gives the following information.
      1. Whether the result was statistically significant.
      2. The name of the specific technique used in determining the probabilities (these are what is covered in later chapters).
      3. An indication of the significance level, such as "$p < .05$," or "$p < .01$."
         a. "$p < .05$" means that the probability of these results if the null hypothesis were true is less than .05 (5%).
         b. If a result is close but did not reach the significance level chosen, it may be reported anyway as a "near significant trend," with "$p < .10$," for example.
         c. If the result is not significant, sometimes the actual p level will be given (for example, "$p = .27$"), or the abbreviation "ns," for "not significant," will be used.
      4. If a one–tailed test was used, that will usually also be noted. (Otherwise assume a two–tailed test was used.)
   C. Sometimes the results of hypothesis testing are shown simply as starred results in a table; a result with a star has attained significance (at a level given in a footnote) and one without has not.
   D. The steps of hypothesis testing, or which is the null and which is the research hypothesis, are rarely made explicit.

How to Test an Hypothesis

(When the sample consists of one individual and the distribution of the
population not exposed to the experimental manipulation is known.)

I. **Reframe the question into a research hypothesis and a null hypothesis about populations. (Step 1.)**
    A. Identify the two populations.
        1. Population 1 is people like those studied who have been exposed to the experimental manipulation.
        2. Population 2 is people like those studied but who have not been exposed to the experimental manipulation (this is usually people of the category studied from the general public).
    B. State the research hypothesis.
        1. Decide whether this will be directional or nondirectional.
        2. State in terms of the two populations (that the mean of one will be higher, lower, or the same as the other).
    C. State the null hypothesis: Populations 1 and 2 are the same; the manipulation lacks impact.
    D. Check that the research and null hypothesis are consistent (in terms of both being in relation to a directional or nondirectional prediction.)

II. **Determine the characteristics of the comparison distribution. (Step 2.)**
    A. This will be the distribution of Population 2.
    B. Note its μ, σ^2, and shape (which will usually be normal).

III. **Determine the cutoff sample score on the comparison distribution at which the null hypothesis should be rejected. (Step 3.)**
    A. Decide on the significance level (1% or 5%).
    B. Determine the percentage of cases between the mean and where the appropriate percentage begins on the normal curve.
        1. If a one–tailed test, this is 50% minus the significance level.
        2. If a two–tailed test, this is 50% minus 1/2 the significance level.
    D. Look up the Z corresponding to this percentage in the *% Mean to Z* column in the normal table–this is the cutoff Z.

IV. **Determine the sample's score on the comparison distribution. (Step 4.)**
    A. Conduct the study and note the score of the individual (or note the result as given to you in the problem).
    B. Convert the raw–score result to a Z score on the comparison distribution: $Z = (X-\mu)/\sigma$.

V. Compare the scores obtained in Steps 3 and 4 to determine whether or not to reject the null hypothesis. (Step 5.)

A. If the actual sample's Z score (from Step 4) is more extreme than the cutoff Z score (from Step 3).

    1. The null hypothesis is rejected.

    2. Thus, the research hypothesis is supported.

B. If the actual sample's Z score (from Step 4) is not more extreme than the cutoff Z score (from Step 3).

    1. The null hypothesis is not rejected.

    2. Thus, the experiment is inconclusive.

Outline for Writing Essays for Hypothesis–testing Problems Involving a Single Sample of One Subject and a Known Population

The reason for your writing essay questions in the practice problems and tests is that this task develops and then demonstrates what matters so very much–your comprehension of the logic behind the computations. (It is also a place where those better at words than numbers can shine, and for those better at numbers to develop their skills at explaining in words.)

Thus, to do well, be sure to do the following in each essay: (a) give the reasoning behind each step; (b) relate each step to the specifics of the content of the particular study you are analyzing; (c) state the various formulas in nontechnical language, because as you define each term you show you understand it (although once you have defined it in nontechnical language, you can use it from then on in the essay); (d) look back and be absolutely certain that you made it clear just *why* that formula or procedure was applied and *why* it is the way it is.

The outlines below are *examples* of ways to structure your essays. There are other completely correct ways to go about it. And this is an *outline* for an answer–you are to write the answer out in paragraph form. Examples of full essays are in the answers to Set I Practice Problems in the back of the text.

These essays are necessarily very long for you to write (and for others to grade). But this is the very best way to be sure you understand everything thoroughly. One shortcut you may see on a test is that you may be asked to write your answer for someone who understands statistics up to the point of the new material you are studying. You can choose to take the same shortcut in these practice problems (maybe writing for someone who understands right up to whatever point you yourself start being just a little unclear). But every time you write for a person who has never had statistics at all, you review the logic behind the entire course. You engrain it in your mind. Over and over. The time is never wasted. It is an excellent way to study.

I. **Reframe the question into a research hypothesis and a null hypothesis about populations. (Step 1 of hypothesis testing.)**

A. State in ordinary language the hypothesis–testing issue: Does the score of the person studied represent a higher (or lower or different) score than would be expected if this person had just been a randomly selected example of people in general–that is does this person represent a different group of people from people in general?

B. Explain language (to make the rest of the essay easier to write by not having to repeat long explanations), focusing on the meaning of each term in the concrete example of the study at hand.
1. Populations.
2. Research hypothesis.
3. Null hypothesis.
4. Rejecting the null hypothesis to provide support for the research hypothesis.

II. **Determine the characteristics of the comparison distribution. (Step 2 of hypothesis testing.)**
A. Explain the principle that the comparison distribution is the distribution (pattern of spread of the scores) of the population which did not undergo the experimental manipulation–this is the distribution from which we would expect our case to be a random sample if the null hypothesis were true.
B. Explicitly identify the characteristics of your comparison distribution, explaining what each characteristic means.
1. Its mean (explain that this is the arithmetic average).
2. Its standard deviation.
   a. This is a standard measure of how spread out it is.
   b. It is roughly the average amount scores vary from the mean.
   c. Exactly speaking, the square root of the average of the squares of the amount that each score differs from the mean.
3. Its shape.
   a. Usually it is a normal curve.
   b. Describe the shape (or draw it).
   c. Note that this is a highly common shape for distributions; the percentage of cases above any given point (as measured in standard deviations from the mean) is available in tables.

III. **Determine the cutoff score on the comparison distribution at which the null hypothesis should be rejected. (Step 3 of hypothesis testing.)**
A. Before you figure out how extreme your particular score is on this distribution, you want to know how extreme it would have to be to decide it was too unlikely that it could be just a randomly drawn case from this comparison distribution.
B. Since this is a normal curve, you can use a table to tell you how many standard deviations from the mean your score would have to be to be in the top so many percent.
C. Note that the number of standard deviations from the mean is called a Z score. (By explaining this term, you make writing simpler later on.)

Chapter Six

D. To use these tables, you have to decide the kind of situation you have; there are two considerations.
   1. Are you interested in the chances of getting this extreme a score that is extreme in only one direction (such as only higher than for people in general) or in both? (Explain which is appropriate for your study.)
   2. Just how unlikely would the extremeness of a particular group's average have to be? The standard figure used in psychology is less likely than 5% (though 1% is sometimes used to be especially safe). (Say which you are using in your study–if no figure is stated in the problem and no special reason given for using one or the other, the general rule is to use 5%.)
E. With a little manipulation of numbers you can then look up the percentage in the table and find the Z score corresponding to that percentage.

IV. **Determine the score of your sample on the comparison distribution. (Step 4 of hypothesis testing.)**
A. At this point the study would be conducted and the score of the individual obtained.
B. The next step is to find where your actual score would fall on the comparison distribution, in terms of a Z score–that is, how many standard deviations it is above or below the mean on this distribution.
C. State this Z score.

V. **Compare the scores obtained in Steps 3 and 4 to decide whether to reject the null hypothesis. (Step 5 of hypothesis testing.)**
A. State whether your score (from Step 4) does or does not exceed the cutoff (from Step 3).
B. If your score exceeds the cutoff.
   1. State that you can reject the null hypothesis.
   2. State that by elimination, the research hypothesis is thus supported.
   3. State in words what it means that the research hypothesis is supported (that is, the study shows that the particular experimental manipulation appears to make a difference in the particular thing being measured).

C. If your score does not exceed the cutoff.
1. State that you cannot reject the null hypothesis.
2. State that the experiment is inconclusive.
3. State in words what it means that the study is inconclusive (that is, the study did not yield results which give a clear indication of whether or not the particular experimental manipulation appears to make a difference in the particular thing being measured).
4. Explicitly note that even though the research hypothesis was not supported in this study, this is not evidence that it is false–it is quite possible that it is true but it has only a small effect which was not sufficient to produce a score extreme enough to yield a significant result in this study.

Chapter Self–Tests

Multiple–Choice Questions

1. Which of the following statements is most accurate about hypothesis testing?

   a. It is a nonsystematic way of using your intuition to draw possible hypotheses about the result of a study.
   b. It is a systematic procedure for determining whether the results of an experiment provide support for a particular theory.
   c. It is a systematic procedure for disproving or, more importantly, proving your theory.
   d. It is an unimportant procedure that is rarely used anymore because of other mathematical procedures that have been found to be more efficient.

2. Suppose that a researcher wants to know if college students drink more coffee than people in general of college–student age. What would the research hypothesis be in this case?

   a. People over college–student age will drink less coffee than the students will.
   b. There will be no difference between the two populations.
   c. College students do not drink more coffee than people in general of college–student age.
   d. College students drink more coffee than people in general of college–student age.

3. Which of the following is true about the comparison distribution?

   a. It is another name for hypothesis testing.
   b. It is another name for Population 1.
   c. It represents the situation in which the null hypothesis is true.
   d. It represents the situation in which the research hypothesis is true.

4. What does it mean when a researcher chooses the cutoff on the comparison distribution to be .01?

   a. It means that to reject the null hypothesis the result must be higher than a *Z* score of .01.
   b. It means that to reject the null hypothesis there must be less than a 1% chance that the result would have happened by chance if the null hypothesis were true.
   c. It means that if the result is larger than .01 (such as .02 or .03), it is "statistically significant."
   d. It means that the research hypothesis is definitely true if the sample's score on the comparison distribution is less extreme than the cutoff that corresponds to the most extreme .1% of that comparison distribution.

5. What can be concluded if the null hypothesis is rejected?

   a. The research hypothesis is supported.
   b. The research hypothesis is true and the null hypothesis is false.
   c. The null hypothesis is true and the research hypothesis is false.
   d. The null hypothesis should have been based on a directional hypothesis.

6. Suppose a researcher wants to know if there is a gender difference in the number of dreams people remember. The results of such a study would be analyzed using

   a. a one–tailed test because only one issue is discussed–dreams.
   b. a one–tailed test because there is only one interaction, which is between gender and number of dreams.
   c. a two–tailed test because there is no predicted direction of the difference; the men could remember more or the women could.
   d. a two–tailed test because there are two variables involved–dreams and gender.

7. What should you do if you want to use a 5% significance level on a two–tailed test?

   a. Reject the null hypothesis if the sample is so extreme that it is in either the top 5% or the bottom 5% of the comparison distribution.
   b. Reject the null hypothesis if the sample is so extreme that it is in either the top 2.5% or the bottom 2.5% of the comparison distribution.
   c. Use a comparison distribution that is not a normal curve, such as a Poisson distribution.
   d. Use a comparison distribution that is a normal curve, but which has a standard deviation twice as large as you would use for a one–tailed test.

8. What does it mean if the research hypothesis is clearly directional?

   a. You use a one–tailed test.
   b. You use a two–tailed test.
   c. It is fairly clear that the null hypothesis will be supported so long as the comparison distribution follows a normal curve.
   d. It is fairly clear that the research hypothesis will be supported so long as the comparison distribution follows a normal curve.

9. Researchers are reluctant to use one–tailed tests because

    a. using a one–tailed test dramatically reduces the chance of getting a significant result, even if your research hypothesis is true (that is, even if the null hypothesis is false).

    b. research in psychology rarely involves studies which have a basis for predicting a particular direction of result.

    c. when using a one–tailed test, if a result comes out opposite to that which is predicted, it can not be considered significant no matter how extreme it is.

    d. all of the above.

10. If a research report describes a result and notes "$p < .05$," this means

    a. the result is not statistically significant at the .05 level.

    b. the sample score falls in either the upper 5% or the lower 5% of the comparison distribution (making in reality a 10% chance of getting this result by chance).

    c. there is a 95% chance that the research hypothesis is true.

    d. the chances of getting this result if the null hypothesis is true are less than 5%.

Fill–In Questions

1. _____ is a procedure of inferential statistics in which you draw conclusions about hypotheses based on information in samples.

2–5 A study is conducted to test whether people who have taken a growth hormone are taller (that is, whether their height is greater) than people in general.

    2. Population 1 is people who have taken the growth hormone. Population 2 is _____.

    3. What is the research hypothesis? _____
       (state in terms of Populations 1 and 2).

    4. What is the null hypothesis?_____
       (state in terms of Population 1 and 2).

    5. The comparison distribution is the distribution of _____.

6. In any study the comparison distribution represents the distribution of sample scores you would expect if the _____ is true.

7. In psychology conventional levels of significance are ____ and ____.

8. If the cutoff Z score is -1.96 and the score of your sample is -2.13, what should you conclude? _____.

9. It is not correct to plan on using a one–tailed test, but if the result comes out in the opposite direction, to then apply a two–tailed test. For example, if the researcher were using the 5% significance level, using this plan would make the total probability of rejecting the null hypothesis by chance actually equal not to 5% but to _____%.

10. A study is done with a sample of one case. The general population (Population 2) has a mean of 10 and a standard deviation of 2. The cutoff Z score for significance in this study is 1.64. The raw score of the sample is 13. What should you conclude? _____.

Problems and Essays

1. A researcher was interested in whether "mom's old cure," a glass of warm milk before bedtime, actually facilitates falling asleep. His previous research indicated that an unassisted subject falls asleep in a laboratory situation after an average of 27 minutes with a standard deviation of 7 minutes. He had a test subject drink a glass of warm milk and then measured the amount of time it took for the subject to fall asleep. It took the subject 14 minutes. (These are all fictional data.)

   (a) Based on these data, did the subject fall asleep significantly faster? (Use the .05 significance level.)
   (b) Explain your conclusion and procedure to a person who has never had a course in statistics.

2. The government reports that the average plane arrives 10 minutes late, with a standard deviation of 1.5 minutes. Your experience, however, is that a particular airline typically arrives later than other airlines. To test this, you go to the airport and check the arrival on a randomly selected flight from this company. The flight arrives 13.25 minutes late. (These are all fictional data.)

   (a) Based on these data, what should you conclude about this company's timeliness compared to airlines in general? (Use the .05 significance level.)
   (b) Explain your conclusion and procedure to a person who has never had a course in statistics.

3. Can drugs affect memory? A psychologist interested in this question administered a new drug to a group of students in order to see if their ability to immediately recall information was affected in any way. The psychologist had been using nonsense syllables in her studies and found that the average subject was able to immediately recall 7 items with a standard deviation of 2. The first data available from the drug study indicated that the subject had been able to recall only 4 items.

   (a) Was this finding significant at the .05 level?
   (b) Explain your conclusion and procedure to a person who has never had a course in statistics.

4 A social psychologist was interested in whether teenagers who had played a lot of video games as a child were able to learn to drive more quickly than the average. He obtained previous data regarding the amount of time (in hours) that it took the average teenager to learn to drive. Then he selected one high school student who reported having spent many hours playing video games and measured the amount of time it took for her to learn how to drive. Her Z score ($Z = 1.23$) was not significant at the .05 level.

Explain these results and the steps of hypothesis testing to someone unfamiliar with statistics.

Note. There is no section on using SPSS or MYSTAT with this chapter because none of the procedures covered are easily implemented using standard computerized statistical packages. (The material in this chapter is mainly preparation for carrying out procedures that are widely used, however, and for which the computer can be very helpful.)

Chapter 7
Hypothesis Tests with Means of Samples

Learning Objectives

To understand, including being able to carry out any necessary procedures or computations:

- Why the distribution of means is the appropriate comparison distribution when using a sample of more than one case.
- How you would construct a distribution of means.
- The mean of the distribution of means, including why it equals the mean of the population of individual cases.
- The variance of the distribution of means.
- Why the variance of the distribution of means is less than the variance of the population of individual cases.
- Why the larger the sample size, the smaller the variance of the distribution of means.
- The standard deviation of the distribution of means.
- The shape of a distribution of means, including why it tends to be unimodal and symmetrical.
- The conditions under which the distribution of means is or closely approximates a normal curve.
- Conducting a hypothesis test with a sample of more than one case and a known population distribution.
- Type I and Type II error and the basis for conventional levels of significance.
- The possible correct and erroneous decisions in hypothesis testing.
- Problems with using norms in standardized tests.
- The use of the standard error in reporting research results.

Chapter Outline

I. The Distribution of Means as a Comparison Distribution
A. When testing hypotheses with a sample of more than one case, the comparison distribution is not simply the distribution of Population 2 (the general population, people not exposed to the experimental manipulation).
1. The score of interest in your sample in this case is the mean of the group of scores.
2. But the distribution of Population 2 is a distribution of individual cases.
3. Thus using Population 2's distribution as the comparison distribution would be a mismatch.

B. The appropriate comparison distribution in this case is a *distribution of means*, the distribution of all possible means of samples of the size of your sample.

C. It helps to have an intuitive understanding of how one would construct such a distribution.

    1. Select a random sample of cases of the given size (that is, of the given number of cases) from the population and compute its mean.

    2. Select another random sample of this size from the population and compute its mean.

    3. Repeat this process a very large number of times.

    4. Make a distribution of these means.

    5. Note that this procedure is only to explain the idea, and would be too much work and unnecessary in practice.

II. Characteristics of a Distribution of Means

A. There is an exact mathematical relation of a distribution of means to the population of individual cases the samples are drawn from. This means that the characteristics of the distribution of means can be determined directly from knowledge of the characteristics of the population and the size of the samples involved.

B. The mean of a distribution of means (μ_M).

    1. Rule: The mean of the distribution of means is the same as the mean of the population of individual cases from which the samples are taken.

    2. Formula: $\mu_M = \mu$.

    3. Explanation.

      a. Each sample is based on randomly selected values from the population.

      b. Thus, sometimes the mean of a sample will be higher and sometimes lower than the mean of the whole population of individuals.

      c. There is no reason for these to average out higher or lower than the original population mean.

      d. Thus the average of these means (the mean of the distribution of means) should in the long run equal the population mean.

C. The Variance of a distribution of means (σ_M^2).
1. Principle: The distribution of means will be less spread out than the population of individual cases from which the samples are taken.
2. Explanation.
   a. Any one score, even an extreme score, has some chance of being selected in a random sample.
   b. However, the chance is less of two extreme scores being selected in the same random sample, particularly since in order to create an extreme sample mean they would have to be two scores which were extreme in the same direction.
   c. Thus, there is a moderating effect of numbers: In any one sample, the deviants tend to be balanced out by middle cases or by deviants in the opposite direction, making each sample tend towards the middle and away from extreme values.
   d. With fewer extreme values for the means, the variance of the means is less.
3. Principle: The more cases in each sample, the less spread out is the distribution of means of that sample size. With a larger number of cases in each sample, it is even harder for extreme cases in that sample not to be balanced out by middle cases or extremes in the other direction in the same sample.
4. Rule: The variance of a distribution of means is the variance of the distribution of the population of individual cases divided by the number of cases in the samples being selected.
5. Formula: $\sigma_M^2 = \sigma^2/N$. (N is the number of cases in each sample.)

D. The standard deviation of a distribution of means (σ_M).
1. Rule: The standard deviation of the distribution of means is the square root of the variance of the distribution of means.
2. Formula: $\sigma_M = \sqrt{\sigma_M^2} = \sqrt{(\sigma^2/N)}$.
3. Special name: the standard error of the mean or the standard error, for short.

E. The shape of a distribution of means.
1. It tends to be unimodal. This is due to the same basic process of extremes balancing each other out that we noted in the discussion of the variance–middle values are more likely and extreme values less likely.
2. Tends to be symmetrical for the same reason–since skew is caused primarily by extreme scores, if there are fewer extreme scores, there is less skew.
3. As the number of subjects in each sample gets larger, the distribution of means of all possible samples of that number of subjects is a better and better approximation to the normal curve.
4. With samples of 30 or more each, even with a quite nonnormal population of individual cases, the approximation of the distribution of means to a normal curve is so close that the percentages in the normal curve table will be extremely accurate.
5. Whenever the population distribution of individual cases is normal, a distribution of means, of whatever sample size, will always be normal.

III. Hypothesis Testing Involving a Distribution of Means

A. The distribution of means is the comparison distribution to which the sample mean can be compared in order to see how likely it is that such a sample mean could have been selected if the null hypothesis is true.

B. It is the characteristics of the distribution of means that must be determined in Step 2 of the hypothesis testing process.

C. It is the location of your sample on the comparison distribution that must be determined in Step 4 of hypothesis testing.

   1. You are now finding a Z score of a sample mean on a distribution of means (instead of the Z score of a single subject on a distribution of a population of single subjects).
   2. Thus, the formula is $Z = (M-\mu)/\sigma_M$

D. Other than using the distribution of means as the comparison distribution and locating the mean of your sample on this distribution, the process of hypothesis testing is exactly the same as in Chapter 6 (which focused on hypothesis testing involving a sample of just one subject).

IV. Levels of Significance

A. Type I error.

   1. The significance level is the level of probability (such as 5%) up to which you would say your result could have occurred just by chance; with a result less likely than that level of probability you would reject the null hypothesis and conclude your research hypothesis has been supported.
   2. The significance level can also be thought of as the risk or probability you accept of mistakenly rejecting the null hypothesis.
   3. Mistakenly rejecting the null hypothesis is called a Type I error.
   4. Thus, the significance level is the probability of making a Type I error.
   5. Type I errors are of serious concern to scientists, who could construct entire theories and research programs–let alone practical applications–based on a result which in fact is fallacious.
   6. Thus, the conservative approach is to set a very stringent significance level so that the results have to be quite extreme to reject the null hypothesis.

B. Type II error.

   1. If you set a very stringent significance level, you may fail to reject the null hypothesis–that is, you may fail to decide the research hypothesis is demonstrated by the evidence of the sample–when in fact the research hypothesis is true.
   2. Mistakenly failing to reject the null hypothesis is called a Type II error.
   3. Type II errors concern scientists, and especially those interested in applications of psychological knowledge, because a Type II error could mean that a good theory or useful practical procedure is not used.

C. Minimizing the chance of making one kind of error increases the chance of making the other.

D. The conventional 5% and 1% significance levels represent a compromise between these offsetting risks.

E. There are two kinds of possible correct decisions and two kinds of possible erroneous decisions you can make in hypothesis testing. (These are hypothetical possibilities useful for understanding the logic of setting significance levels, but we never actually know whether the research hypothesis is true or false.)

    1. The research hypothesis is actually true and the hypothesis-testing procedure results in rejecting the null hypothesis (a correct decision).

    2. The research hypothesis is actually false and the hypothesis-testing procedure results in rejecting the null hypothesis (a Type I error).

    3. The research hypothesis is actually true and the hypothesis-testing procedure results in failing to reject the null hypothesis (a Type II error).

    4. The research hypothesis is actually false and the hypothesis-testing procedure results in failing to reject the null hypothesis (a correct decision).

V. Controversies and Limitations: Population Norms

A. The known population means and standard deviations on standardized psychological tests are called *norms*.

B. In practice norms are actually based not on the entire population but on very large samples that are thought to be reasonably representative of the larger population.

C. However, these samples, by averaging all types of people together may over- or underrepresent subgroups (such as ethnic minorities) for whom the test or the testing procedure may have a different meaning.

D. This problem is especially acute when ability or intelligence tests are used to compare various groups and conclusions are drawn (incorrectly) about differences in abilities or intelligence.

VI. Topics of this Chapter as Reported in Research Articles

A. Research situations in which there is a known population mean and standard deviation are quite rare in psychology, so they seldom appear in research articles; the main reason we have asked you to learn about this situation is because it is a necessary building block to understanding hypothesis testing in the more common research situations.

B. When such hypothesis tests are reported, the procedure may be described as a "Z test."

C. Researchers will sometimes report one statistic discussed in this chapter, the standard deviation of the distribution of means.

1. This is done as an indication of the amount of variation that might be expected among means of samples of a given size from this population.
2. In this context it is usually identified as the "standard error" or abbreviated as *SE*.
3. Often the lines that go above and below the tops of the bars in a bar graph refer to standard error (instead of standard deviation).

Formulas

I. Variance of a distribution of means (σ_M^2)

Formula in words: The variance of the distribution of the population of individual cases divided by the number of individual cases in each sample.

Formula in symbols: $\sigma_M^2 = \sigma^2 / N$ (7-1)

σ^2 is the variance of the population of individual cases.

N is the number of individual cases in each sample.

II. Standard deviation of a distribution of means, standard error (σ_M)

Formula in words: The square root of the variance of the distribution of means.

Formula in symbols: $\sigma_M = \sqrt{\sigma_M^2}$ (7-2)

or $\sigma_M = \sigma / \sqrt{N}$ (7-3)

III. Location of the sample mean on the distribution of means (Z)

Formula in words: Deviation of the mean of the sample from the mean of the known population (same as mean of the distribution of means), divided by the standard deviation of the distribution of means.

Formula in symbols: $Z = M - \mu / \sigma_M$

M is the mean of the sample.

μ is the mean of the known population (same as the mean of the distribution of means).

How to Test an Hypothesis Involving a Single Sample of More than One Subject and a Known Population

I. **Reframe the question into a research hypotheses and a null hypothesis about populations. (Step 1.)**
    A. Identify the two populations.
        1. Population 1 is people like those studied who have been exposed to the experimental manipulation.
        2. Population 2 is people like those studied but who have not been exposed to the experimental manipulation. (This is usually people from the general public, of the category studied.)
    B. State the research hypothesis.
        1. Decide whether this will be directional or nondirectional.
        2. State in terms of the two populations (that the mean of one will be higher, lower, or the same as the other).
    C. State the null hypothesis–Populations 1 and 2 are the same; the manipulation had no impact.
    D. Check that the research and null hypothesis are consistent (in terms of both being in relation to a directional or nondirectional prediction.)

II. **Determine the characteristics of the comparison distribution. (Step 2.)**
    A. This will be a distribution of means of samples of the number of subjects in the sample being studied.
    B. Its mean is the same as the mean of the population of individual cases from which the samples are taken: $\mu_M = \mu$.
    C. Its standard deviation is the square root of the result of dividing the variance of the distribution of the population of individual cases by the number of cases in the samples being selected: $\sigma_M = \sqrt{(\sigma^2/N)}$. ($N$ is the number of cases in each sample.)
    D. Its shape.
        1. Normal if the population is normal.
        2. Very close to normal if N is greater than 30, regardless of population shape.
        3. Otherwise, unimodal and symmetrical, but not normal.

III. Determine the cutoff sample score on the comparison distribution at which the null hypothesis should be rejected. (Step 3.)

   A. Decide on the significance level (1% or 5%).

   B. Determine the percentage of cases between the mean and where the appropriate percentage begins on the normal curve.

      1.   If a one-tailed test, this is 50% minus the significance level.

      2.   If a two-tailed test, this is 50% minus 1/2 the significance level.

   C. Look up the Z corresponding to this percentage in the *% Mean to Z* column in the normal table–this is the cutoff Z.

IV. Determine the sample's score on the comparison distribution. (Step 4.)

   A. Conduct the study and compute the mean of the scores in the sample studied (or note the result as given to you in the problem).

   B. Convert the raw score result to a Z score on the comparison distribution (the distribution of means): $Z = (M - \mu)/\sigma_M$.

V. Compare the scores obtained in Steps 3 and 4 to determine whether or not to reject the null hypothesis. (Step 5.)

   A. If the actual sample's Z score (from Step 4) is more extreme than the cutoff Z score (from Step 3).

      1. The null hypothesis is rejected.

      2. Thus, the research hypothesis is supported.

   B. If the actual sample's Z score (from Step 4) is not more extreme than the cutoff Z score (from Step 3).

      1. The null hypothesis is not rejected.

      2. Thus, the experiment is inconclusive.

Outline for Writing Essays for Hypothesis Testing Problems Involving a Single Sample of More than One Subject and a Known Population

The reason for your writing essay questions in the practice problems and tests is that this task develops and then demonstrates what matters so very much–your comprehension of the logic behind the computations. (It is also a place for those of you who are better at words than numbers to shine. And for those better at numbers to develop their skills at explaining in words.)

Thus, to do well you need to be sure to do the following in each essay: (a) give the reasoning behind each step; (b) relate each step to the specifics of the content of the particular study you are analyzing; (c) state the various formulas in nontechnical language, because as you define each term you show you understand it (although once you have defined it in nontechnical language, you can use it from then on in the essay); (d) look back and be absolutely certain that you made it clear just why that formula or procedure was applied and why it is the way it is.

The outlines below are *examples* of ways to structure your essays. There are other completely correct ways to go about it. And this is an *outline* for an answer–you must write the answer out in paragraph form. Examples of full essays are in the answers to Set I Practice Problems in the back of the text.

These essays are necessarily very long for you to write (and for others to grade). But this is the very best way to be sure you understand everything thoroughly. One shortcut you may see on a test is to write your answer for someone who understands statistics up to the point of the new material you are studying. You can choose to take the same shortcut in these practice problems (maybe writing for someone who understands right up to whatever point you yourself start being just a little unclear). But every time you write for a person who has never had statistics at all, you review the logic behind the entire course. You engrain it in your mind. Over and over. The time is never wasted. It is an excellent way to study.

I. **Reframe the question into a research hypothesis and a null hypothesis about populations. (Step 1 of hypothesis testing.)**

A. State in ordinary language the hypothesis testing issue: Does the average of the scores of the group of persons studied represent a higher (or lower or different) mean than would be expected if this group of persons had just been a randomly selected example of people in general–that is does this set of people studied represent a different group of people from people in general?

B. Explain language (to make rest of essay easier to write by not having to repeat long explanations each time), focusing on the meaning of each term in the concrete example of the study at hand.
  1. Populations.
  2. Sample.
  3. Mean.
  4. Research hypothesis.
  5. Null hypothesis.
  6. Rejecting the null hypothesis to provide support for the research hypothesis.

II. **Determine the characteristics of the comparison distribution.** (Step 2 of hypothesis testing.)
  A. Explain principle that the comparison distribution is the distribution (pattern of spread of the means of scores) that represents what we would expect if the null hypothesis were true and our particular mean were just randomly sampled from this population of means.
  B. Note that because we are interested in the mean of a sample of more than one case, we have to compare our actual mean to a distribution not of individual cases but of means.
  C. Give an intuitive understanding of how one might construct a distribution of means for samples of a given size from a particular population.
    1. Select a random sample of the given size (number of subjects) from the population and compute its mean.
    2. Select another random sample of this size from the population and compute its mean.
    3. Repeat this process a very large number of times.
    4. Make a distribution of these means.
    5. Note that this procedure is only to explain the idea, and would be too much work and unnecessary in practice.
  D. There is an exact mathematical relation of a distribution of means to the population the means are drawn from, so that in practice the characteristics of the distribution of means can be determined directly from knowledge of the characteristics of the population and the size of the samples involved.

E. The mean of a distribution of means.
   1. It is the same as the mean (average) of the scores in the known population of individual cases.
   2. State what it is in the particular problem you are working on.
   3. Explanation.
      a. Each sample is based on randomly selected values from the population.
      b. Thus, sometimes the mean of a sample will be higher and sometimes lower than the mean of the whole population of individuals.
      c. There is no reason for these to average out higher or lower than the original population mean.
      d. Thus the average of these means (the mean of the distribution of means) should in the long run equal the population mean.
F. The standard deviation of a distribution of means.
   1. The distribution of means will be less spread out than the population of individual cases from which the samples are taken.
      a. Any one score, even an extreme score, has some chance of being selected in a random sample.
      b. However, the chance is less of several extreme scores being selected in the same random sample, particularly since in order to create an extreme sample mean they would all have to be scores which were extreme in the same direction.
      c. Thus, there is a moderating effect of numbers. In any one sample, the deviants tend to be balanced out by many more middle cases or by deviants in the opposite direction, making each sample tend towards the middle and away from extreme values.
      d. With fewer extreme values for the means, the variation among the means is less.
   2. The more cases in each sample, the less spread out is the distribution of means of that sample size. With a larger number of cases in each sample, it is even harder for extreme cases in that sample not to be balanced out by middle cases or extremes in the other direction in the same sample.
   3. Explain the idea of standard deviation.
      a. It is a standard measure of how spread out it is.
      b. It is roughly the average amount scores vary from the mean.
      c. Exactly speaking, it is the square root of the average of the squares of the amount that each score differs from the mean.
   4. The standard deviation of the distribution of means is found by a formula that divides the average of squared deviations from the mean of the population by the number of subjects in the sample (thus making it smaller in proportion to the number of subjects in the sample), and taking the square root of this result.
   5. State what it is in the particular problem you are working on, describing the steps of computation.

G. The shape of a distribution of means.
   1. If your N is greater than 30.
      a. The distribution of means will be approximately normal.
      b. Explain that a normal curve is a bell-shaped distribution that is very common in psychology.
      c. The distribution tends to be normal due to the same basic process of extremes balancing each other out that we noted in the discussion of the standard deviation–middle values are more likely and extreme values less likely.
   2. If the population of individual cases in your situation is normal.
      a. The distribution of means will be approximately normal.
      b. This is because the distribution of means will have nothing to distort it from looking like the distribution of individual cases.

III. **Determine the cutoff score on the comparison distribution at which the null hypothesis should be rejected. (Step 3 of hypothesis testing.)**
   A. Before you figure out how extreme your particular sample's mean is on this distribution of means, you want to know how extreme it would have to be to decide it was too unlikely that it could have been a randomly drawn mean from this comparison distribution of means.
   B. Since in this problem the comparison distribution is a normal curve, you can use a table to tell you how many standard deviations from the mean your score would have to be to be in the top so many percent.
   C. Note that the number of standard deviations from the mean is called a Z score. (By explaining this term, you make the writing simpler later on.)
   D. To use these tables you have to decide the kind of situation you have; there are two considerations.
      1. Are you interested in the chances of getting this extreme of a mean that is extreme in only one direction (such as only higher than for people in general) or in both? (Explain which is appropriate for your study.)
      2. Just how unlikely would the extremeness of a particular mean have to be? The standard figure used in psychology is less likely than 5% (though 1% is sometimes used to be especially safe). (Say which you are using in your study–if no figure is stated in the problem and no special reason given for using one or the other, the general rule is to use 5%.)
   E. With a little manipulation of numbers you can then look up the percentage in the table and find the Z score corresponding to that percentage.
   F. State the cutoff for your particular problem.

IV. Determine the score of your sample on the comparison distribution. (Step 4 of hypothesis testing.)

  A. At this point the study would be conducted and the mean score of the sample studied obtained. (State what it is.)

  B. The next step is to find where your actual sample's mean would fall on the comparison distribution, in terms of a Z score.

  C. State this Z score.

V. Compare the scores obtained in Steps 3 and 4 to decide whether to reject the null hypothesis. (Step 5 of hypothesis testing.)

  A. State whether your mean (from Step 4) does or does not exceed the cutoff (from Step 3).

  B. If your mean exceeds the cutoff.

   1. State that you can reject the null hypothesis.

   2. State that by elimination, the research hypothesis is thus supported.

   3. State in words what it means that the research hypothesis is supported (that is, the study shows that the particular experimental manipulation appears to make a difference in the particular thing being measured).

  C. If your score does not exceed the cutoff.

   1. State that you cannot reject the null hypothesis.

   2. State that the experiment is inconclusive.

   3. State in words what it means that the study is inconclusive (that is, the study did not yield results which give a clear indication of whether or not the particular experimental manipulation appears to make a difference in the particular thing being measured).

   4. Explicitly note that even though the research hypothesis was not supported in this study, this is not evidence that it is false–it is quite possible that it is true but it has only a small effect which was not sufficient to produce a mean extreme enough to yield a significant result in this study.

Chapter Self-Tests

Multiple-Choice Questions

1. When testing an hypothesis in which the group studied is a mean of a sample of scores, the proper comparison distribution is

   a. the original population from which the sample was taken.

   b. the population that would exist if the null hypothesis were true.

   c. the distribution of all possible means of the sample size (N) from the known population.

   d. the distribution of the individual scores from which the sample mean was calculated.

2. The mean for the general population on a particular standardized test is known to be 56 with a standard deviation of 8. What would be the mean of the distribution of means for a study involving this test.

   a. 7.
   b. 7.48.
   c. 56.
   d. 112.

3. The variance of a distribution of means is calculated by

   a. multiplying the variance of the population of individual cases by the number of subjects in each sample.
   b. dividing the variance of the population of individual cases by the number of subjects in each sample.
   c. subtracting the sample's variance from the population variance.
   d. taking the square-root of the variance of the population of individual cases.

4. In comparison to the original population data, the shape of the distribution of means is

   a. a bimodal configuration.
   b. a rectangular shape.
   c. more spread out than the original population.
   d. less spread out than the original population.

5. When calculating the Z score of your sample's mean on a distribution of means, you should

   a. estimate the variance of the comparison distribution by taking the square root of the sample's variance.
   b. treat the sample mean like a single score and find its Z score on the distribution of means.
   c. divide the variance of the distribution of means by the mean of the sample.
   d. take the square root of the differences between the two means.

6-9 An experimenter was interested in the relation of social class to motivation, using a standard test of motivation (for the general population, the mean is 90 and the standard deviation is 10). Based on a theory she had constructed, she expected that those in the upper class would score lower. She administered the test to 20 members of an upper-class community. Her obtained sample mean on the test was 87.

6. In this example, the null hypothesis would be

   a. upper-class communities have higher motivation than the population in general.
   b. the mean of the population the sample represents is no lower than the mean of the general population.
   c. the sample variance will equal the population variance.
   d. there will be no difference between the population and the distribution of means.

7. The characteristics of the comparison distribution are

    a. mean=90, variance=5.
    b. mean=90, variance=.5.
    c. mean=90, variance=9.
    d. mean=90, variance=20.

8. The cutoff Z score (using the .05 level) is

    a. ±1.64.
    b. +1.96.
    c. -1.64.
    d. -2.33.

9. If the sample mean's score on the comparison distribution is more extreme than the cutoff, what should the researcher conclude?

    a. Upper class people are more motivated.
    b. Upper class people are less motivated.
    c. Upper class people are neither more nor less motivated, but have approximately the same level of motivation.
    d. The results are inconclusive.

10. If you use the .01 significance level instead of the .05 significance level, you increase the chance of

    a. incorrectly supporting the research hypothesis.
    b. incorrectly rejecting the null hypothesis.
    c. a Type II error.
    d. a Type I error.

Fill-In Questions

1. When a study is being conducted in which a group of people are studied to see if they represent a group that is different from the general population, the comparison distribution is a(n) _____ .

2. The three characteristics of a comparison distribution are its mean, variance (or standard deviation), and _____.

3-4. $\mu = 40.8$, $\sigma = 8$, and there are 16 people in the sample being studied, which has a mean of 44.9.

3. $\mu_M =$ _____.

4. $\sigma_M =$ _____.

5. In a different study, $\mu_M = 107$, $\sigma_M = 3$. If a group of 40 people studied has a mean of 101, what is their Z score on the comparison distribution? _____.

6. If a distribution of means comes from a nonnormal population, its distribution is nevertheless considered normal for all practical purposes as long as the sample size is at least _____.

7. The standard error of the mean is the same as _____.

8. If the outcome of carrying out a hypothesis testing procedure is to reject the null hypothesis, this can be either a correct decision or a Type _____ error.

9. A(n) _____ is a standardized figure (such as the mean or standard deviation) for the general population based on testing large numbers of people on some particular test.

10. It is rare that psychologists actually carry out hypothesis testing procedures involving a single sample and a population whose mean and variance is known (the kind of hypothesis tests we are considering in this chapter). But when they do carry out such a procedure and report the result in a research article, it is called a(n) _____.

Problems and Essays

1. A psychologist interested in the effects of music administers a measure of logical reasoning ability to 5 subjects (randomly selected from the general population of adults) while they are listening to soothing music. Their scores on the test were 68, 39, 55, 73, and 80. Previous research using this test indicates that in the general population the distribution is normal, with $\mu = 48$ and $\sigma = 12$.

   (a) Do people do better when listening to soothing music (use the .01 level).
   (b) Explain what you have done and your conclusions to a person who has never had a course in statistics.

2. A learning psychologist was interested in whether providing a stationary pattern of small lights on the ceiling and walls of a darkened laboratory would decrease the time it took for rats to learn a maze. (She was wondering if the rats would be able to use the stationary cues to aid in their navigation.) From her previous research she knew that on the average it took a rat 38 trials, with a standard deviation of 6, to learn a particular maze, and that the distribution is normal. She then tested a group of 10 rats in the changed laboratory and found their average number of trials to learn the maze was 36.

   (a) Was this difference significant at the .05 level?

   (b) Explain what you have done and your conclusions to a person who has never had a course in statistics.

3. For each of the following hypothetical studies, explain what a Type I and Type II error would be, and what each would mean.

   (a) A study comparing the mean test score for a class using a new learning technique (expected to improve test scores) with the average score on the same test.

   (b) A study testing whether chimpanzees injected with a new drug learn to use symbolic communication faster than the normal chimp.

4. A school psychologist was wondering how the preschoolers at the school where he worked compared to other preschoolers who have taken a standardized problem-solving test. He therefore administered the test to all the preschool children and found that their average was significantly higher than the mean for the general population (the Z score +1.97) at the .05 level. How would the psychologist interpret these findings and report them to a group of people unfamiliar with statistics?

Note. There is no section on using SPSS or MYSTAT with this chapter because none of the procedures covered are easily implemented using standard computerized statistical packages. (The material in this chapter is mainly preparation for carrying out procedures that are widely used, however, and for which the computer can be very helpful.)

Chapter 8
Statistical Power and Effect Size

Learning Objectives

To understand, including being able to carry out any necessary procedures or computations:

- What is statistical power.
- Alpha, beta, power, and possible correct and erroneous outcomes of hypothesis testing.
- Calculating power for a study with a single sample and a known population.
- Power tables.
- The influences on power.
- The relation to power of effect size and each of its components (difference between means and population standard deviation).
- How to determine the predicted mean of a population exposed to the experimental manipulation.
- The computation of effect size and its uses.
- Effect size conventions.
- Relation of sample size to power.
- Relation of significance level to power.
- Relation of using one- versus two-tailed tests to power.
- Role of power when designing a study.
- Ways to increase the power of a planned study (and the advantages and disadvantages of each).
- Role of power in evaluating results of a study (for both when a study is and is not significant).
- Issues regarding the possibility of "proving" the null hypothesis.
- Issues regarding the comparative advantage of emphasizing effect size versus statistical significance in interpreting the result of a completed study.
- Meta-analysis and its advantages and disadvantages over narrative reviews of the literature.
- How power and effect size are discussed in research articles.

Chapter Outline

I. **What Is Statistical Power?**
   A. The probability that a study will yield significant results if the research hypothesis is true.
   B. In contrast, if the research hypothesis is not true, one would not want to get significant results (that would be a Type I error).

C. Also in contrast, even if the research hypothesis is true, the study may not necessarily give significant results—the particular sample that happens to be selected from the population studied may not turn out to be extreme enough to provide a clear case for rejecting the null hypothesis (this would be a Type II error).

D. Alpha, beta, and power.
   1. Alpha (α) is the probability of a Type I error (it is the same as the significance level, usually .01 or .05).
   2. Beta (ß) is the probability of a Type II error.
   3. Power is the probability of *not* making a Type II error—thus power = 1 - ß.

E. Review of possible correct and erroneous decisions in hypothesis testing.
   1. The research hypothesis is actually true and the hypothesis-testing procedure results in rejecting the null hypothesis (a correct decision). Probability of this outcome = power. $(1-\beta)$
   2. The research hypothesis is actually false and the hypothesis-testing procedure results in rejecting the null hypothesis (a Type I error). Probability of this outcome = α.
   3. The research hypothesis is actually true and the hypothesis-testing procedure results in failing to reject the null hypothesis (a Type II error). Probability of this outcome = ß.
   4. The research hypothesis is actually false and the hypothesis-testing procedure results in failing to reject the null hypothesis (a correct decision). Probability of this outcome = 1 - α.

II. Calculating Statistical Power

A. The procedures considered below are for studies involving the mean of an actual sample compared to a known population, and where the distributions of means can be assumed to be normal and to come from populations with the same standard deviation.

B. Logic of computing power.
   1. The cutoff on the comparison distribution (determined in the steps of hypothesis testing) is the score or point at which, if a mean of the actual sample were greater than it, this would be grounds for rejecting the null hypothesis.
   2. This cutoff is usually stated as a Z score.
   3. But one can determine the raw-score equivalent to this Z score—that is, the raw score at which, if a mean of the actual sample were greater than it, this would be grounds for rejecting the null hypothesis.
   4. Now consider the distribution of means predicted by the research hypothesis (this is something we have not considered before).
      a. It will have a different mean than the comparison distribution—for example, if a higher score is predicted by the research hypothesis, the mean of this distribution will be higher than that of the comparison distribution.
      b. To compute power one must make an explicit prediction of the mean of this distribution.

5. Power is the percentage of cases on the distribution of means based on the *research* hypothesis that fall above the raw-score cutoff value, which was originally computed using the comparison distribution (which is based, of course, on the null hypothesis). This same raw-score cutoff point is thus positioned in quite different places on the two distributions.
6. Note that the computation of power has nothing to do with the actual outcome of the experiment—in fact, it is ordinarily computed in advance of actually conducting the study to help determine whether the study has enough power to be conducted or whether the procedures of the proposed study should first be adjusted in some way to make it more powerful.

C. Systematic steps of computing power.
   1. Gather the needed information.
      a. The mean (μ_M) and standard deviation (σ_M) of the comparison distribution.
      b. The predicted mean of the population that receives the experimental intervention (how to do this is discussed later in the chapter).
   2. In the usual way, find the cutoff (which is always found in tables and is in Z-score terms) needed on the comparison distribution in order to reject the null hypothesis. This is the same as you do in the first three steps of hypothesis testing.
   3. Convert this Z score to a raw score using the mean and standard deviation (still of the comparison distribution): raw cutoff = $(Z)(\sigma_M) + (\mu_M)$.
   4. Determine the Z score corresponding to this raw-score cutoff on the distribution of means for the population that receives the experimental manipulation. That is, Z = (raw cutoff - mean of predicted distribution) / σ_M.
   5. Using the normal curve table, determine the probability of getting a score more extreme than this new Z score; this is power.
   6. Beta is the remaining probability (1 - power).

D. Power tables.
   1. The procedures required for more complicated hypothesis-testing situations (the situations covered in the remainder of this text) follow the same logic but involve considerable additional work to carry out by hand—nor is it usually feasible to do it by computer.
   2. However, statisticians have prepared power tables that much simplify the process.
   3. The fundamental logic on which these tables are based is exactly what you have learned here, and using the tables requires exactly the same information that is needed to compute power directly.
   4. In later chapters of this text, whenever you learn a new hypothesis-testing procedure, you will also be furnished with power tables (and instructions how to use them). (An index of these tables is provided in Appendix B of the text.)

III. Influences on Power
    A. Primary influences.
        1. Effect size, which has two elements.
          a. One element is the magnitude of the difference between the comparison and the predicted means. *(or variance)*
          b. The other element is the standard deviation of the populations of individual cases.
        2. Sample size.
    B. Secondary influences.
        1. Level of statistical significance (α).
        2. Two-tailed versus one-tailed tests.
        3. Type of hypothesis-testing procedure used.

IV. Effect Size
    A. It can be thought of as the amount the two population distributions do not overlap.
    B. The larger the effect size, the greater the power.
    C. The larger the difference between the two means (and thus the more offset the two distributions are from each other, minimizing their overlap), the greater the effect size.
    D. How to determine the predicted mean of the distribution based on the research hypothesis.
        1. Estimate it from previous similar research.
        2. Calculate it from a precise theory.
        3. Determine the smallest difference that would be practically or theoretically interesting (method of the minimum meaningful difference).
    E. The smaller the population standard deviation (and thus the less overlap because each distribution is narrower), the greater the effect size.
    F. One measure of effect size (d) is the difference between the two means divided by the population standard deviation: $d = (\mu_1 - \mu_2) / \sigma$.

G. The general importance of effect size.
   1. Note that the computation of effect size does not use the standard deviation of the distribution of means (σ_M), but of the original population of individual cases (σ).
   2. Dividing the mean difference by the standard deviation of the population of individual cases standardizes the difference in the same way that a Z score gives us a standard metric for comparison to other scores, even other scores on different scales.
   3. Because it provides a standard metric for comparison, especially by using the standard deviation of the population of individual cases, we bypass the dissimilarity from study to study of different sample sizes, making comparison even easier and effect size even more of a standard metric.
   4. Thus, knowing the effect size of a study permits us to compare results with effect sizes found in other studies, even other studies using different sample sizes.
   5. Equally important, knowing effect size can permit us to compare studies using different measures which may have scales with quite different means and variances.
   6. Even within a particular study, we can apply our general knowledge of what is a small or large effect size.
H. Effect size conventions: Developed by Cohen, based on what is typically found in psychology research.
   1. Small effect size.
      a. About 85% overlap of the two populations.
      b. $d = .2$: That is, the predicted mean is about two-tenths of a standard deviation higher than the mean of the known population.
      c. An example is the difference in height between 15- and 16-year-old girls.
   2. Medium effect size.
      a. About 67% overlap of the two populations.
      b. $d = .5$: That is, the predicted mean is about half a standard deviation higher than the mean of the known population.
      c. An example is the difference in height between 14- and 18-year-old girls.
   3. Large effect size.
      a. About 53% overlap of the two populations.
      b. $d = .8$: That is, the predicted mean is about eight-tenths of a standard deviation higher than the mean of the known population.
      c. An example is the difference in height between 13- and 18-year-old girls.
I. If you know the effect size (for example, based on Cohen's conventions) and the population standard deviation, it is possible to compute the expected mean difference by solving the effect size formula for ($\mu_1 - \mu_2$).

V. Sample Size

A. The larger the sample size, the greater the power.

B. This is because the variance of the distribution of means is based on the population variance divided by the sample size–the larger the sample size, the smaller the variance, and the smaller the variance, the less overlap of the distributions of means.

C. Determining needed number of subjects to attain a given level of power.

  1. One reason the influence of sample size on power is so very important is that the number of subjects is something the researcher can often control prior to the experiment.
  2. The number of subjects needed for a given level of power can be found by turning the steps of computing power on their head.
     a. Begin with a desired level of power (often 80% is used).
     b. Then calculate how many subjects are needed to get that level of power.
  3. In practice researchers use special tables for this purpose (subsequent chapters of the text provide such tables for each new hypothesis testing procedure).

VI. Other Influences on Power

A. Significance level (α).

  1. The less stringent the significance level (for example, .05 versus .01), the more power.
  2. This is because the cutoff for a less stringent significance level will not be as extreme.

B. Two-tailed versus one-tailed tests.

  1. One-tailed tests have more power (for results in the predicted direction).
  2. This is because the cutoff in the predicted direction is less extreme (since all the α percentage is at that end, instead of being divided in half).

C. Type of hypothesis-testing procedure.

  1. Sometimes a researcher has a choice of more than one statistical procedure to apply to a given set of results, and each has its own power.
  2. Sometimes there may be more than one type of research design available, such as between-subjects versus within-subjects (see Appendix A), and each of these also has its own effect on power.

VII. Role of Power When Designing a Study

A. If a researcher checks and finds that the power of a planned experiment is low, it is clear that even if the research hypothesis is true that this study is not likely to yield significant results in support of that research hypothesis. Thus the researcher must seek practical ways to modify the study to increase the power to an acceptable level.

B. What is an acceptable level of power?
   1. 80% is a widely used convention.
   2. If a study is very difficult or costly to conduct, a researcher might want even higher levels (such as 90% or even 95%) before undertaking the project.
   3. If a study is very easy and inexpensive to conduct, a researcher might be willing to take a chance with a somewhat lower level of power (such as 60% or 70%).
   4. The acceptable level of power also depends on how difficult and costly it is to increase power.

VIII. How to Increase the Power of a Planned Study
   A. Increasing expected difference between population means.
      1. If the original prediction is the most accurate available, arbitrarily changing it would undermine the accuracy of the power calculation.
      2. However, it is sometimes possible to change the way the experiment is being conducted (for example, by increasing the intensity of the experimental manipulation) so that the researcher would have reason to expect a larger mean difference.
      3. Disadvantages of this approach.
         a. Can be difficult or costly to implement.
         b. Can create circumstances implementing the experimental treatment that are unrepresentative of those to which the results are intended to be generalized.
   B. Decreasing the population standard deviation.
      1. Conduct the study using a population that is less diverse than the one originally planned–however, this limits the scope of the population to which the results can be generalized.
      2. Use conditions of testing that are more constant (such as controlled laboratory conditions) and measures that are more precise–this is a highly recommended approach.
   C. Increasing sample size.
      1. The most commonly used, straightforward way to increase power.
      2. In some cases, however, there may be limits to the number of subjects available or great costs in recruiting or testing additional numbers.
   D. Using a less stringent significance level–however, this increases the risk of a Type I error, and thus should be used cautiously.
   E. Using a one-tailed test–however, one runs the various risks discussed in Chapter 6 with one-tailed tests, most notably the possibility of having to deal with opposite-to-predicted results.
   F. Using a more sensitive hypothesis-testing procedure–when choices are available (and there are no offsetting disadvantages), one should always use the procedure that gives greatest power.

IX. Role of Power in Evaluating Results of a Study

A. When a result is significant.

1. Statistical significance is a necessary prerequisite to considering a result as either theoretically or practically important.
2. For a result to be practically important, however, in addition to statistical significance, it should be of a reasonable effect size.
3. It is easy for a study with a very small effect size, having little practical importance, to still come out significant–if the study has reasonable power due to other factors, especially a large sample size.
4. But if the sample was small, you can assume a significant result is probably also practically important.
5. When comparing two studies, the effect sizes and not the significance levels obtained should be compared (since the significance levels could be due to different sample sizes and not to different underlying effects in the populations).

B. When a result is not significant.

1. If the power of the study was low.
   a. Failing to get a significant result is especially inconclusive.
   b. The nonsignificant outcome could be because the research hypothesis was false, or it could be because the research hypothesis was true but the study had too little power to come out significant.
2. If the power of the study was high.
   a. Failing to get a significant result suggests more strongly that the research hypothesis (as specified with a specific mean difference) is false.
   b. This does not mean that all versions of the research hypothesis are false (it is possible that the experimental manipulation does make a difference, but a much smaller one than was hypothesized when computing power).

X. Controversies and Limitations

A. Can you "prove" the null hypothesis?

1. The traditional principle is that when the results are not strong enough to reject the null hypothesis, the implication is that the results are inconclusive–not that the null hypothesis is true.
2. This is because, no matter how much power an experiment has, it is always possible that there is a real effect.
3. Thus, in general, it is best to avoid conducting studies in which your prediction is that the populations do not differ.

4. However, you can use statistical results to provide a convincing case that whatever difference exists must be very, very small.
  a. Specify a specific small amount of difference.
  b. Use that small difference as the predicted effect size.
  c. Conduct a study that has very high power in spite of that small effect size.
  d. If the study fails to achieve significance even with this amount of power, then you have what amounts to a significance at the level of 1 minus your power that if there is any difference in the populations, it is less than the small difference you initially specified.
5. This procedure is rarely practical because of the very large number of subjects needed for a high power experiment with a small effect size.

B. Effect size versus statistical significance.
  1. Some psychologists argue that significance tests are misleading for several reasons.
    a. They are highly influenced by sample size, so that a large sample can produce significance with an unimportant underlying effect and a small sample can fail to give significance even with a large underlying effect.
    b. They give an all-or-none outcome based on an arbitrary α.
  2. These opponents to current procedure instead offer several reasons for emphasizing effect size.
    a. It has neither of the above disadvantages.
    b. It directly indicates the importance of the underlying effect.
    c. It permits direct comparison among (and the accumulation of results across) studies.
  3. However, there are also counter arguments in favor of significance tests.
    a. If a result is not significant, it should not be taken seriously regardless of its effect size, since we are not sure the effect did not just arise by chance.
    b. There are times when even a very small effect size is important.
    c. In theoretically-oriented research, usually what matters most is our confidence in the pattern of results being consistent with a theory and not the effect size of those results (which may depend largely on the details of the set up of the experiment).
  4. In general, psychologists in applied areas should and usually do give more emphasis to effect size (but still use significance tests as well), while psychologists in more theoretical areas tend to rely mainly on significance, though occasionally making use of effect size to compare results across studies.

C. Meta-analysis is a statistical method for combining the results of independent studies.
  1. It is used primarily in articles which review the experiments conducted in a particular area of research.
  2. A meta-analytic review of the literature involves two steps.
    a. One first locates all the studies conducted on a given topic.
    b. One then statistically combines the results (usually using effect sizes) of these studies.

3. Reviews of the research literature using meta-analysis are an alternative to the traditional "narrative" literature-review article that describes and evaluates each study and then attempts to draw some overall conclusion.
4. The number of articles using meta-analysis has increased dramatically in recent years.
5. They are most common in the more applied areas of psychology.
6. Proponents argue that meta-analysis is a substantial improvement over the traditional approach to reviewing literature for three main reasons.
   a. It is more objective.
   b. It demands greater rigor of the reviewer.
   c. It gives precise information never before available (such as average effect size over many studies or differences in effect size for studies using different methods or populations).
7. Proponents of narrative reviews complain that meta-analysis is too mechanical.
   a. It tends to give equal weight to well-done and poorly done studies.
   b. It is highly dependent on what studies the researcher was able to locate (this is especially problematic since studies that do not show significant effects are rarely published, biasing the available studies towards those with significant effects).
8. Proponents of meta-analysis offer counterarguments.
   a. In meta-analysis, there are statistical techniques for taking into account the reviewers' evaluation of how well a study was conducted, and these techniques are superior to the subjective, impressionistic method of the usual literature review.
   b. Narrative reviews are also likely to be overinfluenced by those studies that are available.
9. Currently, both types of reviews continue to be published in major psychology journals, but meta-analysis seems to be on the upswing.

XI. Power and Effect Size as Discussed in Research Articles

A. Power is not often mentioned directly in research articles (its greater role is in the planning of research and in interpreting research results).
B. Power is occasionally mentioned in the context of justifying the number of subjects used in a study.
C. Authors are also likely to mention effect size when comparing results of studies or parts of studies (or in meta-analysis articles).

Formula

Effect size (*d*)

Formula in words: The difference between the hypothesized and known population means, divided by the population standard deviation.

Formula in symbols: $d = \mu_1 - \mu_2 / \sigma$ (8-1)

μ_1 is the mean of Population 1 (the hypothesized mean for the population that is exposed to the experimental manipulation).

μ_2 is the mean of Population 2 (which is also the mean of the comparison distribution).

σ is the standard deviation of Population 2 (and assumed to be the standard deviation of both populations).

How to Compute Power for a Study Involving a Single Sample of More than One Subject and a Known Population

I. Gather the needed information.

A. The mean (μ_M, same as μ_2) and standard deviation (σ_M) of the comparison distribution (these can be computed from μ_2 and σ or σ^2, which are usually given as part of the problem).

B. The predicted mean of the population that receives the experimental intervention can be determined in one of several ways:

    1. It may be given in the problem.

    2. One can determine the minimum meaningful difference.

    3. One can use theory or previous research.

    4. One can use the effect size conventions.

        a. Determine whether effect size is small (.2), medium (.5), or large (.8).

        b. Substitute this effect size (.2, .5, or .8), the mean of the known population (μ_2), and the standard deviation of the known population (σ) into the formula for effect size–$d = (\mu_1 - \mu_2)/\sigma$–and solve for μ_1.

C. Draw a picture of the two distributions of means, one above the other, with the means of each at the appropriate places.

II. Determine the cutoff point, in raw-score terms, needed on the comparison distribution in order to reject the null hypothesis.

A. Find the cutoff in Z-score terms (that is, carry out Steps 1 to 3 of the usual hypothesis-testing procedure).

1. Identify the characteristics of the comparison distribution.

a. Its mean is the same as the mean of the population of individual cases from which the samples are taken: $\mu_M = \mu_2$.

b. Its standard deviation is the square root of the result of dividing the variance of the distribution of the population of individual cases by the number of cases in the samples being selected: $\sigma_M = \sqrt{(\sigma^2/N)}$. ($N$ is the number of cases in each sample.)

c. Its shape must be normal or approximately normal (which will be the case if either the population is normal or the sample size is greater than 30), or this problem can't be done.

2. Decide on the significance level (1% or 5%).

3. Decide about whether this is a one-tailed or two-tailed test.

4. Determine the percentage of cases between the mean and where the appropriate percentage begins on the normal curve.

a. If a one-tailed test, this is 50% minus the significance level.

b. If a two-tailed test, this is 50% minus 1/2 the significance level.

5. Look up the Z corresponding to this percentage in the *% Mean to Z* column in the normal table–this is the cutoff Z.

B. Convert this to a raw score (or to two raw-scores if a two-tailed test is used) using the mean and standard deviation of this distribution: raw cutoff = $(Z)(\sigma_M) + (\mu_M)$.

C. Draw in the raw cutoff on Population 2's distribution of means–label the area more extreme than it as alpha (α).

III. Determine the Z score corresponding to this raw-score cutoff on the distribution of means for the population that receives the experimental manipulation.

A. $Z = $ (raw cutoff - mean of predicted distribution) $/ \sigma_M$.

B. If a two-tailed test, be sure to do this for both cutoffs.

C. Draw in the cutoff on Population 1's distribution of means; label the area beyond it in the predicted direction as power.

IV. Using the normal curve table, determine the probability of getting a score more extreme than that Z score.

Outline for Writing Essays for Computing Power for Studies Involving a Single Sample of more than One Subject and a Known Population

The reason for your writing essay questions in the practice problems and tests is that this task develops and then demonstrates what matters so very much–your comprehension of the logic behind the computations. (It is also a place where those better at words than numbers can shine, and for those better at numbers to develop their skills at explaining in words.)

Thus, to do well, be sure to do the following in each essay: (a) give the reasoning behind each step; (b) relate each step to the specifics of the content of the particular study you are analyzing; (c) state the various formulas in nontechnical language, because as you define each term you show you understand it (although once you have defined it in nontechnical language, you can use it from then on in the essay); (d) look back and be absolutely certain that you made it clear just *why* that formula or procedure was applied and *why* it is the way it is.

The outlines below are *examples* of ways to structure your essays. There are other completely correct ways to go about it. And this is an *outline* for an answer–you are to write the answer out in paragraph form. Examples of full essays are in the answers to Set I Practice Problems in the back of the text.

These essays are necessarily very long for you to write (and for others to grade). But this is the very best way to be sure you understand everything thoroughly. One shortcut you may see on a test is that you may be asked to write your answer for someone who understands statistics up to the point of the new material you are studying. You can choose to take the same shortcut in these practice problems (maybe writing for someone who understands right up to whatever point you yourself start being just a little unclear). But every time you write for a person who has never had statistics at all, you review the logic behind the entire course. You engrain it in your mind. Over and over. The time is never wasted. It is an excellent way to study.

I. **Explain the logic of hypothesis testing and associated terminology (as per the outline for essays in Chapter 7 of this *Study Guide*), focusing on the particular study you are working on.**

II. **Explain the concept of power–the probability of getting significant results if the research hypothesis is true.**

III. Computation of power.

A. State the Z score cutoff on the comparison distribution (determined in the steps of hypothesis testing, as you have explained in describing those steps), being sure to explain how it was arrived at.

B. Convert the cutoff Z to a raw score and draw a picture of the distribution showing the raw-score cutoff and the area beyond it (shading this area and labeling it "area in which the result would be significant").

C. Explain the idea of a distribution of means predicted by the research hypothesis (that is, the distribution expected for the group exposed to the experimental manipulation).

    1. Note that it will have a different mean than the comparison distribution and state what your prediction is.

    2. Describe your basis for predicting that mean.

      a. Given in the problem.

      b. Based on theory or previous research.

      c. Based on minimum meaningful effect size.

    3. Note that we assume it will have the same standard deviation and will also be a normal curve.

    4. Draw a diagram of the predicted distribution, drawing it above the comparison distribution, with the scale of numbers matching and in the same location across the page as that of the distribution of means below (forcing the center of the curve you draw above to be offset).

D. Mark the raw-score cutoff on the distribution of means for the population exposed to the experimental manipulation.

E. Power is the area more extreme in the predicted direction than this cutoff. (Shade this area in the upper curve, and label it power.)

F. Since this upper distribution is a normal curve, and the proportion of cases above any point on a normal curve is known and available on a table, this proportion can be computed.

    1. Find the Z-score equivalent to the raw-score cutoff using the mean and standard deviation for the distribution of means based on the research hypothesis. (This is necessary since the normal curve table uses Z scores.)

    2. Using the normal curve table, find the percentage of cases more extreme than this Z score.

    3. State your percentage and mark it on the graph.

IV. Indicate whether this level of power would be sufficient to conduct the study or whether modifications should be made to increase power. (Use 80% as a benchmark.)

Chapter Self-Tests

Multiple-Choice Questions

1. Statistical power can be defined as

   a. the effect that the result of the study will have on the area of applied psychology.
   b. the probability of rejecting the null hypothesis if in fact the null hypothesis is true.
   c. having a large enough effect size in order to always get a significant result.
   d. the probability that the study will yield a significant result if the research hypothesis is true.

2. You can calculate power by

   a. comparing the population distribution to a distribution made up of samples drawn from the rejection region in the predicted direction.
   b. determining the probability of a Type I error and subtracting it from 1.
   c. creating a hypothetical comparison distribution which would be false if the null hypothesis were true and plotting the sample mean on this distribution.
   d. calculating the area of the distribution expected under the research hypothesis that corresponds to the rejection region on the distribution expected under the null hypothesis.

3. In real-life research today, when psychology researchers determine power they usually use

   a. a standard computer program.
   b. a computational formula.
   c. a power table.
   d. the computational procedure described in this chapter.

4. If in a planned experiment the population distribution expected under the research hypothesis and the known population have almost no overlap at all, the planned experiment has

   a. a large effect size.
   b. a moderate effect size.
   c. a small effect size.
   d. no statistical importance.

5. How does the number of subjects affect power?

   a. By allowing the experimenter to remove results that are not extreme and so to significantly decrease variance.
   b. By reducing the amount of variance in each of the distributions of means, and thereby further separating these two distributions.
   c. By adding the effect of extreme scores to the population variance.
   d. By limiting the difference between the sample and population means.

6. When the standard deviation of the population of individual cases is low, this makes power
   a. low.
   b. high.
   c. irrelevant–the chances of getting a significant result are almost nil.
   d. none of the above–the standard deviation of the population of individual cases has nothing to do with power.

7. Two similar studies each investigated the effectiveness of a different job training program. If you wanted to compare the effectiveness of the two programs based on the results of these studies, it would be best to compare their
   a. power.
   b. effect size.
   c. significance levels.
   d. Z scores on the comparison distribution.

8. What effect does using a .05 level of significance instead of a .01 level have on power?
   a. It increases power.
   b. It decreases power.
   c. It has no effect on power.
   d. It increases power if a one-tailed test is used but has no effect on power if a two-tailed test is used.

9. Consider the relationship of power to a nonsignificant result. If the power of the experiment was high,
   a. a nonsignificant result does not give us any indication regarding the research hypothesis.
   b. the researcher has probably spent a great deal of effort in altering the effect size.
   c. it is likely that there is only a small effect size, if any.
   d. it is likely that there was an error in calculating power.

10. Research designed to test an abstract theory is MORE likely than applied research to rely exclusively on
   a. effect size.
   b. statistical significance.
   c. the minimum meaningful difference.
   d. Cohen's kappa for estimating effect size.

Fill-In Questions

1. _____ is the probability of rejecting the null hypothesis when in fact it is true.

2. _____ is the probability of failing to reject the null hypothesis when in fact it is false.

3. In a particular planned study, the cutoff Z score for significance has a raw score of 16 on the comparison distribution (that is, scores of 16 or higher would be sufficient to reject the null hypothesis). The distribution of means for Population 1 is predicted by the researcher to have a mean of 19 and a standard deviation of 3. What is the power of this study? (Use the normal curve approximation rules.) _____

4. In another planned study, the cutoff Z score for significance has a raw score of 138 on the comparison distribution. The distribution of means for Population 1 is predicted by the researcher to have a mean of 152 and a standard deviation of 7. What is the power of this study? (Use the normal curve approximation rules.) _____

5. To determine the power of a planned study of a new procedure for increasing typing speed, a researcher uses the _____, figuring that unless the procedure being studied increases average typing speed by at least 10 words per minute, it is not worth using.

6. d is a symbol for _____.

7. If the predicted mean of the known population is 9, the hypothesized mean for the population exposed to the experimental manipulation is 15, and the standard deviation of the population of individual cases is 12, according to Cohen's conventions, this is a _____ effect size.

8. Using more accurate measurement in a study increases power by its direct effect in reducing _____.

9. Increasing the number of subjects in a study increases power by reducing _____.

10. _____ is a procedure used to combine results of studies reported in many separate research studies.

Problems and Essays

1. A consumer psychologist is planning a study of children's buying habits of candy. At a particular summer camp where this psychologist has previously done research, it is known that the amount spent on candy at the camp store by the children during a one-week period is roughly normally distributed with a mean of $3.80 and a standard deviation of $1.50. (The camp store is the only source of candy anywhere near the camp and records of all purchases are automatically kept because children have an account at the store that they use rather than actually carrying money.) In this study 25 randomly selected children at the camp will be given a special lecture on the effects of candy on teeth and general health. Then how much candy they buy at the camp store during the following week will be analyzed from the store records. The researchers are realistic and expect that such a lecture will have, at best, only a modest effect. But unless the effect is at least an average reduction of $.25, such lectures would be considered ineffective.

(a) Assuming the researcher will use the .05 significance level, what is the power of this study?

(b) Explain your answer to a person who has never had a course in statistics.

(c) What is the predicted effect size?

(d) Describe four things the researchers could do to try to increase the power of the study and say why each might work.

2. A psychologist is interested in whether memory is affected by sadness. On the particular memory task the researcher is planning to use, it is known that scores of college students are approximately normally distributed with a mean of 68 and a standard deviation of 12. In this study the researcher plans to test a group of 30 students after they have just viewed a very sad movie. Based on a theory that people will concentrate on the memory task in order not to think about the sad movie, the researcher predicts that this group will score about 6 points higher than the usual subjects (that is, that they will score about 74 on the average).

(a) Assuming the researcher will use the .01 significance level, what is the power of this study?

(b) Explain your answer to a person who has never had a course in statistics.

(c) What is the predicted effect size?

(d) Describe four things the researchers could do to try to increase the power of the study and say why each might work.

3. A study is reported in which baseball players are compared to the general public on how much they like chewing gum. The result was that the null hypothesis was not rejected; no significant difference was found. In this study 500 baseball players were tested, and in general the power was very high. What should you conclude from all this about whether baseball players like chewing gum more than people in general? Why?

4. A study reports that a particular kind of training workshop reduces burnout among school counselors. This was a large study, involving thousands of school counselors, and the study employed very accurate measures and generally had very high power. The result was that the null hypothesis was rejected at the .05 level of significance (one-tailed). What should you conclude from all this about the impact of the workshop? Why?

Note. There is no section on using SPSS or MYSTAT with this chapter because in general computers are not used in the computation of power. Instead power is ascertained from tables (which will be provided in the text for the procedures covered in Chapters 9 through 14).

Chapter 9
The *t* Test for Dependent Means

Learning Objectives

To understand, including being able to carry out any necessary procedures or computations:

- Estimated population variance based on scores in the sample.
- Purpose of the *t* distribution and how it is different from a normal curve.
- The *t* table.
- The *t* test for a single sample and a known population mean.
- The *t* test for dependent means.
- The normal-population-distribution assumption for the *t* test for dependent means and the conditions in which it is safe and not safe to violate it.
- Effect size for a study using a *t* test for dependent means, including whether it is a small, medium, or large effect, based on Cohen's conventions.
- Power table for the *t* test for dependent means.
- Number-of-subjects table for the *t* test for dependent means.
- *t* tests for dependent means as reported in psychology research articles.
- Limitations of a pretest-posttest design.

Chapter Outline

I. The *t* Test for a Single Sample

A. Hypothesis testing with a single sample and a population for which the mean is known but not the variance works the same way as you learned in Chapter 7, except that you estimate the population variance (for Step 2) and you use a different table to determine the cutoff point (Step 3).

B. Estimating population variance from the sample information.

    1. Since a sample represents its population, its variance is representative of the population's variance.

    2. However, the variance of a random sample, on the average, will be slightly smaller than the variance of the population from which that sample is taken. (That is, the sample's variance is a *biased* estimator of the population's variance.)

    3. To compute an *unbiased* estimate of the population variance, divide the sum of squared deviations in the sample by the number of scores in the sample minus one.

    4. The formula is $S^2 = \Sigma(X-M)^2/(N-1) = SS/(N-1)$.

    5. The number you divide by in computing the estimated population variance (N-1) is the degrees of freedom. Thus $S^2 = SS/df$.

    6. Once you know S^2, you compute the standard deviation of the comparison distribution in the usual way, except for using S^2 instead of σ^2. That is $S_M^2 = S^2/N$; $S_M = \sqrt{S_M^2}$.

C. Shape of the comparison distribution when using an estimated population variance: The *t* distribution.

    1. When carrying out the hypothesis testing process using an estimated population variance, here is less true information and more room for error.

    2. Thus, extreme scores are more likely to occur in the distribution of means than would be found in a normal curve. (And the smaller the N, the more likely.)

    3. The appropriate comparison distribution follows instead a mathematically defined curve called a *t* distribution.

    4. *t* distributions differ according to the degrees of freedom when figuring S^2.

    5. The more degrees of freedom on which the *t* distribution is based, the closer it is to a normal curve.

D. Determining the cutoff sample score for rejecting the null hypothesis: Using the *t* table.

    1. Appendix B of this book (and most statistics books) gives a simplified table of *t* distributions which includes only the crucial cutoff scores.

    2. To use the *t* table you need to know the degrees of freedom, the significance level, and whether it is a one- or two-tailed test.

E. Determining the Score of Your Sample Mean on the Comparison Distribution: The *t* Score.

    1. Step 4 of the hypothesis testing process, determining the score of your sample's mean on the comparison distribution, is done exactly the same way with a *t* test.

    2. However, the resulting score is called a *t* score instead of a Z score.

    3. Thus, $t = (M - \mu)/S_M$.

II. The *t* Test for Dependent Means

A. A more common situation for a *t* test involves studies in which there are two scores for each of several subjects--often a before and after score or when each subject is tested under two different circumstances.

 1. These are called repeated-measures or within-subjects designs.
 2. The hypothesis testing procedure is called a *t* test for dependent means.

B. A *t* test for dependent means is conducted in exactly the same way as the *t* test for a single sample (above), except you use difference scores and you assume the population mean (of difference scores) is zero.

C. Difference scores:

 1. A difference score is computed by subtracting, for each subject, one score from the other (for example, the before score from the after score).
 2. Using difference score converts two sets of scores into one.
 3. Once the difference score has been computed for each subject, the entire hypothesis testing procedure is carried out using difference scores.

D. The population of difference scores (Population 2, the one to which the population represented by your sample will be compared) is ordinarily assumed to have a mean of zero. (This makes sense because we are comparing our sample's population to one in which there is, on the average, no difference.)

III. Assumptions of the *t* Test

A. The comparison distribution will be a *t* distribution only if the population of individual cases (or difference scores, if conducting a *t* test for dependent means) from which we drew our sample follows a normal curve.

B. Otherwise the appropriate comparison distribution will follow some unknown, other shape.

C. Thus, a normal population distribution is an *assumption* of the *t* test.

D. Unfortunately, it is rarely possible to tell whether the population is normal based on the information in your sample.

E. Fortunately, results are reasonably accurate when the population distribution is fairly far from normal. (The *t* test is said to be *robust* over moderate violations of the assumption of a normal population distribution.)

F. Thus, psychologists use the *t* test so long as neither of the following is the case:

 1. There is reason to expect a very large discrepancy from normal.
 2. The population is highly skewed and a one-tailed test is being used.

IV. Effect Size and Power for the *t* Test for Dependent Means
A. Effect size:
1. Effect size for the *t* test for dependent means is computed in the same way as we did in Chapter 8: $t = (\mu_1 - \mu_2)/\sigma$.
2. Since the mean of Population 2 is ordinarily assumed to be zero and the standard deviation (σ) is of the populations of difference scores, the formula reduces to $t = \mu_1/\sigma$, with both terms relating to difference scores.
3. Note: To compute effect size you divide by σ (or its estimate S), and not by σ_M (or S_M).
4. Cohen's rules of thumb for effect sizes are the same as for the situation in Chapter 8: A small effect size is .20, a medium effect size is .50, and a large effect size is .80.

B. Power:
1. The text provides a table (Table 9.8) that gives the approximate power for the .05 significance level for small, medium, and large effect sizes and one- or two-tailed tests.
2. This power table is especially useful when interpreting the practical importance of a nonsignificant result in a published study.

C. Planning sample size: The text provides a table (Table 9.9) that gives the approximate number of subjects needed to achieve 80% power for estimated small, medium, and large effect sizes using one- and two-tailed tests for the .05 significance levels. (Eighty percent is a common figure used by researchers for the minimum power needed to make it worth conducting a study.)

D. Studies using difference scores often have considerably larger effect sizes for a given amount of expected difference than other kinds of research designs.

V. Controversies and Limitations
A. The main controversies about the *t* test have to do with its relative advantages and disadvantages in comparison to various alternatives. These alternatives are discussed in Chapter 15.

B. Research designs in which the same subjects are tested before and after some experimental intervention, without any kind of control group that does not undergo the same procedure, is a weak research design. (Even if such a study produces a significant difference, it leaves many alternative explanations for why that difference occurred.

VI. How *t* Tests for Dependent Means Are Described in Research Articles
A. Research articles may describe *t* tests in the text following a standard format. For example: $t(24) = 2.8, p < .05$.

B. Alternatively, they may present the means of the different groups on a table, often using stars to indicate the level of significance for each comparison.

Formulas

I.   Unbiased estimate of the population variance (S^2) for a t test for a single sample or a t test for dependent means

Formula in words: Estimated population variance is the sum of deviations of the scores in the sample from the sample's mean, divided by the degrees of freedom (the number of cases in the sample minus one).

Formula in symbols: $S^2 = \Sigma(X-M)^2/(N-1) = SS/N-1 = SS/df$

$\Sigma(X-M)^2$ or SS is the sum of squared deviations from the mean of the sample.

N is the number of scores in the sample (or number of pairs of scores).

df is the degrees of freedom.

II.   Degrees of freedom (df) for a t test for a single sample or a t test for dependent means

Formula in words: Degrees of freedom are the number of difference scores minus one.

Formula in symbols: $df=N-1$

III.   Estimated population standard deviation (S)

Formula in words: Estimated population standard deviation is the square root of the estimated population variance.

Formula in symbols: $S = \sqrt{S^2}$

IV.   Variance of the distribution of means based on an estimated population variance (S_M^2)

Formula in words: Variance of the distribution of means based on an estimated population variance is the estimated population variance divided by the number of scores (or difference scores) in the sample.

Formula in symbols: $S_M^2 = S^2/N$

S^2 is the variance of the population of individual scores (or of difference scores in a t test for dependent means).

N is the number of scores (or difference scores) in the sample.

V. Standard deviation of the distribution of means based on an estimated population variance (S_M)

Formula in words: Standard deviation of the distribution of means based on an estimated population variance is the square root of the variance of the distribution of means based on an estimated population variance.

Formula in symbols: $S_M = \sqrt{S_M^2}$

VI. t score for a t test for a single sample or a t test for dependent means

Formula in words: t score is the difference between the mean of the sample and the known population mean, divided by the standard deviation of the distribution of means based on an estimated population variance.

Formula in symbols: $t = (M - \mu)/S_M$

M is the mean of the sample of scores (or the mean of the sample of difference scores).

μ is the mean of the population to which the sample's population is being compared (Population 2). In the case of a t test for dependent means, μ is usually assumed to be 0.

VII. Effect size (d) for t test for a single sample or for a t test for dependent means

Formula in words: A standard measure of effect size (t) is the difference between the hypothesized and known population means, divided by the population standard deviation.

Formula in symbols: $d = (\mu_1 - \mu_2) / \sigma$.

μ_1 is the hypothesized (or, if the study is completed, actual) mean of the population which the sample represents. (In a t test for dependent means, μ_1 is a mean of difference scores.)

μ_2 is the known mean of the population of scores (or difference scores) to which the sample's population is to be compared. (In a t test for dependent means, μ_2 is usually considered to be 0.)

σ is the standard deviation of the scores (or difference scores) in the population. It may be estimated as S.

VIII. Alternative, simplified formula for effect size (d) for a t test for dependent means when μ_2 is considered to be 0

Formula in words: A standard measure of effect size (t) for the t test for dependent means can be computed by taking the hypothesized population mean difference score, divided by the standard deviation of the population of difference scores.

Formula in symbols: $d = \mu_1 / \sigma$

How to Conduct a t Test for a Single Sample

(Based on Table 9.3 in the Text)

I. Reframe the question into a null and a research hypothesis about populations.

II. Determine the characteristics of the comparison distribution:

A. The mean is the same as the known population mean.

B. The standard deviation is computed as follows:

    1. Compute estimated population variance: $S^2 = SS/df$

    2. Compute variance of the distribution of means: $S_M^2 = S^2/N$.

    3. Compute standard deviation: $S_M = \sqrt{S_M^2}$.

C. Shape will be a t distribution with N-1 degrees of freedom.

III. Determine the cutoff sample score on the comparison distribution at which the null hypothesis should be rejected.

A. Determine the degrees of freedom, desired significance level, and whether to use a one-tailed or two-tailed test.

B. Look up the appropriate cutoff on a t table.

IV. Determine the score of your sample's mean on the comparison distribution: $t = (M-\mu)/S_M$.

V. Compare the scores in 3 and 4 to decide whether or not to reject the null hypothesis.

How to Conduct a t Test for Dependent Means

(Based on Table 9.7 in the Text)

I. Reframe the question into a null and a research hypothesis about populations.

II. Determine the characteristics of the comparison distribution:

A. Convert each subject's two scores into difference scores. Carry out the remaining steps using these difference scores.

B. Compute the mean of the difference scores.

C. Assume the population mean is zero--$\mu=0$.

D. Compute the estimated population variance of difference scores: $S^2 = SS/df$.

E. Compute the variance of the distribution of means of difference scores: $S_M^2 = S^2/N$.

F. Compute the standard deviation of the distribution of means of difference scores: $S_M = \sqrt{S_M^2}$.

G. Note that it will be a t distribution with $df = N{-}1$.

III. **Determine the cutoff sample score on the comparison distribution at which the null hypothesis should be rejected.**

    A. Determine desired significance level and whether to use a one-tailed or two-tailed test.

    B. Look up the appropriate cutoff on a t table.

IV. **Determine the score of your sample on the comparison distribution:**
$$t = (M - \mu)/S_M.$$

V. **Compare the scores in 3 and 4 to decide whether or not to reject the null hypothesis.**

Outlines for Writing Essays

The reason for your writing essay questions in the practice problems and tests is that this task develops and then demonstrates what matters so very much--your comprehension of the logic behind the computations. (It is also a place where those better at words than numbers can shine, and for those better at numbers to develop their skills at explaining in words.)

Thus, to do well, be sure to do the following in each essay: (a) give the reasoning behind each step; (b) relate each step to the specifics of the content of the particular study you are analyzing; (c) state the various formulas in nontechnical language, because as you define each term you show you understand it (although once you have defined it in nontechnical language, you can use it from then on in the essay); (d) look back and be absolutely certain that you made it clear just *why* that formula or procedure was applied and *why* it is the way it is.

The outlines below are *examples* of ways to structure your essays. There are other completely correct ways to go about it. And this is an *outline* for an answer--you are to write the answer out in paragraph form. Examples of full essays are in the answers to Set I Practice Problems in the back of the text.

These essays are necessarily very long for you to write (and for others to grade). But this is the very best way to be sure you understand everything thoroughly. One shortcut you may see on a test is that you may be asked to write your answer for someone who understands statistics up to the point of the new material you are studying. You can choose to take the same shortcut in these practice problems (maybe writing for someone who understands right up to whatever point you yourself start being just a little unclear). But every time you write for a person who has never had statistics at all, you review the logic behind the entire course. You engrain it in your mind. Over and over. The time is never wasted. It is an excellent way to study.

I. Reframe the question into a research hypothesis and a null hypothesis about populations. (Step 1 of hypothesis testing.)

    A. State in ordinary language the hypothesis testing issue: Does the average of the scores of the group of persons studied represent a higher (or lower or different) mean than would be expected if this group of persons had just been a randomly selected example of people in general--that is, does this set of people studied represent a different group of people from people in general?

    B. Explain language (to make the rest of essay easier to write by not having to repeat long explanations), focusing on the meaning of each term in the concrete example of the study at hand.
- 1. Populations.
- 2. Sample.
- 3. Mean.
- 4. Research hypothesis.
- 5. Null hypothesis.
- 6. Rejecting the null hypothesis to provide support for the research hypothesis.

II. Determine the characteristics of the comparison distribution. (Step 2 of hypothesis testing.)

    A. Explain the principle that the comparison distribution is the distribution (pattern of spread of the means of scores) that represents what we would expect if the null hypothesis were true and our particular mean were just randomly sampled from this population of means.

    B. Note that because we are interested in the mean of a sample of more than one case, we have to compare our actual mean to a distribution not of individual cases but of means.

    C. Give an intuitive understanding of how one might construct a distribution of means for samples of a given size from a particular population.
- 1. Select a random sample of the given size (number of subjects) from the population and compute its mean.
- 2. Select another random sample of this size from the population and compute its mean.
- 3. Repeat this process a very large number of times.
- 4. Make a distribution of these means.
- 5. Note that this procedure is only to explain the idea and would be too much work and unnecessary in practice.

D. There is an exact mathematical relation of a distribution of means to the population the means are drawn from, so that in practice the characteristics of the distribution of means can be determined directly from knowledge of the characteristics of the population and the size of the samples involved.

E. The mean of a distribution of means.

    1. It is the same as the mean (average) of the scores in the known population of individual cases.

    2. State what it is in the particular problem you are working on.

    3. Explanation.

        a. Each sample is based on randomly selected values from the population.

        b. Thus, sometimes the mean of a sample will be higher and sometimes lower than the mean of the whole population of individuals.

        c. There is no reason for these to average out higher or lower than the original population mean.

        d. Thus the average of these means (the mean of the distribution of means) should in the long run equal the population mean.

F. The standard deviation of a distribution of means.

    1. The spread of a distribution of means will be less spread out than the population of individual cases from which the samples are taken.

        a. Any one score, even an extreme score, has some chance of being selected in a random sample.

        b. However, the chance is less of several extreme scores being selected in the same random sample, particularly since in order to create an extreme sample mean they would have to be scores which were extreme in the same direction.

        c. Thus, there is a moderating effect of numbers. In any one sample, the deviants tend to be balanced out by middle cases or by deviants in the opposite direction, making each sample tend towards the middle and away from extreme values.

        d. With fewer extreme values for the means, the variation among the means is less.

    2. The more cases in each sample, the less spread out is the distribution of means of that sample size: With a larger number of cases in each sample, it is even harder for extreme cases in that sample not to be balanced out by middle cases or extremes in the other direction in the same sample.

    3. Explain the idea of standard deviation.

        a. It is a standard measure of how spread out a distribution is.

        b. Roughly, it is the average amount scores vary from the mean.

        c. Exactly speaking, it is the square root of the average of the squares of the amount that each score differs from the mean.

    4. The standard deviation of the distribution of means is found by a formula that divides the average of squared deviations from the mean of the population by the number of subjects in the sample (thus making it smaller in proportion to the number of subjects in the sample), and taking the square root of this result.

5. Computing this standard deviation requires knowing the variation in the population, and this is not known. But it can be estimated.
   a. Whatever the distribution your particular scores come from, it is reasonable to assume that the variation among your particular group is representative of the variation in that larger distribution of scores.
   b. A sample's variation is on the average slightly less than the population it comes from because it is less likely to include scores that are far from its mean.
   c. Thus, a special adjustment is made that exactly corrects for this: Instead of taking the average of the squared deviations--the sum of squared deviations divided by the number of subjects--one instead divides the sum of squared deviations by one less than the number of subjects in the sample.
6. Describe the steps of computing the estimated population variance and the standard deviation of the distribution of means for your example, stating the final result.

G. The shape of the distribution of means.
   1. The distribution tends to be bell-shaped, with most cases falling near the middle and fewer at the extremes, due to the same basic process of extremes balancing each other out that we noted in the discussion of the standard deviation--middle values are more likely and extreme values less likely.
   2. Specifically, it can be shown that it will follow a precise shape called a *t* distribution.
   3. Actually there are different *t* distributions according to the amount of information that goes into estimating the variation in the distribution from the sample, the number you divide by in making the estimate (the number of subjects minus one).
   4. Also, the shape of the comparison distribution is only a precise *t* distribution if the population of individual scores follows a precise shape called a normal curve (also bell shaped) that is widely found in nature. Note that in the problem you are told that the distribution of the population is a normal curve so that this condition is met in your case.

III. Determine the cutoff sample score on the comparison distribution at which the null hypothesis should be rejected. (Step 3 of hypothesis testing.)

A. Before you figure out how extreme your particular sample's mean is on this distribution of means, you want to know how extreme it would have to be to decide it was too unlikely that it could have been a randomly drawn mean from this comparison distribution of means.

B. Since the shape of the comparison distribution follows a mathematically defined formula, you can use a table to tell you how many standard deviations from the mean your score would have to be to be in the top so many percent.

C. Note that the number of standard deviations from the mean on this *t* distribution is called a *t* score. (Explaining this term makes writing simpler later on.)

D. To use these tables, you have to decide the kind of situation you have; there are two considerations.

    1. Are you interested in the chances of getting this extreme of a mean, one that is extreme in only one direction (such as only higher than for people in general) or in both? (Explain which is appropriate for your study.)

    2. Just how unlikely would the extremeness of a particular mean have to be? The standard figure used in psychology is less likely than 5% (though 1% is sometimes used to be especially safe). (Say which you are using in your study--if no figure is stated in the problem and no special reason given for using one or the other, the general rule is to use 5%.)

E. State the cutoff for your particular problem.

IV. **Determine the score of your sample on the comparison distribution. (Step 4 of hypothesis testing.)**

A. The next step is to find where your actual sample's mean would fall on the comparison distribution, in terms of a t score.

B. State this t score.

V. **Compare the scores in 3 and 4 to decide whether or not to reject the null hypothesis. (Step 5 of hypothesis testing.)**

A. State whether your mean (from Step 4) does or does not exceed the cutoff (from Step 3).

B. If your mean exceeds the cutoff.

    1. State that you can reject the null hypothesis.

    2. State that by elimination, the research hypothesis is thus supported.

    3. State in words what it means that the research hypothesis is supported (that is, the study shows that the particular experimental manipulation appears to make a difference in the particular thing being measured).

C. If your score does not exceed the cutoff.

    1. State that you can not reject the null hypothesis.

    2. State that the experiment is inconclusive.

    3. State in words what it means that the study is inconclusive (that is, the study did not yield results which give a clear indication of whether or not the particular experimental manipulation appears to make a difference in the particular variable being measured).

    4. Explicitly note that even though the research hypothesis was not supported in this study, this is not evidence that it is false--it is quite possible that it is true but it has only a small effect which was not sufficient to produce a mean extreme enough to yield a significant result in this study.

I. Reframe the question into a research hypothesis and a null hypothesis about populations. (Step 1 of hypothesis testing.)

A. Note that the entire problem involves difference (or change) scores.

B. State in ordinary language the hypothesis testing issue: Does the average of the difference scores of the group of persons studied represent a higher (or lower or different) mean amount of difference than would be expected if this group of persons had just been a randomly selected sample of people in general in whom there is no difference?

C. Explain language (to make rest of essay easier to write by not having to repeat long explanations), focusing on the meaning of each term in the concrete example of the study at hand.

    1. Populations.

    2. Sample.

    3. Mean.

    4. Research hypothesis.

    5. Null hypothesis.

    6. Rejecting the null hypothesis to provide support for the research hypothesis.

II. Determine the characteristics of the comparison distribution. (Step 2 of hypothesis testing.)

A. Explain the principle that the comparison distribution is the distribution (pattern of spread of the means of difference scores) that represents what we would expect if the null hypothesis were true and our particular mean were just randomly sampled from this population of means of difference scores.

B. Note that because we are interested in the mean of a sample of more than one case, we have to compare our actual mean to a distribution not of individual cases but of means.

C. Give an intuitive understanding of how one might construct a distribution of means for samples of a given size from a particular population.

    1. Select a random sample of the given size (number of subjects) from the population and compute its mean.

    2. Select another random sample of this size from the population and compute its mean.

    3. Repeat this process a very large number of times.

    4. Make a distribution of these means.

    5. Note that this procedure is only to explain the idea and would be too much work and unnecessary in practice.

D. There is an exact mathematical relation of a distribution of means to the population the means are drawn from, so that in practice the characteristics of the distribution of means can be determined directly from knowledge of the characteristics of the population and the size of the samples involved.

E. The mean of a distribution of means.
    1. It is the same as the mean (average) of the scores in the known population of individual cases--which is presumed to have a mean of zero because it represents a population in which there is on the average no difference, and no difference means zero difference.
    2. Explain why the mean of the distribution of means is the same as the mean of the population of individual cases.
        a. Each sample is based on randomly selected values from the population.
        b. Thus, sometimes the mean of a sample will be higher and sometimes lower than the mean of the whole population of individuals.
        c. There is no reason for these to average out higher or lower than the original population mean.
        d. Thus the average of these means (the mean of the distribution of means) should in the long run equal the population mean (which is zero).

F. The standard deviation of a distribution of means.
    1. The spread of a distribution of means will be less spread out than the population of individual cases from which the samples are taken.
        a. Any one difference score, even an extreme score, has some chance of being selected in a random sample.
        b. However, the chance is less of several extreme difference scores being selected in the same random sample, particularly since in order to create an extreme sample mean they would have to be difference scores which were extreme in the same direction.
        c. Thus, there is a moderating effect of numbers. In any one sample, the deviants tend to be balanced out by middle cases or by deviants in the opposite direction, making each sample tend towards the middle and away from extreme values.
        d. With fewer extreme values for the means, the variation among the means is less.
    2. The more cases in each sample, the less spread out is the distribution of means of that sample size: With a larger number of cases in each sample, it is even harder for extreme cases in that sample not to be balanced out by middle cases or extremes in the other direction in the same sample.
    3. Explain the idea of standard deviation.
        a. It is a standard measure of how spread out a distribution is.
        b. Roughly, it is the average amount difference scores vary from the mean.
        c. Exactly speaking, it is the square root of the average of the squares of the amount that each difference score differs from the mean of the difference scores.
    4. The standard deviation of the distribution of means is found by a formula that divides the average of squared deviations from the mean of the population by the number of subjects in the sample (thus making it smaller in proportion to the number of subjects in the sample) and taking the square root of this result.

5. Computing this standard deviation requires knowing the amount of variation in the population, and this is not known. But it can be estimated.
   a. Whatever the distribution your particular difference scores come from, it is reasonable to assume that the variation among your particular group is representative of the variation in the larger distribution of difference scores.
   b. A sample's variation is on the average slightly less than the population it comes from because it is less likely to include difference scores that are far from its mean.
   c. Thus, a special adjustment is made that exactly corrects for this: Instead of taking the average of the squared deviations--the sum of squared deviations divided by the number of subjects--one instead divides the sum of squared deviations by one less than the number of subjects in the sample.
6. Describe the steps of computing the estimated population variance and the standard deviation of the distribution of means for your example, stating the final result.

G. The shape of the distribution of means.
   1. The distribution tends to be bell-shaped, with most cases falling near the middle and fewer at the extremes, due to the same basic process of extremes balancing each other out that we noted in the discussion of the standard deviation--middle values are more likely and extreme values less likely.
   2. Specifically, it can be shown that it will follow a precise shape called a *t* distribution.
   3. Actually there are different *t* distributions according to the amount of information that goes into estimating the variation in the distribution from the sample, the number you divide by in making the estimate (the number of subjects minus one).
   4. Also, the shape of the comparison distribution is only a precise *t* distribution if the population of individual difference scores follows a precise shape called a normal curve (also bell-shaped) that is widely found in nature. Note that in the problem you are told that the distribution of the population is a normal curve so that this condition is met in your case.

III. **Determine the cutoff sample score on the comparison distribution at which the null hypothesis should be rejected. (Step 3 of hypothesis testing.)**
   A. Before you figure out how extreme your particular sample's mean difference score is on this distribution of means of difference scores, you want to know how extreme it would have to be to decide it was too unlikely that it could have been a randomly drawn mean from this comparison distribution of means.
   B. Since the shape of the comparison distribution follows a mathematically defined formula, you can use a table to tell you how many standard deviations from its mean (of zero) your difference score would have to be in order to be in the top so many percent.
   C. Note that the number of standard deviations from the mean on this *t* distribution is called a *t* score. (Explaining this term makes writing simpler later on.)

D. To use these tables you have to decide the kind of situation you have; there are two considerations.
   1. Are you interested in the chances of getting this extreme a mean that is extreme in only one direction (such as only higher than for people in general) or in both? (Explain which is appropriate for your study.)
   2. Just how unlikely would the extremeness of a particular mean have to be? The standard figure used in psychology is less likely than 5% (though 1% is sometimes used to be especially safe). (Say which you are using in your study--if no figure is stated in the problem and no special reason given for using one or the other, the general rule is to use 5%.)
E. State the cutoff for your particular problem.

IV. **Determine the score of your sample on the comparison distribution. (Step 4 of hypothesis testing.)**
A. The next step is to find where your actual sample's mean difference score would fall on the comparison distribution, in terms of a t score.
B. State this t score.

V. **Compare the scores in 3 and 4 to decide whether or not to reject the null hypothesis. (Step 5 of hypothesis testing.)**
A. State whether your mean (from Step 4) does or does not exceed the cutoff (from Step 3).
B. If your mean exceeds the cutoff.
   1. State that you can reject the null hypothesis.
   2. State that, by elimination, the research hypothesis is thus supported.
   3. State in words what it means that the research hypothesis is supported (that is, the study shows that the particular experimental manipulation appears to make a difference in the particular thing being measured).
C. If your score does not exceed the cutoff.
   1. State that you can not reject the null hypothesis.
   2. State that the experiment is inconclusive.
   3. State in words what it means that the study is inconclusive (that is, the study did not yield results which give a clear indication of whether or not the particular experimental manipulation appears to make a difference in the particular thing being measured).
   4. Explicitly note that even though the research hypothesis was not supported in this study, this is not evidence that it is false--it is quite possible that it is true but it has only a small effect which was not sufficient to produce a mean extreme enough to yield a significant result in this study.

Chapter Self-Tests

Multiple-Choice Questions

1. In the formula $SS/N\text{-}1$, "$N\text{-}1$" is known as

    a. the transformation coefficient.
    b. the transformed denominator.
    c. the degrees of freedom.
    d. the denominator transformation term (DTT).

2. When estimating the variance of a population from the sample, you divide by the sample size minus one, because using the sample size directly

    a. does not correct for squaring the deviations.
    b. underestimates the population variance.
    c. fails to take into account the sample size.
    d. creates too little "bias."

3. When testing the null hypothesis for a study with a single sample with 10 scores and an unknown population variance, the cutoff score on the comparison distribution will be _____ the cutoff on a normal curve.

    a. more extreme than
    b. the same as
    c. less extreme than
    d. either more or less extreme than or the same as (depending on the population variance)

4. In a study of memory, an experimenter found that 10 subjects who used imagery to learn a list of 20 words remembered on average 18.4 words. If the sum of squared deviations from the sample's mean is 6, what is the estimated population variance?

    a. $1.6/18.4 = 0.09$.
    b. $6/9 = 0.67$.
    c. $18.4/10 = 1.84$.
    d. There are not enough data to estimate the population variance.

5. If a study yields a t score of 2.46, and the cutoff t score was 2.36, should you reject the null hypothesis? Why or why not?

    a. Yes, because the computed t score is more extreme than the cutoff score.
    b. No, because the computed t score is more extreme than the cutoff score.
    c. No, because the computed t score is too close to the cutoff t score to be significant.
    d. This can not be determined without knowing the degrees of freedom.

6. A group of students take the SAT, then take an SAT prep class, then take the SAT again. To test the null hypothesis that there is no difference in students' SAT scores from before to after taking the prep class, which population mean would be used?

   a. Zero.
   b. The original (before) SAT score of the test group.
   c. The second (after) SAT score of the test group.
   d. The national mean SAT score.

7. A counselor claims that after attending three sessions with her, clients score higher on a Satisfaction With Life scale than they do before counseling. Her null hypothesis is that there is no difference in clients' scores after counseling. If the cutoff t score is 2.0 and the standard deviation of the comparison distribution is 1.5, by how many points do clients' scores have to change in order to justify rejecting the null hypothesis?

   a. 1.5.
   b. 2.0.
   c. 2.5.
   d. 3.0.

8. Which of the following is an assumption you must make before you can use the t test?

   a. The sample is normally distributed.
   b. The sample is skewed.
   c. The population is normally distributed.
   d. The population is skewed.

9. Suppose you are doing research on the general intelligence of people with eidetic memory (that is, people who have exact visual memory), and subjects are so hard to come by that you are limited to 10 subjects. If in fact there is a medium effect size in the population, and you are testing your hypothesis with a t test for dependent means, two-tailed, at the .05 level, what is the power of this study? Refer to Table 9.8 in the text for your answer.

   a. .09.
   b. .15.
   c. .32.
   d. .46.

10 A research article reports results of a study using a t test for dependent means as "$t(16) = 2.67, p < .05$." This means

   a. the result is not significant.
   b. there were 16 subjects.
   c. the t score was 16.
   d. the t score was 2.67.

Fill-In Questions

1. When estimating the population variance from the sample variance, the amount of information in the sample that is free to vary is called the _____.

2. When conducting a t test for a single sample, in the formula $(M - \mu)/S_M$, μ is the _____.

3. When figuring the variance of the distribution of means in a t test problem, you divide the estimated population variance by _____.

4. If an assumption which is necessary to conduct a statistical analysis can be violated without seriously jeopardizing the results of the analysis, the test is said to be _____ over that assumption.

5. With a t test for dependent means, an effect size of _____ is considered to be large.

6. Studies using difference scores often have _____ effect sizes than other types of studies.

7. A research design in which subjects are tested and then re-tested is weak unless the group studied is compared to a(n) _____.

8. A t distribution differs from a normal distribution in that there the tails contain a _____ proportion of the cases.

9. To find the score at which the null hypothesis will be rejected, you look on a table of t distributions. But first you need to know whether it is a one- or two-tailed test, the degrees of freedom in the sample, and the _____.

10 With sample sizes of 30 or more, a t distribution becomes almost indistinguishable from a(n) _____.

Problems and Essays

1. A psychologist is interested in whether people who live in noisy parts of a city have worse hearing. To test this, she administers hearing tests to six randomly selected healthy eighteen-year-olds who have grown up in one of the noisiest parts of the city. Their scores on the hearing test are 16, 14, 18, 18, 20, and 16. This test was designed so that healthy 18-year-olds should score 20. (The variance is not known.) What should the psychologist conclude? Explain your computations and the logic of what you have done to a person who has never had a course in statistics.

2. A cognitive psychologist theorizes that people will be able to form sentences with pleasant words quicker than with unpleasant words. To test her hypothesis, she creates a list of equal numbers of pleasant and unpleasant words, trying to select words of approximately equal difficulty, putting the words in random order in the list. Subjects are then asked to form a sentence using each word, as soon the word is shown to them on a computer screen. A special timing device records how long it takes from the time the word appears on the screen until the subject starts speaking the sentence. Five subjects are used, and the average time it takes each subject to do the pleasant and unpleasant words are shown in the table below. Is the time it takes subjects to come up with a sentence different for the two kinds of words? Explain your procedures and the logic of what you have done to a person who has never had a course in statistics.

| | *Mean Reaction Time (in Seconds)* | |
Subject	*Pleasant*	*Unpleasant*
1	.44	.51
2	.33	.51
3	.60	.74
4	.59	.77
5	.68	.55

3. A developmental psychologist has created a special exercise program intended to improve hand-eye coordination of toddlers. As a first test of the effectiveness of this set of exercises, he arranges for a group of 38 toddlers to participate in the program, testing their hand-eye coordination on a standard test before and after several weeks using the program. In the report of the results of this study, he writes: "Mean scores for the 38 toddlers increased from 61.32 to 68.93, $t(37) = 3.21$, $p < .01$, one-tailed." Explain this result, including the underlying computations that went into it, to a person who has never had a course in statistics.

4. An instructor of a speed-reading course claimed that students could increase their reading speed without lowering their reading comprehension. A skeptical student decided to test this. She tested a group of 9 volunteers on their comprehension of a story before and after the class. She also noted their reading speeds, which an analysis showed to be significantly greater after the class, $t(8)=3.5$, $p<.01$. Their scores on the comprehension tests are listed below. Do the data support the claim of the instructor, that reading comprehension does not decrease?

Subjects' Reading Comprehension Scores

SUBJECT	BEFORE	AFTER
1	87	85
2	84	82
3	75	71
4	80	78
5	97	91
6	92	91
7	88	89
8	67	71
9	70	70

Explain to a person who has never had a course in statistics: (a) the meaning of the reading speed result and (b) how you computed (including its logic) and what you found, in the analysis of the comprehension scores.

Using SPSS/PC+ Studentware Plus with this Chapter

If you are using SPSS for the first time, before proceeding with the material in this section, read the Appendix on Getting Started and the Basics of Using SPSS/PC+ Studentware Plus.

You can use SPSS to carry out a *t* test for dependent means. (It is also possible to carry out a *t* test for a single sample using SPSS, but as noted in the chapter, this procedure is rarely used in practice and was covered mainly as a step towards introducing you to the more widely used *t* tests.) You should work through the example, following the procedures step by step. Then look over the description of the general principles involved and try the procedures on your own for some of the problems listed in the Suggestions for Additional Practice. Finally, you may want to try the suggestions for using the computer to deepen your understanding.

I. Example
 A. Data: Hand-eye coordination scores for nine surgeons, each measured under both quiet and noisy conditions (fictional data), from the example in the text. The scores for the surgeons, under quiet conditions first, are 18, 12; 21, 21; 19, 16; 21, 16; 17, 19; 20, 19; 18, 16; 16, 17; and 20, 16.

B. Follow the instructions in the SPSS Appendix for starting up SPSS and be sure the cursor is in the Scratch Pad window.

C. Enter the data as follows.

1. Type **DATA LIST FREE / QUIET NOISY.** and press Enter to go to the next line.
2. Type **BEGIN DATA.** and press Enter to go to the next line.
3. Type **18**, a space, and **12** (the first surgeon's scores for the quiet and noisy conditions, respectively. Then press Enter to continue to the next line.
4. Type **21 21** (the quiet score and the noisy scopre for the second surgeon) and press Enter.
5. Type the scores for the remaining subjects, on each line one subject's quiet and noisy score, in that order.
6. Type **END DATA.** and press Enter to move to the next line.

D. Carry out a *t* test for dependent means as follows.

1. Type **T-TEST PAIRS QUIET NOISY.** and press Enter. The screen should now appear as shown in Figure SG9-1.

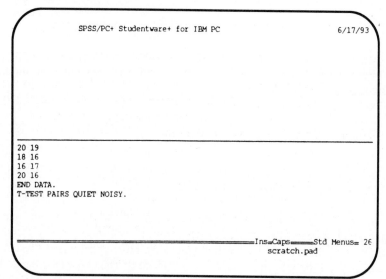

```
          SPSS/PC+ Studentware+ for IBM PC                    6/17/93



 _____
 20 19
 18 16
 16 17
 20 16
 END DATA.
 T-TEST PAIRS QUIET NOISY.


 ==============================================Ins=Caps======Std Menus= 26
                                               scratch.pad
```

Figure SG9-1

2. Tell SPSS to carry out your instructions--use the arrow keys to move to the start of the first line (**DATA LIST ...**), press F10, and press Enter. The result should look like Figure SG9-2.

Chapter Nine

```
                                                            MORE

            - - - t-tests for paired samples - - -


            Number of        2-tail
Variable      pairs   Corr    Sig      Mean      SD    SE of Mean
─────────────────────────────────────────────────────────────────
QUIET                                 18.8889   1.764     .588
               9      .245    .525
NOISY                                 16.8889   2.571     .857
─────────────────────────────────────────────────────────────────


        Paired Differences
 Mean      SD      SE of Mean   |   t-value   df   2-tail Sig
─────────────────────────────────────────────────────────────────
 2.0000    2.739      .913      |     2.19    8       .060
 95% CI (-.106, 4.106)          |
```

Figure SG9-2

E. Inspect the result.

1. The top line describes the kind of procedure being carried out: **t-tests for paired samples**. A "t-test for paired samples" is another name for a *t* test for dependent means.

2. The first table below this provides information about the two variables.

   a. The first column gives the variable names.

   b. The second column gives the **Number of pairs** (that is, the number of difference scores).

   c. The third and fourth columns describe the correlation between the two variables, which you ignore since your interest is in the difference between these two variables not the extent to which highs go with highs and lows with lows.

   d. The fifth and sixth columns give the mean and standard deviation of each variable. (Note that the standard deviation is an estimated population standard deviation, S, based on the sample--that is, it uses the N-1 formula.)

   e. The fifth column, **SE of Mean**, is the standard deviation of the distribution of means, S_M, corresponding to each variable (based on an estimated population variance). These are not usually used as part of a *t* test for dependent means.

3. The second table gives the outcome of the *t* test.

   a. The first column gives the mean of the difference scores, in this case, **2.0000**, the same as calculated in the text.

   b. The next column, **SD**, gives the estimated population standard deviation of the difference scores, which it lists as **2.739**. This figure, when squared, comes out to exactly what was computed in the text for S^2 (7.5).

   c. The third column, **SE of Mean**, gives the standard deviation of the distribution of means (of difference scores), which it lists as **.913**, the same (within rounding error) as was computed in the text.

Chapter Nine   **193**

d. The next column gives the computed t score, which it lists as **2.19**. (The text, using rounded-off figures, computed 2.20.)

e. Next it gives the degrees of freedom, **8**. This is the same as computed in the text.

f. Finally, the last column, **2-tail Sig**, gives the probability, the exact chance, of getting a t score this extreme on this particular t distribution. In this example, the computer reports **.060**. Since the significance level was set in advance at .05, this result does not reach significance. (Note that the figure given is for a two-tailed test, which is appropriate in the example. But if you were using a one-tailed test, you would consider the result significant at the .05 level if this number were .10 or less. To put this another way, the particular result of .060 means that there is .030 higher than 2.191 and .030 lower than -2.191.)

g. At the bottom of the table, on the left, is a line that begins **95% CI**. (This stands for "95% confidence interval"--the raw scores corresponding to the t scores at the bottom 2.5% and the top 2.5% of the t distribution. This was not covered in the text.)

F. Print out the result and return to the Scratch Pad.

G. Save your lines of data and instructions, as follows.
    1. Press F9 and Enter.
    2. Type CH9XMPL and press Enter.

II. Systematic Instructions for Computing the t Test for Dependent Means

A. Start up SPSS.

B. Enter the data as follows.
    1. Type **DATA LIST FREE / [first variable name] [second variable name].** and press Enter to go to the next line.
    2. Type **BEGIN DATA.** and press Enter to go to the next line.
    3. Type each subject's two scores on a line, in the same order as the variables are listed in the DATA LIST line; one such line per subject.
    4. Type **END DATA.** and press Enter to move to the next line.

C. Carry out the t-test for dependent means as follows.
    1. Type **T-TEST PAIRS [first variable name] [second variable name].** and press Enter. (When deciding which variable to put first, consider that SPSS will compute the difference scores by subtracting the second from the first. So if your two variables are before and after scores, you might want to write **T-TEST PAIRS AFTER BEFORE** so that the difference scores represent the result of taking the after score minus the before score.)
    2. Tell SPSS to carry out your instructions--use the arrow keys to move to the start of the first line (**DATA LIST ...**), press F10, and press Enter.
    3. Print out a copy of the result (using Shift-PrintScrn) and press F2 and Enter to return to the Scratch Pad window.

D. Save your lines of data and instructions, as follows.
  1. Press F9 and Enter.
  2. Type **[file name]** and press Enter.

III. Additional Practice

(Compute a *t* test for dependent means for each of these data sets and compare your results to those in the text.)

A.   Text examples.

  1. Data in Table 9-5 for husbands' communication quality scores before and after marriage (from Olthoff & Aron, 1993).
  2. Data in Table 9-7 for infants' responsiveness to strangers at 3 and 4 months of age (fictional data).

B. Practice problems in the text.

  1. Set I: 4.
  2. Set II: 3-6.

IV. Using the Computer to Deepen Your Knowledge

A. The effect of increasing the mean of the difference scores.

  1. Use SPSS to compute the *t* test for dependent means using the surgeon example, but adding 2 to each Noisy score. (You can do this by creating a variable with a **COMPUTE** instruction, such as **COMPUTE NOIPLUS2 = NOISY + 2.**)
  2. Conduct another *t* test for dependent means using the original data, but this time adding 6 to the first three Noisy scores and nothing to the others. (To do this, you will actually have to change the scores as entered.)
  3. Compare the two outcomes: Both have a larger mean difference, but the increase in the *t* score is much greater in the first case. Why is this? (Hint: Consider the variance of the difference scores.)

B. Correlation and the *t* test for dependent means.

  1. Examine the correlation reported in the output for the original data and for each of the adjusted data sets in A above (that is, first with adding 2 to each Noisy score and then with adding 6 to a third of them).
  2. Compare the correlations and their relation to the effects of these changes in data to the *t* test results.
     a. Notice that the size of the correlation is not directly related to the size of the *t* test result (the two procedures are measuring different things).
     b. Notice that the adding of 6 to a third of the scores creates a lower correlation than adding 2 to all of them. Why is this? Consider its relation to the results of the *t* tests and to variance in the difference scores.

C. The importance of matching.

  1. Rearrange the Noisy scores so that all the same numbers are in the Noisy column, but they are not paired with the same subject's Quiet scores. Then compute a *t* test for dependent means.
  2. Try another rearrangement and compute a *t* test for dependent means.
  3. Compare these two results to the original.

Using MYSTAT with this Chapter

If you are using MYSTAT for the first time, before proceeding with the material in this section, read the Appendix on Getting Started and the Basics of Using MYSTAT.

You can use MYSTAT to carry out a t test for dependent means. (It is also possible to carry out a t test for a single sample using MYSTAT, but as noted in the chapter, this procedure is rarely used in practice and was covered mainly as a step towards introducing you to the more widely used t tests.) You should work through the example, following the procedures step by step. Then look over the description of the general principles involved and try the procedures on your own for some of the problems listed in the Suggestions for Additional Practice. Finally, you may want to try the suggestions for using the computer to deepen your understanding.

I. Example

A. Data: Hand-eye coordination scores for nine surgeons, each measured under both quiet and noisy conditions (fictional data), from the example in the text. The scores for the surgeons, under quiet conditions first, are 18, 12; 21, 21; 19, 16; 21, 16; 17, 19; 20, 19; 18, 16; 16, 17; and 20, 16.

B. Create a file of your data as follows.
1. Follow the instructions in the MYSTAT Appendix for starting up MYSTAT.
2. Using the instructions in the MYSTAT Appendix for creating a file of your data, type in the variable names **"QUIET"** at the top of the first column and **"NOISY"** at the top of the second column. Then type in the data for each surgeon, going down the screen. When you are done the screen should look like Figure SG9-3.

```
MYSTAT Editor
  Case      QUIET        NOISY
    1       18.000       12.000
    2       21.000       21.000
    3       19.000       16.000
    4       21.000       16.000
    5       17.000       19.000
    6       20.000       19.000
    7       18.000       16.000
    8       16.000       17.000
    9       20.000       16.000
   10
   11
   12
   13
   14
   15
```

Figure SG9-3

Chapter Nine

3. Save the file by pressing Escape to get to the bottom of the screen, typing >**SAVE CH9XMPL**, and pressing Enter.
4. Return to the Main Menu by typing >**QUIT** and pressing Enter twice.

C. Tell MYSTAT to use your data file by typing >**USE CH9XMPL** and pressing Enter twice.

D. Compute the *t* test for dependent means by typing >**TTEST QUIET,NOISY** and pressing Enter. The result should look like Figure SG9-4.

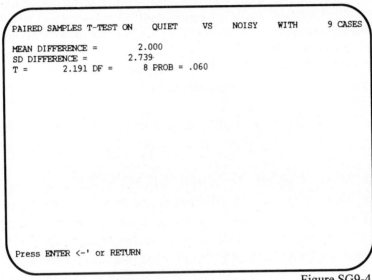

```
PAIRED SAMPLES T-TEST ON    QUIET    VS   NOISY   WITH    9 CASES

MEAN DIFFERENCE =       2.000
SD DIFFERENCE =      2.739
T =       2.191 DF =      8 PROB = .060




















Press ENTER <-' or RETURN
```

Figure SG9-4

E. Inspect the result.
1. The top line describes the procedure being carried out: **PAIRED SAMPLE T-TEST ON QUIET VS NOISY WITH 9 CASES**. (A "paired-sample *t*-test" is another name for a *t* test for dependent means.)
2. The second line, **MEAN DIFFERENCE = 2.000**, gives the mean of the difference scores (which is the same as the difference between the two means). The difference is the same as computed in the text (see Table 9-6).
3. The third line, **SD DIFFERENCE = 2.739**, is the square root of the estimated population variance (S^2) of the difference scores. This figure, 2.739, when squared, comes out to exactly what was computed in the text (7.5).

4. The last line gives the key results for the *t* test.
   a. First it gives the computed *t* score--**T = 2.191**. (The text, using rounded-off figures, computed 2.20.)
   b. Next it gives the degrees of freedom--**DF = 8**. (The same as computed in the text.)
   c. Finally, it gives the probability, the exact chance of getting a *t* score this extreme on this particular *t* distribution. In this example, the computer reports **PROB = .060**. Since the significance level was set in advance at .05, this result does not reach significance. (Note that the figure given is for a two-tailed test, which is appropriate in the example. But if you were using a one-tailed test, you would consider the result significant at the .05 level if this number were .10 or less. To put this another way, the particular result of .060 means that there is .030 of the *t* distribution higher than 2.191 and .030 lower than -2.191.)
F. Print out the result and return to the Main Menu.

II. Systematic Instructions for Computing the *t* Test for Dependent Means
A. Start up MYSTAT.
B. Create a file with the data, giving variable names of your choosing to the two variables representing the scores at the two testings. Then return to the Main Menu.
C. With the Main Menu on the screen, tell MYSTAT you want to use this particular file by typing >**USE [filename]** and pressing Enter twice.
D. Type >**TTEST [first variable name],[second variable name]** and press Enter. (When deciding which to put first, consider that MYSTAT will compute the difference scores by subtracting the second from the first. So if your two variables are before and after scores, you might want to write **TTEST AFTER,BEFORE** so that the difference scores represent the result of taking the after score minus the before score.)
E. Print out a copy of the result (using Shift-PrintScrn) and press Enter to return to the Main Menu.

III. Additional Practice
(Compute a *t* test for dependent means for each of these data sets and compare your results to those in the text.)
A. Text examples.
   1. Data in Table 9-5 for husbands' communication quality scores before and after marriage (from Olthoff & Aron, 1993).
   2. Data in Table 9-7 for infants' responsiveness to strangers at 3 and 4 months of age (fictional data).
B. Practice problems in the text.
   1. Set I: 4.
   2. Set II: 3-6.

IV. Using the Computer to Deepen Your Knowledge

A. The effect of increasing the mean of the difference scores.

1. Use MYSTAT to compute the t test for dependent means using the surgeon example, but adding 2 to each Noisy score.

2. Conduct another t test for dependent means using the original data, but this time adding 6 to the first three Noisy scores and nothing to the others (you will have to type this column of scores in by hand).

3. Compare the two outcomes: Both have a larger mean difference, but the increase in the t score is much greater in the first case. Why is this? (Hint: Consider the variance of the difference scores.)

B. Correlation and the t test for dependent means.

1. Compute a correlation for the original data and for each of the adjusted data sets in A above (that is, first with adding 2 to each Noisy score and then with adding 6 to a third of them).

2. Compare the correlations and their relation to the effects of these changes in data to the t test results.

   a. Notice that the size of the correlation is not directly related to the size of the t test result (the two procedures are measuring different things).

   b. Notice that the adding of 6 to a third of the scores creates a lower correlation than adding 2 to all of them. Why is this? Consider its relation to the results of the t tests and to variance in the difference scores.

C. The importance of matching.

1. Rearrange the Noisy scores so that all the same numbers are in the Noisy column, but they are not paired with the same subject's Quiet scores. Then compute a t test for dependent means.

2. Try another rearrangement and compute a t test for dependent means.

3. Compare these two results to the original.

Chapter 10
The *t* Test for Independent Means

Learning Objectives

To understand, including being able to conduct any necessary computations:

- The principle of the distribution of differences between means.
- The mean of the distribution of differences between means.
- The variance of the distribution of differences between means.
- The shape of the distribution of differences between means.
- The steps in conducting a *t* test for independent means.
- Assumptions for the *t* test for independent means (and the conditions under which it is safe to violate them).
- Effect size of a study using the *t* test for independent means.
- Power of a study using the *t* test for independent means.
- The problem of too many *t* tests.
- How results of studies using *t* tests for independent means are reported in research articles.

Chapter Outline

I. **The *t* Test for Independent Means**
   A. Used in studies with two samples.
   B. Follows the usual steps of hypothesis testing.
   C. Only differences from a *t* test for dependent means is that the comparison distribution is a distribution of differences between means and the *t* score is based on this distribution.

II. **The Distribution of Differences Between Means**
   A. It is the comparison distribution in a *t*-test for independent means.
   B. It can be understood as being constructed in four steps.
      1. Construct a distribution of means for each of the two populations.
      2. Randomly select one mean from each distribution of means.
      3. Subtract one from the other.
      4. Repeat a large number of times to create a distribution of these differences.
   C. If the null hypothesis is true, its mean is zero–since the two populations, and hence the two distributions of means, have the same mean, differences between means randomly drawn from these should average out to zero.

D. Its variance.
   1. A single overall estimate is made of the variance of the populations, since it is assumed the population variances are equal.
      a. If sample sizes are equal, this pooled population variance estimate is the average of the estimates for the two populations–$S_P^2 = (S_1^2 + S_2^2) / 2$.
      b. If samples sizes are different, pooled population variance estimate is based on an average which first weights each estimate by the degrees of freedom on which it is based: $SP^2 = [df_1/(df_1+df_2)][S_1^2] + [df_2/(df_1+df_2)][S_2^2]$.
   2. The variance of each distribution of means is the pooled estimate divided by the corresponding sample size: $S_{M1}^2 = S_P^2 / N_1$ and $S_{M2}^2 = S_P^2 / N_2$.
   3. Variance of the distribution of differences between means is the sum of the variances of the two distributions of means (because the variance of each contributes to its variance):
      $S_{DIF}^2 = S_{M1}^2 + S_{M2}^2$.
   4. The standard deviation of the distribution of the difference between means is the square root of its variance: $S_{DIF} = \sqrt{S_{DIF}^2}$.
E. Its shape.
   1. A t distribution (because we are using estimated population variances).
   2. Its degrees of freedom are the sum of the degrees of freedom for the two samples (because each contributes to the pooled estimate of the variance): $df_T = df_1 + df_2$.
F. The t score on this distribution is the difference between the two sample means divided by the standard deviation of this distribution: $t = (M_1 - M_2)/S_{DIF}$.

III. Assumptions of the t Test for Independent Means
A. Normal population distributions.
   1. Violation of this assumption is a problem mainly if the two populations are thought to have dramatically skewed distributions, and in opposite directions.
   2. The test is especially robust to violations if a two-tailed test is used and if the sample sizes are not extremely small.
B. Equal population variances.
   1. The test is fairly robust to even fairly substantial differences in the population variances if there are equal numbers in the two groups.
   2. If the two estimated population variances are quite different, *and* if the samples have different numbers of cases, a modification of the usual t test procedure (not covered in this text) is sometimes used.
C. It is difficult in practice to determine whether the assumptions hold.
D. Some procedures that can be applied when the assumptions are clearly violated are described in Chapter 15.

IV. Effect Size and Power for the *t* Test for Independent Means

A. Effect size.

   1. $d = (\mu_1 - \mu_2) / \sigma$.
   2. For a completed study, estimate effect size as $d = (M_1 - M_2) / S_P$.
   3. Cohen's convention: Small $d = .20$; medium $d = .50$; large $d = .80$. (Same as for *t* test for dependent means.)

B. Power.

   1. Table 10.6 in the text gives approximate power for the .05 significance level for small, medium, or large effect sizes and one- or two-tailed tests.
   2. Power when sample sizes are not equal.
      a. For any given number of subjects, power is greatest when subjects are divided into two equal groups.
      b. The power is equivalent to a study with equal sample sizes in which each of those equal sizes is the harmonic mean of the actual unequal sample sizes: $N = [(2)(N_1)(N_2)]/[N_1 + N_2]$.

C. Planning sample size: Table 10.7 in the text gives the approximate number of subjects needed to achieve 80% power for estimated small, medium, and large effect sizes using one- and two-tailed tests, all using the .05 significance level.

V. Controversies and Limitations: Too Many *t* Tests

A. If you conduct a large number of *t* tests, the chance of any one of them coming out significant at, say, the 5% level is really greater than 5%.

B. The controversy is about how to deal with this problem.

C. Solutions are complicated in most research situations for two reasons.

   1. Each test is not independent of the others.
   2. Some tests are more important than others.

VI. How *t* Tests for Independent Means are Described in Research Articles

A. They are usually reported in the article text by giving the two sample means (and sometimes the *SD*s), followed by the standard format for any *t* test–for example: $t(38) = 4.72, p < .01$.

B. Sometimes they are reported in tables which give the means (and sometimes *SD*s), using stars to indicate significance levels.

Formulas

I. Pooled estimate of population variance (S_P^2)

Formula in words: Weighted average of estimates for each population; that is, each estimate contributes the proportion to the overall estimate that its degrees of freedom are to the total degrees of freedom.

Formula in symbols: $S_P^2 = [df_1/(df_1+df_2)][S_1^2] + [df_2/(df_1+df_2)][S_2^2]$

S_1^2 is the unbiased estimate of the variance of Population 1.

S_2^2 is the unbiased estimate of the variance of Population 2.

Note: Each $S^2 = \Sigma(X-M)^2/df = SS/df$ (see Chapter 9).

df_1 is the degrees of freedom for the sample from Population 1.

df_2 is the degrees of freedom for the sample from Population 2.

Note: Each $df = N\text{-}1$.

II. Variance of each population's distribution of means (S_{M1}^2 and S_{M2}^2)

Formula in words: The pooled population variance estimate divided by the corresponding sample size

Formulas in symbols: $S_{M1}^2 = S_P^2 / N_1$ and $S_{M2}^2 = S_P^2 / N_2$

N_1 is the number of subjects in the sample representing Population 1.

N_2 is the number of subjects in the sample representing Population 2.

III. Variance of the distribution of differences between means (S_{DIF}^2)

Formula in words: Sum of the variances of the two distributions of means.

Formula in symbols: $S_{DIF}^2 = S_{M1}^2 + S_{M2}^2$

IV. Standard deviation of the distribution of the differences between means (S_{DIF})

Formula in words: The square root of the variance of the distribution of differences between means.

Formula in symbols: $S_{DIF} = \sqrt{S_{DIF}^2}$

V. Degrees of freedom for a *t* test for independent means (df_T)

Formula in words: Sum of the degrees of freedom in the two samples.

Formula in symbols: $df_T = df_1 + df_2$

VI. *t* score for a *t* test for independent means

Formula in words: the difference between the two sample means divided by the standard deviation of the distribution of differences between means.

Formula in symbols: $t = (M_1 - M_2)/S_{DIF}$

M_1 is the mean of the sample representing Population 1.

M_2 is the mean of the sample representing Population 2.

VII. Effect size for a *t* test for independent means (*d*)

Formula in words: the hypothesized difference between the population means divided by the population standard deviation.

Formula in symbols: $d = (\mu_1 - \mu_2) / \sigma$

    μ_1 is the mean of Population 1.

    μ_2 is the mean of Population 2.

    σ is the standard deviation of each of the populations.

VIII. Estimated effect size for a *t* test for independent means (d) for a completed study

Formula in words: the observed difference between the sample means divided by the pooled estimate of the population standard deviation.

Formula in symbols: $d = (M_1 - M_2) / S_P$

    S_P is the pooled estimate of the population standard deviation ($S_P = \sqrt{S_P^2}$).

IX. Harmonic mean sample size (*N'*)

Formula in words: Twice the product of the two sample sizes divided by the sum of the sample sizes.

Formula in symbols: $N' = [(2)(N_1)(N_2)] / [N_1 + N_2]$

How to Conduct a *t* Test for Independent Means

(Based on Table 10.4 in the Text)

I. **Reframe the question into a null and a research hypothesis about populations.**

II. **Determine the characteristics of the comparison distribution.**

   A. Its mean will be 0.

   B. Its standard deviation is computed as follows.

   1. Compute estimated population variances based on each sample (that is, compute two estimates).

   2. Compute pooled estimate of population variance: $S_P^2 = [df_1/(df_1+df_2)][S_1^2] + [df_2/(df_1+df_2)][S_2^2]$. Note: $df_1 = N_1 - 1$ and $df_2 = N_2 - 1$.

   3. Compute variance of each distribution of means: $S_{M1}^2 = S_P^2/N_1$ and $S_{M2}^2 = S_P^2/N_2$.

   4. Compute variance of distribution of differences between means: $S_{DIF}^2 = S_{M1}^2 + S_{M2}^2$.

   5. Compute standard deviation of distribution of differences between means: $S_{DIF} = \sqrt{S_{DIF}^2}$.

   C. Determine its shape: It will be a *t* distribution with df_T degrees of freedom $(df_T = df_1 + df_2)$.

III. **Determine the cutoff sample score on the comparison distribution at which the null hypothesis should be rejected.**

   A. Determine the degrees of freedom (df_T), desired significance level, and whether to use a one- or two-tailed test.

   B. Look up the appropriate cutoff on a *t* table; if exact *df* is not given, use *df* below.

IV. **Determine the score of your sample on the comparison distribution:** $t = (M_1 - M_2)/S_{DIF}$.

V. **Compare the scores in 3 and 4 to decide whether or not to reject the null hypothesis.**

Outline for Writing Essays for Hypothesis Testing Problems Involving the Means of Two Independent Samples

(*t* test for Independent Means)

The reason for your writing essay questions in the practice problems and tests is that this task develops and then demonstrates what matters so very much–your comprehension of the logic behind the computations. (It is also a place for those of you who are better at words than numbers to shine. And for those better at numbers to develop their skills at explaining in words.)

Thus, to do well you need to be sure to do the following in each essay: (a) give the reasoning behind each step; (b) relate each step to the specifics of the content of the particular study you are analyzing; (c) state the various formulas in nontechnical language, because as you define each term you show you understand it (although once you have defined it in nontechnical language, you can use it from then on in the essay); (d) look back and be absolutely certain that you made it clear just why that formula or procedure was applied and why it is the way it is.

The outlines below are *examples* of ways to structure your essays. There are other completely correct ways to go about it. And this is an *outline* for an answer–you must write the answer out in paragraph form. Examples of full essays are in the answers to Set I Practice Problems in the back of the text.

These essays are necessarily very long for you to write (and for others to grade). But this is the very best way to be sure you understand everything thoroughly. One shortcut you may see on a test is to write your answer for someone who understands statistics up to the point of the new material you are studying. You can choose to take the same shortcut in these practice problems (maybe writing for someone who understands right up to whatever point you yourself start being just a little unclear). But every time you write for a person who has never had statistics at all, you review the logic behind the entire whole course. You engrain it in your mind. Over and over. The time is never wasted. It is an excellent way to study.

I. Reframe the question into a research hypothesis and a null hypothesis about populations. (Step 1 of hypothesis testing.)

A. State in ordinary language the hypothesis testing issue: Do the two groups of persons studied represent larger groups or "populations" of people whose averages are different?

B. Explain language (to make rest of essay easier to write by not having to repeat long explanations each time), focusing on the meaning of each term in the concrete example of the study at hand.
    1. Populations.
    2. Sample.
    3. Mean.
    4. Research hypothesis.
    5. Null hypothesis.
    6. Rejecting the null hypothesis to provide support for the research hypothesis.

II. Determine the characteristics of the comparison distribution. (Step 2 of hypothesis testing.)

A. Explain principle that the comparison distribution is the distribution (pattern of spread of differences between means of scores of two groups) that represents what we would expect if the null hypothesis were true and our particular two groups each consist of randomly selected scores from populations that have the same mean.

B. Thus, the comparison distribution is the distribution of differences between means of two groups where the two groups really are not from two different populations, but the two populations are one and the same.

C. Note that because we are working with a difference between means of two groups, we have to compare our actual difference between the means of two groups to a distribution not of individual cases, but of differences between means of two groups.

D. Give an intuitive understanding of how one might construct a distribution of differences between means of two groups.
    1. Create a distribution of means based on the population the first group represents.
       a. Select a random sample of the size (number of subjects) of your first group from the population it represents and compute its mean.
       b. Select another random sample of this size from this population and compute its mean.
       c. Repeat this process a very large number of times.
       d. Make a distribution of these means.
    2. Create a distribution of means based on the population the second group represents.
    3. Select one mean from each distribution of means and find the difference (subtract the one from the other).
    4. Repeat this process many times.
    5. Make a distribution of these differences.
    6. Note that this procedure is only to explain the idea, and would be too much work and unnecessary in practice.

E. There is an exact mathematical relation of a distribution of differences between means to the population the means are drawn from, so that in practice the characteristics of the distribution of means can be determined directly from knowledge of the characteristics of the population and the size of the samples involved.

F. Since we are still assuming the null hypothesis is true, the mean of a distribution of differences between means is zero because the distributions of means from each will have the same mean, and differences between means taken from them should average out to zero.

G. The standard deviation of a distribution of differences between means is a measure of the amount of spread or variation in the differences. (Define variance and standard deviation in lay language.) This standard deviation is computed in steps.

    1. Estimate the variation in each of the populations which each group represents.

        a. Whatever the distribution a particular group's scores come from, it is reasonable to assume that the variation among the scores in your particular group is representative of the variation in that larger distribution of scores.

        b. A sample's variation is on the average slightly less than the population it comes from because it is less likely to include scores that are far from its mean.

        c. Thus, a special adjustment is made that exactly corrects for this: Instead of taking the average of the squared deviations–the sum of squared deviations divided by the number of subjects–one instead divides the sum of squared deviations by one less than the number of subjects in the sample.

        d. Describe the computations (and state results) for your two groups.

    2. Average the estimates to get a more accurate pooled estimate.

        a. Normally we assume the two populations have the same amount of variation.

        b. The averaging is done so as to give weight to each estimate in proportion to the information it contributes (which is the number of cases minus one).

        c. Describe the computations and state the results.

3. Compute the variance of each distribution of means.
   a. The spread of each distribution of means will be less spread out than the population of individual cases from which the samples are taken because of the following reasoning.
      i. Any one score, even an extreme score, has some chance of being selected in a random sample.
      ii. However, the chance is less of very many extreme scores being selected in the same random sample (what is required to create an extreme sample mean), particularly since scores would have to be extreme in the same direction.
      iii. Thus, there is a moderating effect of numbers: In any one sample the deviants tend to be balanced out by middle cases or by deviants in the opposite direction, making each sample tend towards the middle and away from extreme values.
      iv. With fewer extreme values for the means, the variation among the means is less.
   b. The more cases in each sample, the less spread out is the distribution of means of that sample size: With a larger number of cases in each sample, it is even harder for extreme cases in that sample not to be balanced out by middle cases or extremes in the other direction in the same sample.
   c. The variance of each distribution of means is found by a formula that divides the estimated population variance by the number of subjects in the group representing it (thus making it smaller in proportion to the number of subjects in the group).
   d. Describe the computations and state the results.
4. Find the standard deviation of the distribution of differences between means.
   a. The variance in each distribution of means contributes to the variance in the differences between the means.
   b. The variance of the distribution of means, in fact, comes out to the sum of the variances of the two distributions of means. Its standard deviation is the square root of this result.
   c. Describe the computations and state the results.

H. The shape of the distribution of differences between means.
   1. The distribution tends to be bell-shaped, with most cases falling near the middle and fewer at the extremes, due to the same basic process of extremes balancing each other out that we noted in the discussion of the standard deviation–middle values are more likely and extreme values less likely.
   2. Specifically, it can be shown that it will follow a precise shape called a *t* distribution.
   3. Actually there are different *t* distributions according to the amount of information that goes into estimating the variation in the distribution from the sample, which is the sum of the numbers you divide by in making the estimates (one less than the number of subjects in the first group plus one less than the number of subjects in the second group).
   4. But the shape of the comparison distribution is only a precise *t* distribution if both populations of individual scores follow a precise shape called a normal curve (also bell-shaped) that is widely found in nature. Note that in the problem you are told that the distributions of the populations are normal curves so that this condition is met in your case.

III. Determine the cutoff sample score on the comparison distribution at which the null hypothesis should be rejected. (Step 3 of hypothesis testing.)

    A. Before you figure out how extreme the particular difference between the means of your two groups is on this distribution of differences between means, you want to know how extreme your difference would have to be to decide it was too unlikely that it could have been a randomly drawn mean from this comparison distribution.

    B. Since the shape of the comparison distribution follows a mathematically defined formula, you can use a table to tell you how many standard deviations from the mean your score would have to be in order to be in the top so many percent.

    C. Note that the number of standard deviations from the mean on this t distribution is called a t score. (Explaining this term makes writing simpler as you go along.)

    D. To use these tables you have to decide the kind of situation you have, and there are two considerations.

        1. Are you interested in the chances of getting this extreme of a difference between means that is extreme in only one direction (such as only higher for one group than the other) or in either? (Explain which is appropriate for your study.)

        2. Just how unlikely would the extremeness of a particular mean have to be? The standard figure used in psychology is less likely than 5% (though 1% is sometimes used to be especially safe). (Say which you are using in your study–if no figure is stated in the problem and no special reason given for using one or the other, the general rule is to use 5%.)

    E. State the cutoff for your particular problem.

IV. Determine the score of your sample on the comparison distribution. (Step 4 of hypothesis testing.)

    A. Find where the actual difference your two groups' means would fall on the comparison distribution, in terms of a t score.

    B. State this t score.

V. Compare the scores obtained in Steps 3 and 4 to decide whether to reject the null hypothesis. (Step 5 of hypothesis testing.)

    A. State whether your difference between means (from Step 4) does or does not exceed the cutoff (from Step 3).

B. If your difference between means exceeds the cutoff, you write out the following.
   1. You can reject the null hypothesis.
   2. By elimination, the research hypothesis is thus supported.
   3. Say what it means that the research hypothesis is supported. (That is, the study shows that the particular experimental manipulation *appears* to make a difference in the particular thing being measured, or that people in general of the kind represented by one of your groups are probably really different or have been changed on the thing being measured from people in general of the kind represented by your other group.)

C. If your score does not exceed the cutoff, write out these points.
   1. You cannot reject the null hypothesis.
   2. The experiment is inconclusive.
   3. Say what it means that the study is inconclusive. (That is, the study did not yield results which give a clear indication of whether or not the particular experimental manipulation appears to make a difference in the particular thing being measured; or that it is not clear based on this study whether people in general of the kind represented by one of your groups are really different or have been changed on the thing being measured from people in general of the kind represented by your other group.)
   4. Explicitly note that even though the research hypothesis was not supported in this study, this is not evidence that it is false—it is quite possibly true but the thing studied has only a small effect, not sufficient to produce a mean extreme enough to yield a significant result in this study.

Chapter Self-Tests

Multiple-Choice Questions

1. A distinguishing feature of the *t* test for independent means is

   a. dependent populations are treated as if they are unrelated.
   b. the difference between the means of two independent samples is evaluated.
   c. variance is not used in this procedure.
   d. the variance of the parent populations is unrelated to the variance of the samples.

2. When conducting a *t* test for independent means using a two-tailed test, the null hypothesis typically states that

   a. the mean of Population 1 is the same as the mean of Population 2.
   b. the mean of Population 1 is different from the mean of Population 2.
   c. the variance of Population 1 is less than or the same as the variance of Population 2.
   d. the variance of Population 1 is different from the variance of Population 2.

3. In a *t* test for independent means, because there are two samples we end up with two estimates of the population variance. If the sample sizes are different, the two estimates are combined by

a. directly averaging the two estimates into one number.

b. finding a weighted average.

c. pooling the raw data of each sample, then finding the variance of the new super sample.

d. finding the difference of the two estimates (that is, the estimate for Population 1 minus the estimate for Population 2), and using a special table to look up the new estimate based on that difference.

4. The distribution of differences between means has a mean of

a. the population variance divided by N.

b. the pooled mean of the sample means.

c. 0.

d. 1.

5. The variance of a distribution of differences between means is

a. the smallest of the two variances of the two distributions of means.

b. the largest of the two variances of the two distribution of means.

c. the average of the variances of the two distributions of means.

d. the sum of the variances of the two distributions of means.

6. In the formula $t = (M_1 - M_2)/S_{DIF}$, the "M's" refer to

a. the means of the two populations.

b. the means of the distribution of means.

c. the hypothesized means of the two population.

d. the means of the two samples.

7. A study compares the scores of men and women on a scale measuring how important beauty is to the subject. If there are 20 women and 15 men, what proportion of the pooled estimate of the population variance will come from men?

a. $15/20 = 75\%$

b. $(15-1)/(20-1) = 14/19 = 74\%$

c. 50%

d. $(15-1)/((20-1)+(15-1)) = 14/33 = 42\%$.

8. When conducting a *t* test for independent means, if the assumption of normality is seriously violated, you should

a. not be concerned because the *t* test for independent means is highly robust even under extreme violations of the assumptions.

b. use a procedure other than the *t* test for independent means.

c. proceed, but interpret your results with caution.

d. proceed ONLY if the population variances are not skewed.

9. In a study with 30 subjects total (divided into a control group and an experimental group), which of the following cases would be the most powerful?

    a. The experimental group has 20 subjects and the control group has 10.
    b. Both groups have 15 subjects.
    c. The control group has 20 subjects and the experimental group has 10.
    d. The control group has 29 subjects and the experimental group has 1 subject.

10. Which of the following is part of the process of computing a t test for independent means?

    a. Each sample's standard deviation is divided by its sample size to find the standard deviation of its population's distribution of means.
    b. The population variance, which is known, is used to find the variance of the two samples.
    c. The population variance is estimated, then that estimate is used to find the variance of each of the distributions of means.
    d. An estimate of the population mean, based on pooled sample means, is translated into a t score, and then compared to a t distribution.

Fill-In Questions

1. In a study of the effects of a particular drug on creativity, subjects were evaluated while taking part in a creative task. During the task 10 subjects were under the influence of the drug and 10 subjects were not. A t test for _____ would be conducted to analyze the data.

2. "$Sp^2 = (S^2_1 + S^2_2) / 2$" is a formula used for the pooled estimate of the population variance when sample sizes are _____.

3. The formula, "Sp^2/N_2," is used to compute the variance of Sample 2's _____.

4. When the variances of the distribution of means for both samples are added together, the result is the variance of _____.

5. In the formula "$t = (M_1 - M_2)/S_{DIF}$," S_{DIF} is the _____ of the distribution of differences between means.

6. & 7. The assumptions for a t test for independent means require that the populations are both _____ and have the same _____.

8. When computing the effect size (d) of a completed experiment, based on the actual observed data, the difference between the observed means is divided by _____.

9. There is _____(more, less, about equal) power in a study in which there are 5 subjects in Sample 1 and 15 in Sample 2 than in a study with 10 subjects in each sample.

10. A study with 15 subjects in one condition and 10 in the other, using a t test for independent means, yielded a t of 3.21, which was significant at the .01 significance level, one-tailed. Write these results in the standard format (using appropriate symbols, etc.) as they would be reported in the text of a research article. _____.

Problems and Essays

1. As a senior thesis a psychology major examines the effects of self-defense training on self-confidence. (This is a new program and it is not clear whether it will increase self-confidence, decrease it, or make no difference.) Five of ten volunteers are randomly selected to receive self-defense training. The other five receive no special training. At the end of the training period, all subjects complete a self-confidence questionnaire.

   (a) Is there a difference in self-confidence between the two groups, according to the data below (use the .01 significance level)?

   (b) Explain your analysis to a person who has never had a course in statistics.

Self-Confidence Scores For Subjects Who Do and Do Not Receive Self-Defense Training

TRAINING	NO TRAINING
15	14
18	16
14	19
17	18
15	13

2. A social psychologist conducted a study of whether she could produce a placebo effect on intelligence. (A "placebo" is an inactive drug or a fake treatment. A "placebo effect" occurs when a subject reacts to a placebo as if it were a real drug or treatment.) She randomly divided seven subjects into two groups. All seven were given pills (known to have no true effect) to take at the start of the experiment in which they were told that they would first be given some questionnaires, including an intelligence test, for background information, and then would undergo some physiological testing to measure effects of the "vitamin" on levels of red blood cells. Three of the subjects were randomly assigned to be told that these pills would take an hour to have any effect, and if they noticed anything at all from them even then, it would be some tingling in the feet. The other four were told that this vitamin has been found to enhance alertness and mental agility during the first hour and then to have no special effect except possibly some tingling in the feet. The table below shows the scores on the intelligence test.

(a) Based on these data, is intelligence test performance increased by a placebo pill? (Use the .05 significance level.)

(b) Explain your conclusion and procedure to a person who has never had a course in statistics.

Intelligence Scores of Placebo Group and Control Group

PLACEBO	CONTROL
85	89
97	76
105	99
74	

3. Do people who are health-conscious get better grades? To address this question, a researcher first assessed the degree of health consciousness (using a questionnaire) of a group of college students. Of those, the top 15 and the bottom 15 were selected, forming the High Health-Conscious (HHC) group and the Low Health Conscious (LHC) group, respectively. The researcher reported: "The HHC group was not found to have a significantly higher GPA than the LHC group (HHCM=3.2, SD =.33; LHC M =3.0, SD =.68; $t(28)$ = 1.06)." Explain and interpret these results to a person who is not familiar with statistics.

4.   A personality psychologist is interested in whether introverts and extroverts differ in their sensitivity to light. Forty introverts and forty extraverts are each measured in a series of visual tasks and the results are shown in the table below. (Each is a measure of sensitivity, with higher numbers indicating greater sensitivity.) Explain and interpret these results to a person not familiar with statistics.

Means of Introverts and Extroverts on Perceptual Sensitivity Measures

	Introverts	Extroverts	t
Light Intensity-A	4.16	13.21	0.78
Light Intensity-B	1422.12	1238.63	4.21**
Color Contrast	107.16	94.16	1.91*
Adaptation-A	.0024	.0013	2.68**
Adaptation-B	1.81	1.93	-1.07

$*p < .05$ $**p < .01$

Using SPSS/PC+ Studentware Plus with this Chapter

If you are using SPSS for the first time, before proceeding with the material in this section read the Appendix on Getting Started and the Basics of Using SPSS/PC+ Studentware Plus.

You can use SPSS to carry out a *t* test for independent means. You should work through the example, following the procedures step by step. Then look over the description of the general principles involved and try the procedures on your own for some of the problems listed in the Suggestions for Additional Practice. Finally, you may want to try the suggestions for using the computer to deepen your understanding.

I. Example

A. Data: Employee performance after several months on the job of seven subjects randomly assigned to a special job skills program and seven subjects randomly assigned to the standard job skills program (fictional data), from the example in the text. The scores for those receiving the special program are 6, 4, 9, 7, 7, 3 and 6. The scores for those receiving the standard program are 6, 1, 5, 3, 1, 1, and 4.

B. Follow the instructions in the SPSS Appendix for starting up SPSS and be sure the cursor is in the Scratch Pad window.

C. Enter the data as follows.

1. Type **DATA LIST FREE / PROGRAM PERFORM.** and press Enter to go to the next line.
2. Type **BEGIN DATA.** and press Enter to go to the next line.
3. Type **1**, a space, and a **6**; then press Enter. The **1** stands for the special program, and the **6** stands for the performance score of the first subject in that special program. (This system is used because SPSS assumes that all scores on the same line are for the same subject–thus, you do not lay out the data as a column for each condition.)
4. Type **1 4** (the program and performance score for the second subject) and press Enter.
5. Type the program and performance scores for the remaining subjects in the special program.
6. Type **2 6** (the **2** is being used to stand for the standard program, the **6** is for the performance score of the first subject in the standard program.
7. Type the scores of the remaining subjects.
8. Type **END DATA.** and press Enter to move to the next line.

D. Carry out the *t* test for independent means as follows.

1. Type T-TEST GROUPS PROGRAM(1,2) / VARIABLE PERFORM. and press Enter. Figures SG10-1 and SG10-2 show the entire set of typed lines.

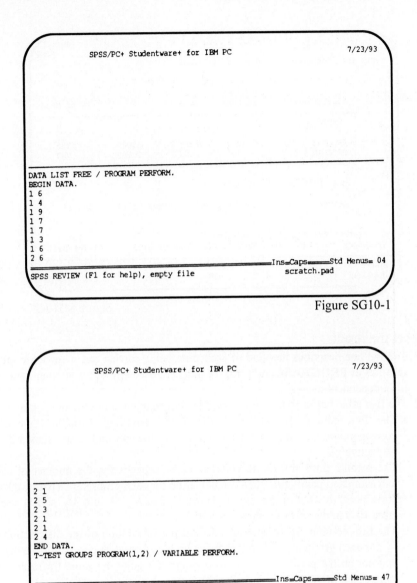

```
            SPSS/PC+ Studentware+ for IBM PC                     7/23/93


        _____
        DATA LIST FREE / PROGRAM PERFORM.
        BEGIN DATA.
        1 6
        1 4
        1 9
        1 7
        1 7
        1 3
        1 6
        2 6                                    ═Ins═Caps════Std Menus═ 04
        ───────────────────────────────────────────  scratch.pad
        SPSS REVIEW (F1 for help), empty file
```

Figure SG10-1

```
            SPSS/PC+ Studentware+ for IBM PC                     7/23/93




        _____
        2 1
        2 5
        2 3
        2 1
        2 1
        2 4
        END DATA.
        T-TEST GROUPS PROGRAM(1,2) / VARIABLE PERFORM.

                                               ═Ins═Caps════Std Menus═ 47
        ───────────────────────────────────────────  scratch.pad
```

Figure SG10-2

2. Tell SPSS to carry out your instructions—use the arrow keys to move to the start of the first line (**DATA LIST ...**), press F10, and press Enter. The result should look like Figure SG10-3.

```
                                                              MORE
t-tests for independent samples of  PROGRAM


                              Number
              Variable       of Cases    Mean        SD      SE of Mean

              PERFORM

              PROGRAM 1.00       7      6.0000      2.000       .756
              PROGRAM 2.00       7      3.0000      2.082       .787


         Mean Difference = 3.0000

         Levene's Test for Equality of Variances: F= .226    P= .643


         t-test for Equality of Means                          95%
   Variances  t-value    df    2-Tail Sig    SE of Diff     CI for Diff

   Equal       2.75      12       .018        1.091       (.622, 5.378)
   Unequal     2.75     11.98     .018        1.091       (.622, 5.378)
```

Figure SG10-3

E. Inspect the result.

1. The top line describes the kind of procedure being carried out: **t-tests for independent samples of PROGRAM**. A "t-test for independent samples" is another name for a *t* test for independent means.

2. The first table below this heading provides information about the two variables.

   a. The first column gives the levels of the grouping variable (that is, **1** or **2**, corresponding to the numbers used for the special and standard programs, respectively).

   b. The second, third and fourth columns give, respectively, the number of cases, mean, and estimated population standard deviation for each grouping. That is, these numbers correspond to what in the text are called N_1 and N_2; M_1 and M_2; and S_1 and S_2. (See table 10-3 in the text to compare results.)

   c. The fifth column, **SE of Mean**, is the standard deviation of the distribution of means, S_M for each grouping. Note that these are based on each population variance estimate and not on the pooled estimate–so they are not quite the same for each group as the square root of the S_M^2 computed in the text.

3. The line below the first table, **Mean Difference**, is simply the difference between the means of the two groups.

4. The next line, **Levene's Test for Equality of Variances** is a significance test of the null hypothesis that the *variances* of the two populations are the same. This test is important mainly as a check on whether it is reasonable to proceed with the ordinary *t* test for independent means with its assumption that the population variances are equal. If this test is significant (that is, if the **P** is less than .05), this assumption is brought into question. However, in the example, the result is clearly not significant (**.643** is well above .05) so we have no special reason to doubt the assumption of equal population variances.

5. The bottom table is labeled *t* **test for Equality of Means**.

   a. The first row (the one labeled **Equal**) gives results of the ordinary *t* test for independent means that assumes equal population variances.

   b. Notice in the first column (of the first row) that the *t* score, degrees of freedom, and standard deviation of the distribution of differences between means (what SPSS labels as **SE of Diff**) are the same as computed in the text for this example, within rounding error.

   c. The column labeled **2-tail Sig** gives the probability, the exact chance, of getting a *t* score this extreme on this particular *t* distribution. In this example, the computer reports **.018**. Since the significance level was set in advance at .05, this result is clearly significant. (Note that the figure given is for a two-tailed test, which is appropriate in the example. But if you were using a one-tailed test, you would consider the result significant at the .05 level if this number were .10 or less. To put this another way, the particular result of .018 means that there is .009 of the curve higher than 2.75 and .009 lower than -2.75.)

   d. The last column, labeled **95% CI for Diff**, refers to what is called the "95% confidence interval." (It refers to the raw scores corresponding to the *t* scores at the bottom 2.5% and the top 2.5% of the *t* distribution. This was not covered in the text.)

   e. The second row of the bottom table, labeled **Unequal**, gives the results of a special *t* test which does not require the assumption of equal population variances. (The existence of this procedure is mentioned briefly in the chapter in the text.)

F. Print out the result and return to the Scratch Pad.

G. Save your lines of data and instructions, as follows.

   1. Press F9 and Enter.
   2. Type CH10XMPL and press Enter.

II. Systematic Instructions for Computing the *t* Test for Independent Means

A. Start up SPSS.

B. Enter the data as follows, with one variable consisting of either a 1 or a 2, representing which group a subject is in, and the other variable consisting of the scores on the measured variable.

1. Type **DATA LIST FREE / [name of grouping variable] [name of measured variable].** and press Enter to go to the next line.
2. Type **BEGIN DATA.** and press Enter to go to the next line.
3. Type each subject's two scores (that is, the 1 or 2 for the grouping variable followed by the score on the measured variable); one such line per subject.
4. Type **END DATA.** and press Enter to move to the next line.

C. Carry out the *t* test for independent means as follows.

1. Type **T-TEST GROUPS [name of grouping variable](1,2) / VARIABLE [name of measured variable].** and press Enter.
2. Tell SPSS to carry out your instructions–use the arrow keys to move to the start of the first line (**DATA LIST ...**), press F10, and press Enter.
3. Print out a copy of the result (using Shift-PrintScrn) and press F2 and Enter to return to the Scratch Pad window.
4. Inspect the result, attending especially to the first line of the bottom table (the row labeled Equal) which describes the computations for an ordinary *t* test for independent means, with its assumption of equal population variances.

D. Save your lines of data and instructions, as follows.

1. Press F9 and Enter.
2. Type **[file name]** and press Enter.

III. Additional Practice

(For each data set compute a *t* test for independent means and compare your results to those in the text).

A. Text example: Data in Table 10-2 of perceived academic competence of boys whose mothers' work does or does not involve problem solving (from Moorehouse & Sanders, 1992).

B. Practice problems in the text.

1. Set I: 4.
2. Set II: 3,5,6.

IV. Using the Computer to Deepen Your Knowledge

A. The *t* test for independent means versus the *t* test for dependent means.

1. Use SPSS to compute a *t* test for independent means using the surgeon example from Chapter 9–you will have to retype in the data setting this up as if the Quiet and Noisy scores were from two different groups of people. Notice that the resulting *t* is considerably lower.

2. Now try to set up the *t* test computed in this chapter (the new job program example) as a *t* test for dependent means, by arbitrarily pairing the score of the first subject in the new-program group with the score of the first subject in the standard-program group, and continuing in that fashion over all the scores. (This would not even be possible if there were different numbers of subjects in the group.) Notice that the *t* is not much higher than the *t* test for independent means. (Also note the correlation.)

3. Try another *t* test for dependent means with the same job-program example, but this time pairing the subjects in the two groups differently. (Again, note the correlation.)

4. What is the principle operating here? (Hint: When two sets of scores are from the same people, they tend to be correlated.)

B. Effect of variance on the *t* test for independent means.

1. Compute the *t* test in the example again, but this time use as data for the special-program group three 5s, three 7s, and one 6. This will keep the mean the same, but will much reduce the variance of the scores.

2. Compute another *t* test, but this time use all 6s for the special-program group. This still keeps the mean of this group the same, but reduces the variance to zero.

3. Compare these results (including the original finding). What accounts for the differences?

Using MYSTAT with this Chapter

If you are using MYSTAT for the first time, before proceeding with the material in this section read the Appendix on Getting Started and the Basics of Using MYSTAT.

You can use MYSTAT to carry out a *t* test for independent means. You should work through the example, following the procedures step by step. Then look over the description of the general principles involved and try the procedures on your own for some of the problems listed in the Suggestions for Additional Practice. Finally, you may want to try the suggestions for using the computer to deepen your understanding.

I. Example

A. Data: Employee performance after several months on the job of seven subjects randomly assigned to a special job skills program and seven subjects randomly assigned to the standard job skills program (fictional data), from the example in the text. The scores for those receiving the special program are 6, 4, 9, 7, 7, 3 and 6. The scores for those receiving the standard program are 6, 1, 5, 3, 1, 1, and 4.

B. Create a file of your data as follows.

   1. Follow the instructions in the MYSTAT Appendix for starting up MYSTAT.

   2. Using the instructions in the MYSTAT Appendix for creating a file of your data, type in the variable name **"PROGRAM"** at the top of the first column and **"PERFORM"** (short for performance rating) at the top of the second column. Then type in the data for each subject, going down the screen. When typing in the data under **PROGRAM** you need to give a number corresponding to the program each subject has been assigned to—in this example, use **1** for the special program and **2** for the standard program. (This is because, as before, you must have one line per subject—you do not lay out the data as a column for each condition.) When you are done entering the data, the screen should appear as shown in Figure SG10-4.

```
MYSTAT Editor
   Case     PROGRAM       PERFORM
    1         1.000         6.000
    2         1.000         4.000
    3         1.000         9.000
    4         1.000         7.000
    5         1.000         7.000
    6         1.000         3.000
    7         1.000         6.000
    8         2.000         6.000
    9         2.000         1.000
   10         2.000         5.000
   11         2.000         3.000
   12         2.000         1.000
   13         2.000         1.000
   14         2.000         4.000
   15
```

Figure SG10-4

   3. Save the file by pressing Escape to get to the bottom of the screen, typing >**SAVE CH10XMPL**, and pressing Enter.

   4. Return to the Main Menu by typing >**QUIT** and pressing Enter twice.

C. Tell MYSTAT to use your data file by typing >**USE CH10XMPL** and pressing Enter twice.

D. Compute the t test for independent means by typing >**TTEST PERFORM*PROGRAM** and pressing Enter. The result should appear as shown in Figure SG10-5.

Chapter Ten

```
┌─────────────────────────────────────────────────────────────┐
│    INDEPENDENT SAMPLES T-TEST ON  PERFORM    GROUPED BY  PROGRAM │
│                                                               │
│        GROUP          N    MEAN           SD                  │
│        1.000          7    6.000         2.000                │
│        2.000          7    3.000         2.082                │
│    POOLED VARIANCES T =      2.750 DF =    12 PROB = .018      │
│                                                               │
│                                                               │
│                                                               │
│                                                               │
│                                                               │
│                                                               │
│                                                               │
│                                                               │
│      Press ENTER <-' or RETURN                                │
└─────────────────────────────────────────────────────────────┘
```

Figure SG10-5

E. Inspect the result.

1. The top line describes the procedure being carried out: INDEPENDENT **SAMPLES T-TEST ON PERFORM GROUPED BY PROGRAM**. (An "independent samples *t*-test" is another name for a *t* test for independent means.)

2. The next three lines give, for each group, the number of subjects, the mean, and the standard deviation (this is the estimated population standard deviation, *S*, based on each sample). These figures are the same as computed in the text except that in the text we computed the variances instead of the standard deviations (see Table 10-3).

3. The final line gives the key results of the *t* test. (This line is labeled **POOLED VARIANCES** because it uses the standard *t* test procedure of combining the two population variance estimates to get a pooled estimate.)

   a. First it gives the computed *t* score–**T = 2.750**. (The text, using rounded-off figures, computed 2.73.)

   b. Next it gives the degrees of freedom–**DF = 12**. (The same as computed in the text.)

   c. Finally, it gives the probability, the exact chance of getting a *t* score this extreme on this particular *t* distribution. In this example, the computer reports **PROB = .018**. Since the significance level was set in advance at .05, this result is significant. (Note that *** the figure given is for a two-tailed test, which is appropriate in the example. But if you were using a one-tailed test, you would consider the result significant at the .05 level if this number were .10 or less.)

F. Print out the result and return to the Main Menu.

II. Systematic Instructions for Computing the *t* test for Independent Means

A. Start up MYSTAT.

B. Create a file with the data, creating one variable representing which group a subject is in and another variable representing the score on the variable being measured. Then return to the Main Menu.

C. With the Main Menu on the screen, tell MYSTAT you want to use this particular file by typing >USE [filename] and pressing Enter twice.

D. Type >TTEST [name of measured variable]*[name of grouping variable] and press Enter.

E. Print out a copy of the result (using Shift-PrintScrn) and press Enter to return to the Main Menu.

III. Additional Practice

(For each data set compute a *t* test for independent means and compare your results to those in the text).

A. Text example: Data in Table 10-2 of perceived academic competence of boys whose mothers' work does or does not involve problem solving (from Moorehouse & Sanders, 1992).

B. Practice problems in the text.
1. Set I: 4.
2. Set II: 3,5,6.

IV. Using the Computer to Deepen Your Knowledge

A. The *t* test for independent means versus the *t* test for dependent means.

1. Use MYSTAT to compute a *t* test for independent means using the surgeon example from Chapter 9–you will have to retype in the data setting this up as if the Quiet and Noisy scores were from two different groups of people. Notice that the resulting *t* is considerably lower.

2. Now try to set up the *t* test computed in this chapter (the new job program example) as a *t* test for dependent means, by arbitrarily pairing the score of the first subject in the new-program group with the score of the first subject in the standard-program group, and continuing in that fashion over all the scores. (This would not even be possible if there were different numbers of subjects in the group.) Notice that the *t* is not much higher than the *t* test for independent means. (Also compute the correlation.)

3. Try another *t* test for dependent means with the same job-program example, but this time pairing the subjects in the two groups differently. Compute the correlation again.

4. What is the principle operating here? (Hint: When two sets of scores are from the same people, they tend to be correlated.)

B. Effect of variance on the *t* test for independent means.
    1. Compute the *t* test in the example again, but this time use as data for the special-program group three 5s, three 7s, and one 6. This will keep the mean the same, but will much reduce the variance of the scores.
    2. Compute another *t* test, but this time use all 6s for the special-program group. This still keeps the mean of this group the same, but reduces the variance to zero.
    3. Compare these results (including the original finding). What accounts for the differences?

Chapter 11
Introduction to the Analysis of Variance

Learning Objectives

To understand, including being able to conduct any necessary computations:

- When it is appropriate to use an analysis of variance.
- The within-group estimate of the population variance.
- The between-group estimate of the population variance.
- The F ratio.
- The F distribution and using an F table.
- The steps in conducting a one-way analysis of variance.
- Assumptions for the analysis of variance (and the conditions under which it is safe to violate them).
- Effect size (f) of a one-way analysis of variance.
- Power of an experiment using a one-way analysis of variance.
- Effects on power of matching by groups.
- How results of studies using analysis of variance are reported in research articles.

Chapter Outline

I. **Basic Logic of the Analysis of Variance**

   A. Used in studies with three or more samples.

   B. Follows the usual steps of hypothesis testing.

   C. The null hypothesis is that the three or more populations being compared all have the same mean.

   D. Population variance can be estimated by averaging variance estimates from all samples. This is called the *within-group* estimate of the population variance.

   E. Population variance can also be estimated based on variation among means of samples. This is called a *between-group* estimate of the population variance.

   1. When the null hypothesis is true.
      a. All populations have same mean.
      b. Any variation among means of your particular samples thus can only represent variation among individual scores in the populations.
      c. Thus, variance of individual scores can be estimated from variation among samples.

   2. When the research hypothesis is true.
      a. The populations have different means.
      b. Any variation among means of your particular samples thus can represent both variation among individual scores in the populations *plus* variation between the population means.

      c. When a between-group estimate is computed in this case, it reflects both sources of variation.

F. Decisions regarding the null and research hypotheses involve comparing the within-group and between-group estimates of the population variance.
    1. When the null hypothesis is true, the two should be about the same.
    2. When the research hypothesis is true, the between-group estimate should be larger than the within-group estimate.
    3. In terms of proportions (between-group divided by within-group), the proportion should be about 1 when the null hypothesis is true and greater than 1 when it is not.
    4. This proportion is called the *F Ratio*.

G. The *F* distribution and the *F* table.
    1. Statisticians have developed the mathematics of an *F* distribution–the probabilities of getting *F*s of various sizes under the null hypothesis.
    2. Tables are available indicating how extreme the *F* ratio calculated from your samples has to be in order to reject the null hypothesis at various standard significance levels.
    3. You can think of *F* in terms of an analogy to the signal-to-noise ratio in engineering, in which the signal is like the variation among means and the noise like the variation of individual scores.

II. Analysis of Variance Procedures

A. Within-group population variance estimate.
    1. Compute population variance estimates from the data in each sample–$S^2 = SS/df$.
    2. Since all populations are assumed to have equal variances, if sample sizes are equal then these estimates can be combined by a straightforward averaging.
    3. This is called the *within group variance* or *mean squares within* and is symbolized as S_W^2 or MS_W.

B. Between-group population variance estimate.
    1. Estimate the variance of the distribution of means, based on the means of your particular samples: Treating each mean as a number, apply the usual formula for estimated population variance.
    2. Extrapolate from the estimated variance of the distribution of means to an estimated variance of the population of individual scores: Multiply by the size of each sample (just the opposite of the dividing you do when going from a population of individual cases to a distribution of means).
    3. This is called the *between-group variance* or *mean-squares between* and is symbolized as S_B^2 or MS_B.

C. The *F* ratio is the between-group variance estimate divided by the within-group variance estimate.

D. The F distribution.

1. Think of it as constructed by taking one random sample from each of several populations with the same mean, computing an F ratio, repeating this process many times, and constructing a distribution of these F ratios.
2. In practice, there is an exact mathematical F distribution.
3. The F distribution is not symmetrical, but is positively skewed because it is a ratio of variances (which must always be positive).
4. Using the F table requires a numerator degrees of freedom (number of groups minus 1) and a denominator degrees of freedom (sum of degrees of freedom over all the groups–number of subjects in each group minus one).

III. Hypothesis Testing with the Analysis of Variance: Follows same standard five steps.

IV. Assumptions in the Analysis of Variance

A. Same as in t test: normal populations with equal variance.

B. Also as with the t test, the analysis of variance of the kind considered in this chapter is generally robust to moderate violations.

C. Violation of normality is a problem when there is reason to believe populations are strongly skewed in different directions or your sample size is quite small.

D. Violation of equal variances is a problem when the largest variance estimate of any group is 4 or 5 times that of the smallest.

E. If assumptions are seriously violated, alternative procedures (described in Chapter 15) are available.

V. Effect Size and Power for the Analysis of Variance

A. Effect size.

1. $f = \sigma_M / \sigma$.
2. For a completed study, estimate effect sizes as $f = S_M/S_W$.
3. Cohen's conventions: Small $f = .10$; medium $f = .25$; large $f = .40$.
4. f can also be computed for a published study which provides only the F and the number of subjects in each group: $f = (\sqrt{F})/(\sqrt{n})$.

B. Power.

1. Main determinants of power are effect size, sample size, significance level, and number of groups.
2. Table 11.7 in the text gives approximate power for small, medium, and large effect sizes, for 3, 4, or 5 groups, all using the .05 significance level.

C. Planning sample size: Table 11.8 in the text gives the approximate number of subjects needed to achieve 80% power for estimated small, medium, and large effect sizes, for 3, 4, or 5 groups, all using the .05 significance level.

VI. Controversy: Random Assignment Versus Systematic Selection

A. Matching groups of subjects prior to assignment to groups artificially reduces the natural variation among samples but not the variation within groups. Thus, on the average the F will be reduced and the power is lower.

B. Recent researchers have noted, however, that under certain conditions–particularly where there are large group differences–power is actually increased by this kind of matching.

VI. How Analyses of Variance are Described in Research Articles: They are usually reported in the article text by giving the sample means (and sometimes the SDs), followed by a standard format for reporting Fs–for example, $F(3,67) = 5.21$, $p < .01$. The first number in parenthesis is the numerator degrees of freedom, the second number is the denominator degrees of freedom.

Formulas

I. Within-group estimate of the population variance when sample sizes are equal (S_W^2 or MS_W)

Formula in words: Average of population variance estimates computed from each sample.

Formula in symbols: S_W^2 or $MS_W = (S_1^2 + S_2^2 + ... + S_{Last}^2) / N_G$

S_1^2 is the unbiased estimate of the variance of Population 1.

S_2^2 is the unbiased estimate of the variance of Population 2.

S_{Last}^2 is the unbiased estimate of the variance of the population corresponding to the last group.

Note: Each $S^2 = \Sigma(X-M)^2/df = SS/df$ (see Chapter 9) refers to where you are supposed to fill in the corresponding figures for the populations between 2 and the last.

N_G is the number of groups.

II. Variance of the distribution of means estimated from sample means (S_M^2)

Formula in words: Sum of squared deviations of each sample's mean minus the overall mean of all subjects, divided by the degrees of freedom for this estimate (the number of groups minus one).

Formula in symbols: $S_M^2 = \Sigma(M-GM)/df_B$

M is the mean of each sample.

GM is the grand mean–the overall mean of all scores (also, when sample sizes are equal, the mean of the means–$GM = \Sigma M/N_G$).

df_B is the degrees of freedom in the between-group estimate–the number of groups minus 1 (that is, $df_B = N_G-1$).

III. Between-group estimate of the population variance when sample sizes are equal (S_B^2 or MS_B)

        Formula in words: Variance of the distribution of means times the sample size.

        Formulas in symbols: S_B^2 or $MS_B = (S_M^2)(n)$

               n is the number of scores in each sample.

IV. The F ratio

        Formula in words: The between-group estimate of the population variance divided by the within-group estimate of the population variance.

        Formulas in symbols: $F = S_B^2/S_W^2$ or $F = MS_B/MS_W$

V. Numerator degrees of freedom or between-groups degrees of freedom (df_B)

        Formula in words: The number of groups minus 1.

        Formula in symbols: $df_B = N_G - 1$

VI. Denominator degrees of freedom or within-groups degrees of freedom (df_W)

        Formula in words: The sum of the degrees of freedom for all of the groups.

        Formula in symbols: $df_W = df_1 + df_2 + \ldots + df_{Last}$

           df_1 is the degrees of freedom for the first sample.

           df_2 is the degrees of freedom for the second sample.

           df_{Last} is the degrees of freedom for the last sample.

           Note: Each $df = N - 1$ (see Chapter 9).

VII. Effect size for analysis of variances (f)

        Formula in words: The hypothesized standard deviation of the distribution of means divided by the hypothesized standard deviation of the population of individual scores.

        Formula in symbols: $f = \sigma_M / \sigma$

           σ_M is the standard deviation of the distribution of means.

           σ is the standard deviation of each of the populations (which are assumed to all have the same standard deviation).

VIII. Estimated effect size for analysis of variance (f) for a completed study when calculations are available

        Formula in words: the computed estimate of the standard deviation of the distribution of means divided by the computed within-group estimate of the standard deviation of the population of individual scores.

        Formula in symbols: $f = S_M / S_W$

           S_M is the estimated standard deviation of the distribution of means.

           S_W is the within-group estimate of the standard deviation of each of the populations of individual scores.

IX. Estimated effect size for analysis of variance (*f*) for a completed study when only the *F* ratio and size of groups are available

> Formula in words: The *F* ratio divided by the square root of the number of subjects in each group.
> Formula in symbols: $f = (\sqrt{F})/(\sqrt{n})$

How to Conduct a One-Way Analysis of Variance
(with Equal Sample Sizes)
(Based on Table 11-6 in the Text)

I.   Reframe the question into a research hypothesis and a null hypothesis about populations.

II. Determine the characteristics of the comparison distribution.

  A. The comparison distribution will be an *F* distribution.

  B. The numerator degrees of freedom is the number of groups minus 1: $df_B = N_G - 1$.

  C. The denominator degrees of freedom is the sum of the degrees of freedom in each group (the number of cases in the group minus 1): $df_W = df_1 + df_2 + \ldots + df_{Last}$.

III. Determine the cutoff sample score on the comparison distribution at which the null hypothesis should be rejected.

  A. Determine the desired significance level.

  B. Look up the appropriate cutoff on an *F* table, using the degrees of freedom calculated above.

IV. Determine the score of your sample on the comparison distribution. (This will be an *F* ratio.)

  A. Compute the between-groups population variance estimate (S_B^2 or MS_B).

   1. Compute the means of each group.

   2. Compute a variance estimate based on the means of the groups: $S_M^2 = \Sigma(M\text{-}GM)/df_B$.

   3. Convert this estimate of the variance of a distribution of means to an estimate of the variance of a population of individual scores by multiplying by the number of cases in each group: S_B^2 or $MS_B = (S_M^2)(n)$.

  B. Compute the within-groups population variance estimate (S_W^2 or MS_W).

   1. Compute population variance estimates based on each group's scores: For each group, $S^2 = SS/df$.

   2. Average these variance estimates: S_W^2 or $MS_W = (S_1^2 + S_2^2 + \ldots + S_{Last}^2) / N_G$.

  C. Compute the *F* ratio: $F = S_B^2/S_W^2$ (or $F = MS_B/MS_W$)

V. Compare the scores in III and IV to decide whether or not to reject the null hypothesis.

Outline for Writing Essays on the Logic and Computations for Conducting a One-Way Analysis of Variance (with Equal Sample Sizes)

The reason for your writing essay questions in the practice problems and tests is that this task develops and then demonstrates what matters so very much–your comprehension of the logic behind the computations. (It is also a place where those better at words than numbers can shine, and for those better at numbers to develop their skills at explaining in words.)

Thus, to do well, be sure to do the following in each essay: (a) give the reasoning behind each step; (b) relate each step to the specifics of the content of the particular study you are analyzing; (c) state the various formulas in nontechnical language, because as you define each term you show you understand it (although once you have defined it in nontechnical language, you can use it from then on in the essay); (d) look back and be absolutely certain that you made it clear just *why* that formula or procedure was applied and *why* it is the way it is.

The outlines below are *examples* of ways to structure your essays. There are other completely correct ways to go about it. And this is an *outline* for an answer–you are to write the answer out in paragraph form. Examples of full essays are in the answers to Set I Practice Problems in the back of the text.

These essays are necessarily very long for you to write (and for others to grade). But this is the very best way to be sure you understand everything thoroughly. One shortcut you may see on a test is that you may be asked to write your answer for someone who understands statistics up to the point of the new material you are studying. You can choose to take the same shortcut in these practice problems (maybe writing for someone who understands right up to whatever point you yourself start being just a little unclear). But every time you write for a person who has never had statistics at all, you review the logic behind the entire course. You engrain it in your mind. Over and over. The time is never wasted.   It is an excellent way to study.

I.   Reframe the question into a null and a research hypothesis about populations. (Step 1 of hypothesis testing.)
State in ordinary language the hypothesis testing issue.
A. The interest in these groups is as representatives, or "samples," of larger groups, or "populations," of particular types of individuals (such as those exposed to various experimental manipulations).

B. Thus you construct a scenario in which the populations do not differ, then do computations based on that scenario to see how likely it is such populations would produce samples of scores whose averages are as different from each other as are the averages of the particular samples in this study.

II. **Determine the characteristics of the comparison distribution. (Step 2 of hypothesis testing.)**

    A. Explain logic of overall approach.

        1. We make and compare two estimates of the variation within these populations (which are assumed to be the same).

        2. If the scenario of no difference is true, then an estimate based on the variation among the averages of the samples should give the same result as an estimate based on the average variation within each sample.

        3. But if the scenario is false (and the population averages differ), then this will increase the estimate based on the differences among the averages of the samples but will not affect the estimate based on the variation within them.

        4. Thus, if the scenario of no difference is true, the ratio of the two estimates (one based on differences divided by one based on variation within) should be about 1. If the scenario is false, the ratio should be greater than one.

    B. Explain F distribution.

        1. Statisticians have determined the probability of getting samples which produce ratios of different sizes under the conditions in which the scenario of no difference is true.

        2. The probabilities depend on how many groups there are, and how many subjects within each group.

III. **Determine the cutoff sample score on the comparison distribution at which the null hypothesis should be rejected. (Step 3 of hypothesis testing.)**

    A. Procedure: Determine significance level and look up cutoff on an F table.

    B. Explanation.

        1. Begin by figuring out how large this ratio of the two variation estimates would have to be in order to decide that the probability was so low that it is unlikely that the scenario of no difference could be true.

        2. There are standard tables that indicate the size of these ratios associated with various low probabilities.

3. To use these tables you have to decide the kind of situation you have. There are two considerations.
   a. How many groups and how many subjects in each group. (State the numbers for your study.)
   b. Just how unlikely would a ratio have to be to decide the whole scenario on which these tables are based (the scenario of no difference) should be rejected? The standard figure used in psychology is less likely than 5% (though 1% is sometimes used to be especially safe). (Say which you are using in your study–if no figure is stated in the problem and no special reason given for using one or the other, the general rule is to use 5%.)
4. State the cutoff F ratio for your situation.

IV. **Determine the score of your sample on the comparison distribution. (Step 4 of hypothesis testing.)**

A. Estimate the populations' variances based on scores within the samples.
   1. Procedure: Compute $S^2 = SS/df$ for each, then $S_W^2 = (S_1^2 + S_2^2 + ... + S_{Last}^2) / N_G$.
   2. Explanation.
      a. The variation in a sample ought to be representative of the population it comes from.
      b. State variance formula in lay terms, noting a reason for squaring–to eliminate signs that would cancel each other out.
      c. State unbiased variance formula in lay terms, noting a reason for dividing by N-1 instead of N–to adjust for the tendency of sample variance to be smaller than population variance.
      d. In doing this kind of problem, we assume that all populations have equal variation (unless we have reason to think otherwise).
      e. Thus we can average the estimates of the variation of the populations to get a better overall estimate.

B. Estimate the variance of the distribution of means.
   1. Procedure: $S_M^2 = \Sigma(M\text{-}GM)/df_B$.
   2. Explanation.
      a. Purpose: Intermediate step to computing the population's variation based on the variation among averages of samples.
      b. Think of a population of averages of samples taken at random from a population.
      c. The variation among the averages of these samples ought to reflect the variation among the individual cases in the population (the more variation in one, the more variation in the other).
      d. If the scenario of no difference among population averages is true, then taking one sample from each population is the same as taking the samples all from the same population.
      e. Thus you can make an estimate of the variation in this population based on the variation among the averages of your sample.
      f. Remind the reader of the variance formula and unbiased variance formula already described.

Chapter Eleven   **237**

C. Estimate the population's variances based on variation among the averages of the samples:
   1. Procedure: $S_B^2 = S_M^2 \times n$.
   2. Explanation.
      a. The variation in a distribution of averages is less than in a distribution of individual scores (note that the exact relation is in proportion to the number of scores in each sample).
      b. Thus to estimate a population's variation based on the variation in a distribution of averages of samples taken from it, you multiply by the size of each sample.
D. Compute the ratio of the two variance estimates.
   1. Procedure: $F = S_B^2 / S_W^2$
   2. Explanation and purpose: This is where you compute the crucial ratio of variation estimates for your particular samples by dividing the estimate based on variation between groups by the estimate based on the variation within.

V. **Compare the scores in Steps 3 and 4 to decide whether or not to reject the null hypothesis. (Step 5 of hypothesis testing.)**
   A. Note whether or not your F ratio exceeds the cutoff and draw the appropriate conclusion.
      1. Reject the null hypothesis: The variation among the averages of your particular samples is so great that it seems unlikely that their populations are the same. So they seem to be different and the null hypothesis seems untrue.
      2. Fail to reject the null hypothesis: The result is inconclusive. On the one hand, these results were not extreme enough to persuade you that the variation was due to the populations being different. On the other hand, it is still possible that they really are different, but because of the people who happened to be selected to be in your samples from the populations, this difference did not show up.
   B. Be sure to state your conclusion in terms of your particular measures and situation, so it is clear to a lay person just what the real bottom line of the study is.

Chapter Self-Tests

Multiple-Choice Questions

1. When conducting an analysis of variance,
   a. the null hypothesis is that the populations have the same means.
   b. the sample variances are assumed to be the same.
   c. population variances must differ by no more than 1 *SD*.
   d. preliminary *t* tests are often conducted between the different populations.

2. Which of the following is true about the within-group estimate of the population variance in analysis of variance:

    a. it is unaffected by whether or not the null hypothesis is true.

    b. it reflects the variance caused by experimental conditions.

    c. if the research hypothesis is true, it is larger than the true variance.

    d. its size is a reliable indicator of effect size.

3. When calculating an analysis of variance, if the research hypothesis is in fact true, then

    a. the F ratio will always be significant.

    b. the between-group variance estimate is likely to be bigger than the within-group variance estimate.

    c. the within-group variance estimate is likely to be bigger than the between-group estimate.

    d. small sample sizes are sufficient to detect small differences among the variance of sample means.

4. Suppose IQ was tested with children divided into three groups according to their parents' parenting styles. Within the group of children of each parenting style, the IQ scores would

    a. be equal, because within-group variance is always 0.

    b. be equal, because the IQ's of different children within a parenting style grouping are more alike than they are different.

    c. vary, due to differences among the parenting styles.

    d. vary, reflecting variation normally found within the population of children of each parenting style.

5. When conducting an analysis of variance with groups of equal size, the overall estimate of the population variance, based on the variation within groups,

    a. can only be calculated when the variance of the samples are assumed to be equal.

    b. is used to determine the between-group variance.

    c. is estimated by averaging the individual estimates within each group.

    d. is exactly the square root of the sample size minus one.

6. Which of the following is the correct formula for S_M^2?

    a. $\Sigma(M\text{-}GM)/df_B$.

    b. SS_T/df_B.

    c. $\Sigma(M\text{-}\mu)/df$.

    d. $(M\text{-}\mu)/S^2$.

7. If there are 5 cases in each sample, and the estimated variance of the distribution of means is 8, then MS_B (or $S_B{}^2$) is

   a. 8/5 = 1.6.
   b. 8 X 5 = 40.
   c. $8^2/5$ = 12.8.
   d. 8/(5-1) = 2.

8. One characteristic of the F distribution is that

   a. there is an inherent bias toward increased positive findings for an alpha level of .01.
   b. the degrees of freedom of the F ratio's numerator solely determines which F distribution is used as a comparison distribution.
   c. its range is -1 to $+\infty$.
   d. it is positively skewed (the long tail to the right).

9. For the analysis of variance, effect size (f) is determined by

   a. the degrees of freedom of the numerator of the F ratio divided by the degrees of freedom of the denominator.
   b. dividing the population standard deviation by the number of groups.
   c. dividing the difference between the means of the two groups with the most different means by the estimated population standard deviation.
   d. dividing the standard deviation of the distribution of means by the standard deviation within populations.

10. After conducting an analysis of variance, if a researcher wanted to present his findings for publication and he had used 8 subjects in each group, what should the "___" be in "$F(3,\_\_\_) = 4.93$, $p < .05$"?

   a. 8.
   b. 11.
   c. 28.
   d. 32.

Fill-In Questions

1. When conducting an analysis of variance, the null hypothesis is that population means are _____.

2. When conducting an analysis of variance, the _____-group estimate of the population variance should always be pretty accurate, regardless of whether the null hypothesis is true or not.

3. When conducting an analysis of variance and the null hypothesis is true, then the ratio of the between-group variance estimate to the within-group variance estimate should be about _____.

4. In the signal-to-noise analogy used to clarify analysis of variance, the between-group variance is likened to _____.

5. In a one-way analysis of variances, "$\Sigma(M\text{-}GM)/df_B$" is the formula for _____.

6. In a one-way analysis of variance the between-group variance is computed by first finding the estimate of the variance of the _____, then multiplying this estimate by the sample size.

7. When conducting an analysis of variance, one assumption that must be met is that the variance is the same in each _____.

8. When calculating the effect size (*f*) for a one-way analysis of variance, the standard deviation of the distribution of means (σ_M or S_M) is divided by _____.

9. According to Cohen's conventions for effect size of one-way analysis of variance, a small effect size (*f*) is _____.

10. Although there are circumstances where the reverse is true, in general when subjects are selected so that the averages of the groups come out the same (on such variables as intelligence, age, etc.), the power of such a design is _____ ("greater than," "less than," or "the same as") the power of a study in which the subjects are just randomly assigned to groups regardless of their scores on these variables.

Problems and Essays

1. A social psychologist interested in the effects of media violence arranged to have 15 children watch a popular children's television program that included a lot of violence. Five were randomly assigned to watch the show on a small-screen television set, five on a standard screen set, and five on a large-set. Immediately after, each child was left in a room with various toys, and the number of seconds of play (during a short observation period) with violent toys was systematically recorded.

   (a) Do the data below (which are fictional) suggest that the size of screen on which children watch a violent show makes any difference in the subsequent amount of play with violent toys? (Use the .05 significance level.)

   (b) Explain your analysis to a person who has never had a course in statistics.

   Time Playing with Violent Toys After Watching a Violent
   Program on Televisions of Different-Sized Screens

SMALL	STANDARD	LARGE
65	76	45
68	54	58
59	59	56
54	60	64
57	52	48

2. A researcher was interested in how different groups perceive psychologists. She asked college students, psychologists, lawyers, and people in the general public how important they thought psychologists were to the current United States society (1=Not important, 10=Very important).

   (a) Do the data below (which are fictional) suggest that the different groups have differing opinions? (Use the .01 significance level.)

   (b) Explain your analysis to a person who has never had a course in statistics.

   Importance of Psychologists According to College Students,
   Psychologists, Lawyers, and General Public

COLLEGE	PSYCHOLOGISTS	LAWYERS	PUBLIC
4	6	5	4
3	7	6	4
6	5	7	5

3. A health psychologist wanted to examine the relation of social support provided by people in different categories of relationship to the ability of a person to cope with a serious illness. The researcher identified 80 women, all of about the same age and suffering from the same serious illness, 20 of whom during the illness only had had contact with their husband; 20, only contact with their children; 20, only contact with a close woman friend; and 20, only contact with their parents. The (fictional) mean reported level of coping was 4.21 (S=3.0) for the husband-only group, 3.81 (S=2.0) for the children-only group, 5.29 (S=4.0) for the friend-only group, and 2.16 (S=3.0) for the parent-only group.

(a) According to these data, is the type of relationship with the person who provides social support associated with different amounts of coping? (Use the .05 level.)

(b) Explain your analysis to a person who has never had a course in statistics.

4. A personality psychologist hypothesized that working adults in the general population, college students, and high school students would differ in their levels of satisfaction with life. She administered a Satisfaction With Life Index to 20 subjects in each group. She reported her results as follows: "The means were 6.52 (SD = .87) for working adults, 5.47 (SD = 1.13) for college students, and 4.80 (SD = 1.87) for the high school students. The difference was significant, $F(2, 57)$ = 8.04, $p < .01$." Explain and interpret these results to a person who has never had a course in statistics.

Using SPSS/PC+ Studentware Plus with this Chapter

If you are using SPSS for the first time, before proceeding with the material in this section read the Appendix on Getting Started and the Basics of Using SPSS/PC+ Studentware Plus.

You can use SPSS to carry out the kind of analysis of variance described in this chapter (as well as more advanced analyses of variance). But SPSS requires the raw data to conduct the analysis of variance–it is not set up to handle a problem in which you already have the means and standard deviations.

You should work through the example, following our procedures step by step. Then look over the description of the general principles involved and try the procedures on your own for some of the problems listed in the Suggestions for Additional Practice. Finally, you may want to try the suggestions for using the computer to deepen your understanding.

I. Example

A. Data: Ratings of a defendant's guilt by subjects randomly assigned to groups that receive either information that the defendant has a criminal record, information that the defendant has a clean record, or no information about the defendant's criminal record (fictional data), from the example in the text. The ratings for those in the Criminal Record group are 10, 7, 5, 10, and 8; for those in the Clean Record group, 5, 1, 3, 7, and 4; and for those in the No Information group, 4, 6, 9, 3, and 3.

B. Follow the instructions in the SPSS Appendix for starting up SPSS and be sure the cursor is in the Scratch Pad window.

C. Enter the data as follows.
1. Type **DATA LIST FREE / INFOTYPE GUILT.** and press Enter to go to the next line.
2. Type **BEGIN DATA.** and press Enter to go to the next line.
3. Type **1**, a space, and a **10**; then press Enter. The **1** stands for the Criminal Record group (which is arbitrarily labeled **1**, and the **10** is the rating of guilt given by the first subject in the Criminal Record group).
4. Type the data in the same way for each of the remaining subjects, using **1** for those in the Criminal Record Group, **2** for those in the Clean Record Group and **3** for those in the No Information group.
5. Type **END DATA.** and press Enter to move to the next line.

D. Carry out the analysis of variance.
1. Type ONEWAY GUILT BY INFOTYPE(1,3) / STATISTIC 1. and press Enter. Figures SG11-1 and SG11-2 show the entire set of typed lines.

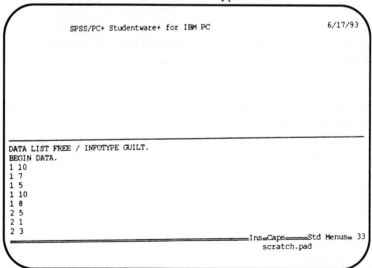

Figure SG11-1

Chapter Eleven

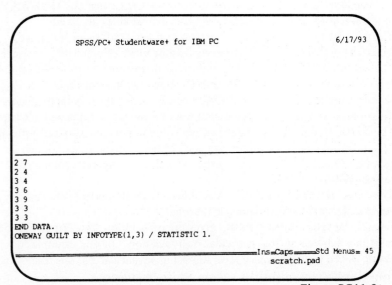

```
              SPSS/PC+ Studentware+ for IBM PC                    6/17/93



2 7
2 4
3 4
3 6
3 9
3 3
3 3
END DATA.
ONEWAY GUILT BY INFOTYPE(1,3) / STATISTIC 1.

                                          =Ins=Caps====Std Menus= 45
                                                   scratch.pad
```

Figure SG11-2

2. Tell SPSS to carry out your instructions–use the arrow keys to move to the start of the first line (**DATA LIST ...**), press F10, and press Enter. The first screen of results should appear and look like Figure SG11-3.

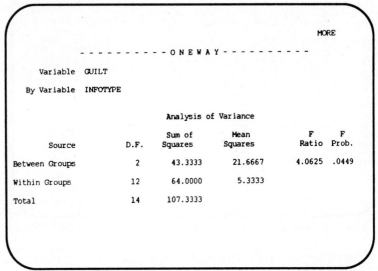

```
                                                           MORE

              - - - - - - - - - O N E W A Y - - - - - - - - -

        Variable   GUILT

      By Variable  INFOTYPE


                              Analysis of Variance

                            Sum of        Mean           F      F
            Source      D.F.  Squares      Squares      Ratio  Prob.

Between Groups            2    43.3333     21.6667      4.0625  .0449

Within Groups            12    64.0000      5.3333

Total                    14   107.3333
```

Figure SG11-3

Chapter Eleven   **245**

E. Inspect this screen of results.

1. The top lines describes the kind of procedure being carried out–**ONEWAY**, which refers to a one-way analysis of variance–and lists the variables involved.
2. The main part of the output is in the table entitled **Analysis of Variance**.
3. The first column of this table, **Source**, lists the kinds of population variance estimates.
4. The second column, **DF**, gives the degrees of freedom. In the **Between Groups** row, this corresponds to df_B; in the **Within Groups** row, this corresponds to df_W. The figures in this example, **2** and **12**, respectively, correspond to those computed in the text.
5. The information in the third column, **Sum of Squares**, is explained in Chapter 12.
6. The fourth column, **Mean Squares**, gives the population variance estimates (MS_B and MS_W), with the between-group estimate (**21.6667**) given first and then the within-group estimate (**5.3333**). (The text, using rounded-off figures, computed 21.7 and 5.33, respectively.)
7. The next column, **F Ratio**, gives **4.0625**, which corresponds closely to the 4.07 computed using rounded figures in the text.
8. Finally, the last column, **F Prob.**, gives the probability–the exact chance of getting an F ratio this extreme on this particular F distribution. In this example, the probability is **.0449**. Since the significance level was set in advance at .05, this result is significant.

F. Print out this screen of results (using Shift-PrintScrn).

G. Press Enter. This should bring up a new screen of results, which should look like Figure SG11-4.

```
                                                      MORE

         - - - - - - - - - - - O N E W A Y - - - - - - - - - -


                          Standard   Standard
Group      Count    Mean   Deviation    Error   95 Pct Conf Int for Mean

Grp 1        5    8.0000    2.1213     .9487    5.3661  To   10.6339
Grp 2        5    4.0000    2.2361    1.0000    1.2236  To    6.7764
Grp 3        5    5.0000    2.5495    1.1402    1.8344  To    8.1656

Total       15    5.6667    2.7689     .7149    4.1333  To    7.2000


Group     Minimum   Maximum

Grp 1      5.0000   10.0000
Grp 2      1.0000    7.0000
Grp 3      3.0000    9.0000

Total      1.0000   10.0000
```

Figure SG11-4

H. This screen of results gives the number of cases, mean, estimated population standard deviation, and other statistics for each of the groups.

I. Print out this screen of results and return to the Scratch Pad.

J. Save your lines of data and instructions, as follows.

    1. Press F9 and Enter.

    2. Type **CH11XMPL** and press Enter.

II. Systematic Instructions for Computing a One-Way Analysis of Variance

A. Start up SPSS.

B. Enter the data as follows, with one variable consisting of numbers (such as 1, 2, 3, etc.) representing which group a subject is in and the other variable consisting of the scores on the measured variable.

    1. Type **DATA LIST FREE / [name of grouping variable] [name of measured variable].** and press Enter to go to the next line.

    2. Type **BEGIN DATA.** and press Enter to go to the next line.

    3. Type each subject's two scores (that is, the group number followed by the score on the measured variable) on a line; one such line per subject.

    4. Type **END DATA.** and press Enter to move to the next line.

C. Carry out the analysis of variance as follows.

    1. Type **ONEWAY [name of measured variable] BY [name of grouping variable](1,[number of groups]) / STATISTIC 1.** and press Enter.

    2. Tell SPSS to carry out your instructions–use the arrow keys to move to the start of the first line (**DATA LIST ...**), press F10, and press Enter.

    3. View and print out each screen of results and then return to the Scratch Pad window.

D. Save your lines of data and instructions as follows.

    1. Press F9 and Enter.

    2. Type **[file name]** and press Enter.

III. Additional Practice.

(For each data set, conduct an analysis of variance and compare your results to those in the text).

A. Problem Set I: 2,3,6.

B Problem Set II: 2,3,6.

IV. Using the Computer to Deepen Your Knowledge

A. Impacts on the two population variance estimates.

    1. Use SPSS to compute an analysis of variance using the criminal-record example but add 3 points to every subject in the Criminal-Record group. (This increases the differences among the means of the groups but does not change the variance within any of the groups.)

    2. Compute the analysis of variance again with the original data, except this time for the two subjects in the Criminal Record group with 10s make one of them a 0 and one a 20. (This keeps the differences among the means the same, but increases the variance dramatically in the Criminal-Record group.)

    3. Compute the analysis of variance yet again with the original data, except this time make all the subjects in the Criminal-Record group have 8s. (This keeps the differences

among the means the same, but decreases the variance in the Criminal-Record group to 0.)

    4. Compare the results of these analyses, focusing on how these modifications affect the two population variance estimates.

B. Effect of outliers on analysis of variance: Compute an analysis of variance for the criminal-record example, but change one of the scores in the Criminal-Record group to a very high number, say a 40. Compare this to the original result.

Using MYSTAT with this Chapter

If you are using MYSTAT for the first time, before proceeding with the material in this section read the Appendix on Getting Started and the Basics of Using MYSTAT.

You can use MYSTAT to carry out the kind of analysis of variance described in this chapter (as well as more advanced analyses of variance). But MYSTAT requires the raw data to conduct the analysis of variance–it is not set up to handle a problem in which you already have the means and standard deviations.

You should work through the example, following the procedures step by step. Then look over the description of the general principles involved and try the procedures on your own for some of the problems listed in the Suggestions for Additional Practice. Finally, you may want to try the suggestions for using the computer to deepen your understanding.

I.   Example

A. Data: Ratings of a defendant's guilt by subjects randomly assigned to groups that receive either information that the defendant has a criminal record, information that the defendant has a clean record, or no information about the defendant's criminal record (fictional data), from the example in the text. The ratings for those in the Criminal Record group are 10, 7, 5, 10, and 8; for those in the Clean Record group, 5, 1, 3, 7, and 4; and for those in the No Information group, 4, 6, 9, 3, and 3.

B. Create a file of your data as follows.

    1. Follow the instructions in the MYSTAT Appendix for starting up MYSTAT.

2. Using the instructions in the MYSTAT Appendix for creating a file of your data, type in the variable names **"GROUP"** at the top of the first column and **"GUILT"** (for the ratings of guilt) at the top of the second column. Then type in the data for each subject, going down the screen. When typing in the data, you need to give a number corresponding to the program each subject has been assigned to–in this example, use1 for the Criminal Record group, **2** for the Clean Record Group, and **3** for the No Information group. When you have finished typing in all the data, but have not yet pressed Enter for the last entry, the screen should appear as shown in Figure SG11-5. (After you press Enter for the last subject, the first fourteen will disappear from the screen–but they are still in memory and can be seen if you use the up-arrow key.)

```
MYSTAT Editor
 Case      GROUP        GUILT
    1       1.000       10.000
    2       1.000        7.000
    3       1.000        5.000
    4       1.000       10.000
    5       1.000        8.000
    6       2.000        5.000
    7       2.000        1.000
    8       2.000        3.000
    9       2.000        7.000
   10       2.000        4.000
   11       3.000        4.000
   12       3.000        6.000
   13       3.000        9.000
   14       3.000        3.000
   15       3.000        3.000
```

Figure SG11-5

3. Save the file by pressing Escape to get to the bottom of the screen, typing >**SAVE CH11XMPL**, and pressing Enter.
4. Return to the Main Menu by typing >**QUIT** and pressing Enter twice.

C. Tell MYSTAT to use your data file by typing >**USE CH11XMPL** and pressing Enter twice.

D. Compute the analysis of variance as follows.
   1. Type >**CATEGORY GROUP=3** and press Enter.
   2. Type >**ANOVA GUILT** and press Enter.
   3. Type >**ESTIMATE** and press Enter. The result should then appear as shown in Figure SG11-6.

```
DEP VAR:   GUILT      N:  15   MULTIPLE R:  .635   SQUARED MULTIPLE R:  .404

                         ANALYSIS OF VARIANCE

    SOURCE    SUM-OF-SQUARES   DF   MEAN-SQUARE    F-RATIO      P

    GROUP          43.333      2      21.667        4.063     0.045

    ERROR          64.000     12       5.333



 Press ENTER <-' or RETURN
```

Figure SG11-6

E. Inspect the result. (Note that much of this output will make more sense after you have read Chapter 12. Here just focus on a few key figures.)

1. The third column, **DF**, under **ANALYSIS OF VARIANCE** gives the degrees of freedom.

    a. In the row for the independent variable (in this case **GROUP**) it gives df_B, the degrees of freedom for the between-group population variance estimate.

    b. In the row labeled **ERROR** it gives df_W, the degrees of freedom for the within-group population variance estimate.

    c. The figures in this example, **2** and **12** respectively, correspond to those computed in the text (see Table 11-2).

2. The fourth column, **MEAN-SQUARE**, gives the population variance estimates (MS_B and MS_W), with the between-group estimate (**21.667**) given first and then the within-group estimate (**5.333**). (The text, using rounded-off figures, computed 21.7 and 5.33, respectively.)

3. The next column, **F RATIO**, gives **4.063,** which corresponds closely to the 4.07 computed using rounded figures in the text.

4. Finally, the last column, **P**, gives the probability, the exact chance of getting an F ratio this extreme on this particular F distribution. In this example, the probability is **.045**. Since the significance level was set in advance at .05, this result is significant.

F. Print out the result and return to the Main Menu.

II. Systematic Instructions for Computing a One-Way Analysis of Variance

A. Start up MYSTAT.

B. Create a file with the data, creating one variable representing which group a subject is in and another variable representing the score on the variable being measured. Then return to the Main Menu.

C. With the Main Menu on the screen, tell MYSTAT you want to use this particular file by typing **>USE [filename]** and pressing Enter twice.

D. Compute the analysis of variance as follows.

　　1. Type **>CATEGORY [name of grouping variable]** = **[number of groups]** and press Enter.

　　2. Type **>ANOVA [name of dependent variable]** and press Enter.

　　3. Type **>ESTIMATE** and press Enter.

E. Print out a copy of the result (using Shift-PrintScrn) and press Enter to return to the Main Menu.

III. Additional Practice

(For each data set, conduct an analysis of variance and compare your results to those in the text.)

A. Problem Set I: 2,3,6.

B Problem Set II: 2,3,6.

IV. Using the Computer to Deepen Your Knowledge

A. Impacts on the two population variance estimates.

　　1. Use MYSTAT to compute an analysis of variance using the criminal-record example but add 3 points to every subject in the Criminal-Record group. (This increases the differences among the means of the groups but does not change the variance within any of the groups.)

　　2. Compute the analysis of variance again with the original data, except this time for the two subjects in the Criminal Record group with 10s make one of them a 0 and one a 20. (This keeps the differences among the means the same, but increases the variance dramatically in the Criminal-Record group.)

　　3. Compute the analysis of variance yet again with the original data, except this time make all the subjects in the Criminal-Record group have 8s. (This keeps the differences among the means the same, but decreases the variance in the Criminal-Record group to 0.)

　　4. Compare the results of these analyses, focusing on how these modifications affect the two population variance estimates.

B. Effect of outliers on analysis of variance: Compute an analysis of variance for the criminal-record example, but change one of the scores in the Criminal-Record group to a very high number, say a 40. Compare this to the original result.

Chapter 12
The Structural Model in the Analysis of Variance

Learning Objectives

To understand, including being able to conduct any necessary computations:

- The structural model of dividing each score's deviation from the grand mean into its deviation from its group's mean and its group's mean's deviation from the grand mean.
- The within-group estimate of the population variance determined using the structural model approach.
- The between-group estimate of the population variance determined using the structural model approach.
- Analysis of variance tables.
- The relation of the structural model approach to the Chapter 11 method.
- The analysis of variance with unequal sample sizes.
- Planned comparisons and the Bonferroni procedure.
- Post hoc comparisons.
- Proportion of variance accounted for (R^2) as a measure of effect size in analysis of variance, including its relation to f.
- Uses of planned comparisons, including linear contrasts, versus overall, diffuse F tests.
- How multiple comparisons are reported in research articles.

Chapter Outline

I. **Principles of the Structural Model**
   A. Dividing up the overall deviation of each score from the grand mean into two parts:
      1. Deviation of the score from the mean of its group.
      2. Deviation of the mean of the score's group from the grand mean.
   B. The sum of squared deviations of each score from the grand mean equals the sum of the squared deviations of each score from its group's mean plus the sum of the squared deviations of each score's group's mean from the grand mean.

C. Dividing each sum of squared deviation by the appropriate degrees of freedom gives the population variance estimates.

    1. The between-groups population variance estimate (S_B^2 or MS_B) is the sum of squared deviations of each score's group's mean from the grand mean (SS_B) divided by the degrees of freedom on which it is based (df_B–the number of groups minus 1).

    2. The within-groups population variance estimate (S_W^2 or MS_W) is the sum of squared deviations of each score from its group's mean (SS_W) divided by the total degrees of freedom on which this is based (df_W, which is the sum of the degrees of freedom for all the groups).

D. Logic of analysis of variance.

    1. If the null hypothesis is true, the division of the overall deviation into two parts should be random, making population estimates producing an F ratio of about 1.

    2. If the research hypothesis is true, the deviations of the group means from the grand mean should be greater than the deviations of the scores from their group's mean, making population estimates producing an F ratio greater than 1.

II. Analysis of Variance Tables

A. These tables are used to show analysis of variance results and are based on the structural model approach.

B. The columns give the following information.

    1. Source (type of variance estimate/deviation score).

    2. SS (sum of squared deviations).

    3. df (degrees of freedom).

    4. MS (mean squares–that is, population variance estimates).

    5. F ratio.

C. Each row refers to one of the variance estimates: between, within, and total.

III. Analysis of Variance with Unequal Sized Groups

A. Can not be done with the Chapter 11 method.

B. The structural-model approach automatically makes the necessary adjustments for unequal sample sizes.

IV. Multiple Comparisons

A. The overall analysis of variance does not test which specific population means are different from which.

B. Multiple comparisons are procedures for significance testing for comparisons among specific population means.

C. A major problem is keeping overall probability of falsely rejecting any null hypothesis at an acceptable level while testing many comparisons.

D. Planned comparisons.
    1. These are a subset of all possible comparisons that the researcher specifies in advance of the study.
    2. A common approach to planned comparisons, the Bonferroni procedure, uses a more stringent significance level for each comparison, so that the overall chance of any one of the comparisons being significant is still reasonably low.

E. Post hoc comparisons.
    1. These are all possible comparisons among groups to explore all possible differences.
    2. Various procedures are used for post hoc comparisons which attempt to keep overall chance of falsely rejecting the null hypothesis low while maintaining adequate power.

V. Assumptions for an Analysis of Variance with Unequal Sample Sizes
A. Same as with equal sample sizes.
B. Less robust to violations of equal population variances (than with equal sample sizes).

VI. Effect Size: The Proportion of Variance Accounted for (R^2)
A. Sum of squared deviations of each score's group's mean from the grand mean, divided by sum of squared deviations of each score from the grand mean.
B. Minimum 0, maximum 1. Square root is a correlation.
C. Same as R^2 in multiple regression.
D. More familiar indicator of effect size to most researchers than f.
E. Effect size conventions for R^2:
    1. Small = .01.
    2. Medium = .06.
    3. Large = .14.

VII. Controversy: Overall F Versus Targeted Planned Comparisons
A. A controversial recommendation is to ignore the overall analysis of variance results in favor of specific planned comparisons.
B. Linear contrasts are often used in this context. They test a more complex particular predicted relationship, such as one that specifies the pattern of means expected for several groups.

VIII. Multiple Comparisons as Described in Research Articles
A. Planned comparisons and linear contrasts are usually described directly.
B. A common procedure with post hoc comparisons is to report means in tables with subscripted letters such that those having the same letter are not significantly different from each other.

Formulas

I. Between-group estimate of the population variance ($S_B{}^2$ or MS_B)

Formula in words: Sum of squared deviations of each score's group's mean from the grand mean, divided by the degrees of freedom on which it is based (the number of groups minus 1).

Formulas in symbols: $S_B{}^2 = \Sigma(M - GM)^2/df_B$ or $MS_B = SS_B/df_B$ (12-2)

M is the mean of each sample.

GM is the grand mean–the overall mean of all scores.

df_B is the degrees of freedom in the between-group estimate–the number of groups minus 1 (that is, $df_B = N_G-1$).

SS_B is the sum of squared deviations of each score's group's mean from the grand mean–$\Sigma(M-GM)^2$.

II. Within-group estimate of the population variance ($S_W{}^2$ or MS_W)

Formula in words: Sum of squared deviations of each score from its group's mean, divided by the total degrees of freedom on which this is based (the number of scores in each group minus 1, summed over all groups).

Formula in symbols: $S_W{}^2 = \Sigma(X-M)^2/df_W$ or $MS_W = SS_W/df_W$ (12-3)

X is each score.

df_W is the degrees of freedom in the within-group estimate–the number of scores in each group minus 1, summed over all groups–$df_W = df_1 + df_2 + \ldots + df_{Last}$.

SS_W is the sum of squared deviations of each score minus the mean of its group–$\Sigma(X-M)^2$.

III. Proportion of variance accounted for (R^2)

Formula in words: Sum of squared deviations of each score's group's mean from the grand mean, divided by the sum of squared deviations of each score from the grand mean.

Formula in symbols: $R^2 = SS_B/SS_T$ (12-4)

SS_T is the sum of squared deviations of each score from the grand mean–$\Sigma(X-GM)^2$.

Alternate formula for computing R^2 using F and degrees of freedom reported in a research article: $R^2 = (F)(df_B)/([F][df_B]+df_W)$. (12-5)

How to Conduct an Analysis of Variance Using the Structural Model Based Method

(Based on Table 12-5 in the Text)

I. **Reframe the question into a research hypothesis and a null hypothesis about the populations.**

II. **Determine the characteristics of the comparison distribution.**
   A. The comparison distribution will be an F distribution.
   B. The numerator degrees of freedom is the number of groups minus 1: $df_B = N_G - 1$.
   C. The denominator degrees of freedom is the sum of the degrees of freedom in each group (the number of cases in the group minus 1): $df_W = df_1 + df_2 + ... + df_{Last}$.
   D. Check the accuracy of your computations by making sure that df_W and df_B sum to df_T (which is the total number of cases minus 1).

III. **Determine the cutoff sample score on the comparison distribution at which the null hypothesis should be rejected.**
   A. Determine the desired significance level.
   B. Look up the appropriate cutoff in an F table.

IV. **Determine the score of the sample on the comparison distribution. (This will be an F ratio.)**
   A. Compute the mean of each group and the grand mean of all scores.
   B. Compute the following deviations for each score.
      1. Its deviation from the grand mean ($X - GM$).
      2. Its deviation from its group's mean ($X - M$).
      3. Its group's mean's deviation from the grand mean ($M - GM$).
   C. Square each of these deviation scores.
   D. Compute the sums of each of these three types of deviation scores (SS_T, SS_W and SS_B).
   E. Check the accuracy of your computations by making sure that $SS_W + SS_B = SS_T$.
   F. Compute the between-group variance estimate: SS_B/df_B. $= S_B^2$
   G. Compute the within-group variance estimate: SS_W/df_W. $= S_W^2$
   H. Compute the F ratio: $F = S_B^2/S_W^2$.

V. **Compare the scores obtained in Steps 3 and 4 to decide whether to reject the null hypothesis.**

Analysis of Variance Table and Symbols for the One-Way Analysis of Variance

Source	SS	df	MS	F
Between	SS_B	df_B	MS_B (or $S_B{}^{22}$)	F
Within	SS_W	df_W	MS_W (or $S_W{}^2$)	
Total	SS_T	df_T		

Formulas for Each Section of the Analysis of Variance Table

Source	SS	df	MS	F
Between	$\Sigma(M\text{-}GM)^2$	$N_G\text{-}1$	SS_B/df_B	MS_B/MS_W
Within	$\Sigma(X\text{-}M)^2$	*	SS_W/df_W	
Total	$\Sigma(X\text{-}GM)^2$	$N\text{-}1$	SS_T/df_T	

$$*df_1 + df_2 + ... + df_{Last}$$

Definitions of Basic Symbols

Σ is the usual sum sign–which here refers to adding up the appropriate numbers for all cases

M is the mean of a score's group

GM is the grand mean

N_G is the number of groups

X is each score

N is the total number of cases in the study

Outline for Writing Essays on the Logic and Computations for Conducting a One-Way Analysis of Variance Using the Structural Model Approach

The reason for your writing essay questions in the practice problems and tests is that this task develops and then demonstrates what matters so very much–your comprehension of the logic behind the computations. (It is also a place where those better at words than numbers can shine, and for those better at numbers to develop their skills at explaining in words.)

Thus, to do well, be sure to do the following in each essay: (a) give the reasoning behind each step; (b) relate each step to the specifics of the content of the particular study you are analyzing; (c) state the various formulas in nontechnical language, because as you define each term you show you understand it (although once you have defined it in nontechnical language, you can use it from then on in the essay); (d) look back and be absolutely certain that you made it clear just *why* that formula or procedure was applied and *why* it is the way it is.

The outlines below are *examples* of ways to structure your essays. There are other completely correct ways to go about it. And this is an *outline* for an answer–you are to write the answer out in paragraph form. Examples of full essays are in the answers to Set I Practice Problems in the back of the text.

These essays are necessarily very long for you to write (and for others to grade). But this is the very best way to be sure you understand everything thoroughly. One short cut you may see on a test is that you may be asked to write your answer for someone who understands statistics up to the point of the new material you are studying. You can choose to take the same short cut in these practice problems (maybe writing for someone who understands right up to whatever point you yourself start being just a little unclear). But every time you write for a person who has never had statistics at all, you review the logic behind the entire course. You engrain it in your mind. Over and over. The time is never wasted. It is an excellent way to study.

I. **Reframe the question into a research hypothesis and a null hypothesis about populations. (Step 1 of hypothesis testing.)**
State in ordinary language the hypothesis testing issue.
   A. The interest in these groups is as representatives, or "samples," of larger groups, or "populations," of particular types of individuals (such as those exposed to various experimental manipulations).
   B. Thus, you construct a scenario in which the populations do not differ and then do computations based on that scenario to see how likely it is such populations

would produce samples of scores whose averages are as different from each other as are the averages of the particular samples in this study.

II. **Determine the characteristics of the comparison distribution. (Step 2 of hypothesis testing.)**
A. Explain logic of overall approach.
  1. We make and compare two estimates of the variance within these populations (which are assumed to be the same).
  2. If the scenario of no difference is true, then an estimate based on the variation among the averages of the samples should give the same result as an estimate based on the average variation within each sample.
  3. But if the scenario is false (and the population averages differ), then this will increase the estimate based on the differences among the averages of the samples but will not affect the estimate based on the variation within them.
  4. Thus, if the scenario of no difference is true, the ratio of the two estimates (one based on differences divided by one based on variation within) should be about 1. If the scenario is false, the ratio should be greater than one.
B. Explain F distribution.
  1. Statisticians have determined the probability of getting samples which produce ratios of different sizes under the conditions in which the scenario of no difference is true.
  2. The probabilities depend on how many groups there are and how many subjects.

III. **Determine the cutoff sample score on the comparison distribution at which the null hypothesis should be rejected. (Step 3 of hypothesis testing.)**
A. Procedure: Determine significance level and look up cutoff on an F table.
B. Explanation.
  1. Begin by figuring out how large this ratio of the two variation estimates would have to be in order to decide that the probability was so low that it is unlikely that the scenario of no difference could be true.
  2. There are standard tables that indicate the size of these ratios associated with various low probabilities.
  3. To use these tables you have to decide the kind of situation you have. There are two considerations.
    a. How many groups and how many subjects overall. (State the numbers for your study.)
    b. Just how unlikely would a ratio have to be to decide the whole scenario on which these tables are based (the scenario of no difference) should be rejected? The standard figure used in psychology is less likely than 5% (though 1% is sometimes used to be especially safe). (Say which you are using in your study–if no figure is stated in the problem and no special reason given for using one or the other, the general rule is to use 5%.)
  4. State the cutoff F ratio for your situation.

IV. **Determine the score of your sample on the comparison distribution. (Step 4 of hypothesis testing.)**
   A. Estimate the populations' variation based on scores within the samples.
      1. Divide each score's deviation from the overall average into two components–its deviation from its group's average and its group's average's deviation from the overall average. These two deviations provide the basis for making the two estimates of the overall variation in the populations.
      2. The estimate based on the variation of each score from its group's average is influenced only by variation within each group. It is computed by squaring each such deviation (to eliminate signs) and finding a kind of average of these squared deviations. (An ordinary average would underestimate the population variation, so instead one divides the total by the number of scores in each group minus 1.)
      3. The estimate based on the variation of each score's group's average from the overall average is influenced both by the variation within each of the groups and any variation between groups. It is computed by squaring each score's group's average's deviation from the overall average and finding a kind of average of these deviations (in this case, you divide by the number of groups minus one–again, this is an adjustment for estimating the population variation from information in samples).
   B. Compute the ratio of these two estimates of the population variation.
V. **Compare the scores obtained in Steps 3 and 4 to decide whether to reject the null hypothesis. (Step 5 of hypothesis testing.)**
   A. Note whether your F ratio exceeds the cutoff and draw the appropriate conclusion.
      1. Reject the null hypothesis: The variation among the averages of your particular samples is so great that it seems unlikely that their populations are the same. So they seem to be different and the null hypothesis seems untrue.
      2. Fail to reject the null hypothesis: The result is inconclusive. On the one hand, these results were not extreme enough to persuade you that the variation was due to the populations being different. On the other hand, it is still possible that they really are different, but because of the people who happened to be selected to be in your samples from the populations, this difference did not show up.
   B. Be sure to state your conclusion in terms of your particular measures and situation, so it is clear to a lay person just what the real bottom line of the study is.

Chapter Self-Tests

Multiple-Choice Questions

1. All of the following are advantages of understanding the structural model of the analysis of variance, EXCEPT

   a. unequal sample sizes can be easily dealt with.
   b. deeper insights into the underlying logic of the analysis of variance can be obtained.
   c. the results of the analysis are more accurate even when using equal sample sizes.
   d. it will be easier to understand the results laid out in computer printouts.

2. In the structural model of the analysis of variance, the deviation of a score from the grand mean is divided into

   a. an F distribution and a distribution of deviations from the F distribution.
   b. the Master Contributing Factor and the Lesser Contributing Factor.
   c. the within-group median and the between-group median.
   d. the deviation of the score from the mean of its group and the deviation of the mean of its group from the grand mean.

3. $\Sigma(X\text{-}GM)^2 =$

   a. $\Sigma(X\text{-}M)^2 + \Sigma(M\text{-}GM)^2$.
   b. $\Sigma(X\text{-}M)^2/\Sigma M^2$.
   c. $\Sigma(M\text{-}GM)^2/\Sigma M^2$.
   d. $\Sigma(M\text{-}GM)^2 - \Sigma M^2$.

4. The within-group population variance estimate is all of the following, EXCEPT

   a. $\Sigma(X\text{-}GM)^2 + \Sigma(M\text{-}GM)^2$.
   b. the sum of squared deviations of each score from its group mean, divided by the total degrees of freedom for the groups.
   c. SS_W/df_W.
   d. MS_W.

5. In an analysis of variance, when the null hypothesis is rejected, then

   a. the groups with the two most extreme means are likely to represent populations with different means, although that is not guaranteed.
   b. the groups with the two most extreme means always come from populations with two different means, but the other groups may or may not come from populations with different means.
   c. all of the groups come from populations with different means.
   d. all of the groups come from populations with the same mean.

6. In an analysis of variance in which you conduct four planned comparisons, each at the .01 level, if you make no special adjustments, what is the approximate overall chance that at least one of the comparisons will be significant by chance?

   a. .0025.
   b. .01.
   c. .04.
   d. .20.

7. Compared to post-hoc comparisons, planned comparisons
   a. never have more power.
   b. almost always have less power.
   c. almost always have more power.
   d. have more power unless the planned comparison is a linear contrast.

8. When conducting an analysis of variance with unequal sample sizes,
   a. violations of equal population variances are more serious than when there are equal sample sizes.
   b. violations of equal population variances are less serious than when there are equal sample sizes (provided the assumption of normal population variances is met).
   c. the assumption of normal population distributions does not apply.
   d. the assumption of equal population variances does not apply.

9. The degree to which variation in the dependent variable is explained by the independent variable (R^2)
   a. indicates the degree to which the dependent variable causes an effect in the independent variable.
   b. is determined by the Bonferroni procedure.
   c. is the same as the degree to which a subject's particular score is related to which group the subject is in.
   d. depends mainly on the size of the samples.

10. If a study yields 100 as a sum of squared deviations of scores from the grand mean and 25 as a sum of squared deviations of scores from their group means, then the proportion of variance accounted for is
   a. $100/(100-25) = 1.3$.
   b. $(100-25)/100 = .75$.
   c. $25/100 = .25$.
   d. $100/25 = 4.0$.

Fill-In Questions

1. $(X-GM)^2 = (X-M)^2 +$ _____.

2-4. For questions 2-4, refer to the following data:

GROUP A				GROUP B			
X	$(X-GM)^2$	$(X-M)^2$	$(M-GM)^2$	X	$(X-GM)^2$	$(X-M)^2$	$(M-GM)^2$
27	9	4	25	17	49	16	9
32	64	9	25	26	4	25	9
28	16	1	25	24	0	9	9
20	16	1	9				
18	36	9	9				
87	89	4	75	105	105	60	45

$M = 87/3 = 29$ $M = 105/5 = 21$

$$GM = (105 + 87)/8 = 24$$

2. $SS_T =$ _____.

3. $SS_W =$ _____.

4. $SS_B =$ _____.

5. Fill in the missing numbers:

Source	SS	df	MS	F
Between	40	4	___	___
Within	50	25	___	
Total	___	___		

6. In the _____, a specific planned comparison, the total significance level is kept low by dividing alpha equally between the comparisons.

7. In _____, all possible comparisons have to be considered in evaluating the chance of getting any one of them significant.

8. For R^2, _____ is a medium effect size.

9-10. A psychology professor studied the effects of coffee on first year college students. All of the students in his class volunteered for his study, and he randomly divided them into three groups: a Caffeine group which drank two cups of regular coffee; a Decaf group which drank two cups of decaffeinated coffee (without knowing it was decaffeinated); and a No-Coffee group. Immediately afterwards a pop-quiz was given. The professor recorded the quiz scores and also the students' responses to a measure of nervousness. Use the results below to answer questions 9 and 10.

MEASURE	NO COFFEE	CAFFEINE	DECAF	$F(2,57)$
Quiz Score	6.39_a	8.21_b	7.11_a	5.75**
Nervousness	68.04_a	90.03_b	92.06_b	3.48*

* $p<.05$ ** $p<.01$

Note: Within each row, means with different subscripts differed at the .05 level, based on the Newman-Keuls test.

9. The Quiz Score was significantly different over all groups, at the _____ significance level.

10. The Caffeine group's nervousness was significantly different from the _____ group.

Problems and Essays

1. A clinical psychologist had developed a new way of measuring depression and tested it by administering it to three groups of subjects. Three subjects who had been diagnosed as having severe depression scored 8.7, 9.6, and 7.5; three subjects who had been diagnosed as having mild depression scored 6.6, 8.5, and 8.4; and four subjects from the general public scored 2.4, 4.7, 3.9, and 4.1.

   (a) Based on these data, is there a significant difference among the three groups on scores on the new measure of depression (use the .01 level)?
   (b) Explain your conclusion and procedure to a person who has never had a course in statistics.

2. A perceptual psychologist was studying figure-ground reversal. Does the amount of working with imagery in daily life affect the rate of figure-ground reversal? Specifically, do art, math, and literature students reverse figure and ground at different rates on ambiguous pictures? Math students reported reversals at 2.6, 3.0, and 4.7 seconds; literature students at 4.3, 3.8, and 2.9 seconds; and art students at 2.9, 3.2, 1.0, 1.8, and 2.1 seconds.

   (a) Based on these data, is there a significant difference in speed of figure-ground reversal for students in these three majors? (Use the .05 level.)
   (b) Explain your conclusion and procedure to a person who has never had a course in statistics.

Chapter Twelve

3. A developmental psychologist devised an experiment to test the learning skills of children. All children performed a task, but some of the children received no information about the task (the "None" condition), some were told a subsequent task would depend on what they learned in the first task (the "Important" condition), and some were specifically told they would not need to know the information later (the "Useless" group). Two studies were conducted, one on five year olds and the other on eight year olds. Below are the results. Answer questions 3 and 4 with these results in mind.

Mean Scores on Task Performance as a Function of Information Condition, for 5 Year Olds and 8 Year Olds

	Information Received			
Age	None	Useless	Important	$F_{(2,31)}$
5	44.33_a	40.33_{ab}	44.32_b	4.39*
8	63.80_a	52.08_b	75.61_c	18.65**

*$p<.05$ **$p<.01$

NOTE: In each row, means with different subscripts are different at the .05 level, Tukey's HSD test.

Based on these data, describe the effect of the type of information received on the task performance for five year olds to a person who is not familiar with statistics. In your description include a discussion of the logic of the structural model of the analysis of variance and of multiple comparisons.

4. Using the eight year olds as an example, explain the underlying logic of the structural model of the analysis of variance and calculate R^2, describing its underlying meaning to a person who is not familiar with statistics.

Using SPSS/PC+ Studentware Plus with this Chapter

If you are using SPSS for the first time, before proceeding with the material in this section read the Appendix on Getting Started and the Basics of Using SPSS/PC+ Studentware Plus.

You can use SPSS to carry out a one-way analysis of variance, including analyses with unequal sample sizes. The results of these analyses are presented in the analysis-of-variance table format discussed in the chapter. (SPSS can also conduct certain multiple comparisons procedures.)

This SPSS section for Chapter 12 begins with the Chapter 11 example. If you have not done this yet, you should first do it before reading the discussion of the interpretation of the output provided here. Then try the procedures on your own for some of the problems involving unequal sample sizes listed in the Suggestions for Additional Practice. Finally, you may want to try the suggestions for using the computer to deepen your understanding and to explore the advanced SPSS procedures, multiple comparisons.

I. Deeper Understanding of the SPSS Analysis of Variance Output

A. Figure SG12-1, below, is the output from the Chapter 11 SPSS example for the analysis of variance. (This is the same as Figure SG11-3.)

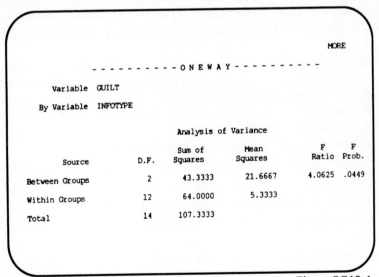

Figure SG12-1

B. The third column of the analysis of variance table, labeled **Sum of Squares**, gives the **Between Groups**, **Within Groups**, and **Total** sums of squares. In the example, these are **43.3333**, **64.0000**, and **107.3333**, respectively, corresponding closely to the figures of 43.34, 64, and 107.33 computed in the text (see Table 12-1).

II. **Additional Practice**

(For each data set, conduct an analysis of variance and compare your results to those in the text.)

A. Text examples.

1. Data in Table 12-3 comparing satisfaction of clients of three different alcohol treatment programs (fictional data).
2. Data in Table 12-4 comparing side effects of chemotherapy for patients of four different coping styles (fictional data based on a study by Ward, Levenson, & Love, 1988).

B. Practice problems in the text.

1. Set I: 2-5.
2. Set II: 2-5.

III. **Using the Computer to Deepen Your Knowledge**

A. Multiple t tests.

1. Use SPSS to compute three t tests for the Criminal-Record data, comparing the Criminal-Record group to the Clean-Record group, the Criminal-Record group to the No-Information group, and the Clean-Record group to the No-Information group.
2. How do these results compare to the overall analysis of variance?

B. F and R^2.

1. Double the number of scores for each condition in the criminal record example (just add another five subjects to each group with exactly the same scores) and then conduct the analysis of variance, and compute the R^2 using the sums of squares given in the output.
2. Notice that the F increases but R^2 does not change. Why? (Hint: Refer to the discussion of power and effect size.)

IV. **Advanced Procedures: Multiple Comparisons**

A. Several widely used multiple comparison procedures are available when you conduct a one-way analysis of variance with SPSS.

B. To carry out a multiple comparison procedure, you add / **RANGES = [code name for multiple comparison procedure].** to the end of the **ONEWAY** command.

1. For a Newman-Keuls test, the code is **SNK**. (This is one of the most widely used procedures for post-hoc comparisons.)
2. For Tukey's honestly significant difference test, the code is **TUKEY**. (This is another widely used procedure for post-hoc comparisons.)
3. For Scheffé's test, the code is **SCHEFFE**. (This is yet another widely used procedure for post-hoc comparisons.)

4. For the Bonferroni procedure, the code is **MODLSD**. (This is a widely used procedure for planned comparisons. But when used with the **ONEWAY** command it is applied to all pairwise comparisons.)

C. Example: Conducting a Newman-Keuls test for the data in the criminal record study.

 1. Command line: **ONEWAY GUILT BY INFOTYPE(1,3) / RANGES = SNK.**
 2. The third screen of output from this command is shown in Figure SG12-2. (On the bottom of the first page of output, it is explained that the asterisk means that two groups are significantly different at the .05 level. Thus, in this example, the populations represented by groups 1 and 2 (the Criminal Record and the Clean Record groups) are significantly different, but the other comparisons are not.

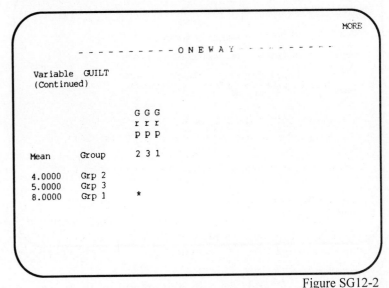

Figure SG12-2

Using MYSTAT with this Chapter

If you are using MYSTAT for the first time, before proceeding with the material in this section read the material in the Appendix on Getting Started and the Basics of Using MYSTAT.

You can use MYSTAT to carry out a one-way analysis of variance, including analyses with unequal sample sizes. The results of these analyses are presented in the analysis-of-variance table format discussed in the chapter. MYSTAT also automatically provides R^2 for each analysis. (MYSTAT does not conduct multiple comparisons.)

This MYSTAT section for Chapter 12 begins with the Chapter 11 example. If you have not done this yet, you should first do it before reading the discussion of the interpretation of the output provided here. Then try the procedures on your own for one of the problems involving unequal sample sizes listed in the Suggestions for Additional Practice. Finally, you may want to try the suggestions for using the computer to deepen your understanding.

I. Deeper Understanding of the MYSTAT Analysis of Variance Output

A. Figure SG12-3, below, is the output from the Chapter 11 MYSTAT example for the analysis of variance.

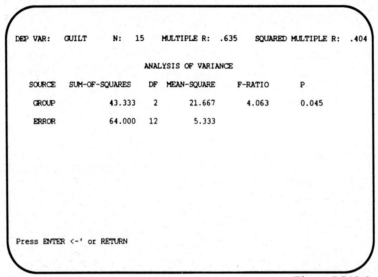

```
DEP VAR:   GUILT      N:   15    MULTIPLE R:  .635    SQUARED MULTIPLE R:  .404

                            ANALYSIS OF VARIANCE

     SOURCE    SUM-OF-SQUARES    DF   MEAN-SQUARE    F-RATIO      P

     GROUP          43.333        2      21.667       4.063      0.045

     ERROR          64.000       12       5.333




  Press ENTER <-' or RETURN
```

Figure SG12-3

B. The top line gives R and R^2. In the example these are **.635** and **.404** respectively, corresponding within rounding error to the figures calculated in the text.

C. The second column of the analysis of variance table, labeled **SUM-OF-SQUARES**, gives the between-group and within-group sums of squares. In the example, these are **43.333** and **64.000**, respectively, corresponding closely to the figures of 43.34 and 64 computed in the text.

II. Additional Practice

(For each data set, conduct an analysis of variance and compare your results to those in the text.)

A. Text examples.

1. Data in Table 12-3 comparing satisfaction of clients of three different alcohol treatment programs (fictional data).
2. Data in Table 12-4 comparing side effects of chemotherapy for patients of four different coping styles (fictional data based on a study by Ward, Levenson, & Love, 1988).

B. Practice problems in the text.

1. Set I: 2-5.
2. Set II: 2-5.

III. Using the Computer to Deepen Your Knowledge

A. Multiple t tests.

1. Use MYSTAT to compute three t tests for the Criminal-Record data, comparing the Criminal-Record group to the Clean-Record group, the Criminal-Record group to the No-Information group, and the Clean-Record group to the No- Information group.
2. How do these results compare to the overall analysis of variance?

B. F and R^2.

1. Double the number of scores for each condition in the criminal record example (just add another five subjects to each group with exactly the same scores) and then conduct the analysis of variance.
2. Notice that the F increases but R^2 does not change. Why? (Hint: Refer to the discussion of power and effect size.)

Chapter 13
Factorial Analysis of Variance

Learning Objectives

To understand, including being able to conduct any necessary computations:

- Basic logic of factorial designs.
- Terminology for describing factorial designs.
- Recognizing and interpreting interaction and main effects from a table of means.
- Graphing and interpreting graphs of results of factorial design studies.
- Application of the structural model to the two-way analysis of variance.
- Assumptions for factorial analysis of variance.
- Proportion of variance accounted for (R^2) in the two-way analysis of variance.
- Power in the two-way analysis of variance.
- Extensions of two-way analysis of variance to analyses involving more than two dimensions, unequal sample sizes, and repeated-measures.
- How results of a two-way analysis of variance are presented in research articles.

Chapter Outline

I. Basic Logic of Factorial Designs and Interaction Effects

   A. A *factorial design* is a study in which the influence of two or more independent variables is studied at once by constructing groupings that include every combination of the levels of these variables.

   B. A factorial design with two independent variables can be diagrammed as a two-dimensional chart with the levels of one variable arrayed across the rows and the levels of the other variable arrayed across the columns.

   C. A factorial design is more efficient because it permits using all subjects in the study to test hypotheses for each independent variable.

   D. A factorial design permits the researcher to test *interaction effects*–the situation in which the influence of one independent variable differs according to the level of the another independent variable.

II. Terminology of Factorial Designs

   A. The number of independent variables is referred to as the number of *dimensions* or "*ways*" (e.g., a "two-way factorial design").

   B. A *main effect* is an effect of one variable averaged across the levels of the other independent variable(s).

   C. In a two-way design there are two possible main effects and one possible interaction effect.

D. A factorial design can be characterized by the number of levels in each independent variable (e.g., "a 2 X 3 factorial design").

E. A *cell mean* is the mean of scores in a particular combination of levels of the independent variables.

F. A *marginal mean* is the mean of scores in a particular level of one of the independent variables.

    1. A *row mean* is the marginal mean for one of the levels of the independent variable whose levels are arrayed vertically in the diagram of the factorial design.

    2. A *column mean* is the marginal mean for one of the levels of the independent variable whose levels are arrayed horizontally in the diagram of the factorial design.

G. Differences in marginal means for a particular independent variable indicate a main effect.

H. One must inspect the cell means to identify an interaction effect. *(subtract)*

III. Recognizing and Interpreting Interaction Effects

(one level IV depends on other level IV)

A. An interaction effect is described verbally in terms of different effects of each independent variable according to the level of the other independent variable.

B. In a two-way factorial design study interaction effects are identified numerically from the pattern of cell means.

    1. An interaction arises when the pattern of differences across columns is not the same in each row.

    2. Equivalently, an interaction arises when the pattern of differences across columns is not the same in each row.

C. Graphing results of a two-way factorial-design study.

    1. The vertical axis of the graph represents the values of the dependent variable.

    2. The levels of one independent variable is arrayed across the horizontal axis of the graph.

    3. For each level of the other independent variable, a line is put in the graph connecting dots representing the cell means for its combination with each level of the other independent variable.

D. Interpreting a graph of the results of a two-way factorial design study.

    1. An interaction is indicated by the lines not being parallel.

    2. A main effect for the independent variable whose levels are represented by different lines is indicated by the lines having different average heights.

    3. A main effect for the independent variable whose levels are arrayed across the horizontal axis is indicated by the lines having different average slopes.

E. Any combination of main and interaction effects is possible.

IV. Basic Logic of the Two-Way Analysis of Variance

A. The two-way analysis of variance is the statistical procedure used to test hypotheses about main and interaction effects in a two-way factorial design study.

B. In a two-way analysis of variance there are three F ratios (one for each main effect and one for the interaction effect).

C. Each F ratio represents a between-group variance estimate for its corresponding main or interaction effect, divided in each case by the same within-group variance estimate, which is based on the variation within each cell.

D. Between-group variance estimates for main effects.
   1. For the row independent variable, based on the variation among the row means.
   2. For the column independent variable, based on the variation among the column means.

E. Between-group variance estimate for interaction effect is based on the variation among combinations of cells other than those in the same columns or rows.
   1. In a 2 X 2 design, these are the combination of the two cells in one diagonal versus the combination of the two cells in the other diagonal.
   2. In a design with three or more levels on either dimension, there is more than one combination of cells to be considered.

V. Structural Model for the Two-Way Analysis of Variance

A. Each score's deviation from the grand mean is divided into four components:
   1. Score's deviation from mean of its cell (used for computing within-group variance estimate).
   2. Deviation of the score's row's mean from the grand mean (used for computing row variable's between-group variance estimate).
   3. Deviation of the score's column's mean from the grand mean (used for computing column variable's between-group variance estimate).
   4. A remaining deviation (used for computing the interaction between-group variance estimate).

B. Each variance estimate is computed by squaring each deviation, summing them over all subjects, and dividing by the appropriate degrees of freedom.

C. Computing degrees of freedom.
   1. *Df* for each main effect: Number of levels of the variable minus 1.
   2. *Df* for interaction effect: Number of cells, minus *df* for row main effect, minus *df* for column main effect, minus 1.
   3. *Df* for within-group variance estimate: Sum of degrees of freedom over all cells (for each cell, *df* is cell's number of cases minus 1).

D. Table for two-way analysis of variance is like that for one-way analysis (as in Chapter 12), except there is a row for each of the three between-group effects.

E. Hypothesis testing procedure is the same as with a one-way analysis of variance, except there are research and null hypotheses to be tested for each main effect and the interaction effect.

VI. Assumptions in the Two-Way Analysis of Variance
   A. Same as with one-way analysis of variance.
   B. Assumptions apply to the populations corresponding to each cell.

VII. Effect Size and Power in the Two-Way Analysis of Variance
   A. The proportion of variance accounted for (R^2) or f can be computed for each main effect and the interaction effect.
   B. R^2 is computed for each effect as the SS for that effect (SS_C, SS_R, or SS_I) divided by the portion of SS_T remaining after subtracting out the SS for each of the other two effects.
   C. R^2 for each effect can also be computed directly from Fs and degrees of freedom given in a published research report.
   D. Power (and corresponding power and sample size tables) is influenced by number of levels of the effect and number of levels of the effect with which it is crossed.

VIII. Extensions and Special Cases of the Factorial Analysis of Variance
   A. Three-way and higher factorial designs are a straightforward extension of two-way logic and procedures.
   B. Unequal numbers of subjects in the cells.
      1. Using standard procedures (as in this chapter) gives incorrect results.
      2. The preferred procedure, *least-squares analysis of variance* (available on most computer programs), equalizes influence of the different cells on the main and interaction effect computation.
   C. Repeated-measures analysis of variance.
      1. Arises when one or more of the independent variables represents different measures on the same individuals (such as the same test given to the same subjects before, during, and after some procedure).
      2. Sometimes a repeated-measures variable is crossed with an ordinary between-subjects variable. (mixed designs)
      3. Requires special procedures.
      4. There is some controversy over the appropriate procedures to use because the more traditional approach requires rigid assumptions that are often violated in practice.

IX. Controversy: How to Think About Interaction Effects
   A. Traditionally psychologists have often interpreted interaction effects by inspecting the pattern of cell means.
   B. Technically the pattern of the interaction effect per se represents the pattern of cell means only after removing the effects on the cell means of row and column differences.

X. Factorial Analysis of Variance Results as Described in Research Articles
A. Cell means and Fs are given in tables or text.

B. If it is a complex analysis, a partial analysis-of-variance table may be given.

C. Graphs showing the pattern of cell means are often provided when there is a significant interaction effect.

Formulas

I. Between-group estimates of the population variance for rows (S_R^2 or MS_R)

Formula in words:	Sum of squared deviations of each score's row's mean from the grand mean, divided by the degrees of freedom on which it is based (the number of rows minus 1).
Formulas in symbols:	$S_R^2 = \Sigma(M_R - GM)^2/df_R$ or $MS_R = SS_R/df_R$ (13-1)
M_R	is the mean of each row.
GM	is the grand mean–the overall mean of all scores.
df_R	is the degrees of freedom in the between-group estimate for rows. It is the number of rows minus 1: $df_R = N_R-1$. (13-8)
SS_R	is the sum of squared deviations of each score's row's mean from the grand mean: $\Sigma(M_R-GM)^2$.

II. Between-group estimates of the population variance for columns (S_C^2 or MS_C)

Formula in words:	Sum of squared deviations of each score's column's mean from the grand mean, divided by the degrees of freedom on which it is based (the number of columns minus 1).
Formulas in symbols:	$S_C^2 = \Sigma(M_C - GM)^2/df_C$ or $MS_C = SS_C/df_C$ (13-2)
M_C	is the mean of each column.
df_C	is the degrees of freedom in the between-group estimate for columns. It is the number of columns minus 1: $df_C = N_C-1$. (13-9)
SS_C	is the sum of squared deviations of each score's column's mean from the grand mean: $\Sigma(M_C-GM)^2$.

III. Between-group estimates of the population variance for the interaction (S_I^2 or MS_I)

Formula in words: Sum of squares of each score's remaining deviation from the grand mean (after subtracting out its deviation from its cell's mean, its row's mean's deviation from the grand mean, and its column's mean's deviation from the grand mean), divided by the degrees of freedom on which it is based (the number of cells minus the number of degrees of freedom for rows, minus the number of degrees of freedom for columns, minus 1).

Formulas in symbols: $S_I^2 = \Sigma[(X\text{-}GM)\text{-}(X\text{-}M)\text{-}(M_R\text{-}GM)\text{-}(M_C\text{-}GM)]^2/df_I$ or $MS_R = SS_I/df_I$ (13-3)

X is each score.

df_I is the degrees of freedom in the between-group estimate for interaction. It is the number of cells minus the number of degrees of freedom for rows, minus the number of degrees of freedom for columns, minus 1: $df_I = N_{Cells} - df_C - df_R - 1$, where N_{Cells} is the number of cells.   (13-10)

IV. Within-group estimate of the population variance (S_W^2 or MS_W)

Formula in words: Sum of squared deviations of each score from its cell's mean, divided by the total degrees of freedom on which this is based (the number of scores in each cell minus 1, summed over all cells).

Formula in symbols: $S_W^2 = \Sigma(X\text{-}M)^2/df_W$ or $MS_W = SS_W/df_W$ (13-4)

df_W is the degrees of freedom in the within-group estimate. It is the number of scores in each cell minus 1, summed over all groups: $df_W = df_1 + df_2 + \ldots + df_{Last}$.   (13-11)

SS_W is the sum of squared deviations of each score minus the mean of its cell–$\Sigma(X\text{-}M)^2$.

V. F ratios for row main effect (F_R), column main effect (F_C), and interaction effect (F_I)

Formula in words: Population variance estimate based on the particular main or interaction effect divided by the within-group population variance estimate.

Formulas in symbols:
$F_R = S_R^2/S_W^2$ or $F_R = MS_R/MS_W$ (13-5)
$F_C = S_C^2/S_W^2$ or $F_C = MS_C/MS_W$ (13-6)
$F_I = S_I^2/S_W^2$ or $F_I = MS_I/MS_W$ (13-7)

VI. Proportion of variance accounted for by row main effect (R_R^2), column main effect (R_C^2), and interaction effect (R_I^2)

Formula in words: Sum of squared deviations of each score's row, column, or row-column-combination mean from the grand mean, divided by the sum of squared deviations of each score from the grand mean after removing sums of squared deviations for the other main or interaction effects.

Formulas in symbols:

$$R_C^2 = SS_C / (SS_T - SS_R - SS_I) \qquad (13\text{-}13)$$
$$R_R^2 = SS_R / (SS_T - SS_C - SS_I) \qquad (13\text{-}12)$$
$$R_I^2 = SS_I / (SS_I - SS_C - SS_R) \qquad (13\text{-}14)$$

SS_T is the sum of squared deviations of each score from the grand mean: $\Sigma(X\text{-}GM)^2$.

Alternate formulas for computing R^2 using F and degrees of freedom reported in a research article:

$$R_R^2 = (F_R)(df_R) / ([F_R][df_R] + df_W) \qquad (13\text{-}15)$$
$$R_C^2 = (F_C)(df_C) / ([F_C][df_C] + df_W) \qquad (13\text{-}16)$$
$$R_C^2 = (F_I)(df_I) / ([F_I][df_I] + df_W) \qquad (13\text{-}17)$$

How to Conduct a Two-Way Analysis of Variance

(Based on Tables 13-13 and 13-14 in the Text)

I. **Reframe the question into a research hypothesis and a null hypothesis about the populations for each main effect and the interaction effect.**

II. **Determine the characteristics of the comparison distributions.**

A. The comparison distributions will be F distributions with denominator degrees of freedom equal to the sum of the degrees of freedom in each of the cells (the number of cases in the cell minus 1): $df_W = df_1 + df_2 + ... + df_{Last}$.

B. The numerator degrees of freedom for F distributions varies:

1. For the columns main effect it is the number of columns minus 1: $df_C = N_C - 1$.
2. For the rows main effect it is the number of rows minus 1: $df_R = N_R - 1$.
3. For the interaction effect it is the number of cells minus the degrees of freedom for columns, minus the degrees of freedom for rows, minus 1: $df_I = N_{Cells} - df_C - df_R - 1$.

C. Check the accuracy of your computations by making sure that all of the degrees of freedom add up to the total degrees of freedom: $df_T = df_W + df_C + df_R + df_I$.

III. **Determine the cutoff sample scores on the comparison distributions at which each null hypothesis should be rejected.**

A. Determine the desired significance levels.

B. Look up the appropriate cutoffs in an F table.

IV. **Determine the score of the sample on each comparison distribution. (These will be F ratios.)**

A. Compute the mean of each cell, row, and column, and the grand mean of all scores.

B. Compute the following deviations for each score.

  1. Its deviation from the grand mean: $X\text{-}GM$.
  2. Its deviation from its cell's mean: $X\text{-}M$.
  3. Its row's mean's deviation from the grand mean: $M_R\text{-}GM$.
  4. Its column's mean's deviation from the grand mean: $M_C\text{-}GM$.
  5. Its deviation from the grand mean minus all the other deviations: Interaction deviation = $(X\text{-}GM) - (X\text{-}M) - (M_R\text{-}GM) - (M_C\text{-}GM)$. (Be sure to compute this deviation using unsquared deviations and to pay close attention to signs.)

C. Square each of these deviation scores.

D. Compute the sums of each of these five types of squared deviation scores (SS_T, SS_W, SS_R, SS_C, and SS_I).

E. Check the accuracy of your computations by making sure that the sum of squared deviations based on each score's deviation from the grand mean equals the sum of all the other sums of squared deviations: $SS_T = SS_W + SS_R + SS_C + SS_I$.

F. Compute the between-group variance estimate for each main and interaction effect (MS_C or $S_C^2 = SS_C/df_C$; MS_R or $S_R^2 = SS_R/df_R$; MS_I or $S_I^2 = SS_I/df_I$).

G. Compute the within-group variance estimate (MS_W or $S_W^2 = SS_W/df_W$).

H. Compute the F ratios for each main and interaction effect ($F_C = S_C^2/S_W^2$ or MS_C/MS_W; $F_R = S_R^2/S_W^2$ or MS_R/MS_W; $F_I = S_I^2/S_W^2$ or MS_I/MS_W).

V. **Compare the scores obtained in Steps 3 (III) and 4 (IV) to decide whether to reject the null hypotheses.**

Analysis of Variance Table and Symbols for a Two-Way Analysis of Variance

Source	SS	df	MS	F
Between				
Columns	SS_C	df_C	MS_C (or S_C^2)	F_C
Rows	SS_R	df_R	MS_R (or S_R^2)	F_R
Interaction	SS_I	df_I	MS_I (or S_I^2)	F_I
Within	SS_W	df_W	MS_W (or S_W^2)	
Total	SS_T	df_T		

Formulas for Each Section of the Analysis of Variance Table

Source	SS	df	MS	F
Between				
Columns	$\Sigma(M_C-GM)^2$	N_C-1	SS_C/df_C	MS_C/MS_W
Rows	$\Sigma(M_R-GM)^2$	N_R-1	SS_R/df_R	MS_R/MS_W
Interaction	$\Sigma[(X-GM)-(X-M)-$ $(M_R-GM)-(M_C-GM)]^2$	$N_{Cells}-N_C-$ N_R-1	SS_I/df_I	MS_I/MS_W
Within	$\Sigma(X-M)^2$	df_1+df_2+ $...+df_{Last}$	SS_W/df_W	
Total	$\Sigma(X-GM)^2$	$N-1$		

Definitions of Basic Symbols

Σ is the usual sum sign–which here refers to adding up the appropriate numbers for all *cases* (not all cells)

M is the mean of a score's cell

M_R is the mean of a score's row

M_C is the mean of a score's column

GM is the grand mean of all scores

N_{Cells} is the number of cells

N_R is the number of rows

N_C is the number of columns

X is each score

N is the total number of cases in the study

Outline for Writing Essays on the Logic and Computations for Conducting a Two-Way Analysis of Variance

The reason for your writing essay questions in the practice problems and tests is that this task develops and then demonstrates what matters so very much–your comprehension of the logic behind the computations. (It is also a place where those better at words than numbers can shine, and for those better at numbers to develop their skills at explaining in words.)

Thus, to do well, be sure to do the following in each essay: (a) give the reasoning behind each step; (b) relate each step to the specifics of the content of the particular study you are analyzing; (c) state the various formulas in nontechnical language, because as you define each term you show you understand it (although once you have defined it in nontechnical language, you can use it from then on in the essay); (d) look back and be absolutely certain that you made it clear just *why* that formula or procedure was applied and *why* it is the way it is.

The outlines below are *examples* of ways to structure your essays. There are other completely correct ways to go about it. And this is an *outline* for an answer–you are to write the answer out in paragraph form. Examples of full essays are in the answers to Set I Practice Problems in the back of the text.

These essays are necessarily very long for you to write (and for others to grade). But this is the very best way to be sure you understand everything thoroughly. One short cut you may see on a test is that you may be asked to write your answer for someone who understands statistics up to the point of the new material you are studying. You can choose to take the same short cut in these practice problems (maybe writing for someone who understands right up to whatever point you yourself start being just a little unclear). But every time you write for a person who has never had statistics at all, you review the logic behind the entire course. You engrain it in your mind. Over and over. The time is never wasted. It is an excellent way to study.

I. Reframe the question into a research hypothesis and a null hypothesis about populations. (Step 1 of hypothesis testing.)

A. Make a chart and explain the logic of the factorial design set up.

B. State in ordinary language the basic logic of hypothesis testing.
  1. The interest in these groups is as representatives, or "samples," of larger groups, or "populations," of particular types of individuals (such as those exposed to various experimental manipulations).
  2. Thus, you construct a scenario in which the populations do not differ and then do computations based on that scenario to see how likely it is such populations would produce samples of scores whose averages are as different from each other as are the averages of the particular samples in this study.
C. In this case, there are *three* research hypotheses and *three* corresponding null hypotheses.
  1. Explain different ways of combining groups for row and column main effects.
  2. Explain logic of interaction effects as patterns of differences across columns varying according to level of the column variable.

II. Determine the characteristics of the comparison distribution. (Step 2 of hypothesis testing.)
A. Explain logic of overall approach for testing each null hypothesis.
  1. We make and compare two estimates of the variance within these populations (which are assumed to be the same).
  2. If the scenario of no difference is true, then an estimate based on the variation among the averages of the samples (as grouped for the particular hypothesis) should give the same result as an estimate based on the average variation within each sample (in this case, within each cell).
  3. But if the scenario is false (and the population averages differ), then this will increase the estimate based on the differences among the averages of the samples but will not affect the estimate based on the variation within them.
  4. Thus, if the scenario of no difference is true, the ratio of the two estimates (the one based on variation among averages divided by the one based on variation within each cell) should be about 1. If the scenario is false, the ratio should be greater than one.
B. Explain F distribution.
  1. Statisticians have determined the probability of getting samples which produce ratios of different sizes under the conditions in which the scenario of no difference is true.
  2. The probabilities depend on how many groupings are involved in a particular comparison and how many subjects within each cell.

III. Determine the cutoff sample score on the comparison distribution at which the null hypothesis should be rejected. (Step 3 of hypothesis testing.)
A. Procedure: Determine significance level and look up cutoff on an F table (using the appropriate numerator and denominator df).

B. Explanation.
1. The next step for each hypothesis is to figure out how large this ratio of the two variation estimates would have to be in order to decide that the probability was so low that it is unlikely that the scenario of no difference could be true.
2. There are standard tables that indicate the size of these ratios associated with various low probabilities.
3. To use these tables you have to decide the kind of situation you have. There are two considerations.
   a. How many groupings and how many subjects in each cell. (State the numbers for your study.)
   b. Just how unlikely would a ratio have to be to decide the whole scenario on which these tables are based (the scenario of no difference) should be rejected? The standard figure used in psychology is less likely than 5% (though 1% is sometimes used to be especially safe). (Say which you are using in your study for each hypothesis–if no figure is stated in the problem and no special reason given for using one or the other, the general rule is to use 5%.)
4. State the cutoff F ratios for your situation.

IV. For each hypothesis determine the score of your sample on the comparison distribution. (Step 4 of hypothesis testing.)

A. Estimate the variation in the populations based on the various ways of grouping the scores.
1. Divide each score's deviation from the overall average into four components (each of which provides a basis for making an estimate of the population variance).
   a. Its deviation from its cell's average (basis of the estimate of the variation in the population using the variation within each cell).
   b. Its row's average's deviation from the overall average (basis of the estimate of the variation in the population using the variation among the rows).
   c. Its column's average's deviation from the overall average (basis of the estimate of the variation in the population using the variation among the columns).
   d. The remaining deviation of the score from the overall average after subtracting out each of the above (basis of the estimate of the variation in the population using the interaction of row and column effects).
2. The estimate based on the variation of each score from its cell's average is influenced only by variation within each cell.
   a. It is computed by squaring each such deviation (to eliminate signs) and finding a special kind of average.
   b. An ordinary average would slightly underestimate the population variation because a sample is less likely to have extremes from its average than is the population it represents. Thus, instead of dividing the total by the number of scores in each group, one divides by the number of scores in each group minus 1.

3. The estimates based on the variation of each score's row's, column's, or remaining deviation (for the interaction) from the overall average is influenced both by the variation among scores overall plus any systematic variation between rows, columns, or interaction groupings, respectively.

    a. Each such estimate (row, column, interaction) is computed by squaring each score's deviation of the appropriate type (row, column, interaction) and finding a special kind of average.

    b. In this case, the special kind of average involves dividing the total of the squared deviations by the number of groupings minus one.

B. Compute the ratios of each estimate of population variation based on row, column, or interaction deviations to the within-group variance estimate. State each of these F ratios for your study.

V. Compare the scores obtained in Steps 3 and 4 of the hypothesis testing process to decide whether or not to reject each null hypothesis. (Step 5 of hypothesis testing.)

A. For each of your F ratios, note whether it exceeds the cutoff and draw the appropriate conclusion.

    1. Reject the null hypothesis: The variation among the averages of your particular samples (as divided in this way into rows, columns, or row-column combinations) is so great that it seems unlikely that their populations are the same. So they seem to be different and the null hypothesis seems untrue.

    2. Fail to reject the null hypothesis: The result is inconclusive. On the one hand, these results were not extreme enough to persuade you that the variation among the averages of your particular samples (as divided in this way into rows, columns, or row-column combinations) was due to the populations being different. On the other hand, it is still possible that they really are different, but because of the people who happened to be selected to be in your samples from the populations, this difference did not show up.

B. Be sure to state your conclusions in terms of your particular measures and situation, so it is clear to a lay person just what the real bottom line of the study is.

Chapter Self-Tests

Multiple-Choice Questions

1. Factorial designs
   a. have replaced all other group analyses in modern psychology.
   b. are preferred by physiological psychologists, but social psychologists prefer a series of t-tests.
   c. construct groupings which include every combination of the levels of the independent variables.
   d. yield less accurate results than analysis of variance.

2. An interaction effect

   a. occurs when the combined influence of two independent variables could not be predicted by knowing about the influence of each separately.
   b. represents the sum of the individual influences of two independent variables and can be computed from knowing each effect separately.
   c. represents the concordance of the dependent variables.
   d. represents the lack of concordance of the dependent variables.

3. A 3 X 5 X 2 factorial design has

   a. 30 possible main effects.
   b. 30 possible interaction effects.
   c. one independent variable with three levels, one with five levels, and one with two levels.
   d. one independent variable with three levels and one with five levels, and one dependent variable with two levels.

4. To identify whether there are main effects in a factorial design, you look at

   a. interaction effects.
   b. cell means.
   c. column means and row means.
   d. t tests.

5. Comparing the pattern of cell means across one row to the pattern of cell means across another row is a method of

   a. avoiding lengthy computations.
   b. identifying interaction effects.
   c. checking on whether assumptions of equal population variances have been met.
   d. computing marginal means.

6. A psychologist assigned people to recall words after either a short or long delay, and with or without an incentive (a payment for each word recalled). The mean numbers recalled were as follows:

		Incentive		
		Yes	No	
Delay	Short	8	12	10
	Long	6	2	4
		7	7	

Assuming all differences are significant,

   a. both the main effects and the interaction effect are significant.
   b. both the main effects but not the interaction effect are significant.
   c. the main effect for delay and the interaction are significant, but not the main effect for incentive.
   d. the main effect for incentive and the interaction are significant, but not the main effect for delay.

7. When the cell means of a 2 X 2 factorial design study are graphed,

    a. a main effect on the variable whose levels are across the horizontal axis is shown by the lines being parallel.

    b. a main effect for the variable whose levels are represented by the different lines is shown by the lines crossing.

    c. an interaction effect is shown by the average of the two lines having different heights.

    d. an interaction effect is shown by the two lines not being parallel.

8. Which of the following deviations is the basis for the between-group estimate for the interaction effect?

    a. X-M_I.

    b. GM-M_I-M_C.

    c. $(X$-$GM)$-$(M_C$-$GM)$-$(M_R$-$GM)$.

    d. $(X$-$GM)$-$(X$-$M)$-$(M_C$-$GM)$-$(M_R$-$GM)$.

9. The formula for R_C^2 is

    a. SS_C/SS_R.

    b. SS_B/SS_T.

    c. $SS_C/(SS_T$-SS_R-$SS_I)$.

    d. $SS_C/(SS_C+1)$.

10. Which of the following situations would produce an incorrect result if you applied the methods of this chapter?

    a. A design in which there are unequal numbers of cases in the cells.

    b. A design in which there are more rows than columns.

    c. A design in which there are more columns than rows.

    d. A design in which the number of rows exceeds the number of columns by a factor of four or greater.

Fill-In Questions

1. A study found that a particular style of teaching increased learning for middle class students but decreased learning for lower class students. This finding is an example of a(n) _____ effect.

2. A study on non-U.S. Canadian immigrants considered the effects of region of origin (Asia, Latin America, Europe, the Middle East, or Other) and the reason for immigrating (Political, Economic, or Other) on the subjects' satisfaction with the country. This study is a two-way factorial design–specifically, a(n) _____ X _____ factorial design.

3. In a graph of the results of an analysis of variance, the vertical axis shows speed at completing a task on the computer while the horizontal axis represents different levels of experience using the

Chapter Thirteen　　　　　　　　　　　　　　　　　　　　　　　　　　**287**

computer. Two lines are drawn on the graph, one for each of two conditions–familiar task and unfamiliar task. If the lines are _____, then the effect of different levels of experience on speed on the task is the same regardless of whether the person is doing a familiar or unfamiliar task.

4. In the top row of a table of cell means, there was a 10, 12, and 14. In the bottom row, there was a 14, 12, and 10. This pattern indicates that there was a(n) _____.

5. In a two-way analysis of variance, there are three F ratios because there are three different _____-group estimates of the population variance.

6. Using the structural-model approach to compute a two-way analysis of variance requires dividing the deviation of each score's mean from the _____ mean into four components.

7. $df_I =$ _____ $- df_C - df_R - 1$

8. When calculating _____ for the row effect, it is important to subtract out the proportion of variance accounted for by the column and interaction effects.

9. In a factorial analysis of variance, the power of a main effect is influenced by its effect size, the number of subjects, the number of levels of the variable for that main effect, and the _____.

10. An analysis of variance was conducted in which each subject completed a task 6 times–under each combination of three different temperature conditions and two different task complexities. The analysis of these results would require a _____ analysis of variance.

Problems and Essays

1. (a) Create a study using a 2 X 2 design and fill in a table of cell means so that there are two main effects but no interaction effects. (b) Make a graph showing these results. (c) Explain the pattern of the cell means you created.

2. A school district superintendent wanted to know how well the four high schools in her district were teaching students in regular and gifted classes. She conducted a small study in which she randomly selected students from the two kinds of classes at each of the four schools and asked them to take a standardized performance test. (a) Create a table showing all the cells for such a study and make up means for the cells so that an interaction effect exists. (b) Make a graph showing these results. (c) Interpret the pattern of the cell means.

3. Assuming all differences are significant, for the following outcome (a) make a graph, (b) determine marginal means, and (c) indicate which of the effects (main and interaction) are significant.

                    Levels of Independent Variable I
                        A   B   C

Levels of   }
Independent } SHORT   6   6   6
Variable II } LONG   46   8

4. A group of first-year students at a small private college were asked to rate how important school was to the rest of their lives. The subjects were selected to include three who came from each combination of low and high income parents and three different ethnic groups. The data are below.

(a) Analyze these data using a factorial analysis of variance, testing the Ethnicity main effect at the .05 significance level and the Parent's Income main effect and the interaction effect at the .01 significance level. (Be sure to include the effect size.)

(b) Explain your conclusions and procedures to a person who has never had a course in statistics.

Importance of College to First-Year College Students of Varying Ethnicity and Levels of Parent's Income

	Parent's Income	
Ethnicity	Low	High
Group A	6	2
	5	3
	5	2
Group B	3	5
	2	6
	4	6
Group C	2	6
	1	9
	1	8

5. A study examined the effects of being under-, over-, or normal weight and living on the west or east coast on subjects' comfort with their body weight. A two-way analysis of variance found a main effect for region, $F(1,28) = 5.91, p < .05$, but not for bodyweight, $F(2,28) = .41, p < .05$. In addition, an interaction effect was found, $F(2,28) = 8.59, p < .01$. (a) Compute the proportion of variance accounted for by each of the effects. (b) Explain the meaning of these results to a person who has never had a course in statistics.

6. A study reports the following results:

A two-way analysis of variance was conducted to determine the pattern of influence of being an early or late riser and the amount of TV watched (high, medium, or low) on the degree to which the subjects believed the world was a safe place. Assumptions of normality and homogeneity of variance appeared to have been met. Analyses indicated that there was a significant main effect in the amount of TV watched, $F(2,24) = 53.49, p < 0.001$, but not in the waking patterns $F(1,24) = 2.93, ns$ (see table for cell means). However, a significant interaction effect was found, $F(2,24) = 10.28, p < .001$ such that....

Subjects' Mean Perceptions of the Degree to which the World is a Safe Place as a Function of Amount of TV Watched and Being an Early or a Late Riser

	Waking Pattern	
TV	Early	Late
low	20.2	35.8
med	33.4	38.2
high	59.8	50.8

(a) Make a graph showing the results, (b) explain the meaning of the pattern of cell means (including marginal means which you have to calculate) and the significant results, and (c) discuss the interpretation of non-significant results.

Using SPSS/PC+ Studentware Plus with this Chapter

If you are using SPSS for the first time, before proceeding with the material in this section read the Appendix on Getting Started and the Basics of Using SPSS/PC+ Studentware Plus.

You can use SPSS to carry out a factorial analysis of variance. You should work through the example of a two-way analysis, following the procedures step by step. Then look over the description of the general principles involved and try the procedures on your own for some of the problems listed in the Suggestions for Additional Practice. Finally, you may want to try the suggestions for using the computer to deepen your understanding and also explore the more advanced SPSS procedure of a three-way analysis of variance.

I. Example

A. Data: A 2 X 3 experiment in which expressions of antiracist attitudes are measured under all six combinations of two Response Format conditions (Public and Private) and three Direction of Influence conditions (Antiracist, No Influence, and Nonantiracist). These are fictional data given in the text, based on an actual study by Blanchard, Lilly, & Vaughn (1991). The scores for the Public-Antiracist group are 25, 20, 23, and 24; for the Private-Antiracist group, 19, 24, 21, and 20; for the Public-No Influence group, 22, 19, 22, and 21; for the Private-No Influence group, 24, 18, 22, and 20; for the Public-Nonantiracist group, 16, 19, 13, and 16; and for the Private-Nonantiracist group, 18, 21, 16, and 17.

B. Follow the instructions in the SPSS Appendix for starting up SPSS and be sure the cursor is in the Scratch Pad window.

C. Enter the data as follows.

1. Type **DATA LIST FREE / RFORMAT DIRINF ATTITUDE.** and press Enter to go to the next line.
2. Type **BEGIN DATA.** and press Enter to go to the next line.
3. When typing in the data, you need to give a number for each variable corresponding to the condition for the particular subject. For **RFORMAT** use **1** for Public and **2** for Private. For **DIRINF** use **1** for Antiracist, **2** for No Influence, and **3** for Nonantiracist.
   a. For the first subject in the first group (the Public-Antiracist group), type **1**, a space, **1**, another space, and **25**; then press Enter. The first **1** stands for being in the Public response format, the second **1** for being exposed to the Antiracist direction of influence, and the **25**, for the attitude score.
   b. Type the data in the same way for each of the remaining subjects, being sure to give the appropriate numbers for which conditions each subject is in.
   c. When you have typed all the subjects' data in, go back and double check for accuracy.
4. Type **END DATA.** and press Enter to move to the next line.

D. Carry out the analysis of variance.

 1. Type **ANOVA ATTITUDE BY RFORMAT(1,2) DIRINF(1,3) / STATISTIC 3.** and
 press Enter. Figures SG13-1, SG13-2, and SG13-3 show the entire set of typed lines.

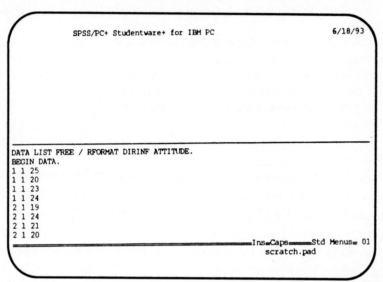

Figure SG13-1

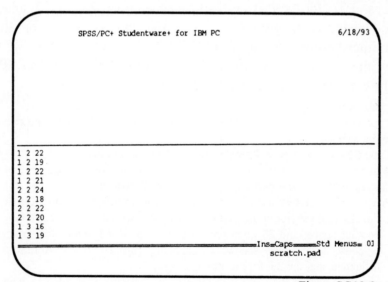

Figure SG13-2

Chapter Thirteen

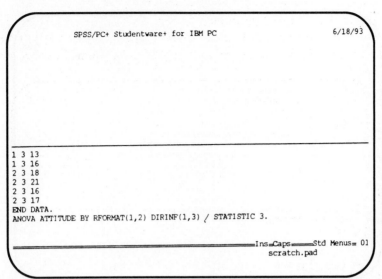

```
        SPSS/PC+ Studentware+ for IBM PC                        6/18/93



        _____
        1  3  13
        1  3  16
        2  3  18
        2  3  21
        2  3  16
        2  3  17
        END DATA.
        ANOVA ATTITUDE BY RFORMAT(1,2) DIRINF(1,3) / STATISTIC 3.


                                            ══════Ins═Caps════Std Menus═ 01
                                                     scratch.pad
```

Figure SG13-3

2. Tell SPSS to carry out your instructions—use the arrow keys to move to the start of the first line (**DATA LIST ...**), press F10, and press Enter.

3. Press Enter again. The screen of results that should now appear (Figure SG13-4) gives the overall mean, **20.00**, and the marginal means for the two levels of Response Format, **20.00** and **20.00**. The numbers in parentheses under each mean refer to the number of scores on which the mean is based. For example, the overall mean is based on the full **24** subjects and each marginal mean is based on only the subjects in its grouping, which in this case includes **12** subjects each.

```
                                                              MORE

                    * * *  C E L L   M E A N S  * * *

                   ATTITUDE
              BY RFORMAT
                 DIRINF


      TOTAL POPULATION

           20.00
        (    24)


      RFORMAT
               1          2

           20.00      20.00
        (    12)  (    12)
```

Figure SG13-4

4. Print out this screen of results (using Shift-PrintScrn).
5. Press Enter again. This screen of results (Figure SG13-5) gives the marginal means for the three levels of Direction of Influence and the six cell means. All of the means on this screen and the previous one correspond exactly to those computed in the text (see Table 13-12)–although in the text the variables were laid out so that the levels of Direction of Influence were the rows and the levels of Response Format were the columns.

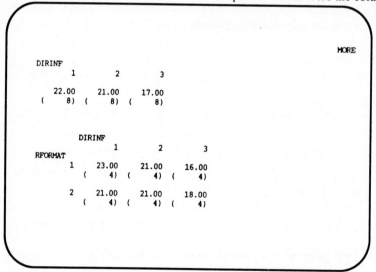
```
                                                              MORE

      DIRINF
               1          2          3

           22.00      21.00      17.00
        (     8)  (     8)  (     8)


              DIRINF
                        1          2          3
      RFORMAT
               1     23.00      21.00      16.00
                  (     4)  (     4)  (     4)

               2     21.00      21.00      18.00
                  (     4)  (     4)  (     4)
```

Figure SG13-5

Chapter Thirteen

6. Print out this screen of results.
7. Press Enter yet again. This screen of results (Figure SG13-6) is an analysis of variance table laid out in the standard way, except for including some additional rows which you can ignore. As with the means, the analysis of variance results shown here correspond within rounding error to those obtained in the text.

```
                                                          MORE

        * * * A N A L Y S I S   O F   V A R I A N C E * * *

             ATTITUDE
        BY   RFORMAT
             DIRINF


                           Sum of              Mean           Signif
Source of Variation        Squares    DF       Square    F    of F

Main Effects               112.000     3       37.333   7.814   .002
   RFORMAT                    .000     1         .000    .000  1.000
   DIRINF                   112.000     2       56.000  11.721   .001

2-way Interactions          16.000     2        8.000   1.674   .215
   RFORMAT  DIRINF           16.000     2        8.000   1.674   .215

Explained                  128.000     5       25.600   5.358   .003

Residual                    86.000    18        4.778

Total                      214.000    23        9.304
```

Figure SG13-6

8. Print out this screen of results and return to the Scratch Pad window.
E. Save your lines of data and instructions, as follows.
   1. Press F9 and Enter.
   2. Type CH13XMPL and press Enter.

II. Systematic Instructions for Computing a Two-Way Analysis of Variance

A. Start up SPSS.
B. Enter the data as follows, entering one line of data per subject with one variable representing which condition the subject is in on the first independent variable, a second variable representing which condition the subject is in on the second independent variable, and a third variable representing the subject's score on the dependent variable.
   1. Type DATA LIST FREE / [name of first independent variable] [name of second independent variable] [name of measured variable]. and press Enter to go to the next line.
   2. Type BEGIN DATA. and press Enter to go to the next line.

3. Type each subject's three scores (that is, the two numbers corresponding to which conditions the subject is in and the score on the measured variable) on a line; one such line per subject.

4. Type **END DATA.** and press Enter to move to the next line.

C. Carry out the analysis of variance as follows.

1. Type **ANOVA [name of dependent variable] BY [name of first independent variable](1,[number of levels]) [name of second independent variable](1,[number of levels]) / STATISTIC 3.** and press Enter.

2. Tell SPSS to carry out your instructions–use the arrow keys to move to the start of the first line (**DATA LIST ...**), press F10, and press Enter.

3. View and print out each screen of results and then return to the Scratch Pad window.

D. Save your lines of data and instructions as follows.

1. Press F9 and Enter.

2. Type **[file name]** and press Enter.

III. Additional Practice

(For each data set, conduct a two-way analysis of variance, compute cell means, and compare your results to those in the text).

A. Text example: Data from Table 13-10 of number of social activities engaged in by girls and boys who are high or low on desire for affiliation. (Fictional data based on a study by Wong & Csikszentmihalyi, 1991.)

B. Practice problems in the text.

1. Set I: 5,6.

2. Set II: 5,6.

IV. Using the Computer to Deepen Your Knowledge

A. Effects of outliers: Use SPSS to compute a two-way analysis of variance using the antiracist attitudes example, but change one of the scores in the first group to a much higher score (say a 50) and look at the impact on the main and interaction effects.

B. Eyeballing main and interaction effects.

1. Make up data for a 2 X 2 analysis of variance in which there are no main effects but there is an interaction effect. Then conduct the analysis using SPSS. (Keep your data simple, with just 2 subjects per cell, and create very large mean differences and only slight differences within cells so you can get significance with such a small N.)

2. Change the data so that there is no interaction, but two main effects.

3. Change the data again so that there is one main effect and no interaction.

4. Change the data so that there is one main effect and an interaction.

C. Collapsing over groups: Use SPSS to conduct a one-way analysis of variance for the antiracist-attitude study in which subjects are divided according to direction of influence (and thus which response-format condition they are in is ignored). Compare the result, including the sums of squares and mean squares, to the main effect for direction of influence in the original example output. Why are they different?

V. Advanced Procedure: Three-Way Analysis of Variance
A. Using the antiracist-attitudes example, add a third independent variable–call it **EXPER** (short for experimenter).
B. Add this variable to the **DATA LIST** line.
C. Assume that the first two subjects in each of the six groupings were tested by Experimenter **1** and that the third and fourth subjects in each grouping were tested by Experimenter **2**. Thus, on the data lines, give each subject either a **1** or **2** for this variable.
D. The instruction for the analysis of variance is **ANOVA ATTITUDE BY RFORMAT(1,2) DIRINF(1,3) EXPER(1,2) / STATISTIC 3.**

Using MYSTAT with this Chapter

If you are using MYSTAT for the first time, before proceeding with the material in this section read the Appendix on Getting Started and the Basics of Using MYSTAT.

You can use MYSTAT to carry out a factorial analysis of variance.   You should work through the example of a two-way analysis, following the procedures step by step. Then look over the description of the general principles involved and try the procedures on your own for one of the problems listed in the Suggestions for Additional Practice. Finally, you may want to try the suggestions for using the computer to deepen your understanding and also explore the more advanced MYSTAT procedure of a three-way analysis of variance.

I. Example

A. Data: A 2 X 3 experiment in which expressions of antiracist attitudes are measured under all six combinations of two Response Format conditions (Public and Private) and three Direction of Influence conditions (Antiracist, No Influence, and Nonantiracist). These are fictional data given in the text, based on an actual study by Blanchard, Lilly, & Vaughn (1991). The scores for the Public-Antiracist group are 25, 20, 23, and 24; for the Private-Antiracist group, 19, 24, 21, and 20; for the Public-No Influence group, 22, 19, 22, and 21; for the Private-No Influence group, 24, 18, 22, and 20; for the Public-Nonantiracist group, 16, 19, 13, and 16; and for the Private-Nonantiracist group, 18, 21, 16, and 17.

B. Create a file of your data as follows.

1. Follow the instructions in the MYSTAT Appendix for starting up MYSTAT.
2. Use the instructions in the MYSTAT Appendix for creating a file of your data, proceeding as follows.
   a. Call up the Edit screen.
   b. Type in the variable name **"RFORMAT"** (short for Response Format) at the top of the first column, type **"DIRINF"** (short for Direction of Influence) at the top of the second column, and type **"ATTITUDE"** at the top of the third column.
   c. Type in the data, *one line for each subject,* going down the screen. When typing in the data, you need to give a number for the level of each variable corresponding to the condition for the particular subject. For **RFORMAT** use **1** for Public and **2** for Private. For **DIRINF** use **1** for Antiracist, **2** for No Influence, and **3** for Nonantiracist.
   d. Figure SG13-7 shows the screen after the data have been entered for the first 14 subjects; Figure SG13-8 shows the screen after all data have been entered.

```
MYSTAT Editor
  Case    RFORMAT      DIRINF     ATTITUDE
    1       1.000       1.000       25.000
    2       1.000       1.000       20.000
    3       1.000       1.000       23.000
    4       1.000       1.000       24.000
    5       2.000       1.000       19.000
    6       2.000       1.000       24.000
    7       2.000       1.000       21.000
    8       2.000       1.000       20.000
    9       1.000       2.000       22.000
   10       1.000       2.000       19.000
   11       1.000       2.000       22.000
   12       1.000       2.000       21.000
   13       2.000       2.000       24.000
   14       2.000       2.000       18.000
   15
```

Figure SG13-7

```
MYSTAT Editor
  Case    RFORMAT      DIRINF     ATTITUDE
   15       2.000       2.000       22.000
   16       2.000       2.000       20.000
   17       1.000       3.000       16.000
   18       1.000       3.000       19.000
   19       1.000       3.000       13.000
   20       1.000       3.000       16.000
   21       2.000       3.000       18.000
   22       2.000       3.000       21.000
   23       2.000       3.000       16.000
   24       2.000       3.000       17.000
   25
   26
   27
   28
   29
```

Figure SG13-8

3. Double check the accuracy of all your data entry and then save the file by pressing Escape to get to the bottom of the screen, typing >**SAVE CH13XMPL**, and pressing Enter.
4. Return to the Main Menu by typing >**QUIT** and pressing Enter twice.

C. Tell MYSTAT to use your data file by typing **>USE CH13XMPL** and pressing Enter twice.
D. Compute the analysis of variance, using the following procedures.
    1. Type >CATEGORY RFORMAT=2, DIRINF=3 and press Enter.
    2. Type >ANOVA ATTITUDE and press Enter.
    3. Type >ESTIMATE and press Enter. The result should then appear as shown in Figure SG13-9.

```
DEP VAR:ATTITUDE      N:   24   MULTIPLE R:  .773    SQUARED MULTIPLE R:  .598

                         ANALYSIS OF VARIANCE

      SOURCE    SUM-OF-SQUARES   DF   MEAN-SQUARE    F-RATIO      P

      RFORMAT          0.000      1       0.000       0.000     1.000
      DIRINF         112.000      2      56.000      11.721     0.001
    RFORMAT*
      DIRINF          16.000      2       8.000       1.674     0.215

      ERROR           86.000     18       4.778




  Press ENTER <-' or RETURN
```

Figure SG13-9

E. Inspect the result. (Note that the results are identical, within rounding error, to those in Table 13-12 in the text.)
F. Print out the result and return to the Main Menu.
G. Compute the cell means as follows.
    1. Type >STATS / MEAN BY DIRINF,RFORMAT and press Enter.
    2. The first screen of results should look like Figure SG13-10.

```
THE FOLLOWING RESULTS ARE FOR:
        DIRINF       =        1.000
        RFORMAT      =        1.000

TOTAL OBSERVATIONS:      4

                    RFORMAT     DIRINF    ATTITUDE

    N OF CASES          4          4          4
    MEAN            1.000      1.000     23.000

THE FOLLOWING RESULTS ARE FOR:
        DIRINF       =        1.000
        RFORMAT      =        2.000

TOTAL OBSERVATIONS:      4

                    RFORMAT     DIRINF    ATTITUDE

    N OF CASES          4          4          4
    MEAN            2.000      1.000     21.000

[Enter]
```

Figure SG13-10

3. Print out this screen. Then press Enter to see the next screen, which should look like Figure SG13-11.

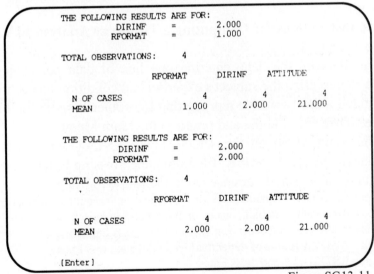

```
THE FOLLOWING RESULTS ARE FOR:
        DIRINF       =        2.000
        RFORMAT      =        1.000

TOTAL OBSERVATIONS:      4

                    RFORMAT     DIRINF    ATTITUDE

    N OF CASES          4          4          4
    MEAN            1.000      2.000     21.000

THE FOLLOWING RESULTS ARE FOR:
        DIRINF       =        2.000
        RFORMAT      =        2.000

TOTAL OBSERVATIONS:      4

                    RFORMAT     DIRINF    ATTITUDE

    N OF CASES          4          4          4
    MEAN            2.000      2.000     21.000

[Enter]
```

Figure SG13-11

4. Print out this screen. Then press Enter to see the next screen, which should look like Figure SG13-12.

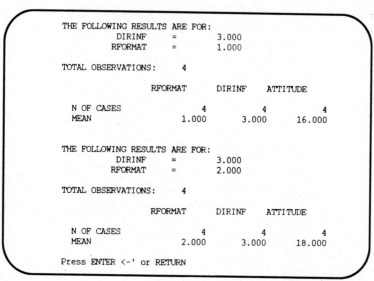

```
     THE FOLLOWING RESULTS ARE FOR:
              DIRINF      =      3.000
              RFORMAT     =      1.000

     TOTAL OBSERVATIONS:        4

                         RFORMAT      DIRINF    ATTITUDE

        N OF CASES             4          4           4
        MEAN              1.000      3.000      16.000


     THE FOLLOWING RESULTS ARE FOR:
              DIRINF      =      3.000
              RFORMAT     =      2.000

     TOTAL OBSERVATIONS:        4

                         RFORMAT      DIRINF    ATTITUDE

        N OF CASES             4          4           4
        MEAN              2.000      3.000      18.000

     Press ENTER <-' or RETURN
```

Figure SG13-12

5. Print out this screen and then Press Enter to return to the Main Menu.
6. Note that MYSTAT takes a lot of screen (and printout) space to produce these six cell means. Also note that the result is exactly the same as computed in the text (see Table 13-12).

II. Systematic Instructions for Computing a Two-Way Analysis of Variance

A. Start up MYSTAT.

B. Create a file with the data, entering one line of data per subject with one variable representing the subject's experimental condition on each independent variable and a third variable representing the subject's score on the dependent variable. Then save the file and return to the Main Menu.

C. With the Main Menu on the screen, tell MYSTAT you want to use this particular file by typing >USE [filename] and pressing Enter twice.

D. Compute the analysis of variance using the following steps.

1. Type >CATEGORY [name of the first independent variable] = [number of levels for the first independent variable], [name of the second independent variable] = [number of levels for the second independent variable] and press Enter.
2. Type >ANOVA [name of dependent variable] and press Enter.
3. Type >ESTIMATE and press Enter.

E. Print out a copy of the result (using Shift-PrintScrn) and press Enter to return to the Main Menu.

F. Compute the cell means using the following steps.

1. Type >**STATS / MEAN BY [name of first independent variable],[name of second independent variable]** and press Enter.
2. The result may take up several screens–after printing each, press Enter to go to the next.
3. If the result includes an error message about one of your groups not being sorted, try one of the following.
   a. Reverse the order of the first and second independent variable (after the **BY** in the command) to get the cell means.
   b. If the above does not work, probably you have not entered your data in the particular systematic way MYSTAT expects.
   c. In this case, you can create a new file with the desired order as follows.
      i. Type >**USE [original filename]** and press Enter.
      ii. Type >**SAVE [new filename for sorted file]** and press Enter.
      iii. Type >**SORT [first independent variable name],second independent variable name]** and press Enter.
   d. Tell MYSTAT to use this new file and then proceed with the procedure to produce cell means.

III. Additional Practice
(For each data set, conduct a two-way analysis of variance, compute cell means, and compare your results to those in the text.)
A. Text example: Data from Table 13-10 of number of social activities engaged in by girls and boys who are high or low on desire for affiliation. (Fictional data based on a study by Wong & Csikszentmihalyi, 1991.)
B. Practice problems in the text.
   1. Set I: 5,6.
   2. Set II: 5,6.

IV. Using the Computer to Deepen Your Knowledge
A. Effects of outliers: Use MYSTAT to compute an analysis of variance using the antiracist attitudes example, but change one of the scores in the first group to a much higher score (say, 50) and look at the impact on the main and interaction effects.
B. Eyeballing main and interaction effects.
   1. Make up data for a 2 X 2 analysis of variance in which there are no main effects but there is an interaction effect. Then conduct the analysis using MYSTAT. (Keep your data simple, with just 2 subjects per cell, and create very large mean differences and only slight differences within cells so you can get significance with such a small N.)
   2. Change the data so that there is no interaction, but two main effects.
   3. Change the data again so that there is one main effect and no interaction.
   4. Change the data so that there is one main effect and an interaction.

C. Collapsing over groups: Use MYSTAT to conduct a one-way analysis of variance for the antiracist-attitude study in which subjects are divided according to direction of influence (and thus which response-format condition they are in is ignored). Compare the result, including the sums of squares and mean squares, to the main effect for direction of influence in the original example output. Why are they different?

V. **Advanced Procedure: Three-Way Analysis of Variance**

A. Using the antiracist-attitudes example, add another column for a third independent variable. Call it **"EXPER"** (short for experimenter). Assume that the first two subjects in each of the six groupings were tested by Experimenter **1** and that the third and fourth subjects in each grouping were tested by Experimenter **2**. Thus, for each subject, enter a **1** or **2** in this column.

B. Save the corrected file, return to the Main Menu, and tell MYSTAT to use the file (as it is now corrected).

C. Carry out the analysis of variance as follows.
   1. Type >**CATEGORY RFORMAT=2, DIRINF=3, EXPER=2** and press Enter.
   2. Type >**ANOVA ATTITUDE** and press Enter.
   3. Type >**ESTIMATE** and press Enter.

Chapter 14
Chi-Square Tests

Learning Objectives

To understand, including being able to conduct any necessary computations:

- Categorical or nominal variables.
- Chi-square statistic.
- Expected frequencies in a chi-square test of goodness of fit.
- Chi-square distribution and using a chi-square table.
- Degrees of freedom for the chi-square distribution for the chi-square test of goodness of fit.
- The steps in conducting a chi-square test of goodness of fit.
- Contingency tables.
- Expected frequencies for a contingency table in a chi-square test of independence.
- Degrees of freedom for the chi-square distribution for the chi-square test of independence.
- The steps in conducting a chi-square test of independence.
- Assumptions for chi-square tests.
- Effect size (ϕ and Cramer's ϕ) for a chi-square test of independence.
- Power and needed sample size for a study using a chi-square test of independence.
- Issues regarding minimum sample size for a chi-square test.
- How results of studies using chi-square tests are reported in research articles.

Chapter Outline

I. **Categorical (Nominal) Variables**
II. **Chi-Square Test for Goodness of Fit**
    A. Tests the probability that a distribution of observed frequencies in various categories could have arisen from a population with a hypothesized distribution of frequencies in these categories.
    B. The chi-square statistic reflects the degree of divergence between these observed and expected frequencies.
       1. Discrepancy in a category is observed frequency minus expected (based on the proportion of the total observed sample that would be expected to be in this category given the hypothesized population distribution).
       2. The discrepancy in each category is squared, in part to eliminate the problem of signs.
       3. The squared discrepancy in each category is divided by the expected frequency to keep these discrepancies in proportion to the number of cases that would have been expected.

4. The chi-square statistic is the sum, over the categories, of each squared discrepancy divided by its expected frequency.

C. If samples are randomly taken from a population and a chi-square statistic computed on each, these chi-squares follow a mathematically defined distribution (the chi-square distribution).
   1. The distribution is skewed with the long tail to the right.
   2. The distribution's exact shape depends on the degrees of freedom.
   3. Table B-4 (in Appendix B of the text) gives the cutoff chi-squares for various significance levels and degrees of freedom.

D. In a chi-square test for goodness of fit, the degrees of freedom are the number of categories minus 1.

E. The steps of hypothesis testing are otherwise the same as we have been using all along.

III. Chi-Square Test for Independence

A. Tests the probability that a sample in which people are measured on two categories could have come from a population in which the distribution of frequencies over categories on one variable is independent of the distribution of frequencies over categories on a second variable.

B. Data are usually displayed on a contingency table, a two-dimensional breakdown in which the columns represent the categories of one variable, the rows represent the categories of the other variable, and the number in each cell is the frequency for the combination of categories that cell represents.

C. If the two variables are independent, then the expected frequencies for a given cell is the proportion of its row's observed frequency of the total observed frequency, times the observed frequency for its column. (That is, if the two variables are independent, then the distribution of the frequencies among the cells in any particular column should be in proportion to the distribution of frequencies among the rows overall.)

D. The chi-square statistic is computed using the observed and expected frequencies in each cell.

E. The degrees of freedom for a chi-square test for independence are the number of rows minus 1 times the number of columns minus 1. (This is the number of cells whose frequency-data are needed in order to fill in all the other cell's frequency-data, assuming the column and row frequencies are known.)

F. The steps of hypothesis testing are otherwise the same as we have been using all along.

IV. Assumption for Chi-Square Tests

A. Chi-square tests are not limited by the kinds of assumptions required for the t test and analysis of variance.

B. They do require that each observed case be independent of all other cases.

V. Effect Size and Power for Chi-Square Tests for Independence

A. Estimated effect size for a test of a 2 X 2 contingency table (ϕ).

  1. $\phi = \sqrt{(X^2/N)}$.

  2. ϕ has the same range, meaning, and conventions for small, medium, and large effect sizes as the correlation coefficient (r), but is always positive.

B. Estimated effect size for a test of a contingency table larger than 2 X 2 (Cramer's ϕ).

  1. Cramer's $\phi = \sqrt{[X^2/(N)(df_S)]}$ where df_S is the degrees of freedom corresponding to the smaller dimension of the contingency table.

  2. Cramer's ϕ is interpreted approximately as a correlation coefficient, but the corresponding conventions for small, medium, and large effect sizes depend on the value of df_S (see Table 14-11 in the text).

C. Power:

  1. Main determinants of power are effect size, sample size, and degrees of freedom.

  2. Table 14.12 in the text gives approximate power for various sample sizes using the .05 significance level for small, medium, or large effect sizes, over 1 through 4 degrees of freedom.

D. Planning sample size: Table 14.13 in the text gives the approximate number of subjects needed to achieve 80% power for estimated small, medium, and large effect sizes for 1 through 4 degrees of freedom using the .05 significance level.

VI. Controversy: Minimum Expected Frequency

A. Traditionally statisticians recommended a minimum expected frequency of 5 in any cell or category.

B. Recent work suggests that from the point of view of protecting against Type I error, even an expected frequency of 1 in a cell or category is acceptable, so long as the total number of subjects is at least five times the number of cells or categories.

C. However, low expected cell frequencies can substantially reduce power.

VII. Chi-Square Tests as Reported in Research Articles

A. All observed frequencies are usually reported.

B. Chi-square test results follow a standard format--for example, "$X^2(2, N=531) = 28.35, p < .001$."

Formulas

I. Chi-square statistic (X^2)

Formula in words: Sum, over all the categories or cells, of the squared difference between observed and expected frequencies divided by the expected frequency.

Formula in symbols: $X^2 = \Sigma \dfrac{(O\text{-}E)^2}{E}$ (14-1)

O is the observed frequency for a category or cell.

E is the expected frequency for a category or cell.

II. Expected frequency of a cell in a contingency table (E)

Formula in words: The proportion that a cell's row's observed frequency is of the total observed frequency, times the observed frequency for its column.

Formulas in symbols: $E = (\dfrac{R}{N})(C)$ (14-2)

R is the number of cases observed in this cell's row.

N is the number of cases total.

C is the number of cases observed in this cell's column.

III. Degrees of freedom (df) for a chi-square test for independence

Formula in words: The number of columns minus one, times the number of rows minus one.

Formulas in symbols: $df = (N_C\text{-}1)(N_R\text{-}1)$ (14-3)

N_C is the number of columns.

N_R is the number of rows.

IV. Estimated effect size for a test of a 2 X 2 contingency table (ϕ).

Formula in words: Square root of result of dividing the computed chi-square statistic by the number of cases in the sample.

Formula in symbols: $\phi = \sqrt{(X^2/N)}$ (14-4)

Chapter Fourteen

V. Estimated effect size for a test of a contingency table larger than 2 X 2 (Cramer's ϕ).

Formula in words: Square root of result of dividing the computed chi-square statistic by the product of the number of cases in the sample times the degrees of freedom in the smaller dimension of the contingency table.

Formula in symbols: Cramer's $\phi = \sqrt{[X^2 / (N)(df_S)]}$ (14-5)

df_S is the degrees of freedom corresponding to the smaller dimension of the contingency table.

How to Conduct a Chi-Square Test for Goodness of Fit

I. Reframe the question into a research hypothesis and a null hypothesis about populations.

A. Populations.

1. Population 1 are people like those in the study.
2. Population 2 are people who have the hypothesized distribution over categories.

B. Hypotheses.

1. Research: Two populations have different distributions of cases over categories.
2. Null: Two populations have the same distributions of cases over categories.

II. Determine the characteristics of the comparison distribution:

A. The comparison distribution will be a chi-square distribution.

B. Its degrees of freedom are the number of categories minus 1.

III. Determine the cutoff sample score on the comparison distribution at which the null hypothesis should be rejected.

A. Determine the desired significance level.

B. Look up the appropriate cutoff on a chi-square table, using the degrees of freedom calculated above.

IV. Determine the score of your sample on the comparison distribution. (This will be a chi-square statistic.)

A. Determine the actual, observed frequencies in each category.

B. Determine the expected frequencies in each category (multiply the proportion this category is expected to have times the total number of cases in the sample).

C. In each category compute observed minus expected and square this difference.

D. Divide each squared difference by the expected frequency for its category.

E. Add up the results of Step D over the different categories.

V. Compare the scores in III and IV to decide whether or not to reject the null hypothesis.

How to Conduct a Chi-Square Test for Independence

I. **Reframe the question into a research hypothesis and a null hypothesis about populations.**

    A. Populations.

        1. Population 1 are people like those in the study.

        2. Population 2 are people whose distribution of cases over categories on the first variable is independent of the distribution of cases over categories for the second variable.

    B. Hypotheses.

        1. Research: Two populations are different.

        2. Null: Two populations are the same.

II. **Determine the characteristics of the comparison distribution.**

    A. The comparison distribution will be a chi-square distribution.

    B. Its degrees of freedom are the number of rows (the number of categories in one of the variables) minus 1 times the number of columns (the number of categories in the other variable) minus 1.

III. **Determine the cutoff sample score on the comparison distribution at which the null hypothesis should be rejected.**

    A. Determine the desired significance level.

    B. Look up the appropriate cutoff on a chi-square table, using the degrees of freedom calculated above.

IV. **Determine the score of your sample on the comparison distribution. (This will be a chi-square statistic.)**

    A. Set up a two-dimensional contingency table, placing the observed frequencies in each cell.

    B. Determine the expected frequencies in each cell.

        1. Find the marginal totals for each column and row.

        2. Find the overall total.

        3. For each cell multiply the proportion of cases its row represents of the total (the row total divided by the overall total) times the number of cases in its column.

    C. For each cell compute observed minus expected and square this difference.

    D. Divide each squared difference by the expected frequency for its cell.

    E. Add up the results of Step D over all the cells.

V. **Compare the scores in III and IV to decide whether or not to reject the null hypothesis.**

Outline for Writing Essays on the Logic and Computations for Conducting Chi-Square Tests

The reason for your writing essay questions in the practice problems and tests is that this task develops and then demonstrates what matters so very much--your comprehension of the logic behind the computations. (It is also a place where those better at words than numbers can shine, and for those better at numbers to develop their skills at explaining in words.)

Thus, to do well, be sure to do the following in each essay: (a) give the reasoning behind each step; (b) relate each step to the specifics of the content of the particular study you are analyzing; (c) state the various formulas in nontechnical language, because as you define each term you show you understand it (although once you have defined it in nontechnical language, you can use it from then on in the essay); (d) look back and be absolutely certain that you made it clear just *why* that formula or procedure was applied and *why* it is the way it is.

The outlines below are *examples* of ways to structure your essays. There are other completely correct ways to go about it. And this is an *outline* for an answer--you are to write the answer out in paragraph form. Examples of full essays are in the answers to Set I Practice Problems in the back of the text.

These essays are necessarily very long for you to write (and for others to grade). But this is the very best way to be sure you understand everything thoroughly. One short cut you may see on a test is that you may be asked to write your answer for someone who understands statistics up to the point of the new material you are studying. You can choose to take the same short cut in these practice problems (maybe writing for someone who understands right up to whatever point you yourself start being just a little unclear). But every time you write for a person who has never had statistics at all, you review the logic behind the entire course. You engrain it in your mind. Over and over. The time is never wasted. It is an excellent way to study.

I. Reframe the question into a null and a research hypothesis about populations.

    A. Introduce the situation.

        1. State the given (observed) distribution of cases over categories.

        2. State the expected proportional distribution of cases over categories.

        3. Note that there is a discrepancy.

    B. State in ordinary language the hypothesis testing issue.

        1. Is this discrepancy so large that we can reject the hypothesis that our observed cases (our sample) represent a world in which the distribution is true generally (that is, in the population).

        2. Thus, you construct a scenario (the null hypothesis) in which the observed distribution is a random sample from a population like that which is expected and see how likely it is under this scenario that just by chance you could have obtained a sample with a discrepancy as large as you actually have.

II. Determine the characteristics of the comparison distribution.

    A. This step involves figuring out the probabilities of getting different degrees of discrepancy by chance (assuming the null hypothesis is true).

    B. The distribution of chance discrepancies (assuming the null hypothesis is true) for a particular way of measuring discrepancy (called chi-square) is called a chi-square distribution.

    C. The chi-square distribution is mathematically defined and depends only on the number of categories involved (technically, on the number of categories minus 1).

III. Determine the cutoff sample score on the comparison distribution at which the null hypothesis should be rejected.

    A. In this step one figures out how large an actual discrepancy would have to be in order to decide that the probability of getting such a discrepancy under the null hypothesis is so low that this whole scenario of the null hypothesis being true could be confidently rejected.

    B. There are standard tables that indicate the size of these discrepancies associated with various low probabilities.

    C. Just how unlikely would a discrepancy have to be to decide the whole scenario on which these tables are based (the scenario of no difference) should be rejected? The standard figure used in psychology is less likely than 5% (though 1% is sometimes used to be especially safe). (Say which you are using in your study--if no figure is stated in the problem and no special reason given for using one or the other, the general rule is to use 5%.)

   D. Once this decision is made, the cutoff level of discrepancy can be determined from the table. (State the level for your situation.)

IV. **Determine the score of your sample on the comparison distribution.**

   A. Compute the degree of discrepancy for your actual situation.

   B. This requires computing a number called a chi-square, which reflects the degree of divergence between observed and expected frequencies over the categories. It is computed in four steps (which you should describe for your example).

      1. For each category find the discrepancy between observed and expected in terms of actual scores. (That is, for the expected, multiply the proportion expected times the number of cases in your sample.)
      2. Square this discrepancy. (This eliminates the problem of some discrepancies being positive and some negative.)
      3. Divide the squared discrepancy in each category by the expected frequency. (This keeps these discrepancies in proportion to the number of cases that would have been expected.)
      4. The chi-square statistic is the sum, over the categories, of each squared discrepancy divided by its expected frequency.

V. **Compare the scores in Steps III and IV to decide whether or not to reject the null hypothesis.**

   A. Note whether or not your chi-square exceeds the cutoff and draw the appropriate conclusion. Either:

      1. Reject the null hypothesis: The distributions of cases over categories is so discrepant from what you would expect if your sample represents a population with a distribution like that hypothesized that you reject this scenario.
      2. Fail to reject the null hypothesis: The result is inconclusive. On the one hand, these results were not extreme enough to persuade you that the discrepancy was due to chance. On the other hand, it is still possible that your sample really does represent a population whose proportional distribution over categories is different from what was expected, but because of the people who happened to be selected to be in your samples from the population, this discrepancy did not show up strongly enough.

   B. Be sure to state your conclusion in terms of your particular measures and situation, so it is clear to a lay person just what the real bottom line of the study is.

I.   Reframe the question into a research hypothesis and a null hypothesis about populations.

A. Introduce the situation.

    1. Make (if it is not given) a contingency table of the observed data and describe it.

    2. Explain the notion of independence: That the distribution of cases over categories on one variable is unrelated to the distribution of cases over categories on the other variable.

    3. Compute the expected frequencies for the cells in your contingency table under the assumption of independence. (The number in each cell should be the proportion of cases in its column that its row is a proportion of the total.)

    4.   Note the discrepancy between observed and expected.

B. State in ordinary language the hypothesis testing issue.

    1. The hypothesis testing question is whether this discrepancy is so large that we can reject the hypothesis that our observed cases (our sample) represents a world in which the expected distribution of independence is generally true (that is, in the population).

    2. Thus, you construct a scenario (the null hypothesis) in which the observed distribution is a random sample from a population in which the distributions of cases over categories are independent and see how likely it is that you could have gotten a discrepancy as large as you actually have under this scenario just by chance.

II. Determine the characteristics of the comparison distribution.

A. This step involves figuring out the probabilities of getting different degrees of discrepancy by chance under the null hypothesis.

B. The distribution of chance discrepancies under the null hypothesis for a particular way of measuring discrepancy (called chi-square) is called a chi-square distribution.

C. The chi-square distribution is mathematically defined and depends only on the number of expected cell frequencies that are free to take on any possible value once the overall numbers in each row and column are set. (This is figured out by multiplying the number of rows minus 1 times the number of columns minus 1.)

III. Determine the cutoff sample score on the comparison distribution at which the null hypothesis should be rejected.

A. In this step one figures out how large an actual discrepancy would have to be in order to decide that the probability of getting such a discrepancy under the null hypothesis is so low that this whole scenario of the null hypothesis being true could be confidently rejected.

B. There are standard tables that indicate the size of these discrepancies associated with various low probabilities.

C. Just how unlikely would a discrepancy have to be to decide the whole scenario on which these tables are based (the scenario of no difference) should be rejected? The standard figure used in psychology is less likely than 5% (though 1% is sometimes used to be especially safe). (Say which you are using in your study—if no figure is stated in the problem and no special reason given for using one or the other, the general rule is to use 5%.)

D. Once this decision is made, the cut-off level of discrepancy can be determined from the table. (State the level for your situation.)

IV. **Determine the score of your sample on the comparison distribution.**

A. Compute the degree of discrepancy for your actual situation.

B. This requires computing a number called a chi-square, which reflects the degree of divergence between observed and expected frequencies over the categories. It is computed in four steps (describe these steps in terms of your example).

1. For each cell find the discrepancy between the number observed and expected.
2. Square this discrepancy (this eliminates the problem of some discrepancies being positive and some negative).
3. Divide the discrepancy in each cell by the expected frequency. (This keeps these discrepancies in proportion to the number of cases that would have been expected.)
4. The chi-square statistic is the sum, over the categories, of each squared discrepancy divided by its expected frequency.

V. **Compare the scores in Steps III and IV to decide whether or not to reject the null hypothesis.**

A. Note whether or not your chi-square exceeds the cutoff and draw the appropriate conclusion. Either:

1. Reject the null hypothesis: The distributions of cases over categories in the two variables is so discrepant from what you would expect if your sample represents a population in which the distributions over the two variables are unrelated to each other that you reject this scenario.
2. Fail to reject the null hypothesis: The result is inconclusive. On the one hand, these results were not extreme enough to persuade you that the discrepancy from the two variables being unrelated was due to chance. On the other hand, it is still possible that your sample really does represent a population in which the variables are related, but because of the people who happened to be selected to be in your samples from the population, this discrepancy did not show up strongly enough.

B. Be sure to state your conclusion in terms of your particular measures and situation, so it is clear to a lay person just what the real bottom line of the study is.

VI. Compute effect size and evaluate any nonsignificant results in terms of power.

    A. The degree of association between the distributions of cases over categories for the two variables can be indexed by a number that ranges from 0 (no association) to 1 (perfect association).

    B. This number is the square root of the result of dividing the computed chi-square by the number of cases (or if greater than a 2 X 2 table, the division is by the number of cases times one less than the number of rows or columns in the smaller side of the table).

    C. Give the result for your study and compare it to Cohen's conventions for small, medium and large effect sizes, discussing it as an indication of the degree of association in relation to what is typical in psychology research.

    D. If you get a nonsignificant result, compute power (using the table).

        1. Explain concept of power as probability of deciding that the population distributions are not independent on the basis of a study with this many subjects, given that there is a true association of a given size in the population.

        2. Compute power twice, once for a small and once for a large effect size in the population and discuss implications for the likelihood of there actually being an effect of a small and large size in the population.

Chapter Self-Tests

Multiple-Choice Questions

1. A variable such as a person's nationality is usually considered to be

    a. rank-order.
    b. quantitative.
    c. nominal.
    d. fractional.

2. The chi-square statistic is the sum, over all categories or cells, of the following calculation made within each category or cell:

    a. the difference between the squared expected frequency and the squared observed frequency.
    b. the product of the expected frequency times the total number of cases observed in all categories or cells.
    c. the squared difference between the observed and expected frequency, divided by the expected frequency.
    d. the difference between observed and expected frequencies, divided by the expected frequency.

3. In a chi-square test for goodness of fit, the research hypothesis is that

    a. the population distribution of means fits the expected distribution of means.
    b. the population distribution of means is different between the two populations.
    c. the distribution of cases over categories differs between Population 1 and Population 2.
    d. the distribution of cases over categories is the same for Population 1 and Population 2.

4. "Independence" in the chi-square test for independence refers to a situation in which

    a. knowing a score's category on one variable gives no information about its category on the other variable.
    b. observed frequencies equal twice the expected frequencies.
    c. the independent variable is truly causal and not merely predictive.
    d. if any relation exists between the two variables, either could be the cause of the other, but there are no third variables that might explain this relation.

5. A formula for determining the number of cases expected in any one cell of a chi-square contingency table is

    a. $R = (C/N)(E)$.
    b. $E = (R)(C)$.
    c. $R = (E)(R/N)$.
    d. $E = (R/N)(C)$.

6. The number of degrees of freedom in a chi-square test for independence is computed from a formula that requires knowing only

    a. the number of subjects.
    b. the number of subjects and the number of cells.
    c. the number of rows and the number of columns.
    d. the number of rows, columns, and subjects.

7. The one important assumption for the types of chi-square tests you learned in this book is that

    a. the expected frequency of cases must not be larger than the observed frequency.
    b. the populations distributions must be negatively skewed (or at least not positively skewed).
    c. each observed case must be unrelated to all others (that is, no two scores should come from the same subject).
    d. populations of each variable must be distributed normally.

8. The degree of association of a chi-square test of independence for a 2 X 2 contingency table is indicated by

    a. f.
    b. $\sqrt{(X^2/N)}$.
    c. Cronbach's τ.
    d. R/N.

9. Power in a chi-square test for independence depends on all of the following EXCEPT

    a. effect size.
    b. whether a one- or two-tailed test is used.
    c. sample size.
    d. degrees of freedom.

10. In a chi-square test of independence, it is now generally thought that it is acceptable to have a low expected frequency (below 5) in a cell provided that

    a. the expected frequencies are all positive.
    b. the total number of subjects is at least five times the number of cells.
    c. there are more subjects than cells.
    d. there are at least 30 subjects.

Fill-In Questions

1. _____ invented the chi-square test.

2. You have taken a random sample of people at your college and asked each which of three fast-food chains he or she prefers. There is a tendency for one chain to be picked more often. To examine whether this preference would be likely to hold in the general population which this sample represents, you would conduct _____.

3. The formula for computing chi-square is $\Sigma[(O\text{-}E)^2/$ _____ $]$.

4. In the chi-square test for goodness of fit, the degrees of freedom are _____.

5. If there is no relationship between the variables in a contingency table, they are said to be _____ of each other.

6. In a chi-square test for independence, the expected frequency of a particular cell equals the percent of total observed cases in the cell's _____ times the number of observed cases in the cell's column.

7. Because the chi-square test does not require that the parent populations be _____, it is called a "nonparametric" or "distribution-free" test.

8. Complete the following formula:
    Cramer's $\phi =$ _____.

9. The power of a study testing hypotheses using the chi-square test of independence is determined by significance level, degrees of freedom, effect size and _____.

10. An organizational psychologist consulting to a hotel chain conducted a survey of people's preference for smoking or nonsmoking rooms and whether the person was on business or nonbusiness travel. The psychologist's report included the following table:

Observed (and Expected) Frequencies for Room Preference and Travel Type for 80 Surveyed Patrons

Travel	Room Preference		Total	Percent
	Smoking	Non		
Business	30 (33)	30 (27)	60	75
Nonbusiness	14 (11)	6 (9)	20	25
Total	44	36	80	

$$X^2(1, N=80) = 2.42, ns$$

a. Of business travelers, _____% preferred smoking rooms.
b. Of the nonbusiness travelers, _____ % preferred smoking rooms.
c. The phi coefficient for this study was _____.

Problems and Essays

1. Design a five-category study to be analyzed by the chi-square test for goodness of fit. (a) Make up data, (b) analyze it (use the .05 significance level), and (c) describe the underlying logic of the analysis and interpret your "findings" to a person who has never had a course in statistics.

2. An industrial psychologist working for a particular manufacturing company was concerned that one of their four plants might have consistently more worker grievances than the others. Records are kept for a month, during which Plant A had 15 grievances; Plant B, 34; Plant C, 17; and Plant D, 18.

(a) Do these data (which are fictional) suggest that the four plants are different in how many grievances arise? (Use the .05 significance level.)
(b) Explain your analysis to a person who has never had a course in statistics.

3. A survey is conducted of the weight of newborns (recorded as below average, average, and above average) and depression of mothers during pregnancy (rated as severe, mild, or not depressed).

(a) Do the data (which are fictional) in the following table suggest birthweight is related to mother's depression during pregnancy? (Use the .05 significance level.)
(b) Compute the effect size and indicate whether it is large, medium, or small.
(c) Explain your analyses to a person who has never had a course in statistics.

Level of Mother's Depression
During Pregnancy

Birthweight	Severe	Mild	Not Depressed
below average	8	5	1
average	3	8	12
above average	9	7	7

4. Graduate students in the humanities, social sciences, and natural sciences were surveyed and found to listen to three different types of music when they studied. The relation of field of study to type of music yielded a significant association, $X^2(4, N=60) = 14.32, p < .05$.

(a) Compute a measure of association and indicate whether it is a large, medium, or small effect.
(b) Explain the results of the study (including the effect-size result) to a person who has never had a course in statistics.

Using SPSS/PC+ Studentware Plus with this Chapter

If you are using SPSS for the first time, before proceeding with the material in this section read the Appendix on Getting Started and the Basics of Using SPSS/PC+ Studentware Plus.

You can use SPSS to carry out a chi-square test for independence and the associated measure of effect size (ϕ or Cramer's ϕ). You should work through the example, following the procedures step by step. Then look over the description of the general principles involved and try the procedures on your own for some of the problems listed in the Suggestions for Additional Practice. Finally, you may want to try the suggestions for using the computer to deepen your understanding.

I. Example

A. Data: A 2 X 3 contingency table of Sleep Tendency (Morning Person or Night Person) by Transportation (Bus, Carpool, or Own Car) used to go to work. This example is from a fictional study described in the text. The observed frequencies are as follows:

	Bus	Carpool	Own Car
Morning	60	30	30
Night	20	20	40

B. Follow the instructions in the SPSS Appendix for starting up SPSS and be sure the cursor is in the Scratch Pad window.

C. Enter the data using the following set-up, based on one line per *cell*. (SPSS can also compute chi-square starting from raw data, but to ease the amount of typing you have to do, this example and all of the suggestions for practice give you the total observed frequencies in each cell.)

    1. Type **DATA LIST FREE / MORNNITE TRANSPOR OBSFREQ.** and press Enter to go to the next line.

    2. Type **BEGIN DATA.** and press Enter to go to the next line.

    3. Type one data line for each of the six cells, so that each such data line includes the following three numbers.

        a. The cell's level on the first category variable, **MORNNITE**--use **1** for Morning and **2** for Night.

        b. The cell's level on the second category variable, **TRANSPOR**--use **1** for Bus, **2** for Carpool, and **3** for Own Car.

        c. The cell's observed frequency, **OBSFREQ**.

    4. Type **END DATA.** and press Enter to move to the next line. The screen at this point should look like Figure SG14-1.

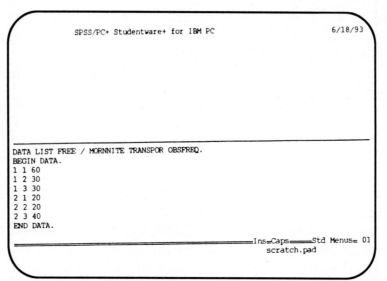

```
          SPSS/PC+ Studentware+ for IBM PC                    6/18/93




_____
DATA LIST FREE / MORNNITE TRANSPOR OBSFREQ.
BEGIN DATA.
1 1 60
1 2 30
1 3 30
2 1 20
2 2 20
2 3 40
END DATA.
                                         ═Ins═Caps════Std Menus═ 01
                                            scratch.pad
```

Figure SG14-1

5. Type **WEIGHT BY OBSFREQ.** and press Enter to move to the next line.   (This command tells SPSS you are not using raw data, but are entering observed frequencies for cells.)

D. Compute the chi-square test and phi coefficient.

1. Type **CROSSTABS MORNNITE BY TRANSPOR / STATISTICS CHISQ PHI.** and press Enter. The screen should look like Figure SG14-2.

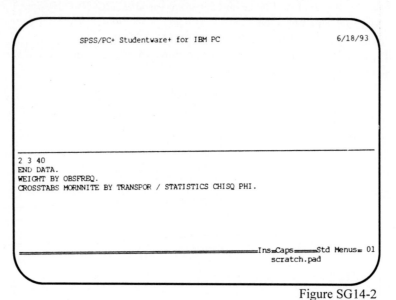

```
          SPSS/PC+ Studentware+ for IBM PC                    6/18/93





_____
2 3 40
END DATA.
WEIGHT BY OBSFREQ.
CROSSTABS MORNNITE BY TRANSPOR / STATISTICS CHISQ PHI.



                                         ═Ins═Caps════Std Menus═ 01
                                            scratch.pad
```

Figure SG14-2

Chapter Fourteen

2. Tell SPSS to carry out your instructions--use the arrow keys to move to the start of the first line (**DATA LIST ...**), press F10, and press Enter.
3. Press Enter again. This screen of results (Figure SG14-3) shows the contingency table with the observed cell frequencies and the marginal frequencies. Also, below each marginal frequency is its percentage of the total number of cases.

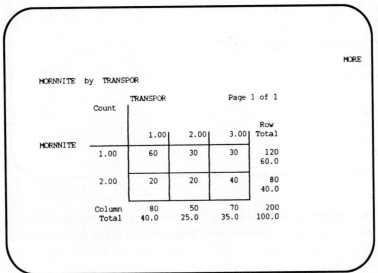

Figure SG14-3

4. Print out this screen of results (using Shift-PrintScrn).
5. Press Enter Again. This screen of results (Figure SG14-4) has two main sections.

```
                                                                    MORE
         Chi-Square                 Value          DF           Significance
    -------------------             -----          ----         ------------

    Pearson                        16.07143          2              .00032
    Likelihood Ratio               16.32275          2              .00029
    Mantel-Haenszel test for       15.97324          1              .00006
        linear association

    Minimum Expected Frequency -   20.000


                                                                  Approximate
         Statistic                  Value        ASE1    T-value  Significance
    --------------------            ------       ------  -------   ------------

    Phi                              .28347                            .00032 *1
    Cramer's V                       .28347                            .00032 *1
```

Figure SG14-4

a. The top part, under the heading of **Chi-Square**, provides several statistics. The only one you need attend to is labeled **Pearson** (this is the ordinary chi-square test). The **Value** of the chi square statistic of **16.07143** and the **DF** (degrees of freedom) of **2** correspond to what was computed in the text (Chi-square = 16.07 and $df = 2$). The **Significance** refers to the probability of getting a chi-square this extreme. A probability of **.00032** is clearly sufficient to reject the null hypothesis of independence at the .05 level.

b. The lower part of the screen, under the heading of **Statistic**, gives **Phi** and **Cramer's V** (the same as Cramer's ϕ). The figure reported of **.28347** is the same, within rounding error, as the .28 computed in the text.

6. Print out this screen of results and return to the Scratch Pad window.

E. Save your lines of data and instructions, as follows.
    1. Press F9 and Enter.
    2. Type **CH14XMPL** and press Enter.

II. Systematic Instructions for Computing a Chi-Square Test of Independence

A. Start up SPSS.

B. Enter the data using the following set-up based on one line per *cell*. (SPSS can also compute chi-square starting from raw data. In that case, enter the data as you would for a two-way analysis of variance, with numbers--such as 1, 2, 3--for each independent variable, and do not include the **WEIGHT** command.)

1. Type **DATA LIST FREE / [name of first category variable] [name of second category variable] [name of variable representing observed frequency].** and press Enter to go to the next line.
2. Type **BEGIN DATA.** and press Enter to go to the next line.
3. Type one data line per cell. Each such data line should include the following three numbers.
   a. The cell's level on the first category variable. (This should be a number, such as **1, 2,** etc.).
   b. The cell's level on the second category variable.
   c. The cell's observed frequency.
4. Type **END DATA.** and press Enter to move to the next line.
5. Type **WEIGHT BY [name of variable representing observed frequency].** and press Enter to move to the next line.

C. Compute the chi-square test and phi coefficient as follows.
   1. Type **CROSSTABS [name of first category variable] BY [name of second category variable] / STATISTICS CHISQ PHI.** and press Enter.
   2. Tell SPSS to carry out your instructions--use the arrow keys to move to the start of the first line (**DATA LIST ...**), press F10, and press Enter.

D. Interpret (and print out) the results, focusing on the following (and ignoring everything else).
   1. The contingency table (check it for accuracy).
   2. The chi-square statistic, its degrees of freedom, and its probability (all listed in the row for **Pearson**).
   3. The effect size.
      a. If a 2 X 2 table, use the ϕ coefficient (listed as **Phi**).
      b. If larger than a 2 X 2 table, use Cramer's ϕ (listed as **Cramer's V**).

E. Return to the Scratch Pad window; then save your lines of data and instructions, as follows.
   1. Press F9 and Enter.
   2. Type **[file name]** and press Enter.

III. Additional Practice

(For each data set, conduct a chi-square test for independence and compute ϕ and Cramer's ϕ and compare your results to those in the text).

A. Text examples.
   1. Use the data in Table 14-8 for the association of Yes-or-No Response to whether pride is an emotion by type of definition of pride given. (From Russell, 1991.)
   2. Use the data in Table 14-10 for the association of infant's attachment style and whether or not mother works outside the home. (From Barglow, Vaughn, & Molitor, 1987).

B. Practice problems in the text.
   1. Set I: 3-6.
   2. Set II: 4,5.

IV. Using the Computer to Deepen Your Knowledge

A. Impact of sample size.

1. Use SPSS to compute the chi-square test for independence in the example for sleep tendency and transportation--but double the number of scores per cell. Note the chi-square and Cramer's ϕ.

2. Do the same, but this time dividing each cell's observed frequencies in half. Note the chi-square and Cramer's ϕ.

3. In both of the above analyses the proportions in the various cells are the same. Why is the chi-square different but Cramer's ϕ the same? (Refer to the discussion of power and effect size in Chapter 14 and Chapter 8 of the text.)

B. Combining categories.

1. Use SPSS to compute the chi-square test for independence in the example for sleep tendency and transportation--but this time make it a 2 X 2 analysis in which Bus and Carpool are combined as a single category (with 90 Morning and 40 Night Persons). Note the chi-square, degrees of freedom, probability, and ϕ coefficient.

2. Do the same, but this time combining the Carpool and Own Car categories (with 60 Morning and 60 Night Persons). Note the chi-square, degrees of freedom, probability, and ϕ coefficient.

3. Compare these results to each other and the original results. Why do they differ?

Using MYSTAT with this Chapter

If you are using MYSTAT for the first time, before proceeding with the material in this section read the Appendix on Getting Started and the Basics of Using MYSTAT.

You can use MYSTAT to carry out a chi-square test for independence. You should work through the example, following the procedures step by step. Then look over the description of the general principles involved and try the procedures on your own for some of the problems listed in the Suggestions for Additional Practice. Finally, you may want to try the suggestions for using the computer to deepen your understanding.

I. Example

A. Data: A 2 X 3 contingency table of Sleep Tendency (Morning Person or Night Person) by Transportation (Bus, Carpool, or Own Car) used to go to work. This example is from a fictional study described in the text. The observed frequencies are as follows:

	Bus	Carpool	Own Car
Morning	60	30	30
Night	20	20	40

B. Create a file of your data as follows.

1. Follow the instructions in the MYSTAT Appendix for starting up MYSTAT.
2. The procedures for entering data of this kind are a bit different from usual, since you are not entering one line per subject. (You could enter the data that way, but it would mean 200 lines of data for this example of 200 subjects!) The procedure in this case is as follows.
   a. Call up the Edit screen.
   b. At the top of the first column, type in the variable name **"MORNNITE"** (short for Morning Person or Night Person, that is, Sleep Tendency), at the top of the second column, type **"TRANSPOR"** (short for Transportation), and at the top of the third column, type **"OBSFREQ"** (short for observed frequency).
   c. On the first line below the variable names, in the first column, type **1** (for Morning Person), in the second column, type **1** (for Bus), and in the third column, type **60** (for the observed frequency of Morning Persons who ride the Bus).
   d. On the second line, type **1**, **2**, and **30**.
   e. On the third line, type **1**, **3**, and **30**.
   f. On the fourth line, type **2**, **1**, and **20**.
   g. On the fifth line, type **2**, **2**, and **20**.
   h. On the sixth line, type **2**, **3**, and **40**.
   i. At this point the screen should appear as shown in Figure SG14-5.

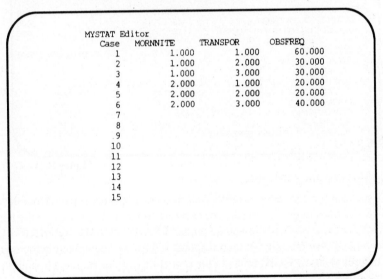

Figure SG14-5

3. Double check the accuracy of all your data entry and then save the file by pressing Escape to get to the bottom of the screen, typing >**SAVE CH14XMPL**, and pressing Enter.

4. Return to the Main Menu by typing >**QUIT** and pressing Enter twice.

C. Tell MYSTAT to use your data file by typing >**USE CH14XMPL** and pressing Enter twice.

D. Compute the chi-square test for independence using the following steps.

1. Type >**CATEGORY MORNNITE** and press Enter.
2. Type >**CATEGORY TRANSPOR** and press Enter.
3. Type >**WEIGHT = OBSFREQ** and press Enter.
4. Type >**TABULATE MORNNITE*TRANSPOR** and press Enter. The result should then appear as shown in Figure SG14-6.

```
TABLE OF MORNNITE    (ROWS) BY TRANSPOR    (COLUMNS)
FREQUENCIES
                  1.000     2.000     3.000     TOTAL

     1.000          60        30        30       120

     2.000          20        20        40        80

TOTAL               80        50        70       200


TEST STATISTIC                       VALUE       DF        PROB
   PEARSON CHI-SQUARE                16.071       2        .000
   LIKELIHOOD RATIO CHI-SQUARE       16.323       2        .000

COEFFICIENT                          VALUE    ASYMPTOTIC STD ERROR
   PHI                               .2835
   CRAMER V                          .2835
   CONTINGENCY                       .2727
   GOODMAN-KRUSKAL GAMMA             .4545        .09802
   KENDALL TAU-B                     .2675        .06345
   STUART TAU-C                      .3000        .07141
   SPEARMAN RHO                      .2831        .06709
   SOMERS D    (COLUMN DEPENDENT)    .3125        .07384
Enter]
```

Figure SG14-6

E. Inspect the result as follows.

1. First check the contingency table itself to be sure it is accurate. (Note that Figure SG14-6 corresponds to the observed frequencies reported in Table 14-6 in the text.)

2. Note that the computed chi-square (called **PEARSON CHI-SQUARE**) of **16.071** and its degrees of freedom (**DF**) of **2** correspond to what was computed in the text.

3. The probability (**PROB**) refers to the probability of obtaining a chi-square this large on a chi-square distribution with this many degrees of freedom. The result of **.000** means that its probability, when rounded off to three decimal places, comes to 0. Thus, it certainly is sufficiently extreme to reject the null hypothesis at the .05 level.

4. Cramer's ϕ (called **CRAMER V** in the printout) of **.2835** also corresponds to the .28 computed in the text.

5. The many other statistics given in the output can be ignored.

F. Print out the result.

G. Press Enter. Two more lines of output appear. These statistics can also be ignored.

H. Press Enter again to return to the Main Menu.

II. Systematic Instructions for Computing a Chi-Square Test of Independence

A. Start up MYSTAT.

B. Create a file with the data, with three columns (one for each of the two nominal variables and one for the observed frequencies in each cell), entering one line of data per cell. (Be sure to convert the levels of each nominal variable to numbers.) Then save the file and return to the Main Menu.

C. With the Main Menu on the screen, tell MYSTAT you want to use this particular file by typing **>USE [filename]** and pressing Enter twice.

D. Compute the chi-square test as follows.
1. Type **>CATEGORY [name of first nominal variable]** and press Enter.
2. Type **>CATEGORY [name of second nominal variable]** and press Enter.
3. Type **>WEIGHT = [name for "variable" used to enter the cell frequencies]** and press Enter.
4. Type **>TABULATE [name of first nominal variable]*[name of second nominal variable]** and press Enter.

E. Interpret the result, focusing on the following (and ignoring everything else).
1. The contingency table (check it for accuracy).
2. The chi-square statistic, its degrees of freedom, and its probability (all listed in the column for **PEARSON CHI-SQUARE**).
3. The effect size.
   a. If a 2 X 2 table, use the ϕ coefficient (listed as **PHI**).
   b. If larger than a 2 X 2 table, use Cramer's ϕ (listed as **CRAMER V**).

F. Print out a copy of the result (using Shift-PrintScrn).

G. Press Enter twice to return to the Main Menu.

III. Additional Practice

(For each data set, conduct a chi-square test for independence and compute ϕ and Cramer's ϕ and compare your results to those in the text).

A. Text examples.
1. Use the data in Table 14-8 for the association of Yes-or-No Response to whether pride is an emotion by type of definition of pride given. (From Russell, 1991.)
2. Use the data in Table 14-10 for the association of infant's attachment style and whether or not mother works outside the home. (From Barglow, Vaughn, & Molitor, 1987).

B. Practice problems in the text.
1. Set I: 3-6.
2. Set II: 4,5.

IV. Using the Computer to Deepen Your Knowledge

A. Impact of sample size.

1. Use MYSTAT to compute the chi-square test for independence in the example for sleep tendency and transportation--but double the number of scores per cell. Note the chi-square and Cramer's ϕ.

2. Do the same, but this time dividing each cell's observed frequencies in half. Note the chi-square and Cramer's ϕ.

3. In both of the above analyses the proportions in the various cells are the same. Why is the chi-square different but Cramer's ϕ the same? (Refer to the discussion of power and effect size in Chapter 14 and Chapter 8 of the text.)

B. Combining categories.

1. Use MYSTAT to compute the chi-square test for independence in the example for sleep tendency and transportation--but this time make it a 2 X 2 analysis in which Bus and Carpool are combined as a single category (with 90 Morning and 40 Night Persons). Note the chi-square, degrees of freedom, probability, and ϕ coefficient.

2. Do the same, but this time combining the Carpool and Own Car categories (with 60 Morning and 60 Night Persons). Note the chi-square, degrees of freedom, probability, and ϕ coefficient.

3. Compare these results to each other and the original results. Why do they differ?

Chapter 15
Strategies When Population Distributions Are Not Normal: Data Transformations, Rank-Order Tests, and Computer-Intensive Methods

Learning Objectives

To understand, including being able to conduct any necessary computations:

- Assumptions for the major parametric statistical tests.
- Implications of violating assumptions.
- Recognizing violations of the normality assumption.
- Rationale of data transformations.
- Procedures of major data transformations.
- Rationale of rank-order tests.
- Applications of rank-order tests.
- Rank-order transformations followed by standard parametric tests.
- Power of an experiment using a one-way analysis of variance.
- Equal interval and ordinal levels of measurement.
- Randomization tests and approximate randomization tests.
- Relative advantages and disadvantages of data transformations, rank-order tests, and computer-intensive methods.

Chapter Outline

I. Assumptions in the Standard Hypothesis-Testing Procedures

　A. Most require meeting two assumptions.

　　1. Populations have normal distributions.

　　2. Populations have equal variances.

　B. Violation of assumptions can increase or decrease Type I and Type II error, often in unpredictable ways.

　C. Recognizing violations of assumptions.

　　1. Difficult to do with only sample data.

　　2. Extreme skewness, kurtosis, or outliers of samples suggest population distribution is not normal.

II. Data Transformations

　A. Application of some regular mathematical procedure to each score (such as taking the square root of each).

　B. Done to make scores in the sample follow normal distribution in the hope that they will then represent a population that is normally distributed.

　C. Justified when underlying meaning of intervals between scores are arbitrary.

D. Major types of transformations:
   1. Square root.
   2. Log.
   3. Inverse.
E. Transformations do not change order of scores.
F. Carried out by trial and error until a transformation creates a distribution in the sample that appears normal.
G. After the transformation, the ordinary parametric test is applied.

III. Rank-Order Methods

A. Involve converting scores to ranks.
B. Distribution free and nonparametric.
C. Rank-order tests are available that correspond to each major parametric method (see Table 15-7 in text).
D. Rank-order tests operate based on a known distribution of any set of ranks (rectangular) and involve precise computations of probability of getting a pattern of ranks as extreme as that observed in the study.
E. Recently some statisticians have recommended applying ordinary parametric tests after making a rank-order transformation.
F. Rank-order tests are particularly appropriate with data measured at the rank-order (ordinal) level.
   1. Rank-order measurement has less information than the standard equal-interval measurement.
   2. Some psychologists argue that our typical measures are not truly equal-interval, so that we should always transform to ranks.

IV. Computer-Intensive Methods

A. Randomization test.
   1. Computes probability that a particular organization of the data (such as the division of scores into an experimental and control group) represents a difference or association that is very unlikely in light of all possible organizations of the data.
   2. Procedure.
      a. Compute difference or association for each possible organization of the data.
      b. Rank order the outcomes.
      c. Locate your actual difference or association and determine if it is in the top 5% (or 1%).
   3. Not practical for situations with sample sizes of the magnitude used in much psychology research.
B. An approximate randomization test is practical. It computes differences or associations for a randomly selected large number (say, 1000) of the possible organizations of the data and bases the probability on these results.

V. Comparison of Methods
    A. Data transformation.
        1. Advantage is that it permits the use of familiar and sophisticated parametric techniques.
        2. Disadvantages.
          a. No transformation may work to make the data meet assumptions.
          b. May distort meaning of scores.
    B. Rank-order tests.
        1. Advantages.
          a. Can always be applied.
          b. Particularly suitable for rank-order data.
          c. Underlying logic is very simple and direct.
        2. Disadvantages.
          a. Less commonly understood than standard parametric methods.
          b. In many complex situations no standard rank-order methods have been developed.
          c. May distort meaning of scores.
        3. In the past, ease of computation by hand was an advantage.
    C. Computer-intensive methods.
        1. Advantages.
          a. Underlying logic is very simple and direct.
          b. Can be applied to almost any situation, even ones for which no standard test has been invented.
        2.   Disadvantages.
          a. New, so that the cautions and limitations are not well worked out.
          b. New, so that standard statistical software packages do not include them.
    D. The relative advantages and disadvantages of these procedures in terms of power are not known for the circumstances in which they are most likely to be applied.

VI. Procedures Used When Populations Appear Nonnormal, as Described in Research Articles
    A. Data transformations are typically described at the start of the Results section, with a description of the distribution of the data that were transformed.
    B. Rank-order tests are described in the same way as other tests, often giving a Z statistic (for the normal approximation of the distribution of the underlying rank-order statistic).
    C. Computer-intensive methods are not yet common in journal articles, so that when they do appear they are described in considerable detail.

How to Conduct Hypothesis Tests When Populations Appear Nonnormal

I. **Examine data to see if the distributions suggest a nonnormal population distribution, then decide which method to use.**

A. If data transformation does not distort the underlying meaning of the data and there is a transformation that makes the data meet the assumptions, this method is appropriate.

B. If the data are rank-order scores or most reasonably considered as ranks, and if a rank-order test is available, this method is particularly appropriate.

C. If the data would be distorted by transformation or putting in rank order, if assumptions can not be met in these ways, or if no existing statistical test applies to the situation, then computer-intensive methods are appropriate.

II. **Carry out one of the three methods:**

A. Data transformation.

    1. Examine the sample data to estimate the kind and degree of nonnormal shape of the population distribution.

    2. Apply the transformation that seems to offer the best correction.

       a. Square root for a moderately skewed distribution.

       b. Log for a highly skewed distribution.

       c. Inverse for a very highly skewed distribution.

    3. Examine the transformed sample distribution; if it still clearly suggests a nonnormal population distribution, try a different transformation.

    4. Once an appropriate distribution has been created, carry out a standard parametric hypothesis test using the transformed scores.

B. Rank-order test.

    1. Transform all scores to ranks, ignoring which group the subject is in (however, if computing a correlation, rank each variable's scores separately), giving average ranks for ties.

    2. Carry out the hypothesis test in one of these ways.

       a. Use one of the standard nonparametric tests (for which you have not learned the procedures in this text).

       b. Carry out a standard parametric hypothesis test using the ranks instead of scores.

C. Computer-intensive method (a randomization test, applied when there are a small number of subjects).

    1. Create all possible divisions of the scores into groups of the sizes in your sample (if a comparison of means of groups) or create all possible ways of matching up the scores represented by the two variables (if a correlation).

    2. Compute the mean difference or correlation for each of the possible combinations.

    3. Rank-order the results.

    4. Determine whether the result for the particular combination that represents your sample is in the most extreme 5% (or 1%) of all the results.

Outline for Writing Essays on the Logic and Computations for Conducting

Hypothesis Tests When Populations Appear Nonnormal

The reason for your writing essay questions in the practice problems and tests is that this task develops and then demonstrates what matters so very much–your comprehension of the logic behind the computations. (It is also a place where those better at words than numbers can shine, and for those better at numbers to develop their skills at explaining in words.)

Thus, to do well, be sure to do the following in each essay: (a) give the reasoning behind each step; (b) relate each step to the specifics of the content of the particular study you are analyzing; (c) state the various formulas in nontechnical language, because as you define each term you show you understand it (although once you have defined it in nontechnical language, you can use it from then on in the essay); (d) look back and be absolutely certain that you made it clear just *why* that formula or procedure was applied and *why* it is the way it is.

The outlines below are *examples* of ways to structure your essays. There are other completely correct ways to go about it. And this is an *outline* for an answer–you are to write the answer out in paragraph form. Examples of full essays are in the answers to Set I Practice Problems in the back of the text.

These essays are necessarily very long for you to write (and for others to grade). But this is the very best way to be sure you understand everything thoroughly. One short cut you may see on a test is that you may be asked to write your answer for someone who understands statistics up to the point of the new material you are studying. You can choose to take the same short cut in these practice problems (maybe writing for someone who understands right up to whatever point you yourself start being just a little unclear). But every time you write for a person who has never had statistics at all, you review the logic behind the entire course. You engrain it in your mind. Over and over. The time is never wasted. It is an excellent way to study.

I. **Explain that ordinarily one could use a standard statistical procedure to resolve the issue (test the hypothesis raised by the essay question).**

   A. Name the procedure that would be appropriate (such as a *t* test or analysis of variance).

   B. However, explain that these standard procedures require certain conditions be met to use them.

   C. One of these conditions is that the distribution of scores in the larger groups (populations) that your data are supposed to represent must follow a bell-shaped pattern known as a normal curve.

D. However, in the data at hand, the scores do not seem to come from populations distributed in the shape of a normal curve. (Explain what leads you to this conclusion.)

E. Thus one of several alternatives have to be used.

II. If data transformation is selected, explain it.

A. The purpose is to make data more likely to be representative of a normally distributed population.

B. Data transformation is acceptable when the underlying meaning of the intervals between scores are arbitrary and the transformation does not change the order of the scores.

C. Deciding which transformation to use depends on which will make the sample data most closely follow a normal curve; summarize the trial-and-error process you carried out in working the problem.

D. Once the data are transformed, one can carry out the normal hypothesis test.

E. Describe the logic and computations in the steps of the appropriate hypothesis testing procedure you apply.

III. If a rank-order method is selected, explain it.

A. This method is used in three situations.

1. The data suggest a nonnormal population and transforming to ranks creates a situation with a known distribution. This is acceptable when the underlying meaning of the values of the variable are arbitrary.

2. The meaning of the intervals between values of the variables is inconsistent; converting to ranks, while reducing the amount of information, leaves only that information which one can be confident is accurate.

3. The data are in the form of ranks to begin with and standard methods assume equal interval measurement.

B. Describe transformation into ranks, noting how any ties are handled.

C. Explain that you will then carry out a normal hypothesis test using the ranked data.

D. Describe the logic and computations in the steps of the appropriate hypothesis testing procedure you apply.

E. Note that statisticians have found that although ranks do not have a normal distribution, using the standard statistical procedures (parametric tests) with ranked data gives approximately accurate results.

IV. If a randomization test is selected, explain it.

A. This method is used in three situations.
1. Data suggest a nonnormal population (or other violation of assumptions; this procedure makes no assumptions about the distribution of the population).
2. No known statistical test exists for this hypothesis testing situation.
3. The researcher prefers this method because its basic logic is less complex and it does not require making any assumptions at all about the populations.

B. Describe the basic logic as it applies to your situation: The procedure requires that you determine the probability that the particular division of scores into groups (or the particular pairing of scores for the correlation) in your sample could have arisen as a chance division.
1. Identify and compute the difference (or correlation) for all possible groupings (or pairings) of scores.
2. Order the outcomes from smallest to largest.
3. Determine the proportion of outcomes that are higher and lower than the outcome corresponding to the organization of your actual sample.

C. Having explained all this, describe your actual steps of computation and results following the above procedure.

Chapter Self-Tests

Multiple-Choice Questions

1. When it comes to normality, in practice most researchers assume

   a. the population is NOT normally distributed, until normality is verified by special procedures.
   b. the population is normally distributed unless the sample's histogram is drastically nonnormal.
   c. the sample is normally distributed unless the population's histogram is drastically nonnormal.
   d. the sample is NOT normally distributed, until normality is verified by special procedures.

2. A square-root transformation is often used when the data are

   a. bimodally skewed.
   b. positively skewed.
   c. negatively skewed.
   d. normally distributed.

3. Data transformations are justified by all of the following arguments, EXCEPT

a. the transformed data might better represent a population that is normally distributed.

b. if there is not an inherent meaning in a score's number (as in the case of most psychological scales), transformations give a reflection of reality that is at least as accurate as the original picture.

c. transformation makes the hypothesis testing procedure more stringent by increasing sample sizes.

d. after transformations, scores that were higher are still higher (that is the order of the scores is unchanged).

4. "Non-parametric tests" use data which

a. are transformed using antilogs.

b. do not require estimating population parameters.

c. are transformed using logs.

d. are normally distributed.

5. Which of the following rank-order tests corresponds to a t test for dependent means?
a. Wilcoxin signed-rank test.
b. Wilcoxin rank-sum test.
c. Kruskal-Wallis h test.
d. Spearman Rho.

6. If you convert scores to ranks and then carry out an ordinary analysis of variance,

a. the results will be seriously distorted because the distribution of scores is not normal.

b. the scores must first be converted to logs before the rank transformation.

c. the results will be quite accurate because ranks are normally distributed.

d. the results will be a good approximation if the F table is used to determine significance and quite accurate if special tables are used.

7. If a measure is equal-interval, then a difference between the scores of 2 and 3 is about the same as the difference between the scores of

a. 2.4 and 2.6.
b. 1 and 1.5.
c. 4 and 9.
d. 10 and 11.

8. When conducting a randomization test for a difference between two groups,

   a. all scores are first ranked from highest to lowest, ignoring which group they are in.
   b. a t test is computed and then compared to the t value cutoff obtained from large numbers of random data sets with the same population characteristics as your actual samples, generated by computer using a "Monte Carlo" method.
   c. two-tailed tests are always used.
   d. all scores are randomly divided into every possible combination of two groups and the difference in means is calculated for each combination.

9. All of the following are advantages of rank-order tests, EXCEPT

   a. they are particularly useful when the data are not clearly equal-interval.
   b. the logic is simple and direct, requiring no elaborate construction of hypothetical distributions and estimated parameters.
   c. there are many more such tests available than standard parametric tests, so that it is more likely that one of these can be used than a standard parametric test.
   d. they are more familiar to readers of research in psychology than are computer-intensive methods.

10. All of the following are true about computer-intensive methods, EXCEPT

   a. they do not require either of the two main assumptions of parametric tests.
   b. they are available with most standard computer statistical programs.
   c. they have a direct logic, bypassing the process of constructing estimated population distributions, distributions of means, etc.
   d. they can often be applied when there is no existing standard test.

Fill-In Questions

1. Data transformations are used when the distribution of the population is thought to be _____.

2. A single score that has a big effect on the mean of a group and therefore likely to distort significance tests comparing that group to other groups is called a(n) _____.

3. A log transformation has a similar but weaker effect than a(n) _____ transformation.

4. Because there is no need to estimate population values, rank-order tests are called _____.

5. The parametric version of the Wilcoxin rank-sum test is the _____.

6. The null hypothesis of a(n) _____ test is that the two populations have the same median.

7. When conducting a rank-order test with a large sample, a Z score is computed which is compared to a(n) _____.

8. If a measure is _____, then the meaning of the difference between scores of 27 and 29 is the same as that of 5 and 7.

9. In a(n) _____ test, you (or a computer) actually calculate every possible allocation of scores into two groups, and then, for each of the allocations, find the difference scores between the means of the two groups.

10. _____ do not require either normal population distributions or equal variances when testing hypotheses and can be applied even to situations in which no ordinary statistical tests exist.

Problems and Essays

1. Describe the distribution of the following scores:
   (a) 160 182 189 193 4654
   (b) 4.8 5.4 5.8 5.9 6.3 6.9

2. In a study of the effect on attraction of expecting to be liked, ten subjects were randomly assigned to meet a stranger under conditions in which they did or did not expect the stranger to like them. This was followed by a short interaction after which the subjects indicated how attracted they were to the person as a friend. Here are the scores:

   Did not expect to be liked: 77, 83, 88, 91, 98
   Did expect to be liked: 46, 57, 58, 66, 99
   (a) Conduct a *t* test for independent means using the raw scores (use the .05 level, two-tailed).
   (b) Conduct another *t* test using square-root transformed scores.
   (c) Discuss the reasons for using the transformation and the implications of the difference in results of these two methods.

3. Do adults who changed elementary schools over five times in their childhood have a different number of "good friends" than those who only attended one school? A small sample was drawn, and the frequent movers had 3, 1, 9, 13, and 6 good friends, while those who had not moved had 1, 4, 5, 2, and 1 good friend.

   (a) Conduct the appropriate standard parametric hypothesis testing procedure, but using ranks. (Use the .05 significance level.)
   (b) Explain your analysis to a person who has never had a course in statistics.

4. In a particular week an environmentally-conscious sanitation engineer noticed that at the three small apartment complexes where she left a variety of recycling containers (for plastics, clear glass, colored glass, cardboard, etc.), the residents recycled 0.5, 1.1, and 6.1 pounds of material. However, at three other apartment complexes, where she left only one container for all types of recyclables, the residents recycled 3.4, 2.1, and 7.0 pounds.

(a) Using the following chart (which includes the entire set of ways one can organize six scores into two equal-sized groups), conduct a randomization test to see whether the apartment complexes with one container recycled more than the complexes with several containers (use the .05 level).

(b) Explain your analysis to a person who has never had a course in statistics.

0.5 3.4	0.5 6.1	0.5 6.1	0.5 6.1	0.5 1.1
1.1 2.1	1.1 2.1	1.1 3.4	1.1 3.4	6.1 2.1
6.1 7.0	3.4 7.0	2.1 7.0	7.0 2.1	3.4 7.0
0.5 1.1	0.5 1.1	0.5 1.1	0.5 1.1	0.5 1.1
6.1 3.4	6.1 3.4	3.4 6.1	3.4 6.1	2.1 6.1
2.1 7.0	7.0 2.1	2.1 7.0	7.0 2.1	7.0 3.4
3.4 0.5	6.1 0.5	6.1 0.5	6.1 0.5	1.1 0.5
2.1 1.1	2.1 1.1	3.4 1.1	3.4 1.1	2.1 6.1
7.0 6.1	7.0 3.4	7.0 2.1	2.1 7.0	7.0 3.4
1.1 0.5	1.1 0.5	1.1 0.5	1.1 0.5	1.1 0.5
3.4 6.1	3.4 6.1	6.1 3.4	6.1 3.4	6.1 2.1
7.0 2.1	2.1 7.0	7.0 2.1	2.1 7.0	3.4 7.0

5. A memory researcher compared number of symbols forgotten over one week under two different kinds of interference. In the results section the researcher reported "the Gonzales-Scott interference condition produced significantly greater interference than did the Janoff interference condition, based on a Mann-Whitney U test, $Z = 3.21, p < .01$."

(a) Explain why the researcher might have used the Mann-Whitney U test instead of an ordinary t test for independent means.

(b) Explain the meaning of the Z (in a general way–you need not describe how it was computed) in the context of the study.

(c) Suggest one other alternative approach the researcher could have used.

Using SPSS/PC+ Studentware Plus with this Chapter

This chapter assumes you are familiar with the basics of using SPSS and have worked examples from previous chapters.

You can use SPSS to carry out data transformations. (SPSS can also carry out certain rank-order tests. However, like most standard statistics programs, SPSS does not carry out any of the computer-intensive procedures.)

You should work through the example, following the procedures step by step. Then look over the description of the general principles involved and try the procedures on your own for some of the problems listed in the Suggestions for Additional Practice. Finally, you may want to try the suggestions for using the computer to deepen your understanding and explore some of the advanced SPSS procedures, the rank-order tests.

I. Example

    A. Data: Number of books read in the past year by four children who are not, and four children who are, highly sensitive. These are fictional data from a text example. For the children who are not highly sensitive, the numbers of books read are 0, 3, 10, and 22; for the highly sensitive children, 17, 36, 45, and 75.

    B. Follow the instructions in the SPSS Appendix for starting up SPSS and be sure the cursor is in the Scratch Pad window.

    C. Enter the data as follows.

        1. Type **DATA LIST FREE / HIGHSENS BOOKS.** and press Enter to go to the next line.

        2. Type **BEGIN DATA.** and press Enter to go to the next line.

        3. Type one line per subject, using a **1** for not highly sensitive and a **2** for highly sensitive.

        4. Type **END DATA.** and press Enter to move to the next line.

    D. Carry out the square root transformation–type **COMPUTE SQRBOOKS = SQRT(BOOKS).** and press Enter.

    E. Carry out the t test for independent means, using the square-root transformed variable, as follows.

        1. Type **T-TEST GROUPS HIGHSENS(1,2) / VARIABLE SQRBOOKS.** and press Enter. Figures SG15-1 and SG15-2 show the entire set of typed lines.

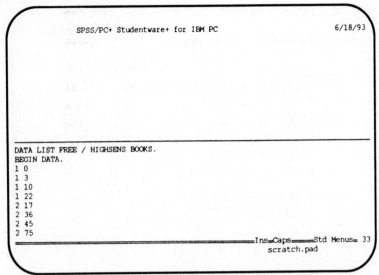

```
        SPSS/PC+ Studentware+ for IBM PC                          6/18/93
```

```
DATA LIST FREE / HIGHSENS BOOKS.
BEGIN DATA.
1  0
1  3
1  10
1  22
2  17
2  36
2  45
2  75
                                        ═Ins═Caps════Std Menus═ 33
                                              scratch.pad
```

Figure SG15-1

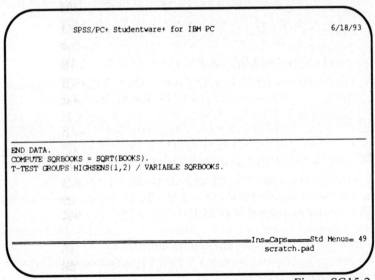

```
        SPSS/PC+ Studentware+ for IBM PC                          6/18/93
```

```
END DATA.
COMPUTE SQRBOOKS = SQRT(BOOKS).
T-TEST GROUPS HIGHSENS(1,2) / VARIABLE SQRBOOKS.
                                        ═Ins═Caps════Std Menus═ 49
                                              scratch.pad
```

Figure SG15-2

2. Tell SPSS to carry out your instructions–use the arrow keys to move to the start of the first line (**DATA LIST ...**), press F10, and press Enter. The result should look like Figure SG15-3. The result is the same, within rounding error, as was computed in the text (see Table 15-3.)

```
                                                                    MORE
    t-tests for independent samples of  HIGHSENS


                              Number
                 Variable    of Cases    Mean       SD      SE of Mean

                 SQRBOOKS

                 HIGHSENS 1.00    4      2.3962    2.003      1.001
                 HIGHSENS 2.00    4      6.3729    1.875       .937


       Mean Difference = -3.9767

       Levene's Test for Equality of Variances: F= .091   P= .773


           t-test for Equality of Means                       95%
     Variances  t-value   df    2-Tail Sig   SE of Diff    CI for Diff

     Equal      -2.90     6        .027       1.372      (-7.334, -.619)
     Unequal    -2.90     5.97     .028       1.372      (-7.334, -.619)
```

Insert SG15-3

3. Print out this screen of results (using Shift-PrintScrn) and return to the Scratch Pad window.

F. Save your lines of data and instructions, as follows.
   1. Press F9 and Enter.
   2. Type **CH15XMPL** and press Enter.

II. Systematic Instructions for Carrying out a Data Transformation

A. Start up SPSS.

B. Enter the data in the usual way for the statistical procedure you intend to carry out.

C. Create a new variable that represents the transformed version of the original variable, using one of the following procedures.
   1. If a square-root transformation, type **COMPUTE [name of transformed variable] = SQRT ([name of original variable]).**
   2. If a log transformation (log to the base 10), type **COMPUTE [name of transformed variable] = LG10([name of original variable]).**
   3. If an inverse transformation, type **COMPUTE [name of transformed variable] = 1 / [name of original variable].**

D. Make a histogram to check whether the sample of scores on the transformed variable seems to represent a normal distribution. (If it does not, try another transformation.)

E. Carry out the statistical procedure in the usual way, but using the variable representing the transformed scores.

F. Save your lines of data and instructions, as follows.
   1. Press F9 and Enter.
   2. Type **[file name]** and press Enter.

III. Additional Practice

A. For each data set carry out the appropriate data transformation followed by the appropriate statistical procedure and compare your results to those in the text.

B. Use any of the data sets from Chapters 3 and 9 through 13.

IV. Using the Computer to Deepen Your Knowledge

A. Effects of data transformation.
   1. Use SPSS to compute a t test for independent means using the books-read example, comparing a square root, log, and inverse transformation; and make a histogram for the untransformed scores and for each transformation. Record the t score obtained under the various conditions.
   2. Do the same with the t test example from Chapter 10 (the new-job-program experiment). Record the t score obtained under the various conditions.
   3. Do the same with the example of a t test for dependent means in Chapter 9 (the surgeons'-reaction-time study), being sure to modify both Quiet and Noisy scores in the same way. Record the t scores obtained under the various conditions.
   4. Do the same with the correlation example from Chapter 3 (the manager's-stress example). Change each variable separately, keeping the other in its original form. Then try some combinations. Record the correlations obtained under the various conditions.
   5. Compare the results. What trends are there and what do they mean? (Evaluate these trends in terms of how well the transformations do and do not approximate a normal curve.)

B. Evaluate the effect of transformations in creating normal sample distributions: Using one of the larger data sets from Chapter 1 or 2 of the text, try several data transformations. For each, produce a histogram. (You may also want to compute skew and kurtosis, as described in the advanced procedures section of the SPSS discussion in Chapter 2 of this *Study Guide and Computer Workbook*.)

V. Additional and Advanced Procedures: Rank-Order Tests

A. SPSS provides a host of rank-order tests. Below are two examples.

B. The Wilcoxin Signed-Rank Test. (This is a rank-order test corresponding to the t test for dependent means.)
   1. Try this with the example in Chapter 9 (the surgeon's reaction time study, saved as CH9XMPL).
   2. Erase the **T-TEST** line and instead type **NPAR TESTS WILCOXIN = QUIET NOISY**.

C. The Mann-Whitney U Test. (This is a rank-order test corresponding to the t test for independent means.)

1. Try this with the example in this chapter (the books-read study, saved as CH15XMPL).
2. Erase the **T-TEST** line and instead type **NPAR TESTS   M-W = BOOKS BY HIGHSENS(1,2).**

Using MYSTAT with this Chapter

This chapter assumes you are familiar with the basics of using MYSTAT and have worked examples from previous chapters.

You can use MYSTAT to carry out data transformations. (MYSTAT can also carry out certain rank-order tests. However, like most standard statistics programs, MYSTAT does not carry out any of the computer-intensive procedures.)

You should work through the example, following the procedures step by step. Then look over the description of the general principles involved and try the procedures on your own for some of the problems listed in the Suggestions for Additional Practice. Finally, you may want to try the suggestions for using the computer to deepen your understanding and explore some of the additional and advanced MYSTAT procedures.

I.   Example
A. Data: Number of books read in the past year by four children who are not, and four children who are, highly sensitive. These are fictional data from a text example. For the children who are not highly sensitive, the numbers of books read are 0, 3, 10, and 22; for the highly sensitive children, 17, 36, 45, and 75.
B. Create a file of your data as follows.
   1. Follow the instructions in the MYSTAT Appendix for starting up MYSTAT.
   2. Using the instructions in the MYSTAT Appendix for creating a file of your data, enter the data with these steps.
      a. Type in the variable name **"HIGHSENS"** (short for Highly Sensitive) at the top of the first column and **"BOOKS"** (short for number of books read) at the top of the second column.
      b. Then type in the data for each subject, going down the screen. For the **HIGHSENS** column, use **1** for not highly sensitive and **2** for highly sensitive.
   3. When you are done entering the data, the screen should appear as shown in Figure SG15-4.

```
MYSTAT Editor
   Case    HIGHSENS        BOOKS
      1        1.000          .000
      2        1.000         3.000
      3        1.000        10.000
      4        1.000        22.000
      5        2.000        17.000
      6        2.000        36.000
      7        2.000        45.000
      8        2.000        75.000
      9
     10
     11
     12
     13
     14
     15
```

Figure SG15-4

4. Save the file by pressing Escape to get to the bottom of the screen, typing >**SAVE CH15XMPL**, and pressing Enter.

C. Carry out a square root transformation of the numbers of books read using the following procedure. (Don't return to the Main Menu first–do this while still on the Edit screen with your data.)

1. Type >**LET SQRBOOKS = SQR(BOOKS)** and press Enter.

2. The screen should appear as shown in Figure SG15-5.

Chapter Fifteen   *347*

```
MYSTAT Editor
    Case    HIGHSENS        BOOKS    SQRBOOKS
      1         1.000         .000        .000
      2         1.000        3.000       1.732
      3         1.000       10.000       3.162
      4         1.000       22.000       4.690
      5         2.000       17.000       4.123
      6         2.000       36.000       6.000
      7         2.000       45.000       6.708
      8         2.000       75.000       8.660
      9
     10
     11
     12
     13
     14
     15
```

Figure SG15-5

3. Save the changed file (that now includes the square-root transformed scores) by typing >**SAVE CH15XMPL**, pressing Enter, pressing **Y** (to tell MYSTAT you want to write this new version over the old version of the file).

4. Return to the Main Menu by typing >**QUIT** and pressing Enter twice.

D. Tell MYSTAT to use your data file by typing >**USE CH15XMPL** and pressing Enter twice.

E. Compute a *t* test for independent means using the transformed data using the following steps.
   1. Type >**TTEST SQRBOOKS*HIGHSENS** and press Enter.
   2. The result, which agrees within rounding error with that shown in the text (see Table 15-3), should appear as shown in Figure SG15-6.

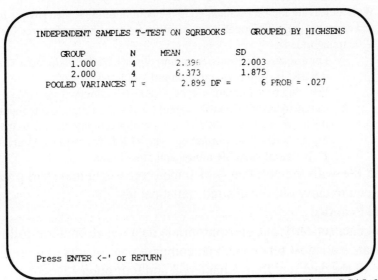

```
INDEPENDENT SAMPLES T-TEST ON SQRBOOKS      GROUPED BY HIGHSENS

      GROUP        N      MEAN          SD
      1.000        4      2.39€         2.003
      2.000        4      6.373         1.875
POOLED VARIANCES T =      2.899 DF =       6 PROB = .027









Press ENTER <-' or RETURN
```

Figure SG15-6

F. Print out the result and return to the Main Menu.

II.   Systematic Instructions for Carrying out a Data Transformation

    A.   Start up MYSTAT.

        B.   Create a file with the data laid out according to the type of procedure being conducted (*t* test for dependent or independent means, correlation, analysis of variance) and save the data as entered.

        C.   Without leaving the Edit screen, go to the bottom of the screen (by pressing Escape) and carry out the transformation by creating a new column of scores for each variable to be transformed.

            1.   For a square root transformation, type >**LET [transformed variable name] = SQR([original variable name])** and press Enter.

            2.   For a log transformation, type >**LET [transformed variable name] = LOG([original variable name])** and press Enter. (Note that this produces the log to the base *e*–MYSTAT does not compute the log to the base 10.)

            3.   For an inverse transformation, type >**LET [transformed variable name] = 1 / [original variable name]** and press Enter.

    D. Save the file with the column(s) of transformed data and then proceed to the Main Menu to carry out the desired statistical test.

III. Additional Practice

    A. For each data set carry out the appropriate data transformation followed by the appropriate statistical procedure and compare your results to those in the text.

    B. Use any of the data sets from Chapters 3 and 9 through 13.

IV. Using the Computer to Deepen Your Knowledge

    A. Effects of data transformation.

        1. Use MYSTAT to compute a *t* test for independent means using the books-read example, comparing a square root, log, and inverse transformation. Record the *t* score obtained under the various conditions.

        2. Do the same with the *t* test example from Chapter 10 (the new-job-program experiment example). Record the *t* score obtained under the various conditions.

        3. Do the same with the example of a *t* test for dependent means in Chapter 9 (the surgeons'-reaction-time study), being sure to modify both Quiet and Noisy scores in the same way. Record the *t* scores obtained under the various conditions.

        4. Do the same with the correlation example from Chapter 3 (the manager's-stress example). Change each variable separately, keeping the other in its original form. Then try some combinations. Record the correlations obtained under the various conditions.

        5. Compare the results. What trends are there and what do they mean? (Evaluate these trends in terms of how well the transformations do and do not approximate a normal curve.)

    B. Evaluate the effect of transformations in creating normal sample distributions: Using one of the larger data sets from Chapter 1 or 2 of the text, try several data transformations. For each, produce a histogram. (You may also want to compute skew and kurtosis, as described in the advanced procedures section of the MYSTAT discussion in Chapter 2 of this *Study Guide and Computer Workbook*.)

V. Additional and Advanced Procedures

A. Rank-order test: The Wilcoxin Signed-Rank Test. (This is the rank-order test corresponding to the *t* test for dependent means.) Try this with the example in Chapter 9 (the surgeon's-reaction-time study, saved as CH9XMPL).

1. With the Main Menu on the screen, type >**USE CH9XMPL** and press Enter twice.
2. Type >**WILCOXIN QUIET NOISY** and press Enter. Print out the output, then press Enter again to see the rest of the output (and print this out too).

B. Converting data to ranks. This requires creating a new file in which the original scores are now changed to ranks. The instructions below are for the example used with this chapter (the books-read study) and using **CH15RANK** as the name of the new file.

1. At the Main Menu, type >**USE CH15XMPL** and press Enter twice.
2. Type >**SAVE CH15RANK** and press Enter.
3. Type **RANK BOOKS** and press Enter twice.
4. To inspect the new file, with the ranks, type **EDIT CH15RANK** and press Enter.
5. If you carry out any computations using this file, the variable **BOOKS** will refer to the ranks and not the original scores.

Chapter 16
Integrating What You Have Learned: The General Linear Model

Learning Objectives

To understand, including being able to conduct any necessary computations:

- The hierarchical relation among the four major parametric methods.
- The general linear model.
- Equivalence of bivariate regression and correlation and multivariate regression/correlation with one independent variable.
- Equivalence of the t test for independent means and a two-group analysis of variance.
- Equivalence of the t test for independent means and a significance test of a correlation coefficient in which the predictor variable is a two-level numerical variable.
- Graphic interpretation of the above point.
- Equivalence of the analysis of variance for two groups and the significance test of the correlation coefficient in which the predictor variable is a two-level numerical variable.
- Equivalence of the analysis of variance for three or more groups and multiple regression/correlation in which the predictor variables are two-level numerical variables.
- How psychologists choose among mathematically equivalent methods.
- Assumptions for the four major parametric methods.
- Criteria for judging an observed relationship as causal.

Chapter Outline

I. Multiple Regression/Correlation (Review)

   A. Yields a systematic rule for predicting values of a dependent variable.

   B. In raw score form the rule is stated this way:

$$\hat{Y} = a + (b_1)(X_1) + (b_2)(X_2) + (b_3)(X_3) + \ldots$$

   C. The correlation between the set of independent variables and the dependent variable is called a multiple correlation (R).

   D. R^2 is the proportionate reduction in squared error gained by using the multiple-regression prediction rule compared to simply predicting the dependent variable from its mean.

E. R and R^2 can be tested against the null hypothesis that the population value is 0.

II. **The General Linear Model**

A. A person's score on a dependent variable is conceived as the sum of three influences.

  1. Some fixed influence that will be the same for all individuals.
  2. Influences of variables we have measured, on which people have different scores.
  3. Other influences not measured (error).

B. Stated as a formula, it looks like this:

$$Y = a + (b_1)(X_1) + (b_2)(X_2) + (b_3)(X_3) + [\text{etc.}] + e.$$

C. This formula is like a multiple regression formula.

  1. Influence 1 corresponds to the a in a raw-score multiple regression prediction rule.
  2. Influence 2 corresponds to the bs (b_1, b_2, etc.) and Xs (X_1, X_2, etc.) in a multiple regression equation.

D. But in some ways it is not the same as a multiple regression formula.

  1. The formula is for the actual, not the predicted, score on the dependent variable.
  2. The formula includes Influence 3, which is what accounts for the errors in prediction.

E. It is called a linear model because the equation does not include any squared or higher power terms.

III. **Bivariate Regression and Correlation in Relation to Multiple Regression: Bivariate regression is the special case of multiple regression/correlation in which there is only one predictor variable.**

IV. **The t Test for Independent Means as a Special Case of the Analysis of Variance**

A. The t test for independent means is equivalent to the analysis of variance when the analysis is of two groups.

B. Both t and F can be understood as ratios of signal to noise. (Numerators are based on difference or variation among means of groups; denominators of both are based on variation within groups.)

C. Below are the details about this equivalency.

  1. The numerators are based on differences or variations among means of groups.
  2. The denominator of t is partly based on pooling the estimates of variances from data within each group; the denominator of F is the pooled estimate of variances from data within each group.
  3. The denominator of t involves dividing by the number of subjects in each group; the numerator of F (when using the method for equal sample sizes of Chapter 11) involves multiplying by the number of subjects in each group .

4. For analyses conducted on the same data (comparing means of two groups):
   a. The t score is exactly the square root of the F.
   b. The degrees of freedom for the t are the same as the denominator degrees of freedom for the F.
   c. The cutoff t equals the square root of the cutoff F.

V. The t Test for Independent Means as a Special Case of the Significance Test of the Correlation Coefficient

A. The following points are true of the significance test of the correlation coefficient.
   1. It tests the null hypothesis that in the population there is a correlation of 0.
   2. The comparison distribution is a t distribution with degrees of freedom equal to the number of subjects minus 2.
   3. The score on the comparison distribution is a t score, with $t = (r)(\sqrt{[N-2]}) / \sqrt{(1-r^2)}$.

B. A comparison of means of groups (the focus of a t test for independent means) can be thought of as a nominal variable with two levels.

C. Representing a nominal variable with two levels as a numerical variable, using any two arbitrary numbers to stand for the two levels, permits one to conduct a correlation between that variable and the dependent variable.

D. The t test for independent means is equivalent to the significance test of a correlation coefficient in which one of the variables has only two levels. That is, analyses conducted on the same data yield equivalent results.
   1. Both methods give the same t.
   2. Both methods give the same degrees of freedom.
   3. Both methods yield the same cutoff t score and the same conclusions regarding significance.

E. Creating a scatter diagram for the two-group situation further illustrates the relation.
   1. The mean of each group is the same as the predicted score (from the regression equation) for each of the levels of the two-level numerical variable.
   2. The variation between the two means is equivalent to the slope of the regression line–the greater this is, the more likely the t is significant.
   3. The variation within each of the groups is equivalent to the spread around each predicted value in the scatter diagram–the smaller this is, the more likely the t is significant.

VI. The Analysis of Variance as a Special Case of the Significance Test in Multiple Regression/Correlation

A. The analysis of variance for two groups is equivalent to the significance test of a bivariate correlation in which the predictor variable has two levels.

B. This link is seen most clearly in comparing the computation of the proportion of variance accounted for (R^2) in analysis of variance using the structural model approach and the proportionate reduction in error (r^2) in bivariate regression.

1. The within-group sum of squares (SS_W) in analysis of variance is the sum of the squared differences of each score from its group's mean; the sum of squares for error (SS_E) in regression is the sum of the squared differences of each score from the predicted score (which, when there are only two levels of the predictor variable, is the same as the mean on each level of that predictor variable). Thus, $SS_W = SS_E$.

2. The total sum of squared error (SS_T) in analysis of variance is the sum of the squared differences of each score from the grand mean; the total sum of squared error (SS_T) in regression is the sum of the squared difference of each score from the mean of the dependent variable (which is the same number as the grand mean in analysis of variance). Thus, SS_T in analysis of variance is equal to SS_T in regression.

3. The between-group sum of squares in analysis of variance can be computed as SS_T-SS_W (this is because $SS_T = SS_W + SS_B$); the reduction in squared error in regression is SS_T-SS_W. Thus, SS_B in analysis of variance equals the reduction in squared error in regression.

4. In analysis of variance, $R^2 = SS_B/SS_T$; in regression, $r^2 =$ reduction in squared error / SS_T. Since $SS_B =$ reduction in squared error, and SS_T is the same in both, R^2 in analysis of variance equals r^2 in regression.

5. If one put the sums of squares in a regression analysis into an analysis of variance table and computed an F, it would yield the same F as the analysis of variance.

C. The analysis of variance for more than two groups is equivalent to the significance test of a multiple regression/correlation in which the predictor variables each have two-levels and there are one fewer such predictor variables than there are groups.

1. A comparison of means of several groups can be thought of as a nominal variable with as many levels as there are groups.

2. Such a many-leveled nominal variable can not be made into a single numerical variable because the numerical levels assigned would imply specific ordered and quantitative relations among the levels.

3. Such a many-leveled nominal variable can be made into a set of two-level numerical variables such that each represents being in or not being in one of the groups. (This is called nominal coding.)

4. It takes one less two-leveled variable than there are groups because the last group is represented by a case not being in any of the preceding groups.

D. The proportion of variance accounted for (R^2) in an analysis of variance for more than two groups is equivalent to the proportionate reduction in error (R^2) of a multiple regression/correlation in which the predictor variables each have two-levels, and there is one fewer of the predictor variables than there are groups.

VII. **Choice of Test when Results Would Be Equivalent**
    A. It is based in part on tradition and what people are used to.
    B. It is based in part on people confusing a correlational research design with a correlational statistic.

VIII. **Assumptions: All four methods share the same assumptions.**

IX. **Controversy: Causality (from Baumrind's analysis).**
    A. One view of causality is the regularity theory.
        1. It is associated with the philosophers Hume and Mill.
        2. It considers X to be a cause of Y if three conditions are met.
           a. X and Y are regularly associated.
           b. X precedes Y.
           c. There are no third causes that precede X that might cause both X and Y.
        3. In psychology research this idea of regular association is indicated by a significant correlation.
        4. In psychology research the requirement of no third causes is handled in one of two ways.
           a. Ideally there is random assignment to levels of X.
           b. As a makeshift when random assignment is not possible, groups are equated by statistical methods that look for third causes among variables measured as part of the research.
    B. Another view of causality is the generative theory.
        1. It is associated with the philosophers Aristotle, Aquinas, and Kant.
        2. It requires everything required for the regularity view.
        3. In addition, it requires that the researcher be able to identify a plausible explanation for the way in which X influences Y.

Outline for Writing Essays on the Equivalence of Various Methods

The essays for this chapter involve explaining the equivalences of two different ways of carrying out computations for the same data. What is important in this case is to lay out and explain, in a step by step manner, each of the linkages involved. Your explanations should explicate the reasoning for why two numbers are equivalent—it is not enough just to point to the equality.

The outlines below are *examples* of ways to structure your essays. There are other completely correct ways to go about it. And this is an *outline* for an answer—you are to write the answer out in paragraph form. Examples of full essays are in the answers to Set I Practice Problems in the back of the text.

t Test as a Special Case of Analysis of Variance

I. **Carry out the computations for the data using the two methods (use the method for equal sample sizes introduced in Chapter 11).**

II. **Make a chart showing equivalencies, similar to the main section of Table 16-2 in the text.**

III. **Explain each parallel.**

   A. The degrees of freedom for the t are the same as the denominator degrees of freedom for the F–because in both cases the estimate of the population variance based on the variation within the groups is based on this number of degrees of freedom.

   B. The cutoff t equals the square root of the cutoff F because the procedures are mathematically equivalent, except that the resulting t is the square root of the resulting F.

   C. Numerators of t and F are both based on differences among means of groups–because in both cases the statistic should be larger if there is greater difference among the groups (which is what is being tested).

   D. The denominator of t is partly based on pooling estimates of variances from data within each group; the denominator of F is a pooled estimate of variances from data within each group (note that $S_p{}^2 = S_w{}^2$)–these are the same because in both cases we want to divide, or reduce the effect of the difference between groups, in proportion to the amount of variation, or noise, within each group.

E. The denominator of t involves dividing by the number of subjects in each group; the numerator of F involves multiplying by number of subjects in each group–these divisions or multiplications are done in both cases to take into account the fact that we are dealing with means of groups, which do not vary as much as individual cases (explain this in more depth following explanations in Chapters 7, 10, and 11).

t Test for Independent Means as a Special Case of the Significance Test for the Correlation Coefficient

I. **Carry out the computations for the data using the two methods.**
II. **Explain the equivalence of a two-category numerical variable in the correlation to the two-category nominal variable in the *t* test.**
    A. The difference between groups on a dependent variable equals the association of the variable that represents what the groups differ on with the dependent variable.
    B. Thus, a difference in a t test for independent means is the same as an association between its independent and dependent variable.
    C. If you substitute a two-level numerical variable for a two-level nominal variable (giving each group one number), the correlation with this variable is not affected (except for sign) by the two numbers you pick–this is because in correlation everything is converted to Z scores and with Z scores a variable with only two numbers always comes out to the same two Z scores (if there are equal numbers of cases in the two groups, the Z scores are all +1s and -1s).
    D. Thus, the resulting correlation accurately represents the association between the original nominal variable and the dependent variable.
III. **Explain each parallel in the significance test.**
    A. The null hypothesis for the t test is that there is no difference between populations on the dependent variable and for the correlation, that there is a 0 association. These are equivalent because both are hypothesizing no relation between the independent and dependent variable.
    B. Both are tested using a t distribution (this is because in both cases you are working with populations whose variance is not known).
    C. State that the degrees of freedom are the same in both cases (you needn't explain this).

D. The computations lead to the same t score.
   1. This is because they are testing the same thing.
   2. Another way to understand this is that both calculations are based on the same comparison.
      a. A t test for independent means is larger when there is more difference between the group means and less variation within each group.
      b. A correlation is larger (as is the t computed from the correlation coefficient) when there is a maximum difference between the scores at each level of the independent variable (that is, if there are two groups, and there is maximum difference between the means of the two groups) and minimum variation among the scores at each level of the independent variable (that is, if each level is a group, there is minimum variation within groups). Illustrate this with a scatter diagram for your data.

Proportion of Variance Accounted for in Analysis of Variance (R^2) for Two Groups as a Special Case of Proportionate Reduction in Error in Regression (r^2)

I. **Carry out the computations for the data using the two methods (for the analysis of variance, be sure to use the structural model approach from Chapter 12).**

II. **Explain the equivalence of a two-category numerical variable in the correlation to the two-category nominal variable in the analysis of variance.**

   A. The difference between groups on a dependent variable equals the association of the variable that represents what the groups differ on with the dependent variable.

   B. Thus, a difference in group means in an analysis of variance is the same as an association between its independent and dependent variables.

   C. If you substitute a two-level numerical variable for a two-level nominal variable (giving each group one number), the correlation with this variable is not affected (except for sign) by the two numbers you pick–this is because in correlation everything is converted to Z scores, and with Z scores a variable with only two numbers always comes out to the same two Z scores (if equal numbers in the groups, +1 and -1).

   D. Thus the resulting correlation accurately represents the association between the original nominal variable and the dependent variable.

   E. Thus the association between the independent and dependent variable in analysis of variance, measured by R^2, refers to the same thing as the association in correlation and regression, which can be assessed as r^2.

III. Explain each parallel in the computations.
A. $SS_W = SS_E$.
   1. The within-group sum of squares (SS_W) in analysis of variance is the sum of the squared differences of each score from its group's mean.
   2. The sum of squares for error (SS_E) in regression is the sum of the squared differences of each score from the predicted score (which, when there are only two levels of the predictor variable, is the same as the mean on each level of that predictor variable).
   3. This equivalence arises because in both cases the error or noise is the variation within groups or levels of the independent variable.

B. SS_T is the same in both analyses.
   1. The total sum of squared error (SS_T) in analysis of variance is the sum of the squared differences of each score from the grand mean.
   2. The total sum of squared error (SS_T) in regression is the sum of the squared difference of each score from the mean of the dependent variable (which is the same number as the grand mean in analysis of variance).
   3. This equivalence arises because in both cases the baseline error or variance to be reduced or accounted for is the total variation of each score from the overall mean of all the scores.

C. SS_B = reduction in squared error.
   1. The between-group sum of squares in analysis of variance can be computed as $SS_T - SS_W$ (this is because, $SS_T = SS_W + SS_B$).
   2. The reduction in squared error in regression is $SS_T - SS_W$.
   3. This equivalence arises because in both cases the amount of variance accounted for (or error reduced) is the total error less the amount that remains even after dividing subjects into groups (or predicting their scores based on their group membership).

D. R^2 in analysis of variance equals r^2 in regression.
   1. In analysis of variance, $R^2 = SS_B/SS_T$.
   2. In regression, r^2 = reduction in squared error (which is the same as SS_B) / SS_T.
   3. This equivalence arises because proportion of variance accounted for and proportionate reduction in error are both about how much knowing the value of the independent variable improves your ability to predict the score on the dependent variable.

Proportion of Variance Accounted for in Analysis of Variance (R^2) for More than Two Groups as a Special Case of Proportionate Reduction in Error in Multiple Regression (R^2)

I. **Do not attempt to carry out the computations–this has not been covered in this course.**

II. **Explain the logic (without computations) of the points above about the equivalence of R^2 in analysis of variance with two groups and r^2 in bivariate regression.**

III. Add an explanation of the logic of nominal coding to convert an analysis of variance problem to a multiple regression problem.

A. A comparison of means of several groups can be thought of as a nominal variable with as many levels as there are groups.

B. Such a many-leveled nominal variable can not be made into a single numerical variable because the numerical levels assigned would imply specific ordered and quantitative relations among the levels.

C. Such a many-leveled nominal variable can be made into a set of two-level numerical variables such that each represents being in or not being in one of the groups. (This is called nominal coding.)

D. It takes one less two-leveled variable than there are groups because the last group is represented by a case not being in any of the preceding groups.

E. Since the information included in this set of two-leveled numerical variables is the same as the information in the original many-leveled nominal variable, the analysis of variance using the nominal variable yields exactly the same result as the multiple regression using the set of two-leveled numerical variables.

Chapter Self-Tests

Multiple-Choice Questions

1. The analysis of variance is a special case of

   a. chi-square tests for independence.
   b. *t* tests.
   c. multiple regression/correlation.
   d. bivariate correlation and regression.

2. A person's score on a particular dependent variable can be conceived of as the sum of all of the following influences, EXCEPT

   a. other measured variables on which people have different scores.
   b. other influences not measured.
   c. some fixed influence that will be the same for all individuals.
   d. other variables which have no correlation with a person's score.

3. If you are comparing the means of two groups to test if they are different, you can use all of the following EXCEPT a(n)

   a. t test for independent means.
   b. t test for dependent means.
   c. bivariate correlation.
   d. analysis of variance.

4. $t^2 =$

   a. F.
   b. ϕ.
   c. Z.
   d. R^2.

5. The t test for independent means is a special case of the bivariate correlation, in which the predictor variable of the correlation has

   a. rank-order values.
   b. continuous values.
   c. exactly two values.
   d. integrated determinants.

6. On a scatter diagram representing a correlation in which one of the variables has only two levels, the pattern which will produce the largest correlation is one on which the difference between the averages of the scores at the two levels is _____ and the variation among the scores at each of the levels is _____.

   a. small; moderate.
   b. large; moderate.
   c. small; large.
   d. large; small.

7. When using the bivariate prediction rule, the sum of squared errors computed in a bivariate correlation is the same as _____ in the analysis of variance.

   a. SS_B.
   b. SS_T.
   c. SS_W.
   d. R^2.

8. Suppose an experiment is conducted in which subjects are randomly assigned to read a news story of one of three types—humorous, serious, or disturbing—and are then measured on their interest in the story. If you were to set up the analysis as a multiple regression predicting scores on interest, how many two-level numerical variables would be required?

   a. 1.
   b. 2.
   c. 3.
   d. 4.

9. Students identified themselves as predominantly light hearted, studious, unfocused, or pragmatic. This variable was nominally coded, with three variables, so that Variable A was a 1 if the subject was light hearted, but 0 if not. Variable B was 1 if studious, 0 if not. Variable C was 1 if unfocused, 0 if not. If a subject scored 0 on the three variables, how had she identified herself?

   a. light hearted.
   b. pragmatic.
   c. unfocused.
   d. studious.

10. An organizational psychologist measures self-esteem when people begin working for the company (X) and job satisfaction (Y) one year later, finding a strong, significant correlation. Which of the criteria for causality (according to the "regularity" theory) does this study FAIL to meet?

   a. X and Y are regularly associated.
   b. X precedes Y.
   c. there are no other causes that precede X that might cause X and Y.
   d. none of the above are unmet—that is, the study meets all three.

Fill-In Questions

1. Bivariate correlation is a special instance of _____.

2. In the formula, "$Y = a + (b_1)(X_1) + (b_2)(X_2) + (b_3)(X_3) + e$," the symbol(s) representing the fixed influence that applies equally to all individuals is(are) _____.

3. The t score and the F ratio are both fractions in which the numerator is influenced by _____ and the denominator by _____.

4. In a *t* test for independent means, the number of subjects influences the *t* score mainly by making the denominator smaller, because one divides a key aspect of the denominator (the pooled population variance estimate) by the number of subjects in each group. In one method of conducting an analysis of variance, the corresponding adjustment in the computation of the *F* ratio involves making the _____ larger, because one _____ ("multiplies" or "divides") the population variance estimate (pooled from the estimates within each group) by the number of subjects in each group.

5. When there are only two groups, the square root of the *F* ratio equals _____.

6. The _____ is a special case of the correlation coefficient–the case in which the predictor variable has only two values.

7. _____ is comparable to analysis of variance, except that the former has numerical predictor variables, while analysis of variance has nominal predictor variables.

8. SS_T in the analysis of variance is the same as _____ in regression.

9. Suppose a nominal variable, major, was nominally coded as follows: Humanities (yes=1, no=0), Social Science (yes=1, no=0), Natural Sciences (yes=1, no=0), Arts (yes=1, no=0), and Other (not coded). What would be the scores of a person whose major was Natural Science? _____.

10. According to Diana Baumrind, the two common ways of understanding causality are the "regularity" theory of causality and the "_____" theory of causality.

Problems and Essays

1. For the following data (a) compute a *t* test for independent means, (b) compute an analysis of variance, (c) make a two-column chart of the major computations in which the parallel computations are laid out next to each other, and (d) explain each of the parallels to a person who understands both the *t* test for independent means and the analysis of variance, but is unfamiliar with their relationship.

Group 1	Group 2
30	25
18	12
38	31
16	22
21	15

2. For the following data (a) compute a t test for independent means; (b) compute a correlation coefficient; (c) using the formula $t = (r)(\sqrt{[N-2]})/\sqrt{(1-r^2)}$, determine the significance of the correlation coefficient; (d) explain how it is possible to compute a correlation coefficient for data set up as two groups; and (e) make a scatter diagram of the data and use it to discuss the parallels between the t test for independent means and the correlation coefficient and its significance test. (Both of your explanations–d and e–should assume the reader is familiar with the t test for independent means and the correlation coefficient, but not with their relationship.)

Group 1	Group 2
2	0
3	3
1	1
1	1
3	0

3. For the following data (a) compute an analysis of variance (based on the raw scores) using the structural model approach; (b) compute the proportion of variance accounted for (R^2) from this analysis; (c) compute the correlation coefficient; (d) determine the raw-score prediction rule; (e) make predictions for each score on the dependent variable using this prediction rule and use this to compute, step by step, the proportionate reduction in error (r^2); (f) explain how it is possible to compute a correlation coefficient for data set up as two groups; and (g) list and explain the reasons for each of the parallels in the computations of R^2 and r^2. (Both of your explanations–f and g–should assume the reader is familiar with analysis of variance, structural model approach, including the computation and meaning of R^2, as well as with bivariate regression and the computation and meaning of r^2, but is unfamiliar with their relationship.)

Group 1	Group 2
204	138
215	189
166	121
181	172

Chapter Sixteen

4. A fictional study was done in which ability to detect a very faint light was measured under highly standardized conditions, comparing four different strains of pigeons (four of each strain). Using the following data, (a) create a nominal coding scheme and make a chart showing the codes and the dependent variable score for each pigeon, and (b) explain how this procedure would facilitate conducting a multiple regression on the data and how the results of that regression would be the same as for an analysis of variance for the same data.

Pigeon	Strain	Light Detection Level
1	S	.014
2	G	.058
3	S	.028
4	R	.101
5	C	.024
6	G	.077
7	R	.088
8	C	.023
9	S	.019
10	S	.010
11	R	.075
12	C	.043
13	C	.028
14	R	.098
15	G	.071
16	G	.083

Using SPSS/PC+ Studentware Plus with this Chapter

The material in this section assumes you are already familiar with using SPSS for correlation, regression, the t test for independent means, and the one-way analysis of variance (as described in the Using SPSS sections of Chapters 3, 4, 10, and 11).

You can use SPSS to carry out the various procedures on the same data set, in order to see the relations among them.   You should work through the example, following the procedures step by step. Then try the procedures on your own for some of the problems listed in the Suggestions for Additional Practice. Finally, you may want to try the suggestions for using the computer to deepen your understanding.

I. Example

A. Data: Use the data entered in Chapter 10 (filename is CH10XMPL) for the job-program experiment. (To bring up the file, press F3, press Enter, type **CH10XMPL**, and press Enter.)

B. Compute the *t* test again (to have the output for reference). The result is shown in Figure SG16-1.

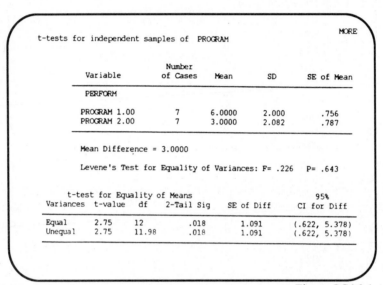

```
                                                                    MORE
  t-tests for independent samples of  PROGRAM


                              Number
              Variable       of Cases    Mean       SD      SE of Mean

              PERFORM

              PROGRAM 1.00        7     6.0000     2.000       .756
              PROGRAM 2.00        7     3.0000     2.082       .787


         Mean Difference = 3.0000

         Levene's Test for Equality of Variances: F= .226   P= .643


              t-test for Equality of Means                    95%
         Variances  t-value   df    2-Tail Sig   SE of Diff  CI for Diff

         Equal       2.75     12       .018        1.091    (.622, 5.378)
         Unequal     2.75    11.98     .018        1.091    (.622, 5.378)
```

Figure SG16-1

C. Compute an analysis of variance for the same data by replacing the *T* **TEST** line with **ONEWAY PERFORM BY PROGRAM(1,2).** The result is shown in Figure SG16-2. Compare this result to the results in Table 16-2 and 16-4 in the text.

```
                                                          MORE

           - - - - - - - - - - O N E W A Y - - - - - - - - - -

      Variable  PERFORM

   By Variable  PROGRAM

                              Analysis of Variance

                                Sum of      Mean        F      F
           Source        D.F.   Squares     Squares   Ratio  Prob.

   Between Groups          1    31.5000    31.5000    7.5600  .0176

   Within Groups          12    50.0000     4.1667

   Total                  13    81.5000
```

Figure SG16-2

D. Create a scatter diagram and compute a correlation coefficient for these data by replacing the **ONEWAY** line with **PLOT PLOT PERFORM WITH PROGRAM.**, and then typing one additional line, **CORRELATION PERFORM PROGRAM**. The results are shown in Figures SG16-3 and SG16-4. (Remember that a **2** on an SPSS scatter diagram means that there are two dots at this location.) Compare these results to those in the text.

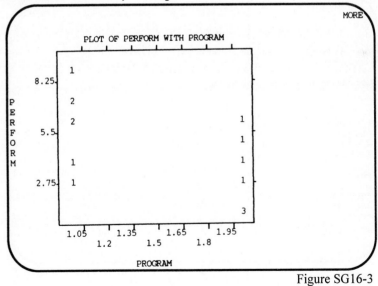

Figure SG16-3

```
                                                              MORE

Correlations:  PERFORM    PROGRAM

    PERFORM    1.0000     -.6217*
    PROGRAM    -.6217*     1.0000

N of cases:    14          1-tailed Signif: * - .01  ** - .001

" . " is printed if a coefficient cannot be computed
```

Figure SG16-4

E. Carry out a regression analysis for these data by erasing the **PLOT** and **CORRELATION** lines and typing in **REGRESSION DEPENDENT PERFORM / ENTER PROGRAM.** When SPSS carries out these commands, the results are shown in Figures SG16-5 and SG16-6.

```
                                                              MORE
          * * * *  M U L T I P L E   R E G R E S S I O N  * * * *

Equation Number 1    Dependent Variable..   PERFORM


Variable(s) Entered on Step Number
    1..    PROGRAM


Multiple R          .62169
R Square            .38650
Adjusted R Square   .33538
Standard Error      2.04124

Analysis of Variance
                    DF      Sum of Squares      Mean Square
Regression           1          31.50000         31.50000
Residual            12          50.00000          4.16667

F =      7.56000     Signif F =  .0176
```

Figure SG16-5

Chapter Sixteen

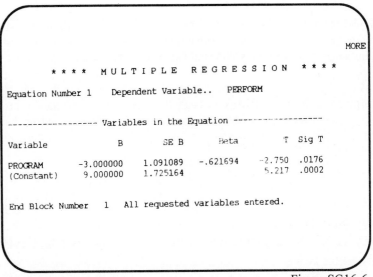

```
                                                                    MORE

        * * * *   M U L T I P L E   R E G R E S S I O N   * * * *

   Equation Number 1    Dependent Variable..   PERFORM


   ------------------ Variables in the Equation ------------------

   Variable              B          SE B       Beta        T  Sig T

   PROGRAM          -3.000000    1.091089   -.621694    -2.750  .0176
   (Constant)        9.000000    1.725164                5.217  .0002


   End Block Number    1    All requested variables entered.
```

Figure SG16-6

II. **Additional Practice: Carry out this entire set of analyses for all the *t* test data sets listed in the SPSS section of Chapter 10 of this *Study Guide and Computer Workbook*.**

III. **Using the Computer to Deepen Your Knowledge: Nominal Coding**
    A. Enter the data in Table 16-6 of the text as follows.
        1. Type DATA LIST FREE / CRIMORNO CLEAORNO GUILT. and press Enter.
        2. Type BEGIN DATA. and press Enter.
        3. Enter the appropriate codes and scores for the 15 subjects, one line per subject.
        4. Type **END DATA.** and press Enter.
    B. Carry out a regression analysis as follows.
        1. Type REGRESSION DEPENDENT GUILT / ENTER CRIMORNO CLEAORNO. and press Enter.
        2. Tell SPSS to carry out the analysis and compare these results to those obtained from the analysis of variance on these data in Chapters 11 and 12.
    C. Try this procedure again, this time setting up your own nominal coding, for another one-way analysis of variance–use one of the chapter examples or problems using analysis of variance from Chapters 11 or 12.
    D. Make a list of all the similarities.

Using MYSTAT with this Chapter

The material in this section assumes you are already familiar with using MYSTAT for correlation, regression, the t test for independent means, and the one-way analysis of variance (as described in the Using MYSTAT sections of Chapters 3, 4, 10, and 11).

You can use MYSTAT to carry out the various procedures on the same data set, in order to see the relations among them. You should work through the example, following the procedures step by step. Then try the procedures on your own for some of the problems listed in the Suggestions for Additional Practice. Finally, you may want to try the suggestions for using the computer to deepen your understanding.

I.   Example
A. Data: Use the data entered in Chapter 10 (filename is CH10XMPL) for the job-program experiment.
B. Tell MYSTAT to use this data file by typing **>USE CH10XMPL** and pressing Enter twice.
C. Compute the t test again (to have the output for reference); that is, type **>TTEST PERFORM*PROGRAM**, press Enter, print out the result, and return to the Main Menu.
D. Compute an analysis of variance for the same data, as follows.
   1. Type >**CATEGORY PROGRAM=2** and press Enter.
   2. Type >**ANOVA PERFORM** and press Enter.
   3. Type >**ESTIMATE** and press Enter. The result should look like Figure SG16-7. (These results correspond to those in the text in Tables 16-2 and 16-4.)

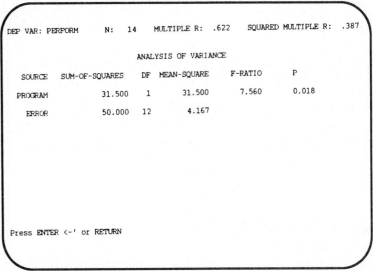

```
DEP VAR: PERFORM      N:   14    MULTIPLE R:   .622    SQUARED MULTIPLE R:   .387

                         ANALYSIS OF VARIANCE

    SOURCE   SUM-OF-SQUARES   DF   MEAN-SQUARE    F-RATIO      P

    PROGRAM        31.500      1       31.500       7.560    0.018

    ERROR          50.000     12        4.167




    Press ENTER <-' or RETURN
```

Figure SG16-7

4. Compare these results to the *t* test for independent means results.

5. Print out the results and return to the Main Menu.

E. Compute a correlation coefficient for these data: Type **>PEARSON PROGRAM, PERFORM** and press Enter.

1. The result is **-.622**. (This is the same as was computed in the text–see Table 16-3.)

2. Compare this result to the "**MULTIPLE R**" in the analysis of variance printout.

3. Return to the Main Menu.

F. Carry out a regression analysis for these data as follows.

1. Type **>MODEL PERFORM = CONSTANT + PROGRAM** and press Enter.

2. Type **>ESTIMATE** and press Enter.

3. The result should look like Figure SG16-8. (These results correspond to those in the text in Table 16-4.)

4. Compare the results to the results from the previous analyses.

5. Print out the results and return to the Main Menu.

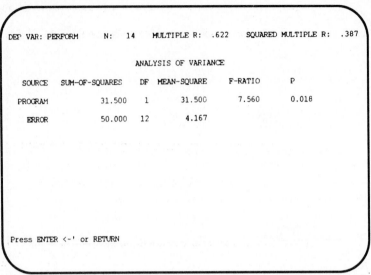

```
DEP VAR: PERFORM    N:  14    MULTIPLE R:  .622    SQUARED MULTIPLE R:  .387

                         ANALYSIS OF VARIANCE
    SOURCE    SUM-OF-SQUARES   DF  MEAN-SQUARE    F-RATIO      P

    PROGRAM        31.500      1      31.500       7.560      0.018

    ERROR          50.000     12       4.167




Press ENTER <-' or RETURN
```

Figure SG16-8

II. Additional Practice: Carry out this entire set of analyses for all the *t* test data sets listed in the SPSS section of Chapter 10 of this *Study Guide and Computer Workbook.*

III. Using the Computer to Deepen Your Knowledge: Nominal Coding

A. Enter the data in Table 16-6 of the text as follows.
1. Make one column for each of the nominal variables (use the names **"CRIMORNO"** and **"CLEAORNO"**).
2. Make a third column for the dependent variable (**"GUILT"**).
3. Enter the appropriate codes and scores for the 15 subjects.
4. Save the file under the name **NOMCODES** and return to the Main Menu.

B. Carry out a regression analysis as follows.
1. Type >**USE NOMCODES** and press Enter twice.
2. Type >**MODEL PERFORM = CONSTANT + CRIMORNO CLEAORNO** and press Enter.
3. Type >**ESTIMATE** and press Enter.

C. Compare the result of the regression analysis to the result obtained from the analysis of variance on these data in Chapters 11 and 12.

D. Try this procedure again, this time setting up your own nominal coding, for another one-way analysis of variance–use one of the chapter examples or problems using analysis of variance from Chapters 11 or 12.

E. Make a list of all the similarities.

Chapter 17
Making Sense of Advanced Statistical Procedures in Research Articles

Learning Objectives

To understand each of these statistical techniques in a general way, so that you can recognize it in a research article, understand why it was done and what the results reported in an article mean, and make sense of the key terminology:

- Hierarchical and stepwise multiple regression.
- Partial correlation.
- Reliability.
- Factor analysis.
- Causal modeling, including path analysis and latent variable modeling.
- Analysis of covariance.
- Multivariate analysis of variance and covariance.
- Issues in the controversy over whether statistics should be controversial.
- The overall relation among different statistical methods.
- How to read results involving unfamiliar statistical techniques.

Chapter Outline

I. The Two Main Categories of Advanced Statistical Techniques
   A. Those that focus on associations among variables (these are variations and extensions of correlation and regression).
      1. Hierarchical and stepwise multiple regression.
      2. Partial correlation.
      3. Reliability.
      4. Factor analysis.
      5. Causal modeling.
   B. Those that focus on differences among groups (these are variations and extensions of analysis of variance).
      1. Analysis of covariance.
      2. Multivariate analysis of variance and covariance.

II. Brief Review of Multiple Correlation and Regression

A. Multiple correlation is about the association of one dependent variable with the combination of two or more predictor variables.

B. Multiple regression is about predicting a dependent variable based on two or more predictor variables.

1. A multiple-regression prediction rule includes a set of regression coefficients, one to be multiplied by each predictor variable.

2. The sum of these multiplications is the predicted value on the dependent variable.

3. When working with Z scores, the regression coefficients are standardized regression coefficients, called beta weights (ßs).

4. When working with raw scores, raw-score regression coefficients (bs) are multiplied by the raw score of each predictor variable, and a particular number (the raw-score regression constant, a) is also added in.

C. Hypothesis testing: Significance can be computed both for each regression coefficient and the overall prediction rule.

III. Hierarchical and Stepwise Multiple Regression

A. Both methods examine the influence of several predictor variables in a sequential fashion.

B. Hierarchical multiple regression follows a hypothesized order.

1. Procedure: It computes the correlation of the first predictor variable with the dependent variable, then how much is added to the overall multiple correlation by including the second-most-important predictor variable, and then perhaps how much more is added by including a third predictor variable, and so on.

2. It is a recent procedure with no standard way of describing it or setting up a table.

3. It requires a specific theoretical basis for the order in which the regression is carried out.

C. Stepwise multiple regression is used in exploratory studies–it determines which predictor variables of many that have been measured usefully contribute to the prediction.

    1. Procedure.

        a. It computes the correlation of each predictor variable with the dependent variable and identifies the one with the highest correlation. (If none of these correlations are significant, the procedure stops.)

        b. It next computes the multiple correlation of each of the other variables in combination with the one just identified as having the highest correlation by itself to see which combination produces the highest multiple correlation. (If none of these multiple correlations add significantly to the predictability over just using the first variable, the procedure stops.)

        c. It next computes the multiple correlation of each of the remaining variables in combination with the highest two to see which combination produces the highest multiple correlation. (If none of these multiple correlations add significantly to the predictability over just the first two, the procedure stops.)

        d. The process continues in this way until all variables are included in the prediction rule or adding the next best variable does not add significantly to the predictability.

    2. Caution: The prediction formula that results is the optimal small set of variables for predicting the dependent variable, *as determined from the sample studied*–when tried with a new sample, somewhat different combinations often result.

IV. Partial Correlation

A. This is the degree of association between two variables, over and above the influence of one or more other variables.

B. A variable over and above the influence of which the partial correlation is computed is said to be *held constant, partialed out*, or *controlled for*. (These terms are interchangeable.)

C. The partial correlation coefficient is interpreted like an ordinary bivariate correlation except one should remember that some third variable is being controlled for.

D. You can think of a partial correlation as the average of the correlations between two variables, each correlation computed among just those subjects at each level of the variable being controlled for.

E. Partial correlation is often used to help sort out alternative explanations in a correlational study.

    1. If the correlation between two variables dramatically drops or is eliminated when a third variable is partialled out, it suggests that the third variable was behind the correlation.

    2. If the correlation between two variables is largely unaffected when a third variable is partialled out, it suggests that the third variable is not behind the correlation.

V. Reliability Coefficients

A. Reliability, the accuracy and consistency of a measure, is the extent to which if you were to give the same measure again to the same person under the same circumstances, you would obtain the same result.

B. Reports of computations of reliability of a measurement are very common in research articles.

C. Test-retest reliability.
   1. This is the correlation between the scores of the same people who take a measure twice.
   2. It is often an impractical or inappropriate approach to reliability, since having taken the test once could influence the second taking.

D. Reliability as internal consistency.
   1. Split-half reliability is the correlation between two halves of the same test.
   2. Cronbach's alpha can be thought of as the correlation between scores on two halves of a test, averaging such computations for all possible divisions of the test into halves.
   3. KR-20 (Kuder-Richardson-20) is a special case of Cronbach's alpha designed for tests that include only dichotomous items.

E. In general a test should have a reliability of at least .7, and preferably closer to .9, to be considered useful.

F. If a measure has low reliability, it tends to reduce the correlation between it and any other variable. (This can be adjusted for in bivariate correlation using a correction for attenuation.)

VI. **Factor Analysis**

A. This is a widely used procedure applied when a researcher has measured people on a large number of variables.

B. It identifies groupings of variables (called *factors*) such that those within each group correlate with each other but not with variables in other groupings.

C. The correlation between a variable and a factor is called the variable's *factor loading* on that factor.

D. A widely used convention is to consider a variable part of a factor on which it has a loading of .3 or greater.

E. Researchers usually give each factor a name based on the variables that load highly on it. (These names can be misleading.)

F. Tables of the results of factor analyses usually give the factor loadings for each factor and also often give the percentage of variance that the factor as a whole accounts for in the entire set of original variables.

VII. Causal Modeling

  A. Path analysis.

    1. This procedure focuses on a diagram with arrows connecting the variables, indicating the hypothesized pattern of causal relations among them.

    2. It is based on the correlations among the variables; for each arrow the researcher can compute a path coefficient.

      a. A path coefficient indicates the extent to which the variable at the start of the arrow is associated with the variable at the end of the arrow, after controlling for all variables that also point to this variable.

      b. A path coefficient is the same as a beta in multiple correlation/regression, with the variable at the start of the arrow as a predictor variable, the variable at the end of the arrow the dependent variable, and all the other variables in the path diagram which also point to the variable at the end of the arrow as other predictor variables in the regression equation.

    3. A variable having no arrows to it within the path diagram is an exogenous variable.

    4. A variable that has arrows to it within the diagram is called an endogenous variable.

    5. A path diagram may explicitly emphasize that there are unknown variables influencing an endogenous variable by putting an arrow to it with a blank stem, or with the letter E (for error) at the stem of the arrow.

    6. A path analysis is considered to provide support for the hypothesized causal pattern if the path coefficients for the major arrows are all significant and in the predicted directions.

  B. Latent variable models.

    1. This procedure is also widely known as structural equation modeling or LISREL.

    2. It is an extension of path analysis with several advantages.

      a. It produces an overall measure of how good the model fits the data.

      b. It includes a significance test–but the null hypothesis is that the model fits.

      c. It permits modeling of latent variables (as assessed by a set of manifest variables).

    3. The path diagram.

      a. Manifest variables are shown in squares.

      b. Latent variables are shown in circles.

      c. The measurement model, the relation of the manifest to the latent variables they assess, usually involves arrows from each latent variable to its associated manifest variables.

      d. The causal model usually involves arrows showing the relations among the latent variables.

    4. Limitations.

      a. A well-fitting model that is not a significantly bad fit is still only one of the possible models that could fit the data.

      b. It shares limitations of all methods ultimately based on the correlation coefficient.

        i. Association does not demonstrate direction of causality.

        ii. It only takes into account linear relationships.

        iii.   Results are distorted by restriction in range.

VIII.   Analysis of Covariance (ANCOVA)
   A. This procedure is the same as an ordinary ANOVA, except that one or more variables are partialed out.
   B. A variable partialed out is called a covariate.
   C. The rest of the results are interpreted like any other analysis of variance.
   D. The analysis of covariance is generally used in one of two situations.
      1. One situation is the analysis of a random-assignment experiment in which some nuisance variable is partialed out.
      2. The other situation is in a study in which it is not possible to employ random assignment, and variables on which groups may differ are partialed out. (This use is more controversial.)
   E. ANCOVA assumes that the correlation between the covariate and the dependent variable is the same in all the cells.

IX. Multivariate Analysis of Variance (MANOVA) and Multivariate Analysis of Covariance (MANCOVA)
   A. Multivariate statistical techniques involve more than one dependent variable.
   B. The most widely used multivariate techniques are MANOVA and MANCOVA.
   C. MANOVA is simply an analysis of variance in which there is more than one dependent variable.
   D. MANOVA tests each main and interaction effect of the independent variables on the combination of dependent variables.
   E. A significant effect in MANOVA, which could be due to any one of the dependent variables, is usually followed up by a series of ordinary "univariate" analyses of variance on each dependent variable separately.
   F. MANCOVA is a MANOVA in which one or more variables are partialed out of the analysis.

X. Overview of Statistical Techniques Considered: Most of the techniques covered in this course can be understood as representing the various combinations of the following possibilities.
   A. Association versus difference test.
   B. One versus many independent variables.
   C. One versus many dependent variables.
   D. Whether or not any variables are controlled.

XI. Controversies: Should Statistics Be Controversial?
   A. Statistics is usually taught today as if there were no controversies.

B. What is usually taught today is a wedding of the once opposed Fisher and Neyman-Pearson viewpoints.

C. Recently, some psychologists have argued that these viewpoints have been misunderstood and misused as a result of being blended.

D. Especially decried is the heavy emphasis on the null hypothesis, alpha, and $p < .05$ as a rigid cutoff point and sole determinant of the worth of a piece of research.

XII.How to Read Results Involving Unfamiliar Statistical Techniques

A. Even well-seasoned researchers periodically encounter unfamiliar statistical methods in research articles.

B. In these cases, you can usually figure out the basic idea.

1. Usually there will be a p level given and just what pattern of results is being considered significant can be discerned from the context.

2. Usually there will be some indication of effect size (degree of association or the size of the difference).

Chart of Major Statistical Techniques

(From Table 17-1 in the text)

Association or Difference	Number of Independent Variables	Number of Dependent Variables	Any Variables Controlled?	Name of Technique
Association	1	1	No	Bivariate Correlation & Regression
Association	Any number	1	No	Multiple Regression (Including Hierarchical & Stepwise)
Association	1	1	Yes	Partial Correlation
Association	Many, not differentiated		No	Reliability Coefficient, Factor Analysis
Association	Many, with specified causal patterns			Path Analysis Latent Variable Modeling
Difference	1	1	No	t-Test
Difference	Any number	1	No	Analysis of Variance
Difference	Any number	1	Yes	Analysis of Covariance
Difference	Any number	Any number	No	Multivariate Analysis of Variance
Difference	Any number	Any number	Yes	Multivariate Analysis of Covariance

Chapter Self-Tests

Multiple-Choice Questions

1. Suppose a researcher wants to know what the correlation between one predictor variable and the dependent variable will be, and then how much is added by adding another predictor variable, and then perhaps even a third predictor variable. The sequence is planned in advance based on theory. What is this called?

   a. Multivariate analysis of variance.
   b. Time-series analysis.
   c. Hierarchical multiple regression.
   d. Canonical correlation analysis.

2-3 Suppose that you want to know the relation between stress and study habits, over and above the fact that people tend to study less on Friday and the weekends.

   2. What is this called?
      a. Stepwise regression.
      b. Partial correlation.
      c. Factor loading.
      d. Factor analysis.

   3. In this particular case, what is being done?
      a. A Cohen's Kappa is being computed ignoring day of the week.
      b. Study habit is held constant.
      c. Day of the week is being controlled for.
      d. Kendall's Tau is being applied hierarchically (that is, first with and then without including day of the week in the analysis).

4. Which of the following is the best example of test-retest reliability?

   a. The responses of half the items on a test are correlated with the responses on the other half of the test.
   b. A group of people are given a test, but half are given one test and half are given a different but similar test and their scores on the two tests are correlated.
   c. A group of people are given a test on one occasion and then later the same people are given another very similar test and the two sets of scores are correlated.
   d. A group of people are given the same test on two separate occasions and the scores are correlated.

5. Computing reliability by correlating scores on two halves of a test raises the problem of which way to split the items in half. With Cronbach's alpha, in effect

a. the halves are split by comparing odd and even numbered items.
b. the test is simply split in half by top half and bottom half.
c. it is split randomly.
d. all possible splits are done and then the results are averaged.

6. Suppose that a researcher wants to look at the relations among a large number of variables measured in a study. She wants to know how the variables clump together and which variables don't seem to correlate. What procedure would be best for her to use?

a. Factor analysis.
b. Hierarchical multiple regression.
c. Stepwise multiple regression.
d. Partial correlation.

7. In a path analysis arrows are drawn between variables. An exogenous variable is

a. a variable that is completely isolated with no arrows going away or toward it.
b. a variable that is at the start of a causal chain, having no arrows to it within the path diagram.
c. a variable that only has arrows going to it within the path diagram.
d. a variable that has arrows going both to it and away from it within the path diagram.

8. Which of the following is NOT an advantage of latent variable modeling over ordinary path analysis?

a. The computer calculates an overall measure of how good the model fits the data.
b. It includes latent variables in the analysis.
c. It rules out the possibility that any other pattern might create a better path diagram.
d. A kind of significance test can be computed.

9. How is an analysis of covariance (ANCOVA) different from an analysis of variance (ANOVA)?

a. ANCOVA allows you to control for the effect of an unwanted variable, whereas an ANOVA does not.
b. ANOVA allows you to control for the effects of an unwanted variable, whereas an ANCOVA does not.
c. ANCOVA allows you to use a factorial design, whereas an ANOVA does not.
d. ANOVA allows you to use a factorial design, whereas an ANCOVA does not.

10. How are MANOVAs and MANCOVAs different from ANOVAs and ANCOVAs?

    a. They allow you to use two or more predictor variables, whereas ANOVAs and ANCOVAs do not.

    b. They allow you to partial out variables, whereas ANOVAs and ANCOVAs do not.

    c. They are more accurate than ANOVAs and ANCOVAs, but you can only use one predictor variable.

    d. They allow you to use more than one dependent variable, whereas ANOVAs and ANCOVAs do not.

Fill-In Questions

1. _____ is an exploratory technique in which the researcher is trying to find the best small set of predictor variables for some dependent variable based on results of a study that measured a large number of predictor variables.

2. _____ Kuder-Richardson-10 (KR-20) is like Cronbach's alpha except it is used when the items in the measure are all _____.

3. A _____ is the correlation between a variable and its factor.

4. In an ordinary path analysis, each path coefficient is like a _____ in multiple regression.

5. In one type of causal modeling, some of the variables included in the model are not actually measured, but can be included because they are considered to be the cause of variables that are measured in the study. These variables that are not measured are called _____ variables.

6. LISREL is a computer program that is widely used for a type of causal modeling known as _____.

7. The variable held constant in a partial correlation is analogous to a _____ in an analysis of covariance.

8. A researcher is planning a study comparing the effects of three kinds of psychotherapy on depression. Depression will be measured in each subject by both a behavioral and a questionnaire measure. In addition, the researcher wants to control for initial differences in expectations of benefits prior to therapy. The appropriate statistical technique for the entire analysis is a(n) _____.

9. Multiple-regression techniques and causal modeling techniques are examples of methods that focus on association, while analysis of variance and multivariate analysis of variance are examples of techniques that focus on _____.

10. The Neyman-Pearson view of statistics was in opposition to the view held by _____ (who was also the inventor of the analysis of variance).

Essays

1. A study is conducted which examines the influence of various factors on success in graduate school. Explain the (fictional) results, as shown in the following table, to a person who has never had a course in statistics.

Hierarchical Multiple Regression (Dependent Variable = Reported Success in Graduate School)

Predictor Variable	R^2 for All Variables Entered	Increment in R^2
Social Class	.04	.04
Undergraduate Record	.15*	.11*
Social Skills	.18**	.03
Desire to Succeed	.25**	.07*

_____

*$p < .05$ **$p < .01$

2. A study was conducted in which women rated themselves on their practice of seven health behaviors. Explain the (fictional) results, as shown in the following table, to a person who has never had a course in statistics.

Factor Analysis

	Factor Loadings	
Variable	Factor 1	Factor 2
Eats Adequate Fiber	.73	.13
Controls Fat Intake	.68	.21
Controls Sugar Intake	.71	.14
Tooth Flossing	-.03	.53
Daily Exercise	.23	.49
Wears Seat Belts	.06	.38
Breast Self-Exams	.25	.38

3. A (fictional) study is conducted comparing achievement-test scores of high school students of five different ethnic groups. The researchers report their results as follows:

Although previous studies have shown differences among these ethnic groups on this achievement test, the present study, which used parental income and language skills as covariates, did not find any reliable difference; the analysis of covariance was not significant, $F(4,248) = 1.63$. This nonsignificant finding is especially impressive in light of the large sample size employed in our study.

Explain this result (including discussing issues of power regarding a null hypothesis result) to a person who has never had a course in statistics.

4. A study was conducted which examined marital happiness among four groups of married adults–women with no children, mothers of a newborn infant, men with no children, and fathers of a newborn infant. This created a 2 X 2 design (parental status X gender). Marital happiness was measured using three variables: a standard marital happiness questionnaire, number of positive words included in a story written in an experimental setting about the spouse, and ratings of the subject's marital happiness by the subject's closest friend. The (fictional) results of the study were reported as follows:

A multivariate analysis of variance (MANOVA) yielded a main effect for gender, Wilks' Lambda $F(1,418) = 14.31, p < .01$, and an interaction effect, Wilks' Lambda $F(1,418) = 9.38, p < .01$. The main effect for parental status was not significant, Wilks' Lambda $F(1,418) = 2.13$. Follow-up univariate analyses were significant only for the questionnaire measure. For the gender main effect, women were less satisfied with their marriage than men, $F(1, 361) = 16.33, p < .01$. The interaction effect was also significant, $F(1, 361) = 8.14, p < .01$. Based on a post-hoc analysis (Neuman-Keuls), the pattern of means associated with this interaction suggest that, for women, being a parent of a newborn is associated with less marital happiness, whereas for men there is little difference in marital happiness between those who are and are not fathers of newborn infants.

Explain this result to a person who has never had a course in statistics.

Using SPSS/PC+ Studentware Plus with this Chapter

The material in this section assumes you are already familiar with using SPSS from previous chapters.

Because SPSS/PC+ Studentware Plus is intended for beginning statistics students it includes only a few of the advanced procedures covered in this chapter. One of the advanced procedures considered in Chapter 17 of the text that is included in the student version of SPSS is analysis of covariance. Thus, as an illustration, there is an example for you to try. However, please note that in practice it is important when conducting an analysis of covariance first to check if you have met the special assumption that the correlation of the dependent variable with the covariate should be the same in each cell. The procedure for making this check can be done in SPSS, but making sense of it involves statistical issues well beyond what it is reasonable to cover in a beginning course.

I. Example Data for Analysis of Covariance

   A. The data to be used are an extension of the fictional experiment comparing the effects of information about a previous criminal record on rated guilt of a defendant in a mock trial.
   B. In this example, the idea is to reduce extraneous variance by controlling for scores on a questionnaire given to all subjects prior to the study which measured their general attitude towards defendants in criminal trials—how likely they feel it is that a person in that situation is guilty.
   C. The scores on this additional variable, in the order that subjects' data were entered in Chapter 11, are 8, 5, 2, 7, 6, 7, 3, 5, 7, 4, 5, 5, 8, 4, and 3.

II. Enter the Data Lines for the Analysis

   A. If you completed the SPSS example for Chapter 11, you should have the basic data saved in a file called **CH11XMPL**. Call up that file now—press F3, press Enter, type **CH11XMPL**, and press Enter again.
   B. When the file appears make the following changes.
       1. Add the variable **INITATT** to the end of the **DATA LIST** line, so it now reads **DATA LIST FREE / INFOTYPE GUILT INITATT.**
       2. For each subject, add the score for this new variable after the other three numbers already entered. (Thus, the first data line should be **1 10 8**; the second data line, **1 7 5**; etc.

III. Carry Out the Analysis

   A. Replace the **ONEWAY** line with **ANOVA GUILT BY INFOTYPE(1,3) WITH INITATT.** Your typed lines should appear as shown in Figures SG17-1 and SG17-2.

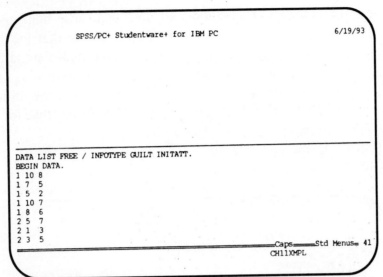

```
            SPSS/PC+ Studentware+ for IBM PC                    6/19/93




    _____
    DATA LIST FREE / INFOTYPE GUILT INITATT.
    BEGIN DATA.
    1 10  8
    1  7  5
    1  5  2
    1 10  7
    1  8  6
    2  5  7
    2  1  3
    2  3  5
                                              ═Caps════Std Menus= 41
                                              CH11XMPL
```

Figure SG17-1

```
            SPSS/PC+ Studentware+ for IBM PC                    6/19/93




    _____
    2  7  7
    2  4  4
    3  4  5
    3  6  5
    3  9  8
    3  3  4
    3  3  3
    END DATA.
    ANOVA GUILT BY INFOTYPE(1,3) WITH INITATT.
                                              ═Caps════Std Menus= 01
                                              CH11XMPL
```

Figure SG17-2

B. Look over the columns of numbers and note that these numbers are fairly closely correlated with the guilt ratings. But also note that for those in the Criminal-Record group (the first group) the initial attitudes are all a bit lower than their ratings, suggesting that they are seeing this person as guiltier than they usually do. Similarly, for the Clean-Record group, the initial attitudes were generally higher than their guilt ratings, suggesting that for this group they saw the person as less guilty than usual.

C. Tell SPSS to do the computations. The results should appear as shown in Figure SG17-3.

```
                                                              MORE

             * * *  A N A L Y S I S   O F   V A R I A N C E  * * *

                 GUILT
            BY   INFOTYPE
            WITH INITATT


                              Sum of              Mean            Signif
    Source of Variation       Squares    DF       Square    F     of F

    Covariates                 64.852    1        64.852   72.701  .000
      INITATT                  64.852    1        64.852   72.701  .000

    Main Effects               32.668    2        16.334   18.311  .000
      INFOTYPE                 32.668    2        16.334   18.311  .000

    Explained                  97.521    3        32.507   36.441  .000

    Residual                    9.813   11          .892

    Total                     107.333   14         7.667
```

Figure SG17-3

D. Inspect and interpret the results.
   1. The F on the **INFOTYPE** line is adjusted for the covariate. That is, it is the result of the analysis of variance comparing the three groups *controlling for* Initial Attitude.
   2. Compare this result to that for the ordinary analysis of variance (as in Chapter 11 or 12).
      a. Notice that the F here of **18.311** is considerably higher than the F of 4.07 computed in the analysis without the covariate.
      b. Notice that the within-group population variance estimate (here called the **Residual**) of **.892** computed in this analysis of covariance is much lower than the within-group population variance estimate of 5.33 computed in the original analysis without the covariate.

Using MYSTAT with this Chapter

The material in this section assumes you are already familiar with using MYSTAT from previous chapters.

Because MYSTAT is intended for beginning statistics students, it includes few of the advanced procedures covered in this chapter. Sometimes they can be done with a bit of ingenuity. For example, one could do a hierarchical multiple regression by using MYSTAT to first compute a multiple regression including just one predictor variable, then having it compute another multiple regression, including a second predictor variable, and noting the change in R^2. (Of course, without additional statistical knowledge, you would not be able to figure out the significance of the increase.)

The only one of the advanced procedures considered in Chapter 17 of the text that is included directly in MYSTAT is analysis of covariance. Thus, as an illustration, we have included an example for you to try. However, please note that in practice it is important when conducting an analysis of covariance first to check if you have met the special assumption that the correlation of the dependent variable with the covariate should be the same in each cell. The procedure for making this check can be done in MYSTAT, but it is not simple to do and also involves statistical issues well beyond what it makes sense to cover in a beginning course.

I. Example Data for Analysis of Covariance

A. These data are an extension of the fictional experiment comparing the effects of information about a previous criminal record on rated guilt of a defendant in a mock trial. In this example, we will attempt to reduce extraneous variance by controlling for scores on a questionnaire given to all subjects prior to the study which measured their general attitude towards defendants in criminal trials–how likely they feel it is that a person in that situation is guilty.

B. If you completed the MYSTAT example for Chapter 11, you should have the basic data saved in a file called **CH11XMPL**.

C. Call up that file and add the additional column of data for attitudes, using the following steps.
   1. From the Main Menu, type >**EDIT CH11XMPL**, and press Enter.
   2. Go to the top of the third column, type the variable name **"INITATT"** (short for initial attitude about how likely it is criminal defendants are guilty), and press Enter.
   3. Now go down the column, typing in the following attitude scores (in order)–**8, 5, 2, 7, 6, 7, 3, 5, 7, 4, 5, 5, 8, 4, 3**. (You will save time if you press the down-arrow key instead of the Enter key after typing in each number.)
   4. The typed-in data (*after* moving back to the top of the screen, so that case 1 is visible) should appear as shown in Figure SG17-4.

```
MYSTAT Editor
  Case      GROUP       GUILT      INITATT
     1      1.000      10.000       8.000
     2      1.000       7.000       5.000
     3      1.000       5.000       2.000
     4      1.000      10.000       7.000
     5      1.000       8.000       6.000
     6      2.000       5.000       7.000
     7      2.000       1.000       3.000
     8      2.000       3.000       5.000
     9      2.000       7.000       7.000
    10      2.000       4.000       4.000
    11      3.000       4.000       5.000
    12      3.000       6.000       5.000
    13      3.000       9.000       8.000
    14      3.000       3.000       4.000
    15      3.000       3.000       3.000
```

Figure SG17-4

5. Check the accuracy of your data entry and make corrections as necessary.

D. Note that these numbers are fairly closely correlated with the guilt ratings. But also note that for those in the Criminal-Record group (the first group) the initial attitudes are all a bit lower than their ratings, suggesting that they are seeing this person as guiltier than they usually would. Similarly, for the Clean-Record group, the initial attitudes are generally higher than their guilt ratings, suggesting that for this group they saw the person as less guilty than they usually would.

E. Save the file by pressing Escape to get to the bottom of the screen, typing >**SAVE CH17XMPL**, and pressing Enter.

F. Return to the Main Menu by typing >**QUIT** and pressing Enter twice.

II. Computing the Analysis of Covariance

A. Type >**USE CH17XMPL** and press Enter twice.

B. Type >**CATEGORY GROUP=3** and press Enter.

C. Type >**COVARIATE INITATT** and press Enter.

D. Type >**ANOVA GUILT** and press Enter.

E. Type >**ESTIMATE** and press Enter.

F. The result should then appear as shown in Figure SG17-5.

Chapter Seventeen

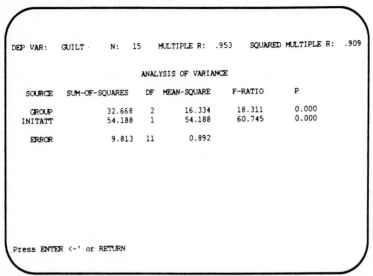

```
DEP VAR:  GUILT     N:  15   MULTIPLE R:  .953   SQUARED MULTIPLE R:  .909

                         ANALYSIS OF VARIANCE

    SOURCE   SUM-OF-SQUARES   DF   MEAN-SQUARE   F-RATIO      P

     GROUP          32.668     2       16.334    18.311    0.000
     INITATT        54.188     1       54.188    60.745    0.000

     ERROR           9.813    11        0.892


Press ENTER <-' or RETURN
```

Figure SG17-5

III. Inspect and Interpret the Result

A. The *F* on the **GROUP** line is adjusted for the covariate–that is, it is the result of the analysis of variance comparing the three groups *controlling for* Initial Attitude.

B. Compare this result to that for the ordinary analysis of variance.

    1. Notice that the *F* is considerably higher than in the analysis without the covariate.

    2. Notice that the error term (the within-group population variance estimate) is much lower.

Answers to Self-Test Problems

Note. Answers to problems and essays include numerical results only. For examples of answers to essay sections see answers to Set I Practice Problems at the back of the text.

Chapter 1

Multiple-Choice: 1-b, 2-d, 3-a, 4-c, 5-b, 6-c, 7-a, 8-b, 9-a, 10-c

Fill-Ins:

1. values, intervals
2. grouped frequency table
3. interval, interval size
4. histogram
5. bimodal
6. rectangular
7. positively, skewed to the right
8. ceiling effect
9. normal curve
10. kurtosis

Problems/Essays

1. A grouped frequency table is preferred over an ordinary frequency table when the scores range over a great many different values. Using an ordinary frequency table in such a situation would fail to give a simple description because there would be so many different values to look at, while the grouped frequency table in this situation gives a more readily grasped summary of the pattern of scores.

2. a.

Interval	f
70 - 79	5
60 - 69	2
50 - 59	1
40 - 49	2
30 - 39	0
20 - 29	2
10 - 19	8
0 - 9	4

   c. Bimodal. (Kurtotic is also correct and one could argue that it is slightly positively skewed–that is, skewed to the right.)

3. a.

Interval	f
40-44	1
35-39	1
30-34	0
25-29	2
20-24	6
15-19	9
10-14	12
5- 9	8
0- 4	4

   c. Shape: Unimodal, skewed to the left

4. A floor effect is when most of the scores are near the bottom of the scale because it is not possible to get a lower score on this measure. For example, if you were to measure number of words spelled wrong on a second grade spelling test completed by fifth graders–most of the fifth graders would spell none of the words wrong so the scores would pile up at zero.

Chapter 2

Multiple-choice: 1-b, 2-d, 3-a, 4-b, 5-b, 6-d, 7-a, 8-c, 9-b, 10-d

Fill-Ins:

1. mean
2. central tendency
3. 5
4. mode
5. median
6. outlier
7. $SD^2 = \Sigma(X-M)^2/N$; $SD^2 = SS/N$
8. the mean
9. standard deviation
10. $Z = (X-M)/SD$

$X = Z(SD) + M$

Problems/Essays

1. $M = \Sigma X / N = 40/8 = 5$
   $SS = (3.1-5)^2 + (3.8-5)^2 + (4-5)^2 + (4.5-5)^2 + (4.5-5)^2 + (5.4-5)^2 + (6-5)^2 + (8.7-5)^2 = 21.4$
   $SD^2 = SS/N = 21.4/8 = 2.68$; $SD = \sqrt{SD^2} = \ddot{O}2.68 = 1.64$

2. Z for sales aptitude: $Z = (X-M)/SD = (50-40)/4 = 10/4 = 2.5$
   Z for education aptitude: $Z = (95-80)/20 = 15/20 = .75$
   Greater aptitude in relation to others: Sales.

3. Raw score for Mary: $X = (Z)(SD) + M = (1.23)(6.5) + 42 = 50$
   Raw score for Susan: $(-.62)(6.5) + 42 = 38$

Answers   **397**

Chapter 3

Multiple-choice: 1-a, 2-d, 3-c, 4-d, 5-b, 6-d, 7-d, 8-c, 9-b, 10-c

Fill-Ins:

1. independent
2. tiredness
3. curvilinear, a curvilinear correlation
4. negative, a negative correlation
5. positive
6. -1
7. significant
8. 9
9. lower
10. binomial effect size display

Problems/Essays

1. a.

```
Cholesterol
300|
250|
200|    *****Fill in dots*****
150|
100|
 50|
  0 └_____
      1   2   3   4   5   6
    Eggs per Day
```

b. General pattern: positive linear correlation

c.

Eggs/Day		Cholesterol		
Raw	Z	Raw	Z	$Z_X Z_Y$
2	0	210	.33	0
0	-1.07	100	-1.47	1.57
1	-.53	180	-.16	.09
5	1.60	270	1.31	2.09

$M=2$ $M=190$ $\Sigma=3.75$
$SD=1.87$ $SD=61.24$

$$r = Z_X Z_Y / N = 3.75/4 = .94$$

d. Proportionate reduction in error $= r^2 = .94^2 = .88$

e. Example answer: Eating eggs could cause higher cholesterol; people who have high cholesterol may choose to eat more eggs; some third factor, such as upbringing or genetic influences, may have the effects of making people have high cholesterol and also a liking for eggs.

2. a.

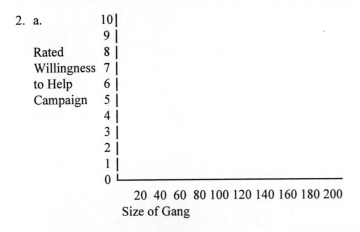

Rated Willingness to Help Campaign

Size of Gang

b. Negative linear correlation.

c.

Size of Gang		Rated Willingness to Help Campaign		
Raw	Z	Raw	Z	$Z_X Z_Y$
24	-1.2	10	1.6	-1.92
106	.4	4	- .5	- .20
42	- .9	7	.5	- .45
70	- .3	6	.2	- .06
90	.1	5	- .2	- .02
178	1.9	1	-1.6	-3.04

$$\Sigma = -5.69$$
$$r = -5.69/6 = -.95$$

d. $r^2 = -.95^2 = .90$

e. Example answer: Being in a bigger gang causes leaders to be less willing to help; leaders who are willing to help attract more members; the kind of gang that attracts leaders who are willing to help also attracts large numbers of members.

3. b. There may be a restriction in range.

Answers

Chapter 4

Multiple Choice: 1-a, 2-d, 3-c, 4-c, 5-c, 6-d, 7-d, 8-a, 9-a, 10-c

Fill-Ins:

1. regression
2. 39
3. constant, regression constant
4. slope
5. error
6. .25
7. proportion of variance accounted for
8. multicollinearity
9. -.72
10. -13.2

Problems/Essays

1a. Predicted Z for performance equals = .87 X Z for hours of exercise per week.

b.

Person Tested	Hours Exercise Per Week X	Z_X	Performance in Training Program Y	Z_Y	Prediction from Mean Z_Y	Error	Error^2	Prediction from Bivariate Rule Z_Y	Error	Error^2
1	3	-.59	45	-.54	0	.54	.29	-.51	.03	.00
2	11	1.76	90	1.47	0	-1.47	2.16	1.53	.06	.00
3	6	.29	53	-.18	0	.18	.03	.25	.43	.18
4	1	-1.17	25	-1.43	0	1.43	2.04	-1.02	.41	.17
5	4	-.29	72	.67	0	-.67	.45	-.25	-.92	.85

M=5   M=57 SS_T=4.97 SS_E=1.20
SD=3.41 SD=22.35

Proportionate Reduction in Error =$(SS_T - SS_E)/SS_T$=(4.97-1.20)/4.97=3.77/4.97= .76
Check: r =.87; r^2 = .87^2 = .76; same as figured above.

c. 90|
   | o   Two predicted Y values (for arbitrary Xs):
70| $X=0$: $Z=(X\text{-}M)/SD=(0\text{-}5)/3.41=\text{-}1.47$;
   | Predicted $Z_Y=(.87)(\text{-}1.47)=\text{-}1.28$
50| Predicted $Y=(Z)(SD)+M=(\text{-}1.28)(22.35)+57=28.39$
   | $X=10$: $Z=(10\text{-}5)/3.41=1.47$
30|o   Predicted $Z_Y=(.87)(1.47)=1.28$
   | Predicted $Y=(1.28)(22.35)+57=85.61$

~
   ‾‾‾‾‾‾‾‾‾‾‾‾‾‾‾‾‾‾‾‾‾
   0 2 4 6 8 10 12

d. 8 hours: $Z=(X\text{-}M)/SD=(8\text{-}5)/3.41=3/3.41=.88$;
Predicted $Z_Y=(r)(Z_X)=(.87)(.88)=.77$.
Raw Predicted Performance $(Y) = (.77)(22.35) + 57 = 17.21 + 57 = 74.21$

2a. Predicted Z for days to recover = .84 X Z for number of stressful events in past month

Person Tested	Number of Stressful Events		Days to Recover		Prediction from Mean			Prediction from Bivariate Rule		
	X	Z_X	Y	Z_Y	Z	Error	Error²	Z	Error	Error²
A	2	-.39	5	-.63	0	-.63	.40	-.36	.24	.06
B	0	-1.17	4	-1.26	0	-1.26	1.59	1.09	.17	.03
C	3	0	7	.63	0	.63	.40	0	-.63	.40
D	7	1.57	8	1.26	0	1.26	1.59	1.46	.20	.04
	M=3		M=6			SS_T=3.98			SS_E=.53	
	SD=2.55		SD=1.58							

b. Proportionate Reduction in Error = $(SS_T\text{-}SS_E)/SS_T=(3.98\text{-}.53)/3.98=3.45/3.98=.87$
Check: r =.93; r^2 = .86 same (within rounding error) as figured above.
c. 5 Stressful Events: $Z = (X\text{-}M)/SD = (5\text{-}3)/2.55 = 2/2.55 = .78$
Predicted $Z_Y = (r)(Z_X) = (.93)(.78) = .73$
Predicted Raw Days to Recover $(Y)=$(Predicted Z_Y)(SDy)+My =(.73)(1.58)+6 =1.15+6 = 7.15

3a. Predicted Years = 75-(.1)(15)-(4)(0)+(.9)(2)+(3)(1) = 75-1.5-0+1.8+3 = 78.3
b. Predicted Years = 75-(0)(15)-(4)(2)+(.9)(1)+(3)(0) = 75-0-8+.9+0 = 67.9

Chapter 5

Multiple Choice: 1-b, 2-c, 3-a, 4-d, 5-d, 6-b, 7-c, 8-c, 9-b, 10-a

Fill-Ins:

1. 34%
2. -1
3. normal curve table, table
4. subjective
5. probability
6. haphazard
7. parameter
8. statistic
9. μ, mu
10. inferential

Problems/Essays

1a. $Z = (X-M)/SD = (55-50)/5 = 5/5 = 1$. Approximation is that 34% are between mean and $Z = 1$. 50% are above mean, thus 16% (50%-34%) are above 55.

b. $Z = (40-50)/5 = -2$. 34% + 14% = 48% are between mean and 2 SDs from mean. Thus, 2% (50% - 48%) are below 40.

c. $Z = (45-50)/5 = -1$. 34% are between mean and 1 sd below mean. 50% are above mean. Thus total above 40 is 84% (50%+34%).

   NOTE: It is easier to solve such problems if you draw pictures of the normal curve and the areas involved.

2a. From normal curve table, top 5% (45% between mean and Z) begins at 1.64 (or you can use 1.65). Thus, corresponding raw score is X = $(Z)(SD) + M = (1.64)(2.8) + 15.3 = 4.59 + 15.3 = 19.89$.

b. From normal curve table, bottom 10% (40% between mean and Z) begins at -1.28. Thus, corresponding raw score = $(-1.28)(2.8)+15.3=-3.58+15.3 = 11.72$.

3a. $p = (8+7)/30 = 15/30 = 1/2$ or .5

b. $p = (8+4)/30 = 12/30 = 2/5$ or .4

Chapter 6

Multiple Choice: 1-b, 2-d, 3-c, 4-b, 5-a, 6-c, 7-b, 8-a, 9-c, 10-d

Fill-Ins

1. hypothesis testing
2. people in general
3. Population 1 is taller than Population 2
4. Population 1 is not taller than Population 2
5. Population 2, people in general
6. null hypothesis
7. .01 and .05, 1% and 5%
8. reject the null hypothesis, the research hypothesis is supported
9. 7.5%
10. do not reject the null hypothesis, the study is inconclusive

Problems/Essays

1. Cutoff (.05 level, one-tailed) = -1.65.
   Z score on comparison distribution of time to fall asleep is -1.86.
   Reject the null hypothesis that time to fall asleep is unaffected by a glass of warm milk.

2. Cutoff (.05 level, one-tailed) = -1.65.
   Z score on comparison distribution of bus times is 2.17.
   Reject the null hypothesis that the planes from this company arrive no later than planes of airlines in general.

3. Cutoff (.05 level, two-tailed) = ±1.96.
   Z score on comparison distribution of number of items recalled is -1.5.
   Do not reject the null hypothesis, the study is inconclusive.

Chapter 7

Multiple-Choice: 1-c, 2-c, 3-b, 4-d, 5-b, 6-b, 7-a, 8-c, 9-b, 10-c

Fill-Ins

1. distribution of means, distribution of means of all possible samples of a given size from the population, sampling distribution of the mean
2. shape
3. 40.8
4. 2
5. -2
6. 30
7. the standard deviation of the distribution of means, σ_M
8. I
9. norm
10. Z test

Problems/Essays

1. Cutoff (.01 level, one-tailed) = 2.33
   Distribution of means: $\mu=48$; $\sigma_M^2=\sigma^2/N=144/5=28.8$, $\sigma_M=5.37$; shape=normal.
   $M = 63$; Z score for test group: $Z = (63-48)/5.37 = 15/5.37 = 2.79$
   Conclusion: Reject the null hypothesis.

2. Cutoff (.05 level, one-tailed) = -1.64.
   Distribution of means: $\mu=38$; $\sigma_M^2=\sigma^2/N=36/10=3.6$, $\sigma_M=1.90$; shape=normal.
   Z score for test group: $Z = (36-38)/3.6 = -2/1.90 = -1.05$
   Conclusion: Do NOT reject the null hypothesis.

3. a. A Type I error would be to conclude from the hypothesis testing process that the data support the contention that the new learning technique works when in fact it does not. A Type II error would be if the hypothesis testing process led to an inconclusive result (failure to reject the null hypothesis) about whether the learning technique works, when in fact it does work.

   b. A Type I error would be to conclude from the hypothesis testing process that the data support the contention that the new drug speeds learning of symbolic communication for chimps, when in fact the new drug does not speed such learning. A Type II error would be if the hypothesis testing process led to an inconclusive result (failure to reject the null hypothesis) about whether the new drug speeds learning, when in fact the new drug does speed the learning.

Chapter 8

Multiple Choice: 1-d, 2-d, 3-c, 4-a, 5-b, 6-b, 7-b, 8-a, 9-c, 10-b

Fill-Ins:

1. α, alpha, significance level
2. ß, beta, 1 - power
3. 84%
4. 98%
5. minimum meaningful effect size
6. effect size
7. medium
8. σ, standard deviation of the population of individual cases, σ^2, variance of the distribution of individual cases
9. σ_M, standard deviation of the distribution of means, σ_M^2, variance of the distribution of means,
10. meta-analysis

Problems/Essays

1a. $\mu_1 = 3.80 - .25 = 3.55$; $\mu_{2 = 3.80}$; $\sigma = 1.50$; $\sigma_M = \sqrt{(1.50^2/25)} = .30$.
   Z score cutoff on the Population 2 distribution of means = -1.65.
   Raw score cutoff on the Population 2 distribution of means = $(-1.65)(.30)+3.80 = 3.30$.
   Corresponding Z score on the Population 1 distribution of means = $(3.30-3.55)/.30 = -.83$
   Power (using normal curve table to determine area below -.83) = 50%-29.67% = 20.33%.
   c. Effect size = $(3.55-3.80)/1.50 = -.17$; small effect size.
   d. Example answers:
      1. Give a stronger lecture–and thus provide a basis for increasing the expected difference between known and hypothesized means.
      2. Use only children of a particular age–and thus hopefully reduce the population variation.
      3. Use more accurate measurement of consumption of candy (perhaps use records over a two-week period)–and thus hopefully further reduce the population variance.
      4. Use more subjects–and thus reduce the variance of the distributions of means.

Answers

2a. $\mu_1 = 74$; $\mu_{2\,=\,68}$; $\sigma=12$; $\sigma_M = \sqrt{(12^2/30)} = 2.19$.

Z score cutoff on the Population 2 distribution of means = 2.33.

Raw score cutoff on the Population 2 distribution of means = (2.33)(2.19)+68 = 73.10.

Corresponding Z score on the Population 1 distribution of means = (73.10-74)/2.19 = -.41.

Power (using normal curve table to determine area above -.41) = 50%+15.91% = 65.91%.

c. Effect size = (74-68)/12 = .5; medium effect size.

d. Example answers:

1. Use an even sadder movie if possible–and thus provide a basis for increasing the expected difference between known and expected mean.
2. Use a more accurate memory test if one is available (one that has a lower amount of variation in the general population)–and thus further reduce the population variance.
3. Use more subjects–and thus reduce the variance of the distributions of means.
4. Use the .05 significance level–and thus make the cutoff on the Population 2 distribution of means not so extreme.

3. Conclusion is that the research hypothesis (that ball players like to chew gum more than general public) is probably false and the null hypothesis (that ball players liking of gum is no different from that of the general public) is probably true.

Explanation: With high power, it is easy to reject the null hypothesis if it is false. Thus, had it been false, it probably would have been rejected. Since it was not rejected, it probably is not false.

4. Conclusion: Result could be due to a very small effect size so that it may not be of practical importance.

Explanation: With very high power, it would have been easy to reject the null hypothesis even if the true effect were very small.

Chapter 9

Multiple-choice: 1-c, 2-b, 3-a, 4-b, 5-a, 6-a, 7-d, 8-c, 9-c, 10-d

Fill Ins:

1. degrees of freedom
2. known population mean
3. N, sample size, number of cases in the sample
4. robust
5. .8
6. larger
7. control group
8. greater, larger
9. level of significance, alpha level
10. normal distribution, normal curve

Problems/Essays

1. t test for a single sample
   t needed (df=5), $p < .05$, 1-tailed = -2.015
   $M = 17$; S^2=4.4; S_M= .85; t = -3.53
   Reject null hypothesis.

2. t test for dependent means
   t needed (df = 4), $p < .05$, 1-tailed = 2.132
   Difference scores = .07, .18, .14, .18, -.13
   $M = .088$; $S^2 = .017$; $S_M = .003$; $t = 26.08$
   Reject null hypothesis.

4. t needed (df = 8), $p < .05$, 1-tailed = -1.860
   Difference scores = -2, -2, -4, -2, -6, -1, +1, +4, 0
   $M = -1.33$; $S^2 = 8.25$; $S_M = .96$; $t = -1.39$
   Do NOT reject null hypothesis.

Chapter 10

Multiple-choice: 1-b, 2-a, 3-b, 4-c, 5-d, 6-d, 7-d, 8-b, 9-b, 10-c

Fill Ins:

1. independent means
2. equal
3. distribution of means
4. the distribution of differences between means
5. standard deviation
6. normally distributed
7. variance
8. S_P (pooled estimate of the standard deviation of the populations)
9. less
10. $t(23)=3.21$, $p < .01$, one-tailed.

Problems/Essays

1. t-test for independent means; t needed ($df=8$, $p<.01$, 2-tailed) = ±3.356.
   TRAINING: $N=5$, $df=4$, $M=15.8$, $S^2=2.7$; NO TRAINING: $N=5$, $df=4$, $M=16$, $S^2=6.5$.
   $S_P^2=[(4/8)(2.7)]+[(4/8)(6.5)]=4.6$; $S_{M1}^2=4.6/5=.92$; $S_{M2}^2=.92$; $S_{DIF}^2=.92+.92=1.84$; $S_{DIF}=1.36$.
   $t=(15.8-16)/1.36=-.15$.
   Do NOT reject null hypothesis. The results of the study are inconclusive as to whether self-defense training enhances self-confidence.

2. t-test for independent means; t needed ($df=5$, $p<.05$, 1-tailed) = 2.015.
   PLACEBO: $N=4$, $df=3$, $M=90.3$, $S^2=184.9$; CONTROL: $N=3$, $df=2$, $M=88$, $S^2=133$.
   $S_P^2=[(3/5)(184.9)]+[(2/5)(133)]=164.15$; $S_{M1}^2=164.15/4=41$; $S_{M2}^2=164.15/3=54.7$;
   $S_{DIF}^2=41+54.7=95.7$; $S_{DIF}=9.78$.
   $t=(90.3-88)/9.78=.24$.
   Do NOT reject the null hypothesis. The results of the study are inconclusive as to whether this placebo procedure can produce an increase in intelligence.

Chapter 11

Multiple-choice: 1-a, 2-a, 3-b, 4-d, 5-c, 6-a, 7-b, 8-d, 9-d, 10-c

Fill Ins:

1. equal (the same)
2. within
3. one
4. the signal
5. S_M^2, variance of the distribution of means
6. distribution of means
7. population
8. the population standard deviation (σ or Sw).
9. .10
10. less than

Problems/Essays

1. F needed ($df=2,12$; $p < .05$) = 3.89
   Small: $M=60.6$, $S^2=33.3$;   Standard: $M=60.2$, $S^2=89.2$; Large: $M=54.2$, $S^2=59.2$.
   $GM=58.3$; $S_M^2=12.9$; $S_B^2 = 64.3$; $S_W^2 = 60.6$; $F = 1.06$.
   Do not reject the null hypothesis.

2. F needed (df=3,8; $p < .01$) = 7.59
   COLLEGE: M=4.33, S^2=2.33; PSYCHOLOGISTS: M=6, S^2=1; LAWYERS: M=6, S^2=1; PUBLIC:
   M=4.33, S^2=.33.
   GM=5.17; S_M^2=.93; S_B^2 = 2.80; S_W^2 = 1.17; F = 2.39.
   Do not reject null hypothesis.

3. F needed (df=3,76; p<.01) = 4.06 (using figure for df = 3,75).
   GM=3.87; S_M^2=1.70; S_B^2=34; S_W^2=3; F=11.33
   Reject the null hypothesis; the research hypothesis is supported.

Chapter 12

Multiple-choice: 1-c, 2-d, 3-a, 4-a, 5-a, 6-c, 7-c, 8-a, 9-c, 10-b

Fill Ins:

1. SS_B, $(M-GM)^2$, the sum of each scores' group's squared deviations from the grand mean
2. 89+105 = 194
3. 14+60 = 74
4. 75+45 = 120
5.

Source	SS	df	MS	F
Between	40	4	10	5
Within	50	25	2	
Total	90	29		

6. Bonferroni procedure
7. post-hoc comparisons, a posteriori comparisons
8. .06
9. .01
10. No Coffee

Problems/Essays

1. F needed (df=2,7; $p < .01$) = 9.55
   Analysis of Variance Table

Source	SS	df	MS	F
Between	48.2	2	24.1	22.9
Within	7.4	7	1.1	
Total	55.6	9		

   Decision: Reject null hypothesis.

2. *F* needed (df=2,8; $p<.05$) = 4.46
   Analysis of Variance Table

Source	SS	df	MS	F
Between	5.06	2	2.53	3.09
Within	6.59	8	.82	
Total	11.65	10		

   Decision: Do not reject null hypothesis.

Chapter 13

Multiple-choice: 1-c, 2-a, 3-c, 4-c, 5-b, 6-c, 7-d, 8-d, 9-c, 10-a

Fill-Ins:

1. interaction
2. 5 X 3, 3 X 5
3. parallel
4. interaction effect
5. between
6. grand mean, overall mean
7. N_{Cells}, number of cells
8. R^2, the proportion of variance accounted for, effect size
9. number of levels of the variable with which it is crossed
10. repeated-measures, within-subjects

Problems/Essays

3. a.

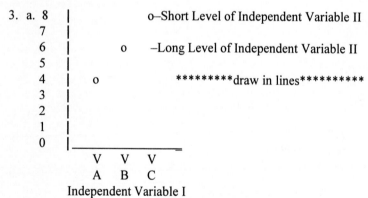

   b.   Levels of Independent Variable I

	A	B	C	
Levels of Independent } SHORT	6	6	6	6
Variable II } LONG	4	6	8	6
	5	6	7	

c. Main effects for independent Variable I and interaction effect.

4. F needed for main effect of ethnicity ($df=2,12$; $p<.05$) = 3.89
   F needed for main effect of parent's income ($df=1,12$; $p<.01$) = 9.33
   F needed for interaction effect ($df=2,12$; $p<.01$) = 6.93

Analysis of Variance Table

Source	SS	df	MS	F	reject?	R^2
Between-Groups						
Ethnicity	1.44	2	.72	.93	no	.13
Parent's Income	18.00	1	18.00	23.14	yes	.66
Interaction	66.33	2	33.17	42.64	yes	.88
Within-Group	9.33	12		.78		

5. $R_{Region}^2 = .17$; $R_{Weight}^2 = .03$; $R_{Region \times Weight}^2 = .38$

Chapter 14

Multiple-choice: 1-c, 2-c, 3-b, 4-a, 5-d, 6-c, 7-c, 8-b, 9-b, 10-b

Fill Ins:

1. Karl Pearson
2. chi-square test for goodness of fit
3. E
4. The number of categories minus 1
5. independent
6. row
7. normal, normal distributions, normally distributed
8. $\sqrt{ X^2 / ([N][df_S]) }$
9. sample size; number of cases
10. a. 30/60 = 50%; b. 14/44 = 32%; c. $\sqrt{(2.42/80)}$ = .17

Problems/Essays

2. X^2 needed ($df=3$, $p < .05$) = 7.815

	O	E	O-E	(O-E)²	(O-E)²/E
Plant A	15	21	-6	36	1.71
Plant B	34	21	13	169	8.05
Plant C	17	21	-4	16	.76
Plant D	18	21	-3	9	.43
	84	60	0		X^2=10.95

Decision: Reject null hypothesis.

3. X^2 needed ($df=4$, $p < .05$) = 9.488

Level of Mother's Depression
During Pregnancy

Birthweight	Severe	Mild	Not Depressed	Total	Percent
below average	(4.7) 8	(4.7) 5	(4.7) 1	14	23.3
average	(7.7) 3	(7.7) 8	(7.7) 12	23	38.3
above average	(7.7) 9	(7.7) 7	(7.7) 7	23	38.3
TOTAL	20	20	20 60	99.9	

X^2 = 10.76
Decision: Reject null hypothesis.
Cramer's $\phi = \sqrt{10.76/(60)[2])} = .30$, medium effect size.

4. Cramer's $\phi = .35$, medium effect.

Chapter 15

Multiple-choice: 1-b, 2-b, 3-c, 4-b, 5-a, 6-d, 7-d, 8-d, 9-c, 10-b

Fill-Ins:

1. non-normal; skewed; kurtotic
2. outlier
3. inverse
4. nonparametric tests; distribution-free tests
5. t-test for independent means
6. rank-order
7. normal curve, normal distribution
8. equal-interval
9. randomization
10. computer-intensive methods; randomization tests; approximate randomization tests

Problems/Essays

1. A. skewed right (due to an outlier)
   B. approximately normal

2.a. t needed (df=8, 1-tailed, $p < .05$) = 2.306

	Did Not Expect	Did Expect
M	87.4	65.2
S^2	63.3	407.7 $S_P^2 = 235.5$)
S_M^2	47.1	47.1 $S_{DIF}^2 = 94.2$; $S_{DIF} = 9.71$
		$t = (87.4-65.2)/9.71 = 2.29$

Did not expect to be liked: 77, 83, 88, 91, 98
Did expect to be liked: 46, 57, 58, 66, 99

Do not reject null hypothesis.

b. SQUARE ROOT TRANSFORMED DATA

	Did Not Expect	Did Expect	
	8.77	6.78	
	9.11	7.55	
	9.38	7.62	
	9.54	8.12	
	9.90	*9.95*	
M	9.34	8.00	
S^2	.18	1.41	$S_P^2 = .80$
S_M^2	.16	.16	$S_{DIF}^2 = .32$; $S_{DIF} = .57$

$t = (9.34-8.00)/.57 = 2.35$

Reject null hypothesis.

3. t needed (df=8, two-tailed, $p < .05$) = 2.306

	Movers		Non-Movers	
	Raw	Rank	Raw	Rank
	3	5	1	2
	1	2	4	6
	9	9	5	7
	13	10	2	4
	6	8	1	2

M	6.80		4.20	
S^2	10.70		5.20	$S_P^2 = 6.00$
S_M^2	1.20		1.20	$S_{DIF}^2 = 2.40$; $S_{DIF} = 1.55$

$t = (6.8-4.2)/1.55 = 1.68$

Do not reject null hypothesis.

4. Mean difference for our distribution: -1.6

$(20)(.05) = 1$, score must be the most extreme score

Mean differences in order of the layout in the problem are as follows:

-1.6	-3.4	-4.27	-1	-.07
- .93	2.33	-2.73	.53	-.33
1.6	3.4	4.27	1	.07
.93	-2.33	2.73	-.53	.33

Mean differences in order from smallest to largest:
-4.27 -3.4 -2.73 -2.33 -1.6 -1 -.93 -.53 -.33 -.07
 .07 .33 .53 .93 1 1.6 2.33 2.73 3.4 4.27

Actual mean is fifth highest.
Therefore, do not reject null hypothesis.

Chapter 16

Multiple-Choice: 1-c, 2-d, 3-b, 4-a, 5-c, 6-d, 7-c, 8-b, 9-b, 10-c

Fill-Ins:

1. multiple regression/correlation
2. a
3. difference between (or variation among) group means; variation within groups
4. numerator; multiplies
5. the t score
6. t-test for independent means, analysis of variance with two groups
7. multiple regression/correlation
8. SS_T
9. 0,0,1,0; Humanities=0, Social Science=0, Natural Science=1, Arts=0
10. generative

Problems/Essays

1. t-test for independent means

   $df = 8$

   needed t $(p<.05)=2.306$

   $S_P^2 = 71.65$

   $S_{M1}^2=71.75/5=14.33$; $S_{M2}^2=14.33$; $S_M^2=6.48$; $S_B^2=(6.48)(5)=32.4$

   (Denominator divided by $n=5$)

   $S_{DIF}^2=14.33+14.33=28.66$;

   $S_{DIF}=\sqrt{28.66}=5.35$

   $t = 3.6/5.35 = .68$

   Do not reject null hypothesis.

   Analysis of Variance

   $df = 1,8$

   needed F $(p<.05) = 5.32$; $\sqrt{5.32}=2.307$

   $S_W^2 = 71.65$

   (Numerator multiplied by $n=5$)

   $F = 32.4/71.65 = .45$; $\sqrt{.45} = .67$

   Do not reject null hypothesis.

2. t-test for independent means

   $df = (5-1)+(5-1)=8$

   needed t $(p<.05)=2.306$

   Computations

   $S_1^2=1$; $S_2^2=1.5$; $S_P^2=1.25$

   $S_{M1}^2=1.25/5=.25$; $S_{M2}^2=.25$;

   $S_{DIF}^2=.25+.25=.5$; $S_{DIF}=.71$

   $t = 1/.71 = 1.41$

   Do not reject null hypothesis.

   Correlation coefficient

   $df = 10-2 = 8$

   needed t $(p<.05) = 2.306$

   Computations

   Code X as 1 or 0; $SD_X=.5$; $M_X=.5$

   $M_Y=1.5$; $SD_Y=1.12$

   $\Sigma(Z_X Z_Y) = 4.47$; $r=4.47/10=.45$

   $t = (.45)(\sqrt{8})/\sqrt{(1-.45^2)} = 1.43$

   Do not reject null hypothesis.

Answers

3. Analysis of Variance

Source	SS	df	MS	F
Between	2664.5	1	2664.5	3.67
Within	4359	6	726.5	
Total	7023.5			

Correlation coefficient

Code X as 1 or 0; $SD_X=.5$; $M_X=.5$
$M_Y=1.5$; $SD_Y=1.12$
$\Sigma(Z_X Z_Y)=-4.91$; $r=-4.91/8=-.61$
$\_ = 228 - (36.5)(X)$

$R^2 = 2664.5/7023.5 = .38$

Subject	X	Y	M_Y	Y-M_Y)	(Y-MY)²	(Y-_)	(Y-_)²
1	1	204	173.25	30.75	945.56	191.5	12.5	156.25
2	1	215	173.25	41.75	1743.06	191.5	23.5	552.25
3	1	166	173.25	-7.25	52.56	191.5	-25.5	650.25
4	1	181	173.25	7.75	60.06	191.5	-10.5	110.25
5	2	138	173.25	-35.25	1242.56	155.0	-17.0	289.00
6	2	189	173.25	15.75	248.06	155.0	34.0	1156.00
7	2	121	173.25	-52.25	2730.06	155.0	-34.0	1156.00
8	2	172	173.25	-1.25	1.56	155.0	17.0	289.00
			Σ	0.00	7023.48		0.0	4359.00

$r^2 = (7023.48-4359)/7023.48 = 2664.48/7023.48 = .38$

4.

Pigeon	S or Not	G or Not	R or Not	Light Detection Level
		—Strain—		
1	1	0	0	.014
2	0	1	0	.058
3	1	0	0	.028
4	0	0	1	.101
5	0	0	0	.024
6	0	1	0	.077
7	0	0	1	.088
8	0	0	0	.023
9	1	0	0	.019
10	1	0	0	.010
11	0	0	1	.075
12	0	0	0	.043
13	0	0	0	.028
14	0	0	1	.098
15	0	1	0	.071
16	0	1	0	.083

Chapter 17

Multiple-Choice: 1-c, 2-b, 3-c, 4-d, 5-d, 6-a, 7-b, 8-c, 9-a, 10-d.

Fill-Ins

1. stepwise multiple regression, stepwise regression
2. dichotomous, having two values
3. factor loading
4. beta, standardized regression coefficient
5. latent
6. latent variable causal modeling, structural equation modeling
7. covariate
8. analysis of covariance, ANCOVA
9. differences
10. Fisher

Appendix I

How to Get Started and the Basics of Using SPSS/PC+ Studentware Plus

SPSS/PC+ Studentware Plus (which we will refer to as SPSS for short) is a scaled-down-for-students version of the more extensive SPSS programs (such as SPSS/PC+ and SPSSX), professional statistical analysis programs widely used by researchers in psychology. Nevertheless, this simpler version includes all you need for the procedures covered in this course and also all you are likely to need for any research you might do yourself as an undergraduate.

When working through your first SPSS example in the chapters in this *Study Guide and Computer Workbook*, you will need to have either first learned the basics of using SPSS by studying this appendix or you will need to be turning back and forth to this appendix as you work through that first example. Either way, allow an extra hour or so for your first attempt at SPSS.

SPSS is very easy to use once you have learned a few basics of how the program operates. It is also easy to master these basics--or at least it will seem that way *after* you are started. But facing starting up on your own, particularly if you are not a computer whiz, can seem daunting. Thus, the easiest way to begin is to have someone who is familiar with the program lead you through it, sitting next to you at the computer.

(One little piece of advice to the computer novice. Asking for help from those who are computer-wise is the best way to sort your way through glitches which arise--and they always arise. But watch out. The computer-wise, it seems, are always trying to show you the fanciest, most sophisticated short cuts, instead of just answering your question. Listen respectfully--you did ask for their help. But ask if they can just please show you the simplest way to do what is needed, even if it is not the most efficient or elegant.)

If you need to learn on your own, the manual that comes with your SPSS disks provides everything you need. Indeed, if it has any faults it is that it provides *more* than you need. That is, it teaches you every bell and whistle of the program, when all you really need for your purposes is a very small subset of all these details. Thus, this Appendix is designed to help you get started by covering the very minimum of what you need to start up and use SPSS. Once you are comfortable with these basics, if you choose you can go back to the manual and start getting fancy. But all you will ever need for purposes of this course are the basics we cover here, plus what is covered in the SPSS section of each chapter in this *Study Guide and Computer Workbook*.

In this Appendix we do assume that you are familiar with basic computer terminology such as "file," "saving a file," and "cursor." We also assume you are familiar with the fundamental operations of the computer system you will be using--how to turn it on, type in instructions, move between directories, and how to quit a session at the computer. Finally, we assume you are a little used to working with computers and how finicky they are about your giving instructions exactly.

Overview of Using SPSS

Each time you want to use SPSS, you begin by calling up the SPSS screen. The screen has two halves, or *windows*. The lower window, called the *Scratch Pad* is where you type in your numbers to be analyzed and the commands to tell SPSS what kind of analysis to carry out on these numbers. The upper window is where your results appear.

In the process of moving between windows, saving files, recalling files, instructing SPSS to carry out commands, and so forth, you will often use the function keys (F1 to F10). Sometimes these will produce the desired effect immediately. Other times they will produce a series of choices which will be printed along the bottom of the screen. In this case, if the desired choice is already highlighted, you simply press Enter. If you desire one of the other choices, you use the arrow keys to highlight the desired choice and then press Enter.

Actually carrying out an analysis involves the following general steps.

1. **Type a series of lines in the Scratch Pad.**
   a. Data lines--lines that tell SPSS the names of your variables and the data (the scores) themselves. (You always have to type these lines.)
   b. Lines with instructions to create new or adjusted variables (such as a variable that is the sum of two of the variables you have entered. (Sometimes you will not need to type these lines.)
   c. Lines indicating what statistical procedure is to be carried out. (You always have to type these lines.)
2. **Tell SPSS to carry out what you have typed.**
   a. Move the cursor to the start of the first line you have typed.
   b. Press F10 and press Enter. All the lines of instruction are then carried out.
3. **Inspect (and if you desire, print out) the results.**
4. **Return to the Scratch Pad and save what you have typed into a file for future use.**

Before You Start

To use SPSS, the program must be saved onto the hard disk of the computer you will be using (the program is too long to fit on a single soft disk). This is called *installing* the program. If the program has not been already installed for you onto the computer you will be using, you will have to do so yourself, following the instructions in the manual that came with the disks. Actually, once you get started, instructions on the screen lead you through the process fairly effortlessly. Nevertheless, any unexpected problem can be harrowing if you are all alone and not deeply versed in the mechanics of DOS. Thus, once again, the best recommendation is to work through the installation with the help of someone knowledgeable. (But, once again, try to deter that person from doing anything beyond the standard, straight-forward setup.)

Throughout the various chapter sections on using SPSS in this *Study Guide and Computer Workbook*, we will assume that you have set up SPSS on your computer in such a way that you know how to move to the appropriate directory to begin an SPSS session and that once in that directory you can save and recall files. (Without typing a special path name.) If your setup does require some extra path information in the names of the files you save and recall, or if extra path information is needed to start up SPSS, you will have to remember to include this when following the instructions in this *Study Guide and Computer Workbook*.

Beginning an SPSS Session

1. Type SPSSSW **(be sure to spell** SPSSSW **with** *three* **Ss)**
2. Press Enter. The screen should appear as shown in Figure S-1.

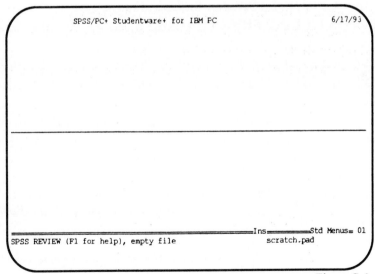

```
SPSS/PC+ Studentware+ for IBM PC                              6/17/93




_____



                                              ═Ins══════Std Menus═ 01
SPSS REVIEW (F1 for help), empty file         scratch.pad
```

Figure S-1

Ending an SPSS session

1. **Be sure the cursor is in the Scratch Pad window. (If it is in the upper window, you can return to the Scratch Pad window by pressing the F2 key and pressing Enter.)**
2. **If you want to keep the material you have typed on the Scratch Pad window, and have not already saved it as a file, do so now. (See section below on Saving your Files.)**
3. **Press F10.**
4. **Press the right-arrow key to highlight** Exit to prompt **and press Enter.**
5. **Type** FINISH **and press Enter.**

The Data Lines

The data you use in statistics are usually set up so that each subject studied has a score on one or more variables. For example, in a particular study, each of 10 subjects might have a score on an anxiety test and also a score on an intelligence test. Thus, the data set-up would consist of two variables ("anxiety" and "self-confidence"), with scores for each of 10 subjects. Often, if only one variable is involved, instead of calling it something like "anxiety," we will simply refer to it as "X."

When carrying out a statistical analysis using SPSS, you first type in a line telling SPSS the names of the variables, then a line indicating that the subsequent lines will contain data, then the lines of data, and finally a line saying the lines of data have ended. Below we describe each of these steps.

1. **Begin with the cursor in the Scratch Pad window.**
2. **Type the line, DATA LIST FREE / [variable name 1] [variable name 2] . . . . . etc.**
   a. Substitute the names of your variables for "[variable name 1]" etc. A variable name can have no more than eight letters and it should not have any spaces or special symbols in it.
   b. You can have from one to fifty variable names listed (however, for the problems in this course, you will rarely need more than two). Each variable name is separated by a space from the next one.
3. Type the line, **BEGIN DATA.**
4. Type the scores for all the subjects--the scores for each subject on its own line.
5. Type the line, **END DATA.** (Note that all but data lines should end with periods.)

The first eight lines of Figure S-2 show an example data set up listing the scores for five subjects on two variables, **X** and **Y**.

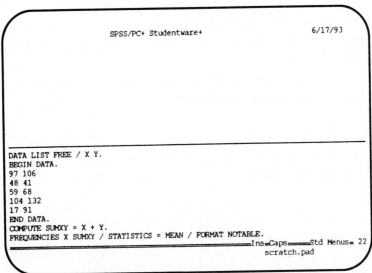

```
DATA LIST FREE / X Y.
BEGIN DATA.
97 106
48 41
59 68
104 132
17 91
END DATA.
COMPUTE SUMXY = X + Y.
FREQUENCIES X SUMXY / STATISTICS = MEAN / FORMAT NOTABLE.
                                              ═Ins═Caps════Std Menus═ 22
                                                  scratch.pad
```

Figure S-2

Lines that Create New Variables

Sometimes you may want to create a new variable based on existing variables. For example, you may want to create a new variable that is the sum of two existing variables. Or perhaps you want to create a variable that is the square root of an existing variable.

1. **First enter your data (see preceding section) and begin on a line *after* your DATA LIST line (for example, you may want to type these instructions right after the END DATA line.**
2. **Type the instruction to create a new (or adjusted) variable as follows.**
   a. Type **COMPUTE**
   b. Type the name of the new variable.
   c. Type the computations--using the name of any existing variables along with arithmetic symbols (+ - / and * for multiply). You can use parentheses to group computations. There are also various special symbols, for example, **SQRT** takes the square root of whatever follows it in parentheses.
   d. End the command with a period.

3. **Examples (the first is shown in Figure 5-2).**
    a. To create a variable called **SUMXY** that is the sum of X and Y, type **COMPUTE SUMXY = X + Y.**
    b. To create a variable called **YTIMES5** that is five times **Y**, type **COMPUTE YTIMES5 = Y * 5.**
    c. To create a variable called **SQROOTX** that is the square root of **X** type **COMPUTE SQROOTX = SQRT(X).**

Lines that Indicate the Statistical Procedure to Carry Out

These lines (often just one line) tell SPSS what statistical procedure to carry out and on what variable to carry it out upon. For example, to obtain the mean of variables X and SUMXY, you would type: **FREQUENCIES X SUMXY / STATISTICS = MEAN / FORMAT NOTABLE.** This example is shown typed in as the last line of Figure S-2. (Full instructions for how to type such lines are given in each chapter of this *Study Guide and Computer Workbook*.)

Carrying Out, Inspecting, and Printing the Computations

1. **Begin with an entire typed set of instructions, including data lines, any lines creating new variables, and the lines that indicate the statistical procedure to carry out.**
2. **Move the cursor to the first line (usually a** DATA LIST **line) and press F10 and press Enter.**
3. **The computations will appear on the upper window (which temporarily enlarges to fill the entire screen). Often there is too much output to fit on one screen, so you have to press the space bar to see the next screen full, or use the down arrow key.**
4. **If you want to keep a record of the output, the easiest way is to print it out one screen at a time using the computer's print-screen procedure (hold down the Shift key and press the PrntScreen key). (Other ways of printing the output, and a way to save the output as a file, are described in the Manual. But for your use with this course, the simple print-screen procedure should work quite adequately.)**
5. **When you are done, press F2 and Enter to return to the Scratch Pad window.**

Saving the Data and Instruction Lines You Have Typed

If you plan to use again the data and/or the other lines you have typed onto the Scratch Pad, you save yourself a lot of work retyping all this if you save these lines into a file that you can later recall. The steps are as follows:

1. **The cursor should be in the Scratch Pad with the typed lines. (If it is not, press F2 and Enter to return to the Scratch Pad window.)**
2. **Press F9 and Enter.**
3. **Type a name for the file and press Enter.**

Recalling a Set of Data and Instruction Lines

1. **The cursor should be in the Scratch Pad window.**
2. **Press F3 and Enter.**
3. **Type the name of the file you want to call up and press Enter.**

Appendix II

How to Get Started and the Basics of Using MYSTAT

MYSTAT is a scaled-down-for-students version of SYSTAT, a professional statistical analysis program used by many researchers in psychology. Nevertheless, this simpler version includes all you need for the procedures covered in this course and also all you are likely to need for any research you might do yourself as an undergraduate.

When working through your first MYSTAT example in the chapters in this *Study Guide and Computer Workbook* you will need to have either first learned the basics of using MYSTAT by studying this Appendix or you will need to be turning back and forth to this Appendix as you work through that first example. Either way, allow an extra hour or so for your first attempt at MYSTAT.

MYSTAT is very easy to use once you have learned a few basics of how the program operates. It is also easy to master these basics--or at least it will seem that way *after* you are started. But facing starting up on your own, particularly if you are not a computer whiz, can seem daunting. Thus, the easiest way to begin is to have someone who is familiar with the program lead you through it, sitting next to you at the computer.

(One little piece of advice to the computer novice. Asking for help from those who are computer-wise is the best way to sort your way through glitches which arise--and they always arise. But watch out. The computer-wise, it seems, are always trying to show you the fanciest, most sophisticated short cuts, instead of just answering your question. Listen respectfully--you did ask for their help. But ask if they can just please show you the simplest way to do what is needed, even if it is not the most efficient or elegant.)

If you need to learn on your own, the booklet that comes with your program disk provides everything you need. Indeed, if it has any faults it is that it provides *more* than you need. That is, it teaches you every bell and whistle of the program, when all you really need for your purposes is a very small subset of all these details. Thus, this Appendix is designed to help you get started by covering the very minimum of what you need to start up and use MYSTAT. Once you are comfortable with these basics, if you choose you can go back to the pamphlet and start getting fancy. But all you will ever need for purposes of this course are the basics we cover here, plus what is covered in the MYSTAT section of each chapter in this *Study Guide and Computer Workbook*.

In this Appendix we do assume that you are familiar with basic computer terminology such as "file," "saving a file," and "disk." We also assume you are familiar with the fundamental operations of the computer system you will be using--how to turn it on, insert and remove a disk, type in instructions, copy a file from one disk to another (or from a soft disk onto a hard disk), and how to quit a session at the computer. Finally, we assume you are a little used to working with computers and how finicky they are about your giving instructions exactly.

Overview of Using MYSTAT

Each time you want to use MYSTAT, you begin by calling up a Main Menu (a list of options of what you can do). From this Main Menu you can tell MYSTAT to carry out various computations, switch to an "Edit" screen where you can create and make changes in a file of your data, or end a session.

About half of the time you use MYSTAT you will be working from this Main Menu, asking MYSTAT to carry out computations for you. The other half of the time you will be typing in data (numbers to be analyzed) or correcting data you have typed in. This typing in and making corrections is done on the Edit screen. When you have typed in the data for your computations, you save it in a file.

When you want to carry out a computation, you operate from the Main Menu and tell MYSTAT the name of the file that has the data you want to use and what kind of analysis you want done on it. MYSTAT carries out the analysis and puts the results on the screen for you to read or print out. You then return to the Main Menu.

Before You Start

Make a copy of the MYSTAT disk, so you are not risking your only copy being damaged or lost. That is, using the standard procedures for your computer system, copy the files on the MYSTAT disk onto another disk. (If you are using your own computer and it has a hard disk, I suggest you create a special subdirectory for MYSTAT and save the MYSTAT files into this subdirectory.) Once you have made the copy, put the original away in a safe place and from now on use the copy.

Beginning a MYSTAT Session and Calling up the Main Menu

1. **Put your copy of the MYSTAT disk into the disk drive (or call up the MYSTAT subdirectory you have made on your hard disk).**
2. **Be sure the computer is set to the appropriate disk drive. For example, if you will be working with a soft disk on the A drive, type A: and press Enter.**
3. **At the cursor, type MYSTAT.**
4. **Press the Enter key (on some computers this is called the Return key).**
5. **When asked to do so on the screen, press Enter again.**

This brings up the MYSTAT main menu (as shown in Figure M-1) and you are now ready to work on MYSTAT.

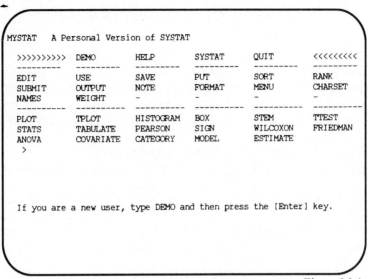

```
MYSTAT    A Personal Version of SYSTAT

>>>>>>>>>>   DEMO        HELP         SYSTAT      QUIT        <<<<<<<<<
----------   ----------  ----------   ----------  ----------  ----------
EDIT         USE         SAVE         PUT         SORT        RANK
SUBMIT       OUTPUT      NOTE         FORMAT      MENU        CHARSET
NAMES        WEIGHT      -            -           -           -
----------   ----------  ----------   ----------  ----------  ----------
PLOT         TPLOT       HISTOGRAM    BOX         STEM        TTEST
STATS        TABULATE    PEARSON      SIGN        WILCOXON    FRIEDMAN
ANOVA        COVARIATE   CATEGORY     MODEL       ESTIMATE
  >




If you are a new user, type DEMO and then press the [Enter] key.
```

Figure M-1

Ending a MYSTAT session

1. Be sure the Main Menu is on the screen. If it is not on the screen, return to it, using one of the following two procedures.

a. If results of computations are on the screen, if you want to save a copy, print what is on the screen (see section in this Appendix on *Carrying Out Computations*), and then return to the Main Menu by pressing Enter.

b. If a data file (the Edit screen) is on the screen, save it (if you have made any changes on it since you last saved it--see section in this Appendix on *Creating a File of Your Data* or on *Editing (Making Changes) in a File with Your Data*), be sure the cursor is at the bottom of the screen at the > prompt (if it is not, press the Escape key), and then type **QUIT** and press Enter twice.

2. With the Main Menu on the screen, type QUIT **and press Enter. This returns you to your computer's regular operating system so you can either turn off your computer or proceed with some other program.**

Creating a File of Your Data

The data you use in statistics are usually set up so that each subject studied has a score on one or more variables. For example, in a particular study, each of 10 subjects might have a score on an anxiety test and also a score on an intelligence test. Thus, the data set-up would consist of two variables ("anxiety" and "self-confidence"), with scores for each of 10 subjects. Often, if only one variable is involved, instead of calling it something like "anxiety," we will simply refer to it as "X."

1. Begin the process with the Main Menu on the screen.
   a. If you have not already begun a MYSTAT session, and don't know how, see the preceding section on Beginning a MYSTAT Session and Calling up the Main Menu.
   b. If results of computations are on the screen, print them (if you want to save a copy--see section in this Appendix on Carrying Out Computations), and then return to the Main Menu by pressing Enter.
   c. If another data file is on the screen, save it (if you have made any changes on it since you last saved it) and return to the Main Menu (see points 3 and 4 of this section).
2. With the Main Menu on the screen, type EDIT and press Enter. A screen appears, as shown in Figure M-2, set up for you to type in your data.

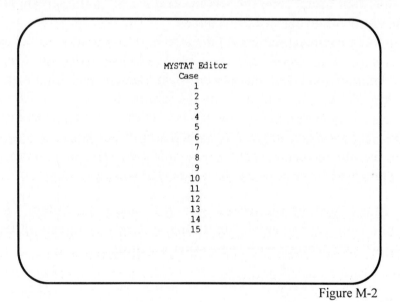

```
MYSTAT Editor
Case
   1
   2
   3
   4
   5
   6
   7
   8
   9
  10
  11
  12
  13
  14
  15
```

Figure M-2

3. **Type the names of your variables at the top of each column.**
   a. The cursor should already be set up at the top of the first column.
   b. Type the name of the first variable, *in quote marks*. In many cases, you will just be typing **"X"** or a word like **"ANXIETY"** or some other simple name. It is important that the name you use for the variable not have any spaces or special symbols in it. (Also note that whether or not you use capital or small letters, whatever you type, after you move from it, will come out in all capitals--and moved over from where you typed it.)
   c. Press Enter. This moves you to the next column where you can then type the name of the second variable--if there is a second variable--in the same way.
   d. Continue for as many variables as have names.
   e. NOTE: Some variables will have things in them other than numbers (for example, if a variable is subject's gender, you might put into the column letters like "f" or "m"). The name you type for this kind of variable must have a "$" at the end (for example, **"GENDER$"**).
4. **Type in the data as follows.**
   a. Move with the left arrow key back to the first variable name; then move down to the blank space below it.
   b. Type in the score for the first subject (each subject is called a **Case** on the MYSTAT screen). When you are done press the Enter key. This moves you to the next column for the same subject. (Or if there is only one variable, it moves you to the next subject's space below.) Once you press Enter, what you just typed in will appear with three decimal places (regardless of how you typed it in.) Also notice that the number is moved over from where you typed it.
   c. Type in the rest of the scores.
5. **Check the accuracy of what you have typed and make any corrections: To make a correction, move with the arrow keys to where the incorrect entry is, type the correct entry, and press Enter. The corrected version will replace the old one.**
6. **Press the Escape key. A > mark should appear at the bottom of the screen. (If you press the Escape key by mistake when you do not want to move to the bottom of the screen, press it again, and you will return to the area where the scores and variable names are entered.) At this point your screen should look something like Figure M-3.**

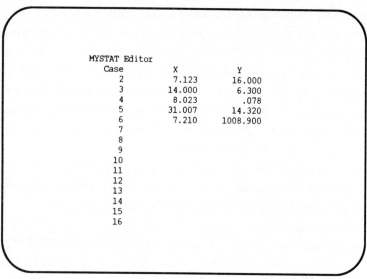

```
MYSTAT Editor
  Case            X              Y
    2           7.123         16.000
    3          14.000          6.300
    4           8.023           .078
    5          31.007         14.320
    6           7.210       1008.900
    7
    8
    9
   10
   11
   12
   13
   14
   15
   16
```

Figure M-3

7. Save your file: Type SAVE followed by a file name of your choosing (for example, you might type >SAVE TRYOUT). Then press Enter. (If you already have saved a file by this name, you are given a message asking if you want this information to write over that file. If so, type Y. If not, press N and then type in a different name for the file you have just created.)

8. Write down the name of this file you have just created on a sheet of paper-- you need to know the name of the file to carry out computations using it, and it is not easy to recover the name of the file when working in MYSTAT (you have to leave MYSTAT and get a directory of file names saved on the disk).

9. Type QUIT and press Enter.

10. When you are asked to do so, press Enter again. This returns you to the Main Menu.

Editing (Making Changes) in a File with Your Data

1. From the Main Menu, type EDIT followed by the name of the file you want to make changes in (for example, >EDIT TRYOUT). Then press Enter. Your data should appear, laid out just as you had originally entered, ready for you to make changes.

2. **To correct a score:** Move to the score you want to correct using the arrow keys, type the corrected version, and press Enter. The corrected version will replace the old one.

3. **To correct a variable name:** Move to the variable name you want to correct using the arrow keys, type the corrected one, *in quotes*, and press Enter. The new version replaces the old. (One exception--you cannot change a variable name from the type without a dollar sign to the type with a dollar sign, or vice versa.)

4. **When you have made all the changes you want, press Escape.**

5. **Type** SAVE **followed by the file name and press Enter.**

6. **When asked if you want to replace the old version, press Y.**

7. **Type** QUIT **and press Enter.**

8. **When asked, press Enter again. This returns you to the Main Menu.**

Carrying Out Computations

1. **Begin the process with the Main Menu on the screen and after having created and saved a file with your data in it (see** *Creating a File with Your Data* **in this Appendix).**

2. **Tell MYSTAT the name of the file with the data on which you want to make the computations.**
   a. Type **USE** followed by the name of the file with your data in it (for example, **>USE TRYOUT**). Then press Enter. The screen will show the names of the variables in your data file.
   b. When asked, press Enter again.

3. **Tell MYSTAT which procedure to carry out by typing the command and pressing Enter. (For example, to get the mean for the variable X, you would type** STATS X / MEAN **and press Enter.) The specific commands for various procedures are described in the MYSTAT section of the chapter in this** *Study Guide and Computer Workbook* **corresponding to the text chapter that covers the particular statistical procedure.**

4. **The results should appear on the screen. (In general, there are many more results reported than you need. Do not feel that you have to understand every obscure statistic that is reported. As described in each of the chapters, only certain key numbers are of interest, and the others can be ignored.)**

5. If you want to make a printed copy of the results, the easiest way is to use the "print screen" command available on most computers. For example, on most IBM-type computers, you hold the shift key and press the PrintScrn key. (Other methods are described in the MYSTAT pamphlet, but this method should be sufficient for purposes of learning.)

6. When you are done examining the results (and printing them out if you have chosen to do so), press Enter to return to the Main Menu.

Creating New and Adjusted Variables in Your Data File

Sometimes you may want to create a new variable based on existing variables. For example, you may want to create a new variable that is the sum of two existing variables. Or perhaps you want to create a variable that is the square root of an existing variable.

1. From the Main Menu, type EDIT followed by the name of the file you want to make changes in (for example, >EDIT TRYOUT). Then press Enter. Your data should appear, laid out just as you had originally entered, ready for you to make changes.

2. Press Escape to move to the bottom of the screen.

3. Type the instruction to create the new (or adjusted) variable.
   a. Type >LET
   b. Type the name of the new variable.
   c. Type the computations--using the name of any existing variables along with arithmetic symbols (+ - / and * for multiply). You can use parentheses to group computations. There are also various special symbols, for example, SQR takes the square root of whatever follows it in parentheses.
   d. Press Enter.
   e. Example: To create a variable called SUMXY that is the sum of X and Y, type >LET SUMXY = X + Y and press Enter.
   f. Example: To create a variable called YTIMES5 that is five times Y, type >LET YTIMES5 = Y * 5 and press Enter.
   g. Example: To create a variable called SQROOTX that is the square root of X type >LET SQROOTX = SQR(X) and press Enter.
   h. If you were to have tried all these examples with the file for TRYOUT, your screen would look like Figure M-4.

```
MYSTAT Editor
  Case          X            Y         SUMXY      YTIMES5      SQROOTX
    1         7.000        8.000        15.000       40.000       2.646
    2         7.123       16.000        23.123       80.000       2.669
    3        14.000        6.300        20.300       31.500       3.742
    4         8.023         .078         8.101         .390       2.832
    5        31.007       14.320        45.327       71.600       5.568
    6         7.210     1008.900      1016.110     5044.500 ·     2.685
    7
    8
    9
   10
   11
   12
   13
   14
   15
```

Figure M-4

5. Type SAVE **followed by the file name and press Enter.**

6. **When asked if you want to replace the old version, press Y.**

7. Type QUIT **and press Enter.**

8. **When asked, press Enter again. This returns you to the Main Menu.**

9. **These new variables are now available as part of your file, to be used in any computations.**

Flash Cards

(to Cut Out)

Descriptive statistics

Value

1

1

Inferential statistics

Score

1

1

Grouped frequency table

Frequency table

1

1

Variable

Interval

1

1

A possible number or category that a score can have.

Procedures for summarizing or otherwise making more comprehensible a set of scores.

1

1

A particular subject's value on a variable.

Procedures for drawing conclusions based on, but going beyond, the scores actually collected in a research study.

1

1

A frequency table in which the number of subjects is indicated for each interval of values.

A listing of the number of subjects receiving each of the possible values that the scores on the variable being measured can take.

1

1

In a grouped frequency table, each of a specified-sized grouping of values for which frequencies are reported.

A characteristic that can take on different values.

1

1

Rectangular distribution

Frequency distribution

1

1

Interval size

Unimodal distribution

1

1

Histogram

Bimodal distribution

1

1

Frequency polygon

Multimodal distribution

1

1

The pattern of frequencies over the various values; what a frequency table, histogram, or frequency polygon describes.

1

A frequency distribution in which all values have approximately the same frequency.

1

A frequency distribution with one value clearly having a larger frequency than any other.

1

In a grouped frequency table, the difference between the start of one interval and the start of the next.

1

A frequency distribution with two approximately equal frequencies, each clearly larger than any of the others.

1

A bar-like graph of a distribution in which the area along the horizontal axis and the height of each bar corresponds to the frequency of that value.

1

A frequency distribution with two or more approximately equal frequencies, each clearly larger than any of the others.

1

A type of line graph of a distribution in which the values are along the horizontal axis and the height of each point which connects the lines corresponds to the frequency of that value.

1

Symmetrical distribution

Normal curve

1

1,5

Skewness

Kurtosis

1

1

Floor effect

Mean

1

2

Ceiling effect

Central tendency

1

2

A specific, mathematically defined, bell-shaped frequency distribution which is symmetrical and unimodal.

1,5

A distribution in which the pattern of frequencies on the left and right side are mirror images of each other.

1

The extent to which a frequency distribution is too peaked and pinched together or too flat and spread out, in comparison to the normal curve.

1

The extent to which a frequency distribution has the preponderance of cases on one side of the middle.

1

The arithmetic average of a group of scores; the sum of the scores divided by the number of scores.

2

The situation in which many scores pile up at the low end because it is not possible to have any lower score.

1

The typical or most representative value of a group of scores.

2

The situation in which many scores pile up at the high end because it is not possible to have a higher score.

1

444

Mode

Standard deviation

2

2

Median

Definitional formula

2

2

Outlier

Computational formula

2

2

Variance

Z score

2,5,9,11

2

445

The square root of the average of the squared deviations from the mean; roughly the average amount scores in a distribution vary from the mean.

2

The value with the greatest frequency in a distribution.

2

The equation directly displaying the meaning of the procedure it symbolizes.

2

If you line up all the scores from highest to lowest, the middle score.

2

An equation mathematically equivalent to the definitional formula that is easier to use for hand computation.

2

A score with an extreme (very high or very low) value in relation to the rest of the scores in the distribution.

2

The number of standard deviations a score is above (or below, if it is negative) the mean in its distribution.

2

The average of the squared deviations from the mean.

2

Independent variable

Positive linear correlation

3,4

3

Dependent variable

Negative linear correlation

3,4

3

Predictor variable

Linear correlation

3,4

3

Scatter diagram

Curvilinear correlation

3

3

A relation between two variables in which high scores on one go with high scores on the other, mediums with mediums, and lows with lows.

3

A relation between two variables in which high scores on one go with low scores on the other, mediums with mediums, and lows with highs.

3

A relation between two variables which shows up on a scatter diagram as the dots roughly following a straight line.

3

A relation between two variables which shows up on a scatter diagram as the dots roughly following a systematic pattern that is not a straight line.

3

A variable that is considered to be a cause (or, in regression, any predictor variable).

3,4

A variable that is considered to be an effect (or, in regression, any variable that is predicted about).

3,4

A variable that is used as a basis for estimating scores of individuals on another variable.

3,4

A graphic display of the pattern of relationship between two variables.

3

Perfect correlation

Restriction in range

3

3

Correlation coefficient

Correction for attenuation

3,4

3

Statistical significance

Binomial effect-size display

3,6

3

Proportionate reduction in error

Correlation matrix

3,4

3

The situation in which a correlation is computed when only a limited range of the possible values on one variable are included in the group studied.

3

A relation between two variables which shows up on a scatter diagram as the dots exactly following a straight line; a correlation of r equals 1 or -1.

3

A statistical procedure that computes the correlation between two variables that would be expected if both variables were measured with perfect reliability.

3

The average of the cross-products of Z scores of two variables.

3,4

A table showing the relation between two variables in which each variable is divided in half at the median and the percentage of cases in each of the four combinations are shown.

3

The extent to which the results of a study would be unlikely if in fact there were no association or difference in the populations the measured scores represent.

3,6

A table in which the variables are named on the top and along the side, and the correlations among them are all shown.

3

The measure of association between variables that is used when comparing associations obtained in different studies or with different variables; r^2.

3,4

Proportionate reduction in error	Regression line
3,4,12,13,16,17	4
Bivariate prediction	Error (in prediction)
4	4
Regression coefficient	Multiple regression
4	4
Regression constant	Multicollinearity
4	4

A line on a graph representing the predicted values of the dependent variable for each value of the independent variable.

4

The reduction in squared error using a bivariate or multiple regression prediction rule over the squared error using the mean to predict, expressed as a proportion of the squared error when using the mean to predict.

3,4,12,13,16,17

The actual score minus the predicted score.

4

The prediction of scores on one variable based on scores of one other variable.

4

The prediction of scores on one variable based on scores of two or more other variables.

4

The number multiplied by a person's score on the independent variable as part of a formula for predicting scores on the dependent variable.

4

The situation in multiple regression in which the predictor variables are correlated with each other.

4

In a bivariate or multiple prediction model using raw scores, a particular fixed number added into the prediction.

4

Probability (p)

Random selection

5

5

Subjective interpretation of
probability

Haphazard selection

5

5

Population

Parameter

5

5

Sample

Statistic

5

5

A procedure of selecting a sample of individuals to study which uses truly random procedures.

5

The expected relative frequency of a particular outcome.

5

A procedure of selecting a sample of individuals to study by taking whoever is available or happens to be first on a list.

5

Understanding probability as the degree of one's certainty that a particular outcome will occur.

5

A descriptive statistic for a population.

5

The scores of the entire group of subjects to which a researcher intends the results of a study to apply.

5

A descriptive statistic computed from the data about a particular sample of scores.

5

The scores of the particular set of subjects studied that are intended to represent the scores in some larger population.

5

Hypothesis testing

6

Research hypothesis

6

Null hypothesis

6

Comparison distribution

6

Cutoff sample score

6

Statistical significance

6

Level of significance (α)

6,7,8

Conventional levels of significance

6

The point on the comparison distribution which, if the sample score reaches or exceeds it, the null hypothesis will be rejected.

6

A systematic procedure for determining whether results of an experiment provide support for a particular theory or practical innovation thought to be applicable to a population.

6

An outcome of hypothesis testing in which the null hypothesis is rejected.

6

A statement about the predicted relation between populations.

6

The probability of obtaining statistical significance if the null hypothesis is actually true.

6,7,8

A statement that there is no difference between the populations.

6

The levels of significance widely used in psychology ($p < .05$ and $p < .01$).

6

The distribution representing the situation if the null hypothesis is true and to which you compare your sample.

6

456

Directional hypothesis   Distribution of means

6   7

One-tailed test   Variance of a distribution of means

6   7

Nondirectional hypothesis   Type I error

6   7,8

Two-tailed test   Type II error

6   7,8

457

A distribution of all the possible means of samples of a given size from a particular population.

A research hypothesis predicting a particular direction of difference between populations.

7

6

The variance of the population divided by the number of cases in each sample.

The hypothesis-testing procedure for a directional hypothesis.

7

6

Rejecting the null hypothesis when in fact it is true.

A research hypothesis that does not predict a particular direction of difference between populations.

7,8

6

Failing to reject the null hypothesis when in fact it is false.

The hypothesis-testing procedure for a nondirectional hypothesis.

7,8

6

Norms

Beta

7

8

Z test

Effect size

7

8

Statistical power

Effect-size conventions

8

8

Alpha

Meta-analysis

8

8

The probability of a Type II error.

Known population parameters on standardized tests which serve as standards of comparison for any individual who takes the test.

8

7

The separation (lack of overlap) between or among populations due to the independent variable.

A hypothesis-testing procedure in which there is a single sample and the population variance is known.

8

7

Conventions about what to consider a small, medium, and large effect size.

The probability that the study will yield a significant result if the research hypothesis is true.

8

8

A statistical method for combining the results of independent studies, usually focusing on effect sizes.

The probability of a Type I error; same as significance level.

8

8

t test

Repeated-measures design

9,10

9

Unbiased estimate of the population variance

Within-subject design

9

9

Degrees of freedom

t test for dependent means

9

9

t distribution

Difference score

9

9

A research strategy in which each subject is tested more than once; same as within-subject design.

9

A hypothesis-testing procedure in which the population variance is unknown.

9,10

A research strategy in which each subject is tested more than once; same as repeated-measures design.

9

An estimate of the population variance, based on sample scores, which is equally likely to over or underestimate the true population variance.

9

A hypothesis-testing procedure in which there are two scores for each subject and the population variance is not known.

9

The number of scores free to vary when estimating a population parameter.

9

The difference between a subject's score on one testing and the same subject's score on another testing.

9

A mathematically defined curve describing the comparison distribution used in a *t* test.

9

Assumption	Weighted average
9	10
Robustness	Pooled estimate of the population variance
9	10
t test for independent means	Variance of a distribution of differences between means
10	10
Distribution of differences between means	Harmonic mean
10	10

An average in which the scores being averaged do not have equal influence on the total.

10

A condition, such as a population having a normal distribution, required for carrying out a particular hypothesis-testing procedure.

9

An average of the estimates of the population variance from two samples, each estimate weighted by the proportion of its degrees of freedom of the total degrees of freedom.

10

The extent to which a particular hypothesis-testing procedure is reasonably accurate even when its assumptions are violated.

9

It equals the sum of the variances of the distributions of means corresponding to each of two samples.

10

Hypothesis testing procedure in which there are two separate groups of subjects whose scores are independent of each other and in which the population variance is not known.

10

A special kind of average which is more influenced by smaller scores.

10

The distribution of all possible differences between means of two samples; the comparison distribution in a *t* test for independent means.

10

Analysis of variance

F distribution

11

11

Between-group population variance
estimate

Structural model

11

12

Within-group population variance
estimate

Analysis of variance table

11

12

F ratio

Multiple comparisons

11

12

A mathematically defined curve describing the comparison distribution used in an analysis of variance; the distribution of F ratios when the null hypothesis is true.

11

A hypothesis-testing procedure for studies involving two or more groups.

11

A way of understanding ANOVA as a division of the deviation of each score from the overall mean into parts corresponding to its deviation from its group's mean and its group's mean's deviation from the overall mean.

12

In analysis of variance, the estimate of the variance of the population distribution of individual cases based on the variation among the means of the groups studied.

11

A chart showing the major elements in computing an analysis of variance using the structural-model approach.

12

In analysis of variance, the estimate of the variance of the distribution of the population of individual cases based on the variation among the scores within each of the groups studied.

11

Procedures for examining the differences among particular means in the context of an overall analysis of variance.

12

In analysis of variance, the ratio of the between-group population variance estimate to within-group population variance estimate.

11

Planned comparisons   Linear contrast

                              12   12

Bonferroni procedure   Factorial design

                              12   12

Post-hoc comparisons   Interaction effect

                              12   13

Proportion of variance accounted for   Main effect

                              12   13

467

A special kind of planned comparison, that is like a correlation, in which, for each subject, one variable is the predicted influence of the group the subject is in and the other variable is the score on what is being measured.   12

Multiple comparisons in which the particular means to be compared were designated in advance.

12

A way of organizing a study in which the influence of two or more variables is studied at once by constructing groupings which include every combination of the levels of the variables.

12

A multiple-comparison procedure in which the total alpha percentage is divided among the set of comparisons so that each is tested at a more stringent significance level.

12

Situations in factorial analysis of variance in which the combination of variables has a special effect which you could not predict from knowing about the effects of each of the two variables separately.

13

Multiple comparisons among particular means which were not designated in advance, but are being conducted as part of an exploratory analysis after the study is completed.

12

Difference between groups on one dimension of a factorial design (sometimes used only for significant differences).

13

An indicator of effect size in analysis of variance; same as the proportionate reduction in error in multiple regression.

12

Cell mean

Least-squares analysis of variance

13

13

Collapsing over factors

One-way analysis of variance

13

13

Dimension

Two-way analysis of variance

13

13

Marginal mean

Repeated-measures analysis of variance

13

13

The recommended approach to factorial analysis of variance when the number of subjects in the cells are not all equal.

13

The mean of a particular combination of levels of the independent variables in a factorial design.

13

Analysis of variance in which there is only one independent variable.

13

A procedure in a factorial analysis of variance in which one of the dimensions (independent variables) is ignored, reducing the overall analysis to one less dimension.

13

Analysis of variance for a two-way factorial design.

13

In a factorial design, one of the independent variables crossed with another independent variable.

13

Analysis of variance in which all the levels of the independent variable(s) are measured within the same subjects.

13

In a factorial design, the mean score for all the subjects at a particular level of one of the independent variables; row mean or column mean.

13

Nominal variable

Chi-square statistic (X^2)

14

14

Chi-square test for goodness of fit

Contingency table

14

14

Expected frequency

Independence

14

14

Observed frequency

Chi-square test for independence

14

14

A statistic that reflects the overall lack of fit between the expected and observed frequencies; the sum, over all categories or cells, of the squared difference between observed and expected frequencies divided by the expected frequency.

14

A variable with values that are categories, with no numeric relation; same as a categorical variable.

14

A two-dimensional chart showing frequencies in each combination of categories of two categorical variables.

14

A hypothesis-testing procedure that examines how well an observed frequency distribution of a categorical variable fits some expected pattern of frequencies.

14

The situation of no systematic relationship between two variables.

14

In a chi-square test, the number of cases in a category or cell expected if the null hypothesis were true.

14

A hypothesis-testing procedure that examines whether the distribution of frequencies over the categories of one categorical variable are unrelated to the distribution of frequencies over the categories of another categorical variable.

14

In a chi-square test, the number of cases in a category or cell actually obtained in the study.

14

472

Marginal frequency

Rank-order test

14

15

Phi coefficient (ϕ)

Nonparametric test

14

15

Cramer's phi (Cramer's ϕ)

Distribution-free test

14

15

Data transformation

Parametric test

15

15

A hypothesis-testing procedure which makes use of rank-ordered data.

15

In chi-square, the frequency in a row or column of a contingency table.

14

A hypothesis-testing procedure making no assumptions about population parameters; approximately the same as a distribution-free test.

15

A measure of association between two dichotomous categorical variables.

14

A hypothesis-testing procedure making no assumptions about population distributions; approximately the same as a nonparametric test.

15

A measure of association between two categorical variables that is applicable regardless of the number of levels of the two variables.

14

An ordinary hypothesis-testing procedure which makes assumptions about the shape and other parameters of the populations.

15

The application of one of several mathematical procedures (e.g., taking the square root, log, inverse) to each score in a sample in order to make the sample distribution closer to normal.

15

474

Levels of measurement

Randomization test

15

15

Equal-interval measurement

Approximate randomization tests

15

15

Ordinal measurement

General linear model

15

16

Least-squares model

Nominal coding

16

16

A hypothesis-testing procedure that considers every possible reorganization of the data in the sample in order to determine if the organization of the actual sample data was unlikely to occur by chance.

15

Types of underlying numerical information provided by a measure, such as equal-interval, rank-order, and nominal (categorical).

15

Approximation to a randomization test in which a computer creates a randomly-determined large number of the possible reorganizations of the data.

15

Measurement in which the difference between any two scores represents an equal amount of difference in the underlying thing being measured.

15

A general formula that is the basis of most of the statistical methods covered in this text.

16

Measurement in which the scores are ranks.

15

Converting a nominal predictor variable in an analysis of variance into several two-level numeric variables.

16

The usual method of determining the optimal values of regression coefficients as those that produce the least squared error between predicted and actual values.

16

Hierarchical multiple regression

Controlling for

17

17

Stepwise multiple regression

Reliability

17

17

Partial correlation coefficient

Test-retest reliability

17

17

Partialing out

Split-half reliability

17

17

Removing the influence of a variable from the association among the other variables; same as partialing out.

17

A procedure in which predictor variables are added in a planned sequential fashion to examine the contribution of each over and above those already included.

17

The degree of consistency of a measure.

17

An exploratory procedure which identifies the best subset of potential predictor variables.

17

The correlation between scores obtained on a measure at two different testings of the same people.

17

The correlation between two variables, over and above the influence of one or more other variables.

17

Correlation of the scores from items representing two halves of a test.

17

Removing the influence of a variable from the association among the other variables; same as controlling for.

17

Cronbach's alpha

Path coefficient

17

17

Factor analysis

Causal analysis

17

17

Factor loading

Exogenous variable

17

17

Path analysis

Endogenous variable

17

17

The degree of relation associated with an arrow in a path analysis (including latent variable models).

17

A widely used index of a measure's reliability in terms of the correlations among the items.

17

A procedure, such as path analysis or latent variable modeling, that analyzes correlations among a group of variables in terms of a predicted pattern of causal relations among them.

17

An exploratory statistical procedure that identifies groupings of variables (factors) correlating maximally with each other and minimally with other variables.

17

A variable in a path analysis (including latent variable models) that is at the start of a causal chain, having no arrows to it within the path diagram.

17

The correlation of a variable with a factor.

17

A variable in a path analysis (including latent variable models) that has arrows to it.

17

A method of analyzing the correlations among a group of variables in terms of a predicted pattern of causal relations.

17

Latent variable modeling

Analysis of covariance

17

17

Structural equation modeling

Covariate

17

17

Measurement model

Multivariate analysis of variance

17

17

Causal model

Multivariate analysis of covariance

17

17

An analysis of variance which is conducted after first adjusting the variables to control for the effect of one or more unwanted additional variables.

17

A sophisticated type of path analysis involving latent (unmeasured) variables, permits a kind of significance test, and provides measures of the overall fit of the data to the hypothesized causal pattern.

17

A variable controlled for in an analysis of covariance.

17

Same as latent variable modeling.

17

An analysis of variance in which there is more than one dependent variable.

17

In latent variable modeling, the set of causal paths between latent and measured variables.

17

An analysis of covariance in which there is more than one dependent variable.

17

In latent variable modeling, the set of causal paths between latent variables.

17